ACTES NOIRS

LE TAILLEUR DE PIERRE

DU MÊME AUTEUR

LA PRINCESSE DES GLACES, Actes Sud, 2008.
LE PRÉDICATEUR, Actes Sud, 2009.

Edition préparée sous la direction de Marc de Gouvenain

Titre original :
Stenhuggaren
Editeur original :
Bokförlaget Forum, Stockholm

Publié avec l'accord de Bengt Nordin Agency, Suède

ISBN 978-2-7427-8662-6

CAMILLA LÄCKBERG

Le Tailleur de pierre

roman traduit du suédois
par Lena Grumbach et Catherine Marcus

ACTES SUD

A Ulle
Un maximum de bonheur

La pêche au homard avait connu des jours meilleurs. Autrefois, les pêcheurs professionnels travaillaient dur pour capturer les crustacés noirs. Aujourd'hui, les estivants passaient une semaine de vacances à pêcher pour leur plaisir personnel. Sans rien respecter. Au fil des ans, il avait constaté bien des entorses au règlement. Des gens sortaient discrètement des brosses pour éliminer les œufs bien visibles sur les femelles et ainsi faire croire qu'elles étaient licites. Certains relevaient des casiers qui ne leur appartenaient pas, et on voyait même des plongeurs cueillir les homards directement avec les mains. Il se demandait où cela s'arrêterait, si l'on ne pouvait même plus compter sur un code d'honneur entre pêcheurs. Une fois, dans la nasse qu'il remontait il avait trouvé une bouteille de cognac à la place des crustacés disparus, c'était déjà ça. Ce voleur-là avait malgré tout fait preuve d'une certaine classe, sinon d'humour.

Frans Bengtsson trouva deux homards magnifiques dès le premier casier, et il sentit sa mauvaise humeur s'évaporer. Il avait l'œil pour repérer leurs passages et il connaissait quelques véritables mines d'or où les nasses se remplissaient avec la même abondance d'année en année.

Trois paniers plus tard, il avait amassé un tas non négligeable de ces précieuses bêtes. Il ne comprenait pas pourquoi le homard se vendait à des prix aussi éhontés. Certes, ce n'était pas mauvais, mais à choisir il préférait le hareng pour son dîner. C'était bien meilleur et d'un prix plus raisonnable. Mais les revenus qu'il en tirait augmentaient avantageusement sa retraite à cette époque de l'année.

La dernière nasse était particulièrement lourde et il cala son pied sur le plat-bord pour la dégager sans se déséquilibrer. Lentement il la sentit céder et il espérait ne pas l'avoir esquintée. Il jeta un coup d'œil par-dessus bord mais ce qu'il vit n'était pas le casier. C'était une main blanche qui fendit la surface agitée de l'eau et sembla montrer le ciel l'espace d'un instant.

Son premier réflexe fut de lâcher la corde et de laisser cette chose disparaître dans les profondeurs avec le casier. Mais il se reprit et tira à nouveau sur la corde. Il dut mobiliser toutes ses forces pour réussir à hisser sa trouvaille macabre dans la *snipa* en bois. Le corps mouillé, livide et inanimé roula sur le fond du bateau et lui fit immédiatement perdre son sang-froid. C'était un enfant qu'il avait sorti de l'eau. Une petite fille, les cheveux longs collés sur le visage et les lèvres aussi bleues que les yeux qui fixaient le ciel sans rien voir.

Frans Bengtsson se précipita pour vomir par-dessus bord.

Jamais Patrik n'avait pu imaginer qu'on puisse être aussi fatigué. Toutes ses illusions sur le sommeil des nourrissons avaient été systématiquement brisées ces deux derniers mois. Il passa les mains dans ses cheveux châtains coupés court pour les démêler, sans grand résultat. Si lui était crevé, il n'arrivait même pas à imaginer l'état d'Erica. Lui au moins était dispensé des fréquentes tétées nocturnes. Patrik se faisait du souci pour elle. Il n'arrivait pas à se rappeler l'avoir vue sourire depuis son retour de la maternité, et elle avait de grands cernes noirs. Le désespoir se lisait dans ses yeux le matin et il avait du mal à les laisser, Maja et elle. Pourtant il devait avouer qu'il était franchement soulagé de pouvoir s'échapper vers son monde professionnel rempli d'adultes. Il adorait Maja par-dessus tout, mais se retrouver avec un bébé était comme entrer dans un univers inconnu, avec sans cesse de nouvelles raisons d'être aux aguets et stressé. Pourquoi ne dort-elle pas ? Pourquoi crie-t-elle ? A-t-elle trop chaud ? trop froid ? Est-ce qu'elle n'a pas des boutons bizarres ? Alors que les voyous adultes, il les pratiquait depuis longtemps et il savait comment les gérer.

Il jeta un regard vide sur les papiers devant lui et essaya de se concentrer suffisamment pour pouvoir continuer à bosser. La sonnerie du téléphone le fit sursauter et il mit un certain temps à décrocher.

— Patrik Hedström.

Dix minutes plus tard, il attrapa au vol son blouson, passa par le bureau de Martin Molin et dit :

— Martin, il y a un vieux qui remontait ses casiers à homards, il a trouvé un cadavre.

— Où ça ? Martin eut l'air éberlué. L'annonce dramatique de Patrik venait troubler la routine d'un paisible lundi matin au commissariat de Tanumshede.

— Du côté de Fjällbacka. Il est venu accoster à la place Ingrid-Bergman. Il faut qu'on y aille tout de suite, l'ambulance est en route.

Martin n'eut pas besoin qu'on le lui dise deux fois. Lui aussi attrapa son blouson pour affronter le temps frisquet d'octobre puis il suivit Patrik à la voiture. Le trajet pour Fjällbacka se fit en un temps record et Martin dut agripper plusieurs fois la poignée du plafond quand la voiture frôlait le bas-côté dans les virages serrés.

— C'est une noyade ? demanda Martin.

— Comment veux-tu que je le sache ? dit Patrik, mais il regretta immédiatement son ton revêche. Excuse-moi, j'ai pas assez dormi.

— Pas de problème, dit Martin. Vu la fatigue que Patrik avait affichée ces dernières semaines, il l'excusait volontiers.

— Tout ce qu'on sait, c'est qu'elle a été trouvée il y a une heure et, d'après le vieux, qu'elle n'a pas l'air d'être restée dans l'eau très longtemps, mais je suppose qu'on ne va pas tarder à en savoir plus, dit Patrik pendant qu'ils descendaient Galärbacken vers le quai où une *snipa* en bois était amarrée.

— Elle, tu as dit ?

— Oui, c'est une fille, une enfant.

— Oh merde ! dit Martin et il regretta de ne pas avoir suivi son premier instinct, rester à la maison, bien au chaud au lit avec Pia.

Ils se garèrent au café *Le Ponton* et se précipitèrent vers le petit bateau. Etonnamment, personne ne s'était encore rendu compte de ce qui s'était passé et il n'y avait pas de badauds à éloigner.

— Elle est là dans le bateau, dit le vieux qui venait les accueillir sur le quai. Je n'ai pas voulu la toucher trop et la déplacer, la petite.

Patrik connaissait bien le teint pâle du visage de l'homme. Il avait le même chaque fois qu'il était obligé de contempler un cadavre.

— A quel endroit vous l'avez trouvée ? demanda Patrik, repoussant ainsi de quelques secondes sa confrontation avec la morte. Il ne l'avait pas encore vue que déjà il sentait son estomac protester.

— A Porsholmen. Côté sud. Elle s'était prise dans la corde du cinquième casier que je relevais. Sinon il aurait fallu du temps avant qu'on la retrouve, cette petite. Peut-être même jamais, si les courants l'avaient poussée au large.

Patrik n'était pas étonné que le vieux connaisse si bien l'action de la mer sur un noyé. Tous ceux de la vieille école le savaient parfaitement : au début, un corps coule pour ensuite remonter lentement vers la surface au fur et à mesure qu'il se remplit de gaz, puis au bout d'un certain temps il est finalement réexpédié au fond. Autrefois, la noyade était un risque bien réel pour les pêcheurs et Frans Bengtsson avait certainement participé plus d'une fois à la recherche de malheureux collègues disparus.

Comme pour le confirmer, le pêcheur dit :

— Elle n'est pas dans l'eau depuis bien longtemps. Elle n'avait pas encore commencé à flotter.

— C'est ce que vous avez dit au téléphone. Patrik hocha la tête. Bon, je suppose qu'il faudrait qu'on s'y mette, alors.

Lentement, lentement, Martin et Patrik avancèrent côte à côte jusqu'au bout du quai, où le bateau était amarré. Quand ils furent tout près, le plat-bord ne leur cachait plus la vue du corps posé sur le fond. La fillette s'était retrouvée sur le ventre quand Bengtsson l'avait tirée dans le bateau et ils virent d'abord une chevelure rousse mouillée et emmêlée.

— L'ambulance arrive, on les laisse s'occuper de la retourner.

Martin hocha seulement la tête, doucement. Le contraste avec son visage blême faisait paraître ses taches de rousseur et ses cheveux poil de carotte bien plus roux qu'ils ne l'étaient et il luttait pour surmonter la nausée.

La grisaille et le vent qui se déchaînait maintenant créaient une ambiance lugubre. Patrik fit signe aux ambulanciers qui, sans se presser, déchargèrent un brancard et l'apportèrent.

— Noyade accidentelle ? L'un des deux ambulanciers leva le menton vers le bateau.

— Oui, on dirait, répondit Patrik. Mais c'est au médecin légiste de le déterminer. On ne peut rien faire pour elle, quoi qu'il en soit, à part la transporter.

— Ouais, c'est ce qu'on avait compris. On va commencer par la mettre sur le brancard.

Patrik avait toujours trouvé que, dans son métier, le malheur qui frappe des enfants était le pire à affronter, mais depuis la naissance de Maja le malaise s'était décuplé. C'était un véritable supplice, la tâche qui les attendait. L'identification faite, ils seraient obligés de briser la vie de ses parents.

Les ambulanciers étaient descendus dans le bateau et se préparaient à hisser le corps sur le quai. L'un d'eux commença doucement à le retourner sur le dos. Les cheveux mouillés se déployèrent sur le fond tel un éventail autour du visage pâle et les yeux vitreux semblaient observer le passage des nuages gris.

Patrik s'était tout d'abord détourné, mais à présent il se força à regarder la fillette. Une main froide enserra son cœur.

— Oh non, non, putain de merde.

Martin le regarda avec consternation. Puis la lumière se fit en lui.

— Tu la connais ?

Patrik ne put que hocher la tête, incapable de parler.

STRÖMSTAD 1923

Jamais elle n'aurait osé l'exprimer à haute voix, mais parfois elle se félicitait que sa mère soit morte en la mettant au monde. Ainsi, elle avait son père rien que pour elle et, d'après ce qu'on lui avait dit sur sa mère, elle n'aurait pas pu la mener par le bout du nez aussi facilement. Alors que son père était incapable de refuser quoi que ce soit à sa fille orpheline. Une réalité qu'Agnes n'ignorait pas et dont elle profitait pleinement. Certains amis et membres de la famille avaient essayé de signaler ce manège à son père mais, même si de temps en temps il essayait mollement de dire non à sa chérie, son beau visage, avec de grands yeux qui savaient si aisément faire couler les larmes, finissait tôt ou tard par gagner. Quand elle en était à ce stade, le cœur paternel cédait généralement, et elle arrivait presque toujours à ses fins.

Le résultat était là : à dix-neuf ans, c'était une fille excessivement gâtée, et la plupart des amis qu'elle s'était faits au fil des ans diraient probablement qu'elle avait carrément tendance à être méchante. C'était surtout les filles qui le disaient. Les garçons, Agnes l'avait découvert, allaient rarement au-delà de son joli minois, son beau regard et sa longue chevelure soyeuse qui amenaient son père à se soumettre au moindre de ses caprices.

La villa à Strömstad était une des plus imposantes de la ville. Située en hauteur avec vue sur la mer, elle avait été payée avec la fortune dont sa mère avait hérité mais aussi avec l'argent que son père avait gagné dans l'industrie de la pierre. Il avait failli tout perdre pendant la grève de 1914, lorsque les tailleurs de pierre comme un seul homme s'étaient opposés aux grandes compagnies. Mais l'ordre avait été rétabli et, après la guerre, les affaires étaient redevenues florissantes. Surtout la carrière de Krokstrand près de Strömstad, qui tournait à plein régime pour assurer ses livraisons principalement à destination de la France.

Agnes ne se souciait pas trop de savoir d'où venait l'argent. Elle était née riche et avait toujours vécu comme une nantie. Que l'argent provienne d'un héritage ou qu'il soit le fruit d'un travail n'avait aucune importance tant qu'elle pouvait acheter des bijoux et de jolis vêtements. Tout le monde ne voyait pas les choses ainsi, elle en était consciente. Ses grands-parents maternels avaient poussé les hauts cris lorsque leur fille avait épousé August. Le père d'Agnes était un nouveau riche issu d'un milieu modeste et ses parents n'avaient pas leur place dans les grandes réceptions. Il convenait de les inviter dans des contextes plus simples, quand seule la famille proche était présente. Et même ces rencontres étaient pénibles. Ces pauvres gens ne savaient pas comment on se conduit dans les salons distingués et leur conversation restait désespérément banale. Les grands-parents d'Agnes n'avaient jamais compris ce que leur fille pouvait voir en August Stjernkvist, ou Persson, qui était son véritablement nom de naissance. Sa tentative de prendre l'ascenseur social en changeant simplement de nom ne les impressionnait guère. Mais leur petite-fille était une grande joie pour eux et ils rivalisaient avec son père pour la gâter après la mort tragique de sa mère en couches.

— Mon cœur, je m'en vais au bureau.

Agnes se retourna lorsque son père entra dans la pièce. Elle pianotait, s'étant surtout installée devant le grand piano orienté vers la fenêtre parce qu'elle savait y être à son avantage. Elle n'était pas vraiment douée pour la musique ; malgré les coûteuses leçons qu'on lui payait depuis son plus jeune âge, elle arrivait à grand-peine à déchiffrer les partitions devant elle.

— Père, as-tu réfléchi à la robe que je t'ai montrée l'autre jour ? Elle le supplia du regard et elle vit que, comme d'habitude, il était tiraillé entre sa volonté de dire non et son incapacité à le faire.

— Ma chérie, je viens de t'acheter une robe à Oslo…

— Mais elle est doublée, père, tu ne peux tout de même pas imaginer que je vais aller à la fête samedi soir dans une robe d'hiver, par une telle chaleur ?

Vexée, elle fronça les sourcils et attendit sa réaction. Si, contre toute attente, il opposait de la résistance, elle ferait trembler un peu sa lèvre et, si ça ne suffisait pas, quelques larmes régleraient l'affaire. Aujourd'hui il avait l'air fatigué et elle ne pensait pas qu'il en faudrait davantage. Comme toujours, elle eut raison.

— Bon, bon, va donc les voir à la confection demain et passe commande. Mais tu vas finir par donner des cheveux blancs à ton vieux père.

Il secoua la tête, mais ne put s'empêcher de sourire quand elle bondit pour lui planter une bise sur la joue.

— Allez, continue tes gammes maintenant. Il se peut que samedi ils te demandent de jouer quelque chose, alors mieux vaut être bien préparée.

Satisfaite, Agnes se réinstalla sur le tabouret et continua docilement ses exercices. Elle voyait déjà le tableau. Tous les regards seraient posés sur elle, assise devant le piano à la lueur vacillante des chandelles, vêtue de sa nouvelle robe rouge.

La migraine commençait enfin à lâcher prise. Le ruban de fer qui encerclait son front se défit peu à peu et elle put doucement ouvrir les paupières. Aucun bruit au rez-de-chaussée. Tant mieux. Charlotte se retourna dans le lit et ferma les yeux. Elle sentit le mal de tête battre en retraite et se réjouit de l'impression de décontraction qui se répandait dans son corps.

Après un moment de repos elle s'assit prudemment au bord du lit et se massa les tempes. Elles étaient encore un peu douloureuses après la crise et l'expérience lui avait appris que ça allait durer quelques heures.

Albin devait faire sa sieste là-haut, elle pouvait sans mauvaise conscience attendre pour y monter. Dieu savait qu'elle avait besoin de tout le répit qu'elle pouvait trouver. Le stress de ces derniers mois avait augmenté la fréquence des crises de migraine qui lui pompaient toute son énergie.

Elle décida de passer un coup de fil à sa compagne de détresse pour savoir comment elle allait. Même si elle-même était débordée ces temps-ci, elle ne pouvait s'empêcher de se faire du souci pour Erica. Cela ne faisait pas très longtemps qu'elles se connaissaient. Elles s'étaient croisées plusieurs fois en se promenant avec les landaus et avaient commencé à parler. Erica promenait Maja, et Charlotte son fils Albin qui avait huit mois. Après avoir constaté qu'elles habitaient à un jet de pierre l'une de l'autre, elles s'étaient vues pratiquement tous les jours, mais Charlotte avait commencé à s'inquiéter de plus en plus pour sa nouvelle amie. Certes, elle n'avait jamais rencontré Erica avant la naissance de Maja, mais son intuition lui disait que ce n'était pas dans sa nature d'être aussi apathique et abattue qu'en ce moment. Charlotte avait même évoqué la question de la dépression postnatale avec Patrik, mais il l'avait minimisée en la mettant sur le compte du changement de rythme. Il avait prétendu que tout rentrerait dans l'ordre dès qu'ils seraient plus habitués.

Elle tendit la main vers la table de chevet, prit le téléphone et composa le numéro d'Erica.

— Salut, c'est Charlotte.

Erica semblait endormie, sa voix était assourdie et l'inquiétude la saisit de nouveau. Quelque chose n'allait pas. Vraiment pas.

Erica se fit cependant un peu plus gaillarde au bout d'un moment. Charlotte aussi appréciait de passer quelques minutes à bavarder et de repousser encore un peu l'inévitable – le retour en haut dans l'appartement de sa mère avec la réalité qui l'y attendait.

Comme si elle sentait les pensées de Charlotte, Erica demanda comment avançaient leurs recherches d'une maison.

— Lentement. Beaucoup trop lentement. J'ai l'impression que Niclas bosse en permanence, qu'il n'a jamais le temps de venir prospecter avec moi. En plus, il n'y a pas grand-chose sur le marché en ce moment, et je pense qu'on va devoir rester ici encore un bout de temps. Elle laissa échapper un profond soupir.

— Tu verras, ça va s'arranger.

La voix d'Erica se voulut rassurante, mais malheureusement Charlotte n'ajouta pas vraiment foi à sa déclaration. Cela faisait déjà six mois qu'ils habitaient là, Niclas, les enfants et elle, dans le logement aménagé au sous-sol chez sa mère et Stig. Telles que les choses se présentaient, on pouvait penser que ça allait durer encore six mois. Elle n'était pas certaine de le supporter. Pour Niclas, ça pouvait aller, il était au centre médical du matin au soir, mais, pour Charlotte qui se retrouvait enfermée là avec les enfants, c'était invivable.

En théorie, l'idée de Niclas avait semblé très bonne. Un poste de médecin de district s'était libéré à Fjällbacka et, après cinq années à Uddevalla, ils se sentaient mûrs pour un changement de décor. Et elle était enceinte d'Albin, conçu comme une dernière tentative de sauver leur mariage, alors pourquoi ne pas changer totalement de vie, recommencer à zéro ? Plus il en avait parlé, plus cela avait semblé bien. Avec deux enfants, avoir des baby-sitters à demeure était attirant aussi. Mais la réalité s'était vite fait sentir. Quelques jours avaient suffi à Charlotte pour se rappeler pourquoi elle avait été si pressée de quitter sa maison natale. D'accord, certaines choses avaient effectivement changé dans le sens qu'ils avaient espéré. Mais elle ne pouvait pas parler avec Erica de ces choses-là, quelle que soit son envie de le faire. Il fallait que ça reste un secret, pour ne pas risquer de briser toute leur famille.

La voix d'Erica vint interrompre ses réflexions.

— Comment ça se passe avec p'tite maman alors ? Elle te rend folle, non ?

— C'est un doux euphémisme. Rien de ce que je fais n'est bien. Je suis trop sévère avec les enfants, je suis trop laxiste avec eux, je ne les habille pas assez, je les habille trop, ils ne mangent pas assez, je les gave trop, je suis trop grosse, je suis trop désordonnée… Il n'y a pas de fin à la liste et ça me donne envie de gerber.

— Et Niclas ?

— Oh, il est parfait aux yeux de maman. C'est Niclas par-ci, Niclas par-là, elle n'arrête pas de le bichonner, elle déplore qu'il ait une femme si nulle. Bref, il ne peut jamais se tromper.

— Mais il ne voit pas comment elle te traite ?

— Il n'est jamais là, tu comprends ? Et elle fait gaffe quand il est là… Tu sais ce qu'il a dit hier, Niclas, quand j'ai eu le culot de me plaindre un peu ? "Je t'en prie, Charlotte, tu pourrais quand même faire un petit effort !" Un petit effort ? Si je continue sur le chemin des efforts, il ne restera rien de moi. Ça m'a tellement énervée que je ne lui ai pas dit un mot depuis. Là, il est au boulot et je suis sûre qu'il est en train de s'apitoyer sur lui-même d'avoir une femme aussi têtue. Résultat, j'ai eu la crise de migraine du siècle ce matin.

Un bruit en haut coupa Charlotte dans son élan.

— Je crois qu'il faut que je monte prendre le relais avec Albin. Sinon maman va débiter son histoire de martyre en long et en large… Mais je passerai cet après-midi pour le café. Je me rends compte que je n'ai fait que parler de moi, je ne t'ai même pas demandé comment tu allais, toi. Je passerai te voir tout à l'heure.

Elle raccrocha et se passa un coup de peigne avant de prendre une profonde inspiration et de monter l'escalier.

Ce n'était pas censé être comme ça. Pas du tout. Elle avait potassé bon nombre de livres sur la naissance d'un bébé et la vie de parent, mais rien ne l'avait préparée à la réalité qu'elle rencontrait. Au contraire, elle avait l'impression que tout ce qu'elle avait lu faisait partie d'un grand complot. Les auteurs parlaient d'hormones du bonheur et ils précisaient qu'on flottait sur un nuage rose quand le bébé était déposé dans vos bras et qu'on ressentait tout naturellement un amour bouleversant pour la petite chose dès le premier regard. Certes, il était dit en passant qu'on serait probablement plus fatiguée qu'on ne l'avait jamais été, mais cela aussi était nimbé d'une auréole romantique et semblait faire partie du merveilleux paquet "maternité".

"Des conneries !" était l'avis sincère d'Erica au bout de deux mois comme maman. Mensonges, propagande et pures conneries ! Jamais, de toute sa vie, elle ne s'était sentie aussi misérable, fatiguée, en colère, frustrée et à cran que depuis l'arrivée de Maja. Elle n'avait certainement pas connu un amour inconditionnel quand le petit bout rouge, criant et, oui, parfaitement laid fut déposé sur son sein. Même si l'instinct maternel s'était progressivement installé, elle avait l'impression qu'un étranger avait fait intrusion chez eux, et parfois elle regrettait presque leur décision d'avoir un enfant. Ils avaient été si bien à deux mais, frappés par l'égoïsme de l'être humain et par le désir de voir leurs excellents gènes reproduits, ils avaient tout d'un coup modifié leur vie, la réduisant, elle, Erica, à une machine à lait fonctionnant vingt-quatre heures sur vingt-quatre.

Qu'un si petit enfant puisse être aussi vorace dépassait son entendement. Maja était perpétuellement pendue à ses seins regorgeant de lait, qui de surcroît avaient augmenté de volume au point qu'elle avait l'impression de n'être que deux énormes mamelles sur pieds. Globalement, son état physique n'était pas terrible. En rentrant de la maternité, elle avait encore l'air d'être enceinte, et les kilos n'avaient pas fondu aussi vite qu'elle l'aurait souhaité. Pendant la grossesse, Patrik aussi avait mangé comme un ogre, si bien qu'il se retrouvait également avec des kilos en trop autour de la taille, c'était sa seule consolation.

Heureusement les douleurs avaient presque totalement disparu maintenant, mais elle se sentait en permanence collante de sueur, informe et mal en point de façon générale. Ses jambes n'avaient pas vu un rasoir depuis des mois et ses tristes cheveux blonds avaient grandement besoin d'une coupe et peut-être même d'un balayage pour leur rendre un peu d'éclat. Erica se perdit dans ses rêves, mais la réalité eut vite fait de se rappeler à elle. Comment trouver un moment pour faire tout ça ? Oh, comme elle enviait Patrik qui partait dans le vrai monde pendant au moins huit heures par jour, le monde des adultes. Pour sa part, elle ne fréquentait plus guère que Ricki Lake et Oprah Winfrey, dans un zapping passif devant la télévision pendant que Maja tétait, tétait, tétait.

Patrik l'assurait qu'il aurait mille fois préféré rester avec Maja et elle au lieu d'aller au boulot, mais elle voyait dans ses yeux qu'en réalité il était soulagé de s'échapper de leur petit monde. Et elle le comprenait. Pourtant cela faisait naître une certaine amertume en elle. Pourquoi était-ce à elle d'assumer toute la charge de ce qui découlait d'une décision commune et qui aurait dû être un projet commun ? Ne devrait-il pas supporter sa part du fardeau ?

Tous les jours, elle notait minutieusement l'heure à laquelle Patrik avait promis de rentrer. S'il avait cinq minutes de retard, elle bouillonnait d'irritation et, s'il tardait davantage, il pouvait s'attendre à se faire copieusement engueuler. Dès qu'il avait franchi la porte, elle lui collait Maja dans les bras, pour peu que son retour coïncide avec l'un des rares répits dans l'allaitement, et elle se précipitait au lit avec des boules Quies, pour se soustraire un court moment aux pleurs de nourrisson.

Assise là, le téléphone à la main, Erica soupira. Tout cela semblait sans issue. Mais papoter avec Charlotte lui remontait toujours le moral. Mère de deux enfants, elle était un roc sur lequel s'appuyer et pleine de mots rassurants. Il fallait bien l'avouer, c'était bon d'entendre Charlotte parler de ses problèmes, cela lui évitait de focaliser sur les siens.

Mais il y avait aussi une autre source d'inquiétude dans sa vie. Sa sœur Anna. Elle ne lui avait parlé qu'à quelques rares reprises depuis la naissance de Maja et elle sentait que tout n'allait pas bien. Anna paraissait réservée et lointaine au téléphone, même si elle affirmait que ça allait. Et Erica flottait tellement dans ses propres nappes de brouillard qu'elle n'avait pas la force d'insister. Mais quelque chose clochait, elle en était sûre.

Elle écarta ces pensées pénibles et, sans grand enthousiasme, elle saisit la télécommande et changea de chaîne. C'était l'heure d'*Amour, gloire et beauté*. La seule chose qui allait un peu égayer son après-midi était la visite de Charlotte.

Elle remua la soupe avec des gestes vigoureux. Tout, elle devait tout faire à la maison. La cuisine, le ménage, être aux petits soins de tout le monde. Albin avait fini par s'endormir, c'était déjà ça. Son visage s'adoucit à la pensée de son petit-fils. C'était un véritable petit ange. A peine s'il se faisait entendre. Ça changeait de l'autre, la fille. Une ride apparut sur son front, ses mouvements se firent plus vifs et elle envoya de petites lichettes de soupe sur la plaque de cuisson où elles se mirent à grésiller et à brûler.

Lilian avait déjà préparé le plateau avec un verre, un bol à soupe et une cuillère. Précautionneusement, elle souleva la casserole et versa la soupe brûlante dans le bol, tout en aspirant le fumet et en affichant un sourire de satisfaction. Soupe de poulet, c'était la préférée de Stig. Ça le ferait peut-être manger de bon appétit.

Elle portait le plateau en faisant très attention et ouvrit la porte de l'escalier en s'aidant du coude. Toujours ces escaliers à monter et descendre, pensa-t-elle, irritée. Un jour elle se retrouverait avec une jambe cassée et alors ils verraient s'ils pouvaient se débrouiller sans elle, à leur service comme une bonne à tout faire. Là, par exemple,

Charlotte était en train de flemmarder au sous-sol, avec la maigre excuse d'une migraine. Migraine mon œil, si quelqu'un devait avoir une migraine, c'était elle. Comment Niclas arrivait à le supporter, ça dépassait son entendement. Toute la journée à travailler comme un forçat au centre médical, trimant pour nourrir sa famille, et en rentrant il trouvait un appartement où on avait l'impression qu'une bombe avait explosé. C'était du provisoire, d'accord, mais on pouvait quand même faire en sorte que ce soit rangé et agréable. Et Charlotte avait le toupet d'exiger qu'il l'aide à s'occuper des enfants le soir après le travail. Alors qu'elle aurait dû le laisser se reposer après sa longue journée de travail, le laisser en paix devant la télé et s'efforcer de tenir les mômes éloignés. Fallait pas s'étonner que la grande soit totalement impossible. La fillette voyait bien le peu d'estime que sa mère avait pour son père, comment alors s'attendre à un autre résultat ?

D'un pas décidé elle monta les dernières marches et se dirigea vers la chambre d'amis avec son plateau. C'est là qu'elle avait installé Stig quand il était tombé malade, ce n'était pas possible de l'avoir dans la chambre avec tous ses gémissements et ses halètements. Si elle devait s'occuper correctement de lui, il fallait qu'elle ait sa dose de sommeil la nuit.

— Chéri ? Doucement, elle ouvrit la porte. Finie la sieste, je t'apporte un peu de soupe. Ta préférée, la soupe de poulet.

Stig lui rendit un faible sourire.

— Je n'ai pas faim, peut-être plus tard, dit-il d'une toute petite voix.

— Bêtises, tu ne guériras jamais si tu ne te nourris pas correctement. Allez, assieds-toi, je te ferai manger.

Elle l'aida à s'asseoir contre les oreillers et s'installa sur le bord du lit. Elle le fit manger comme un enfant en lui essuyant régulièrement la bouche.

— Tu vois, c'est bien passé ! Moi, je sais exactement ce qu'il faut à mon chéri et, si seulement tu manges comme il faut, tu verras que tu seras bientôt debout.

De nouveau, le même sourire épuisé en guise de réponse. Lilian l'aida à se recoucher et tira la couverture sur ses jambes.

— Le docteur ?

— Mais, mon chou, tu as oublié ? C'est Niclas qui est ton médecin maintenant, et on l'a sur place ici dans la maison. Il passera te voir ce soir. Il a dit qu'il allait revoir en détail ton diagnostic, et consulter un confrère à Uddevalla, tu verras, ça va bientôt s'arranger.

Après avoir résolument bordé son patient une dernière fois, Lilian prit le plateau avec le bol de soupe vide et se dirigea vers l'escalier. Elle secoua la tête. Voilà qu'elle était obligée de jouer l'infirmière aussi, en plus de tout le reste dont elle devait s'occuper.

On frappa à la porte et elle se dépêcha de descendre pour ouvrir.

La main s'abattit lourdement sur le bois. Autour d'eux, le vent avait pris des allures de tempête avec une rapidité déconcertante. De toutes petites gouttes d'eau les arrosèrent comme s'il pleuvait, elles ne tombaient pas d'en haut, cependant, elles arrivaient dans leur dos, un mince écran d'eau de mer que les rafales envoyaient sur la terre ferme. Tout était devenu maussade autour d'eux. Le ciel avait une nuance gris clair uniforme avec des passages de nuages gris sombre. La mer, d'un brun sale, était bien loin de son bleu d'été étincelant et toutes les vagues étaient couronnées de mousse blanche. La mer moutonne, comme disait souvent la mère de Patrik.

La porte devant eux s'ouvrit, Patrik et Martin respirèrent à fond pour essayer de puiser des forces supplémentaires. La femme qui les regardait avait une tête de moins que Patrik, elle était très, très mince avec des cheveux courts permanentés et teints dans un ton châtain indéfinissable. Elle s'était presque entièrement épilé les sourcils et les avait remplacés par quelques traits de crayon, ce qui lui donnait un aspect légèrement comique. Mais la tâche qui les attendait n'avait rien de comique.

— Bonjour, nous sommes de la police. Nous cherchons Charlotte Klinga.

— C'est ma fille. C'est à quel propos ?

Sa voix était un poil trop aiguë pour être agréable et Patrik avait suffisamment entendu Erica parler de la mère de

Charlotte pour comprendre combien ça devait être fatigant de l'entendre à longueur de journée. Mais des broutilles de ce genre n'allaient pas tarder à perdre de leur importance.

— Pouvez-vous aller la chercher, s'il vous plaît ?

— Oui, mais c'est pourquoi ?

— Nous préférerions d'abord parler avec votre fille, insista Patrik. Pourriez-vous avoir la gentillesse de... Il fut interrompu par des pas dans l'escalier et la seconde d'après il vit le visage familier de Charlotte surgir dans l'ouverture de la porte.

— Tiens, salut Patrik ! Quelle surprise, qu'est-ce que tu fais là ?

Tout à coup, l'inquiétude balaya son visage.

— Il est arrivé quelque chose à Erica ? Je viens de lui parler au téléphone, elle m'a pourtant paru à peu près en forme...

Patrik leva une main rassurante. Martin se tenait à son côté sans rien dire et il avait les yeux rivés sur un nœud du parquet. En règle générale, il adorait son métier mais en cet instant il se maudissait de l'avoir choisi.

— Est-ce qu'on peut entrer ?

— Là, tu me fais peur, Patrik. Qu'est-ce qui s'est passé ? Une pensée la frappa. C'est Niclas, il a eu un accident de voiture, ou... ?

— Entrons d'abord.

Comme ni Charlotte, ni sa mère ne semblaient capables de bouger, Patrik prit la direction des opérations et entra dans la cuisine avec Martin sur ses talons. Il nota distraitement qu'ils ne s'étaient pas déchaussés et qu'ils laissaient sans doute des traces mouillées et sales derrière eux. Mais quelques taches par terre n'auraient pas non plus d'importance à présent.

Il fit signe à Charlotte et Lilian de s'asseoir en face d'eux et elles obéirent sans un mot.

— Je suis désolé, Charlotte, mais j'ai... Il hésita. J'ai de très mauvaises nouvelles à t'annoncer.

Les mots roulaient difficilement sur la langue. Le vocabulaire paraissait déplacé, mais existait-il une bonne façon de dire ce qu'il avait à dire ?

— Il y a une heure, un pêcheur de homards a trouvé une petite fille noyée. Je suis si terriblement désolé, Charlotte... Il fut incapable de poursuivre. Les mots étaient présents dans son cerveau, mais ils étaient si épouvantables qu'ils refusaient de sortir. Il n'eut cependant pas besoin d'en dire davantage.

Charlotte chercha sa respiration, dans un souffle rauque et guttural. Elle saisit le plateau de la table des deux mains, comme pour ne pas s'effondrer, et elle fixa Patrik de ses yeux vides et écarquillés. Dans la quiétude de la cuisine, l'unique inspiration rocailleuse de Charlotte parut plus sonore qu'un cri et Patrik déglutit pour refouler les larmes et rendre sa voix stable.

— Ça doit être une erreur. Ça ne peut pas être Sara !

Le regard affolé de Lilian passa de Patrik à Martin, mais Patrik ne fit que secouer la tête.

— Je suis désolé, répéta-t-il plusieurs fois, mais je viens de voir la petite et il n'y a pas de doute, c'est bien Sara.

— Mais elle est allée jouer chez Frida. Je l'ai vue partir moi-même. C'est forcément une erreur. Je suis sûre qu'elle est là-bas en train de jouer.

Comme hébétée, Lilian se leva et alla décrocher le téléphone mural. Elle chercha un numéro dans le carnet d'adresses qui était suspendu à côté de l'appareil et le composa rapidement.

— Bonjour Veronika, c'est Lilian. Dis-moi, Sara est chez vous ?

Elle resta à l'écoute pendant une seconde puis elle lâcha le combiné qui resta à osciller, pendu à son fil.

— Elle n'y est pas allée. Elle se rassit lourdement et jeta un regard désemparé sur les deux policiers en face d'elle.

Le hurlement sortit de nulle part et Patrik comme Martin sursautèrent. Charlotte cria dans le vide, sans bouger et avec des yeux qui ne semblaient rien voir. C'était primitif, fort et aigu, et tous eurent la chair de poule d'entendre la douleur crue et implacable derrière le cri.

Lilian se jeta en avant et essaya de prendre sa fille dans ses bras, mais Charlotte la repoussa avec rudesse.

Patrik tenta de se faire entendre.

— Nous avons essayé de joindre Niclas, mais il n'est pas au centre médical. Nous lui avons laissé un message pour qu'il rentre immédiatement. Et le pasteur va venir.

Il s'adressa plus à Lilian qu'à Charlotte, qui était inatteignable désormais. Patrik comprit qu'il s'en était très mal sorti, il aurait dû penser à amener un médecin qui aurait pu administrer un sédatif, mais le seul médecin de Fjällbacka était le père de la petite fille et ils n'avaient pas réussi à le trouver. Il se tourna vers Martin.

— Appelle le centre médical et essaie d'avoir l'infirmière, qu'elle vienne ici tout de suite. Et qu'elle apporte un calmant.

Martin s'exécuta, soulagé d'avoir une excuse pour quitter la cuisine un instant. Dix minutes plus tard, Aina Lundby entra sans frapper. Elle donna un tranquillisant à Charlotte et la fit s'allonger sur le canapé.

— Et moi, vous ne me donnez rien ? demanda Lilian. J'ai toujours eu les nerfs fragiles et avec ce qui se passe…

L'infirmière, qui paraissait avoir le même âge que Lilian, souffla de mépris et se consacra à sa tâche de couvrir Charlotte qui claquait des dents comme si elle était frigorifiée.

— Je crois que vous vous en sortirez très bien sans, dit-elle en rassemblant ses affaires.

Patrik se tourna vers Lilian et dit à voix basse :

— Nous aurions besoin de parler avec la maman de la copine chez qui Sara était supposée aller. C'est quelle maison ?

— La maison bleue juste là-bas, dit Lilian sans croiser son regard.

Lorsque le pasteur arriva quelques instants plus tard, Patrik sentit qu'ils avaient fait tout ce qu'ils pouvaient, Martin et lui. Ils quittèrent la maison que leur annonce avait plongée dans le deuil et montèrent dans la voiture, mais sans la démarrer.

— Quelle horreur, dit Martin.

— On peut le dire, oui. Quelle horreur, répéta Patrik.

Kaj Wiberg jeta un coup d'œil par la fenêtre de la cuisine qui donnait sur l'entrée des Florin.

— Qu'est-ce qu'elle est encore allée inventer, la mégère ? dit-il, irrité.

— Qu'est-ce qu'il y a ? cria sa femme Monica depuis le salon.

Il se tourna à moitié dans sa direction et cria en retour :

— Il y a une voiture de police garée devant chez les Florin. Ça sent l'embrouille à dix mille kilomètres. Qu'est-ce que j'ai bien pu faire au bon Dieu pour l'avoir comme voisine, cette bique !

— Tu crois vraiment que ça a un rapport avec nous ? On n'a rien fait. Monica était venue rejoindre son mari dans la cuisine.

— Essaie de le lui dire. Bon, tu verras, quand les juges me donneront raison pour le balcon, elle se retrouvera comme une conne. J'espère que ça lui coûtera bonbon de le faire démolir.

— Oui, mais est-ce qu'on a réellement raison de faire ça, Kaj ? Je veux dire, après tout il dépasse seulement de quelques centimètres sur notre terrain, il ne nous dérange pas vraiment. Et maintenant que ce pauvre Stig est malade et tout.

— Tu parles. Moi aussi j'aurais été malade si on m'avait forcé à vivre avec un dragon pareil. Et ce n'est que justice. S'ils ajoutent un balcon qui déborde chez nous, soit ils nous dédommagent, soit ils démolissent leur saloperie. Eux, ils nous ont bien obligés à couper notre arbre, pas vrai ? Notre bon vieux bouleau, réduit en bûchettes, seulement parce que Mme Florin trouvait qu'il gâchait sa vue sur la mer. C'est bien ça, arrête-moi si j'ai mal compris. Il se tourna vers sa femme avec un regard fielleux, échauffé par le souvenir de tous les méfaits commis par Lilian Florin pendant leurs dix années de voisinage.

— Bien sûr Kaj, tu as raison.

Monica baissa les yeux, bien consciente que la meilleure défense quand son mari s'emportait ainsi était de battre en retraite. Lilian Florin était pour lui ce qu'un drap rouge est pour un taureau, et il était impossible de lui faire entendre raison quand cette femme arrivait sur le tapis. Mais Monica était obligée de reconnaître que la faute de toutes ces querelles n'incombait pas uniquement à Kaj. Elle n'était pas d'un abord facile, Lilian, et, si elle les avait laissés tranquilles, jamais ça ne serait allé aussi loin. Elle n'avait pas hésité à les traîner devant toutes les instances judiciaires imaginables pour des limites de terrain mal définies, pour un sentier qui passait derrière sa maison, une cabane qu'elle estimait située beaucoup trop près et surtout le beau bouleau qu'ils avaient été obligés d'abattre quelques années plus tôt. Toutes ces tracasseries avaient commencé dès qu'ils avaient démarré la construction de cette maison. Kaj venait de vendre son entreprise de fournitures de bureau, à un bon prix, et ils avaient décidé de prendre une retraite anticipée, de vendre leur villa à Göteborg et de venir s'installer à Fjällbacka où ils passaient tous leurs étés. Mais, en matière de calme, ils en avaient été pour leurs frais. Lilian avait eu mille objections contre le chantier, elle avait lancé des pétitions et des mises en demeure pour l'empêcher. Quand ses tentatives d'arrêter la construction avaient échoué, elle avait commencé à leur mettre des bâtons dans les roues pour tout et n'importe quoi. Conjugué avec l'humeur violente de Kaj, ça avait pris des proportions au-delà de tout ce qu'on pouvait imaginer. Le balcon que les Florin avaient fait ajouter n'était que la dernière arme en date dans la lutte, mais le fait que la famille Wiberg semblait bien partie pour gagner avait donné à Kaj une supériorité dont il se servait volontiers.

Kaj était toujours en train de guetter derrière le rideau.

— Il y a deux gars qui sortent de la maison, ils montent dans la voiture de police. Tu vas voir qu'ils vont venir frapper chez nous d'une minute à l'autre. Bon, quel que soit le problème, ils vont apprendre ce qui se passe réellement. Et Lilian Florin n'est pas la seule à pouvoir porter plainte. Tu te souviens, l'autre jour, tout ce qu'elle m'a hurlé comme noms d'oiseaux, et qu'elle veillerait à ce qui m'arrive ce que je mérite et j'en passe et des meilleures. Ça s'appelle de la menace. On va en prison pour ça... Kaj se lécha les babines tant il était excité à la perspective de l'affrontement à venir et il se prépara à la bataille.

Monica secoua la tête, alla s'installer dans son fauteuil au salon avec un magazine féminin. Elle commençait à en avoir marre.

— On ferait mieux d'aller parler avec la copine et sa maman, non ? Du moment qu'on y est, je veux dire.

— Oui, bien sûr, soupira Patrik et il enclencha la marche arrière. En fait c'était inutile de prendre la voiture, ils ne devaient se déplacer que de trois maisons, mais il ne voulait pas bloquer l'accès au garage des Florin, si le papa de Sara rentrait.

La mine grave, ils frappèrent à la porte de la maison bleue. Une fillette du même âge que Sara vint ouvrir.

— Bonjour, c'est toi, Frida ? dit Martin gentiment.

Pour toute réponse, elle hocha la tête et fit un pas de côté pour les laisser entrer. Ils restèrent un instant dans l'entrée sans savoir quoi faire, tandis que Frida les contemplait à la dérobée. Mal à l'aise, Patrik finit par dire :

— Ta maman est là ?

Frida ne répondit toujours pas, mais elle courut plus loin dans le vestibule à gauche, dans une pièce qui devait être la cuisine. Une petite conversation murmurée se fit entendre, puis une femme brune d'une trentaine d'années arriva pour les accueillir. Ses yeux erraient avec inquiétude et elle interrogea du regard les deux hommes qui étaient entrés chez elle. Patrik comprit qu'elle ne savait pas qui ils étaient.

— Nous sommes de la police, dit Martin qui avait manifestement eu la même pensée. On peut entrer ? On voudrait vous parler en privé.

Il jeta un regard appuyé sur Frida et sa maman blêmit. Si ce dont ils allaient parler n'était pas pour les oreilles de sa fille, c'est qu'il devait s'agir de quelque chose de gravissime.

— Frida, va jouer dans ta chambre.

— Mais maman..., protesta l'enfant.

— Pas de mais. Va dans ta chambre et restes-y jusqu'à ce que je t'appelle.

Frida semblait vouloir continuer de résister, mais le timbre d'acier dans la voix de sa mère lui dit que la lutte était inutile. A contrecœur elle monta l'escalier en traînant la patte et jeta plusieurs fois un regard plein d'espoir sur les adultes pour voir s'ils n'avaient pas changé d'avis. Personne ne bougea avant qu'elle n'ait atteint la dernière marche et que la porte de sa chambre se soit refermée derrière elle.

— On peut s'installer dans la cuisine.

Veronika les précéda dans une grande cuisine agréable, où la préparation du déjeuner allait manifestement bon train.

Ils s'installèrent autour de la table, après s'être présentés. La maman de Frida leur proposa du café et elle sortit aussi des biscuits. Patrik vit ses mains trembler quand elle servit le café et il réalisa qu'elle voulait retarder encore un petit moment la nouvelle qu'elle savait qu'ils annonceraient. Mais pour finir, ne pouvant plus reculer, elle s'assit lourdement en face d'eux.

— Il est arrivé quelque chose à Sara, c'est ça ? Sinon, pourquoi elle aurait téléphoné comme ça, Lilian, sans même raccrocher après ?

Patrik et Martin observèrent quelques secondes de silence, espérant tous deux que l'autre commencerait, et la confirmation contenue dans ce silence fit monter les larmes aux yeux de Veronika.

Patrik se racla la gorge.

— Oui, j'ai le regret de vous annoncer que Sara a été retrouvée noyée ce matin.

Veronika chercha sa respiration, mais ne dit rien.

— Ça ressemble à un accident, poursuivit Patrik, mais on voudrait poser quelques questions pour essayer de déterminer exactement ce qui s'est passé.

Il regarda Martin qui se tenait prêt avec le bloc-notes et le stylo.

— D'après Lilian Florin, Sara aurait dû venir ici pour jouer avec Frida. Est-ce que les filles avaient décidé ça elles-mêmes ? On est lundi aujourd'hui d'ailleurs, pourquoi elles n'étaient pas à l'école ?

Veronika fixa la table.

— Elles étaient toutes les deux un peu patraques ce week-end, et Charlotte et moi, on a décidé de ne pas les envoyer à l'école. Mais on a quand même trouvé que c'était bien qu'elles jouent ensemble. Sara devait venir dans la matinée.

— Mais elle n'est pas venue ?

— Non, elle n'est pas venue.

Veronika ne dit rien de plus et Patrik fut obligé de continuer à la questionner pour obtenir une réponse plus complète.

— Mais vous ne vous êtes pas posé de questions en ne la voyant pas arriver ? Vous auriez pu téléphoner chez elle, par exemple ?

— Sara était un peu… Veronika hésita. Je ne sais pas comment dire, elle était spéciale. Elle n'en faisait qu'à sa tête. Ce n'est pas la première fois que ça arrive. Elle est supposée venir ici puis elle a subitement une lubie de faire autre chose. Les filles sont brouillées de temps en temps à cause de ça, je pense, mais je n'ai jamais eu envie de m'en mêler. Si j'ai bien compris, Sara avait un de ces problèmes d'hyperactivité qui sont à la mode aujourd'hui, et je n'ai pas voulu aggraver les choses.

Elle était en train de déchiqueter une serviette, il y avait déjà un petit tas de minuscules bouts de papier blanc sur la table devant elle. Martin leva les yeux du bloc-notes et fronça les sourcils.

— Des problèmes d'hyperactivité, qu'est-ce que ça veut dire ?

— Eh bien, vous savez, ce truc qu'ils ont presque tous aujourd'hui, les gamins, le TDAH ou le déficit d'attention et je ne sais pas quoi encore.

— Pourquoi croyez-vous que Sara souffrait de ça ?

— C'est ce qui se dit. Elle haussa les épaules. Et j'ai trouvé que ça collait assez bien, Sara pouvait être absolument impossible par moments. C'était donc soit ça, soit que personne ne s'était donné la peine de l'élever correctement.

Elle sursauta en s'entendant parler ainsi d'une petite fille morte, et elle baissa aussitôt les yeux. Avec une frénésie renouvelée, elle se remit à déchirer la serviette, bientôt il n'en resta pratiquement rien.

— Vous n'avez donc pas vu Sara du tout ce matin ? Et vous n'avez pas eu de ses nouvelles au téléphone ?

Veronika secoua la tête.

— Et vous êtes sûre que c'est vrai pour Frida aussi ?

— Oui, elle est restée ici avec moi tout le temps et, si elle avait parlé avec Sara, je m'en serais rendu compte. D'ailleurs, elle boudait parce que Sara n'arrivait pas, c'est certain qu'elles ne se sont pas parlé.

— Bon, je suppose que c'est tout alors.

D'une voix légèrement tremblante, Veronika demanda :

— Comment va Charlotte ?

"Comme on peut aller dans ces circonstances" fut la seule réponse que Patrik put lui fournir.

Il vit s'ouvrir dans les yeux de Veronika le gouffre que toutes les mères connaissent lorsque pour une brève seconde elles voient leur propre enfant victime d'un accident. Et il vit aussi le soulagement que ce soit un autre enfant qui ait été frappé, et pas le sien. Il ne pouvait guère lui en vouloir. Ses propres pensées étaient très souvent allées vers Maja cette dernière heure, des visions de son corps inanimé s'étaient imposées, l'empêchant presque de respirer. Lui aussi était reconnaissant que la victime soit l'enfant de quelqu'un d'autre et pas le sien. Si ce n'était pas à son honneur, c'était du moins très humain.

STRÖMSTAD 1923

En connaisseur, il fit une évaluation de l'endroit où il convenait de couper la pierre puis il laissa la massette tomber sur le ciseau. Bien vu, le granit se fendit exactement à l'endroit voulu. C'était une compétence que l'expérience lui avait fournie au fil des ans, mais cela pouvait aussi en grande partie être attribué à un don naturel. Soit on l'avait, soit on ne l'avait pas.

Anders Andersson avait adoré la roche depuis la première fois où il était venu travailler à la carrière, encore petit garçon, et la roche l'adorait. Mais c'était un travail usant. D'année en année, la poussière de pierre abîmait les poumons, et des éclats pouvaient jaillir et vous ôter la vue en un instant, ou la troubler à la longue. En hiver, on avait froid et, comme on ne pouvait guère faire du bon travail avec des gants, les doigts gelaient au point qu'on avait l'impression qu'ils allaient tomber. En été, on transpirait abondamment au plus fort de la chaleur. Pourtant, il n'aurait changé de métier pour rien au monde. Qu'il réalise des pavés qui serviraient pour les routes et qu'on appelait aussi *knott*, ou qu'il ait le privilège de se consacrer à un travail plus élaboré, il adorait chaque minute laborieuse et pénible, car il savait qu'il faisait ce qu'il était né pour faire. A vingt-huit ans, son dos le faisait déjà souffrir, et il toussait comme un fou par temps humide, mais, s'il se concentrait sur sa tâche, il oubliait les petites misères pour ne plus sentir que la dureté anguleuse de la pierre sous ses doigts.

Le granit était la plus belle roche qui soit. Il avait quitté son Blekinge natal pour le Bohuslän sur la côte ouest, comme tant de tailleurs de pierre au fil des ans. Le granit du Blekinge était bien plus difficile à tailler que celui des régions frontalières de la Norvège et, grâce à la dextérité qu'ils avaient développée en travaillant sur un matériau plus coriace, les tailleurs du Blekinge jouissaient d'un grand respect. Il était ici depuis trois ans maintenant et le granit l'avait séduit dès le début. Il y avait quelque chose qui le captivait dans le contraste entre le rose et le gris, et dans l'astuce dont il fallait faire preuve pour bien fendre la pierre. Parfois il lui parlait en travaillant, essayant de l'amadouer si c'était un bloc particulièrement compliqué, et il le caressait avec amour s'il était docile et doux comme une femme.

Il n'était certes pas en manque de véritable compagnie féminine. Tout comme les autres tailleurs de pierre célibataires, il ne boudait jamais une distraction quand l'occasion se présentait, mais aucune femme ne lui avait plu au point de lui faire tourner la tête. Et il s'en accommodait. Il se débrouillait bien tout seul, il était apprécié par ses collègues si bien qu'on l'invitait souvent à dîner et ainsi il lui arrivait quand même de manger des plats préparés par des mains de femme. Puis il avait la pierre. Elle était bien plus belle et fidèle que la plupart des femmes qu'il avait croisées, et ils faisaient une bonne équipe, tous les deux.

— Hé, Andersson, viens voir par là !

Anders interrompit son travail sur le gros bloc et se retourna. C'était le contremaître qui l'appelait, et comme toujours cela faisait naître à la fois l'espoir et la crainte. Quand le contremaître demandait à vous parler, c'était soit de bonnes nouvelles, soit des mauvaises. Soit davantage de boulot, soit l'annonce qu'on devait quitter la carrière, sans tambours ni trompettes. Mais Anders penchait plutôt pour la première option. Il savait qu'il était un ouvrier habile et bien d'autres seraient mis à la porte avant lui s'il fallait faire des coupes dans le personnel, mais d'un autre côté ce n'était pas toujours la logique qui régnait. Politique et exercice du pouvoir avaient renvoyé chez eux maints tailleurs de pierre expérimentés, et il convenait de se méfier. Son fort engagement syndical le rendait vulnérable aussi quand l'employeur voulait se débarrasser de quelqu'un. Les tailleurs de pierre politiquement actifs n'avaient pas franchement la cote.

Il jeta un dernier regard sur son bloc de pierre avant de rejoindre son supérieur. On travaillait au rendement, et chaque interruption signifiait des diminutions de salaire. Pour ce travail précisément, il était payé deux *öre* le pavé, et il lui faudrait travailler dur pour rattraper le temps perdu si le contremaître était trop long.

— Bonjour Larsson, dit Anders en inclinant la nuque, la casquette à la main. Le chef était très à cheval sur le protocole et ne pas lui témoigner le respect qu'il estimait mériter pouvait suffire pour se faire tout bonnement licencier.

— Bonjour Andersson, marmonna l'homme rondouillard en tirant sur sa moustache. Voilà, il se trouve que nous avons reçu la commande d'un monolithe, de France. C'est destiné à devenir une statue, et on a pensé à toi pour l'épannelage.

Le cœur d'Andersson battait la chamade dans sa poitrine. Pourtant, la joie qu'il ressentait était mêlée de crainte. Se voir confier la responsabilité de tailler la matière brute qui servirait pour une statue était une occasion en or, ça pouvait être beaucoup plus rentable que le travail ordinaire et c'était plus amusant à faire, tout en représentant un défi. Mais le risque était énorme. Il serait le responsable jusqu'à ce que la pierre soit expédiée par bateau et, si quelque chose allait de travers pendant le travail, il ne recevrait pas un *öre*. La rumeur courait sur un tailleur de pierre qui avait eu deux blocs à épanneler et, juste quand il en était au stade final, les deux s'étaient fendus. On disait que ça l'avait tellement affecté qu'il avait mis fin à ses jours, laissant une veuve et sept enfants. Mais telles étaient les conditions. Il n'y pouvait rien et cette occasion était trop bonne pour qu'il dise non.

Anders cracha dans sa paume et le contremaître fit de même, puis ils scellèrent leur accord par une poignée de main solide. C'était entendu. Anders aurait la responsabilité du monolithe. Il s'inquiétait un peu de ce que diraient ses collègues. Beaucoup avaient bien plus d'années d'expérience que lui. Il y en aurait sûrement pour marmonner que cette mission aurait dû être confiée à l'un d'entre eux, surtout que, contrairement à lui, ils avaient des familles à faire vivre et que l'argent de cette commande aurait été bienvenu pour l'hiver. En même temps, tout le monde savait qu'Anders était le tailleur le plus adroit d'eux tous, malgré son jeune âge, et ça viendrait mettre une sourdine aux dénigrements. D'autant plus qu'il aurait à en sélectionner quelques-uns pour le seconder dans ce travail, et il avait déjà démontré qu'il savait doser avec équité et choisir à la fois celui qui travaillait bien et celui qui avait le plus besoin d'argent.

— Viens me voir au bureau demain pour qu'on discute des détails, dit le contremaître en tortillant sa moustache. L'architecte ne viendra qu'au printemps, mais on a reçu les dessins et on peut commencer la planification.

Anders fit une grimace. Il faudrait sûrement plusieurs heures pour passer en revue les dessins et cela signifierait une autre longue coupure dans son travail. Le monolithe ne serait payé qu'une fois terminé, et il aurait besoin de chaque sou désormais. Pour gagner son pain, il serait obligé de tailler des pavés aussi, et il allait devoir s'habituer à des journées de travail encore plus longues. Mais l'arrêt de travail imposé n'était pas la seule raison de son peu d'enthousiasme à se rendre au bureau. D'une façon ou d'une autre, il s'y sentait toujours mal à l'aise. Les gens qui travaillaient là avaient des mains trop douces et blanches, et ils bougeaient avec légèreté dans leurs beaux vêtements, tandis que lui se sentait comme un géant mal dégrossi. Et il avait beau être très chatouilleux sur la propreté, la crasse était malgré tout incrustée dans sa peau. Mais, puisqu'il le fallait, il irait, et ça serait fait. Ensuite il pourrait retourner à la carrière où il se sentait chez lui.

— A demain alors, dit le contremaître en se balançant sur les talons. Vers sept heures. Ne sois pas en retard, recommanda-t-il et Anders hocha seulement la tête. Il n'y avait aucun risque. Une occasion comme celle-ci ne se présentait pas tous les jours.

Tout ragaillardi, il retourna à son travail. La joie lui fit fendre la pierre comme du beurre. La vie lui souriait.

Elle tourbillonnait dans l'espace, en chute libre parmi des planètes et des astres qui répandaient une douce luminosité quand elle les dépassait. Des scènes oniriques se mêlaient à des fragments de réalité. Dans les rêves, elle voyait Sara. Charlotte souriait. Le petit corps de bébé était si parfait. D'un blanc d'albâtre avec des mains aux longs doigts sensibles. Dès les premières minutes de sa vie, elle avait saisi l'index de Charlotte et l'avait serré comme si c'était la seule chose qui pouvait la maintenir dans ce nouveau monde effrayant. Et c'était peut-être la vérité. Car la prise solide autour de son index avait été comme la réplique d'une prise encore plus solide autour de son cœur. Un lien pour la vie, elle l'avait su dès lors.

A présent, son trajet au firmament passait devant le soleil dont la lueur intense lui rappela la couleur des cheveux de Sara. Rouges comme du feu. Rouges comme le diable en personne, comme avait dit quelqu'un pour rigoler, et dans le rêve elle se rappela ne pas avoir apprécié la plaisanterie. L'enfant dans ses bras n'avait rien eu de diabolique. Rien de diabolique les cheveux roux qui au début se dressaient comme ceux d'un punk, mais qui avec le temps s'étaient épaissis et tombaient sur les épaules.

Maintenant les cauchemars repoussèrent à la fois la sensation des doigts de l'enfant autour de son cœur et la vue des cheveux roux qui rebondissaient sur les minces épaules de Sara quand elle gambadait, pleine de vie. A la place, elle vit les cheveux assombris par l'eau qui entouraient la tête de Sara comme un halo difforme. Ils flottaient doucement et dessous elle vit de longs bras verts d'herbes marines qui cherchaient à les atteindre. La mer aussi avait apprécié la chevelure rousse de sa fille et l'avait voulue pour elle. Dans le cauchemar, elle voyait la peau d'albâtre devenir bleu et violet, et les yeux restaient fermés et morts. Lentement, lentement, l'enfant commençait à tournoyer dans l'eau, les orteils pointés vers le ciel et les mains croisées sur le ventre. Puis elle accélérait et, lorsqu'elle avait pris assez de vitesse pour que de petites vagues grises se forment sur son passage, les bras verts se retiraient. L'enfant ouvrait ses yeux. Ils étaient tout blancs.

Le cri qui la réveilla semblait sorti d'un gouffre profond. Mais en sentant sur ses épaules les mains de Niclas, qui la secouaient violemment, elle réalisa que c'était sa propre voix qu'elle entendait. Toute cette horreur n'avait été qu'un rêve. Sara était saine et sauve et vivante et c'était simplement un cauchemar qui lui avait joué un vilain tour. Puis elle regarda le visage de Niclas et ce qu'elle y lut fit monter un nouveau cri dans sa poitrine. Son mari fut plus rapide et la tira contre lui, moyennant quoi le cri se transforma en sanglots profonds. Le pull de Niclas était mouillé et elle huma l'odeur peu familière de ses larmes.

— Sara, Sara, gémit-elle. Bien qu'elle soit réveillée maintenant, elle tombait quand même en chute libre à travers l'espace et la seule chose qui la retenait était les bras de Niclas autour de son corps.

— Je sais, je sais. Il la berça, et sa voix était épaisse.

— Tu étais où ? sanglota-t-elle dans un chuchotement, tandis qu'il continuait à la calmer en lui caressant les cheveux d'une main tremblante.

— Chut, je suis là maintenant. Dors encore un peu.

— Je ne peux pas…

— Si, tu peux. Chut… Et il la berça sur un rythme régulier jusqu'à ce qu'elle bascule de nouveau dans l'obscurité et les rêves.

La nouvelle s'était répandue au commissariat pendant leur absence. La mort d'un enfant était rarissime, quelques accidents de la route à plusieurs années d'intervalle et rien ne pouvait plonger la maison dans une telle atmosphère d'abattement.

Annika lui jeta un regard interrogateur lorsqu'il passa avec Martin devant l'accueil, mais Patrik n'eut pas la force de parler avec qui que ce soit, il voulait seulement entrer dans son bureau et refermer la porte derrière lui. Ils croisèrent Ernst Lundgren dans le couloir, lui non plus ne dit rien et Patrik s'engouffra rapidement dans le silence de son petit antre. Martin fit de même. Rien durant leur formation professionnelle ne les préparait à ce genre de situation. Annoncer la mort d'un proche faisait partie des tâches poubelle absolues du policier et annoncer à des parents la mort de leur enfant était le pire de tout. Ça dépassait l'entendement. Personne ne devrait être forcé de délivrer de tels messages.

Patrik s'installa à son bureau, reposa la tête dans ses mains et ferma les yeux. Il les rouvrit aussitôt, car dans l'obscurité derrière ses paupières closes il voyait la peau livide et bleuâtre de Sara et ses yeux qui fixaient le ciel sans rien voir. Il prit alors le cadre photo posé devant lui et l'approcha au plus près de son visage. La première photo de Maja, épuisée et meurtrie, dans les bras d'Erica à la maternité. Laide, et pourtant belle, de cette façon unique que peuvent comprendre seulement ceux qui ont vu leur enfant pour la première fois. Et Erica affichant un sourire fatigué, mais avec une nouvelle droiture et une fierté d'avoir su mener à bien ce qu'il fallait bien qualifier de miracle.

Patrik savait qu'il était sentimental et pathétique. Mais ce n'était qu'aujourd'hui, au cours de cette matinée, qu'il comprenait l'étendue de la responsabilité que lui imposait la naissance de sa fille et l'étendue de l'amour et de la peur qu'elle impliquait. Pendant une seconde, quand il avait vu la fillette noyée allongée immobile telle une statue au fond du bateau, il avait voulu que Maja ne soit jamais née. Car comment faire pour vivre avec le risque de la perdre ?

Il reposa doucement la photo à sa place et se laissa aller dans son fauteuil, les mains croisées derrière la nuque. Poursuivre les tâches qui l'occupaient quand ils avaient reçu l'appel de Fjällbacka n'eut subitement plus aucun sens. Il aurait surtout voulu rentrer chez lui, se mettre au lit et tirer la couverture sur sa tête pour le reste de la journée. Un coup frappé à la porte le coupa dans ses sombres ruminations. Il lança un "Entrez" et Annika ouvrit discrètement la porte.

— Salut Patrik, désolée de te déranger. Je voulais seulement te dire que la médicolégale a appelé, ils ont réceptionné le corps et nous aurons le rapport de l'autopsie après-demain.

— Merci Annika.

Elle hésita à poursuivre.

— Tu la connaissais ?

— Oui, j'ai rencontré Sara et sa maman assez souvent ces derniers temps. Charlotte et Erica se voient beaucoup depuis la naissance de Maja.

— Qu'est-ce qui s'est passé à ton avis ?

Il soupira et trifouilla bêtement les papiers sur le bureau en évitant de regarder Annika.

— Elle s'est noyée, j'imagine que tu le sais déjà. Elle est probablement descendue aux pontons pour jouer, elle est tombée dans l'eau puis elle n'a pas su remonter. L'eau est tellement froide qu'elle s'est sans doute engourdie assez vite. Tu me vois faire ça, aller annoncer à Charlotte que… C'était parmi les choses les plus ignobles que j'ai… Sa voix se brisa et il se détourna pour qu'Annika ne voie pas les larmes qui menaçaient de déborder du coin de ses yeux.

Doucement, elle referma la porte et le laissa en paix. Elle non plus n'était pas très efficace par un jour comme celui-ci.

Erica regarda l'heure de nouveau. Charlotte aurait dû être là depuis une bonne demi-heure déjà. Elle déplaça doucement Maja qui s'était endormie au sein et tendit le bras pour attraper le téléphone. Ça sonna longuement chez Charlotte mais personne ne répondit. Bizarre. A tous les coups elle était sortie et avait oublié qu'elles devaient se voir. Mais ça ne lui ressemblait pas.

Elles étaient devenues très proches en peu de temps. Peut-être parce que toutes les deux se trouvaient à un moment fragile de leur vie, ou peut-être tout simplement parce qu'elles se ressemblaient. C'était étrange d'ailleurs, Charlotte et elle étaient beaucoup plus comme des sœurs qu'Anna et elle n'avaient jamais été. Elle savait que Charlotte se faisait du souci pour elle et c'était une sorte de sécurité au milieu du chaos. Pendant toute sa vie, Erica s'était préoccupée des autres, surtout d'Anna, et pouvoir pour une fois être celle qui était petite et effrayée était une sensation libératrice. Pourtant elle savait que Charlotte se débattait avec ses propres démons. Pas seulement le fait qu'elle et sa famille étaient obligées d'habiter temporairement chez Lilian, qui semblait tout sauf facile à vivre. Mais, chaque fois que Charlotte parlait de son mari, son visage prenait une expression hésitante et forcée. Erica l'avait rencontré seulement en coup de vent à quelques rares occasions, mais spontanément elle lui avait trouvé quelque chose de pas fiable. Bon, le mot était peut-être un peu fort, disons que Niclas faisait partie de ces gens qui ont de bonnes intentions mais qui en fin de compte laissent quand même leurs propres souhaits et intérêts l'emporter. Certaines confidences que Charlotte lui avait faites confirmaient ce tableau, même si elle ne le disait pas ouvertement. En général, elle parlait de son mari dans des termes pleins d'adoration. Elle le vénérait et elle avait dit à plusieurs reprises qu'elle avait eu une chance inouïe, qu'elle s'estimait vraiment heureuse d'être mariée à quelqu'un comme lui. Et, pour sûr, Erica voyait bien que, sur l'échelle des critères de beauté, il était mieux placé que Charlotte – grand, blond et beau, tel était le jugement que ces dames portaient sur le nouveau docteur – et il avait une formation universitaire, contrairement à sa femme. Mais, si on regardait les caractéristiques personnelles, Erica plaçait Charlotte en tête. C'était Niclas qui devait remercier sa bonne étoile. Charlotte était une femme pleine d'amour, sage et douce, et, dès qu'Erica aurait réussi à se sortir de son apathie, elle ferait tout pour le faire comprendre à son amie. En attendant de récupérer ses forces, elle devait se contenter de réfléchir à la situation de Charlotte.

Quelques heures plus tard, après la tombée de la nuit, la tempête faisait rage. En regardant sa montre, Erica se rendit compte qu'elle s'était assoupie pendant une bonne heure avec Maja qui l'utilisait comme sucette. Elle fut sur le point de prendre le téléphone pour appeler Charlotte lorsqu'elle entendit la porte d'entrée s'ouvrir.

— C'est qui ?

Patrik ne serait pas là avant une heure ou deux, c'était peut-être Charlotte qui daignait enfin apparaître.

— C'est moi. La voix de Patrik avait un timbre vide qui alarma immédiatement Erica.

En le voyant arriver dans le séjour, elle redoubla d'inquiétude. Le visage de Patrik était gris et ses yeux avaient une expression éteinte qui ne disparut que lorsqu'il aperçut Maja endormie dans les bras d'Erica. En deux enjambées, il fut près d'elles et, avant qu'Erica n'ait eu le temps de réagir, il avait soulevé le nourrisson dans ses bras. Maja se mit à crier à pleins poumons, effrayée d'être réveillée et soulevée aussi vite, mais il continua à la tenir serrée tout contre lui.

— Qu'est-ce que tu fais ? Tu vois bien que tu lui fais peur !

Erica essaya de lui prendre le bébé pour calmer ses hurlements, mais il esquiva ses tentatives et serra l'enfant encore plus près de lui. Maja pleurait maintenant, hystérique, et, faute de meilleures idées, Erica boxa Patrik sur le bras en lui répétant :

— Mais reprends-toi ! Qu'est-ce qui t'arrive ? Tu ne vois pas qu'elle est paniquée ?

Alors ce fut comme s'il se réveillait et il regarda tout décontenancé sa fille écarlate de rage et de panique.

— Pardon. Il tendit Maja à Erica qui tenta désespérément de la calmer en la berçant dans ses bras.

Au bout de quelques minutes, les pleurs de Maja se transformèrent en sanglots silencieux. Erica observa Patrik qui était absorbé dans une contemplation de la tempête dehors.

— Qu'est-ce qui s'est passé, Patrik ? demanda-t-elle sur un ton plus doux, mais elle ne sut pas empêcher l'inquiétude de percer.

— On a eu à gérer une noyade aujourd'hui, un enfant. Ici, à Fjällbacka. On y est allés, Martin et moi. Il se tut, incapable de continuer.

— Oh mon Dieu, comment c'est arrivé ? C'est qui ?

Puis les pensées s'organisèrent dans sa tête, comme de petits jetons qui tombaient à leur place tous en même temps.

— Oh mon Dieu, répéta-t-elle, c'est Sara, n'est-ce pas ? Charlotte devait venir me voir cet après-midi, mais elle n'est pas venue et personne ne répond chez elle quand j'appelle. C'est ça, c'est Sara que vous avez trouvée ?

Patrik ne put que hocher la tête et Erica se laissa tomber dans le fauteuil avant que ses jambes ne se dérobent sous elle. Elle pouvait encore voir Sara faisant des acrobaties sur leur canapé, pas plus tard que l'autre jour. Avec ses longs cheveux roux volant autour de sa tête et son rire qui jaillissait comme une force viscérale inépuisable. Elle plaqua la main sur sa bouche, et dans sa poitrine son cœur se fit lourd comme une pierre. Patrik s'entêtait à regarder par la fenêtre, et de profil elle vit ses mâchoires se crisper.

— C'était épouvantable, Erica. Je n'ai pas rencontré Sara très souvent, mais la voir allongée là dans le bateau, sans vie… J'imaginais Maja à la place. Depuis, je gamberge, ça n'arrête pas, je me dis : Si jamais une telle chose devait arriver à Maja… Et ensuite d'être obligé d'aller chez Charlotte lui annoncer ce qui était arrivé…

Erica laissa échapper un son plaintif et tourmenté. Elle n'avait pas de mots en elle pour décrire l'étendue de la compassion qu'elle ressentait pour Charlotte, et aussi pour Niclas. Tout à coup elle comprit la réaction de Patrik et elle se surprit à serrer Maja très fort contre elle. Jamais plus elle ne la lâcherait. Elle resterait ici, l'enfant dans ses bras, où elle était en sécurité, pour toujours. Maja bougea, elle n'était pas tranquille. Avec la sensibilité exacerbée des enfants, elle percevait que tout n'était pas comme ça devait être.

Dehors, la tempête déchaînait ses fureurs et Patrik et Erica restèrent assis là, longuement, à contempler le jeu sauvage de la nature, l'un comme l'autre plongé dans ses pensées, songeant à la fillette que la mer avait prise.

Le médecin légiste Tord Pedersen s'attela à la tâche en serrant les dents plus que d'habitude. Après de nombreuses années de métier, il avait atteint le stade endurci, envié ou détesté, selon la façon dont on le voyait, où la plupart des atrocités qu'il côtoyait dans son travail ne laissaient pas trop de traces en fin de journée. Mais entailler la peau d'un enfant entamait la cuirasse qu'il s'était forgée, cela dépassait toute routine, toute expérience laissée par des années d'exercice de la médecine légale. La vulnérabilité d'un enfant démolissait tous les murs de protection psychologique et c'est pourquoi sa main tremblait légèrement lorsqu'il l'approcha de la cage thoracique de la petite fille.

"Noyade" était l'information préliminaire et il lui restait maintenant à la confirmer ou à la réfuter. Mais pour l'instant rien de ce qu'il pouvait voir à l'œil nu ne contredisait cette cause possible de décès.

La lumière forte et impitoyable de la salle d'autopsie accentuait la lividité bleuâtre de l'enfant au point qu'on aurait dit qu'elle était gelée. La table en inox sur laquelle elle reposait semblait réfléchir le froid et Pedersen frissonna dans sa tenue verte de bloc opératoire. Elle était nue et il eut l'impression de la violenter lorsqu'il entailla le corps sans défense. Mais il s'obligea à se débarrasser de ce sentiment. Il savait que la mission qu'il accomplissait était importante, tant pour elle que pour ses parents, même si parfois ils ne le comprenaient pas. Apprendre la cause du décès était nécessaire pour le bon déroulement du travail de deuil. Même s'il semblait n'y avoir aucune anomalie dans ce cas précis, il fallait suivre les règles. Il le savait sur le plan professionnel mais, dans de tels instants, il se demandait en sa qualité de père de deux fils ce qu'il y avait d'humain dans le métier qu'il exerçait.

STRÖMSTAD 1923

— Agnes, je n'ai que des réunions sans intérêt aujourd'hui. Ce n'est pas la peine que tu viennes.

— Mais j'ai envie de venir. Je m'ennuie ici. Je n'ai rien à faire.

— Et tes amies alors…

— Toutes occupées, interrompit Agnes, boudeuse. Britta prépare son mariage, Laila est partie avec ses parents à Halden voir son frère, et Sonja aide sa mère aujourd'hui. D'une voix peinée, elle ajouta : Quelle chance, avoir une mère à aider… Elle regarda son père en dessous. Oui, ça fonctionnait, comme d'habitude.

— Bon, viens alors, soupira-t-il. Mais tu dois promettre de rester calme et te taire, je ne veux pas te voir gambader partout et parler avec le personnel. La dernière fois, tu leur as complètement tourné la tête, à ces pauvres gars, ils ont mis plusieurs jours à se remettre. Il ne put s'empêcher de sourire à sa fille. Indomptable certes, mais la plus belle fille de ce côté-ci de la frontière, sans conteste.

Agnes rit de satisfaction d'être encore une fois sortie victorieuse d'une discussion avec son père et elle le gratifia d'un câlin et d'une petite tape sur sa bedaine.

— Personne n'a un père comme le mien, roucoula-t-elle et August gloussa de plaisir.

— Qu'est-ce que je ferais sans toi ? dit-il, mi-sérieux, mi-plaisantant, et il l'attira contre lui.

— Oh, tu n'as pas à te faire de souci pour ça. Je n'ai pas l'intention de m'en aller.

— Non, pas pour l'instant, fit-il tristement et il passa sa main sur les cheveux de sa fille. Mais ça ne saurait sans doute pas tarder, qu'un séducteur vienne te voler. Si tu arrives à en trouver un à ton goût, rit-il. Jusque-là, tu as plutôt fait la difficile, il me semble.

— Ben oui, je ne peux quand même pas me contenter de n'importe qui. Avec toi comme modèle, il ne faut pas s'étonner si je suis devenue exigeante.

— Holà ma fille, ça suffit, la flatterie. Allez, dépêche-toi maintenant si tu veux m'accompagner au bureau. Il est hors de question que le patron arrive en retard.

Malgré ses recommandations, un bon moment s'écoula avant qu'ils puissent partir. Il y avait des cheveux qu'il fallait arranger et des vêtements à changer mais, une fois qu'Agnes fut prête, August admit que le résultat était superbe. Avec une demi-heure de retard, ils firent leur entrée.

— Je suis désolé de ne pas être à l'heure, dit August aux trois hommes qui attendaient dans le bureau. Mais j'espère que vous me pardonnerez en voyant la raison.

Il fit un geste de la main vers Agnes qui le suivait de près. Elle portait un tailleur rouge moulant qui mettait en évidence sa taille de guêpe. Alors que de nombreuses jeunes filles avaient sacrifié leurs cheveux en cédant à la mode des années 1920, Agnes avait eu la sagesse de résister, et son épaisse chevelure noire était nouée en un chignon simple sur la nuque. Elle savait très bien qu'elle était belle. Le miroir à la maison le lui avait dit et elle exploitait pleinement cet atout quand elle s'arrêta devant les hommes, ôta lentement ses gants et les laissa ensuite lui serrer la main, à tour de rôle.

Avec grande satisfaction, elle constata que l'effet ne se faisait pas attendre. Ils étaient assis alignés la bouche ouverte comme trois poissons, et les deux premiers gardèrent sa main un rien trop longtemps. Le troisième, en revanche, était différent. A sa grande surprise, Agnes sentit son cœur faire un bond dans sa poitrine. Le grand et solide gaillard la regarda à peine, et prit seulement sa main très brièvement. Les mains des deux autres étaient douces et presque féminines, alors que la main de celuici était différente. Elle sentit les cals qui raclaient sa paume et les doigts étaient longs et puissants. Un instant elle envisagea de ne pas la lâcher, mais elle se reprit et lui adressa un bref hochement de la tête. Les yeux qui croisèrent les siens très rapidement étaient marron, il avait sûrement du sang wallon* dans les veines.

Après avoir ainsi salué tout le monde, elle se hâta de s'asseoir dans un coin et posa les mains sur ses genoux. Elle vit que son père hésitait. Il aurait sans doute préféré la voir sortir de la pièce, mais elle se fit tout sourire et le supplia du regard. Comme d'habitude, il se laissa amadouer. Sans un mot il lui signala qu'elle pouvait rester, et pour une fois elle décida d'être sage comme une image, pour ne pas risquer de se faire renvoyer comme une gamine. Elle n'aimerait pas avoir à subir cela devant cet homme.

D'ordinaire, au bout d'une heure de participation silencieuse, elle était prête à pleurer d'ennui, mais pas cette fois-ci. L'heure était passée à toute vitesse et, quand la réunion fut terminée, Agnes n'avait plus de doutes. Elle désirait cet homme, plus qu'elle n'avait jamais auparavant désiré quoi que ce soit.

Et ce qu'elle désirait, en général elle l'obtenait.

* Encouragés par le roi Gustave II Adolphe, de nombreux forgerons wallons émigrèrent en Suède au début du XVIIe siècle, pour transmettre leurs connaissances aux forges suédoises. *(Toutes les notes sont des traductrices.)*

— Tu ne trouves pas qu'on devrait aller voir Niclas ?

La voix d'Asta était suppliante. Pourtant elle ne vit aucun signe de compassion sur le visage immuable de son époux.

— Je ne veux pas que son nom soit mentionné dans ma maison, je l'ai déjà dit ! fit Arne en regardant obstinément par la fenêtre de la cuisine et ses yeux avaient un éclat de granit.

— Mais après ce qui est arrivé à la petite...

— C'est la punition de Dieu. J'ai toujours dit que ça finirait par arriver. Non, tout ça, c'est de sa propre faute. S'il m'avait écouté, ceci n'aurait jamais eu lieu. Aucun mal ne peut atteindre ceux qui craignent Dieu. Et fini maintenant de parler de ça ! La poigne d'Arne atterrit violemment sur la table.

Asta soupira intérieurement. Bien sûr qu'elle respectait son mari, et il était toujours bien avisé, mieux qu'elle, mais dans le cas présent elle se demandait s'il ne se trompait pas. Quelque chose dans son cœur lui disait que ça ne pouvait pas être la volonté de Dieu qu'ils s'abstiennent de se précipiter aux côtés de leur fils si durement frappé. Certes elle n'avait jamais connu la fillette, mais c'était quand même la chair de leur chair, et il était écrit dans la Bible que les enfants appartenaient au royaume de Dieu. Mais évidemment c'était là les pensées d'une faible femme. Arne, lui, était un homme, il savait mieux. Ça avait toujours été ainsi. Comme tant de fois, elle garda ses pensées pour elle et se leva pour débarrasser la table.

Trop d'années s'étaient écoulées depuis la dernière fois qu'elle avait vu son fils. Bien sûr, ils se croisaient parfois dans la rue, c'était inévitable maintenant que Niclas était revenu vivre à Fjällbacka, mais elle était suffisamment sage pour ne pas s'arrêter et lui parler. Il avait, lui, essayé quelques fois, mais elle avait détourné la tête et poursuivi son chemin au petit trot, comme on lui avait dit de faire. Mais elle n'avait pas baissé le regard suffisamment vite pour ne pas voir la douleur dans ses yeux.

D'un autre côté, la Bible disait qu'on devait honorer ses père et mère, et ce qui s'était passé ce jour-là tant d'années auparavant était, pour autant qu'elle le comprenne, un péché contre la parole de Dieu. C'est pourquoi elle ne pouvait plus lui ouvrir son cœur.

Elle observa Arne devant la table. Toujours droit comme un piquet avec encore tous ses cheveux, même s'ils étaient devenus blancs, et pourtant il était septuagénaire, comme elle. Eh oui, pensa-t-elle, les filles lui avaient bien couru après quand ils étaient jeunes, mais Arne n'avait jamais été tenté. Il l'avait épousée alors qu'elle n'avait que dix-huit ans et à sa connaissance il n'avait jamais regardé quelqu'un d'autre. D'accord, il n'avait pas été spécialement porté sur la chose à la maison non plus, mais sa mère avait toujours dit que cette partie-là du mariage était le devoir d'une femme, pas une source de plaisir, si bien qu'Asta s'était estimée heureuse de ne pas avoir été trop sollicitée sur ce plan.

Ils avaient quand même eu un fils. Un grand garçon blond, qui ressemblait à sa mère comme deux gouttes d'eau tandis qu'il avait peu de traits de son père. C'était peut-être la raison pour laquelle ça s'était si mal terminé. S'il avait plus ressemblé à son père, Arne se serait peut-être plus attaché au garçon. Mais non. Il avait été à elle dès le début et elle l'avait aimé de toutes ses forces. Mais cela n'avait pas suffi. Car, lorsque le jour décisif où elle devait choisir entre le fils et le père était arrivé, elle l'avait trahi. Comment aurait-elle pu faire autrement ? Une épouse doit servir son époux, on le lui avait inculqué depuis qu'elle était enfant. Mais parfois, dans ses moments sombres, quand la lumière était éteinte et qu'elle était allongée dans le lit à fixer le plafond et à réfléchir, elle ruminait son chagrin. Elle se demandait comment une chose qu'elle tenait pour juste pouvait paraître si erronée. C'est pour ça qu'elle appréciait tant qu'Arne ait toujours la réponse à tout. Il lui avait dit plus d'une fois que l'intelligence de la femme ne valait rien et que c'était la mission de l'homme de la guider. Cela représentait une sécurité. Le père d'Asta avait ressemblé à Arne en plus d'un point, si bien qu'un univers où c'était l'homme qui décidait était le seul qu'elle connaissait. Et il était si sage, son Arne. Tout le monde le disait. Même le nouveau pasteur avait dit du bien de lui l'autre jour. Qu'il était le bedeau le plus honnête qu'il lui avait jamais été donné de connaître, et que Dieu devait se réjouir d'avoir de tels serviteurs. Arne le lui avait raconté, débordant de fierté. Mais évidemment ce n'était pas pour rien qu'il était bedeau à Fjällbacka depuis vingt ans. Si on ne comptait pas ces maudites années où le pasteur avait été une femme. Asta ne voudrait revivre ces années-là pour rien au monde. Heureusement cette usurpatrice avait fini par comprendre qu'elle était indésirable et elle était partie en laissant la place à un vrai pasteur. Comme son pauvre Arne avait été mal à cette époque ! En cinquante ans de mariage, c'était la première fois qu'elle lui avait vu les larmes aux yeux. Une femme dans la chaire de son église adorée, cela avait failli le briser. Mais il avait exprimé aussi qu'il faisait confiance à Dieu pour renvoyer les marchands du Temple. Et cette fois-là aussi Arne avait eu raison.

Elle aurait seulement voulu que d'une façon ou d'une autre il ouvre son cœur pour pardonner à leur fils ce qu'il avait fait. Sinon elle ne serait plus jamais entièrement heureuse. Mais elle savait pertinemment que s'il n'arrivait pas à lui pardonner maintenant, après ce qui venait de se passer, il n'y avait aucun espoir de réconciliation.

Si seulement elle avait eu le temps de connaître la petite. A présent, il était trop tard.

Quarante-huit heures s'étaient écoulées depuis qu'ils avaient trouvé Sara. L'atmosphère pesante qui régnait ce jour-là s'était inexorablement dissipée à mesure que la vie quotidienne reprenait le dessus. Les obligations de tous les jours ne disparaissaient pas parce qu'un enfant était décédé.

Patrik était en train de mettre la dernière main à un rapport concernant des actes de violence lorsque le téléphone sonna. L'écran lui indiqua la provenance de l'appel et il souleva le combiné avec un soupir. Autant que ça soit fait. La voix familière de Tord Pedersen, le médecin légiste, retentit à l'autre bout du fil. Ils échangèrent d'abord les phrases de politesse d'usage avant d'en venir au véritable sujet. Patrik fronça les sourcils, signe qu'il n'entendait pas ce qu'il avait pensé entendre. Une minute plus tard, le pli s'était creusé et, la conversation terminée, il raccrocha en balançant le combiné sur son support. Il essaya de se maîtriser pendant que les pensées fusaient dans sa tête. Puis il se leva, prit le bloc sur lequel il avait posé quelques brèves notes durant la conversation et alla voir Martin. En fait, il aurait sans doute dû aller voir le commissaire, Bertil Mellberg, en premier, mais il avait besoin de discuter l'information qu'on venait de lui fournir avec quelqu'un en qui il avait confiance. Le commissaire ne faisait malheureusement pas partie de ceux-là et, parmi les collègues, seul Martin était à la hauteur.

— Martin ?

Son collègue était au téléphone, mais il lui fit signe de s'asseoir. La conversation semblait se terminer, Martin était en train de murmurer quelques mystérieux “Hmm, oui moi aussi, hmmm, de même” tout en rougissant jusqu'aux racines des cheveux.

Malgré ce qu'il avait à dire, Patrik ne put s'empêcher de taquiner son jeune collègue.

— C'était qui ?

Pour toute réponse il eut un marmonnement inaudible de la part de Martin, qui devint encore un peu plus écarlate.

— Quelqu'un qui voulait signaler un crime ? Un collègue de Strömstad ? ou d'Uddevalla ? Ou alors carrément Leif G. W.* ? Il voulait écrire ta biographie ?

Martin remua sur sa chaise, puis il murmura un peu plus fort :

— C'était Pia.

* Leif G. W. Persson, né en 1945, criminologue et auteur de polars.

— Ah, PIA. Je ne l'aurais jamais deviné. Voyons voir, ça fait combien de temps déjà – trois mois, c'est ça ? Ça doit être un record pour toi, non ?

Jusqu'à l'été passé, Martin avait la réputation d'une sorte de spécialiste en liaisons brèves et désastreuses, généralement à cause d'un don infaillible pour tomber amoureux de femmes qui n'étaient pas libres et qui cherchaient avant tout une petite aventure clandestine. Pia, en revanche, non seulement était libre, mais c'était aussi une fille vraiment chouette et réfléchie.

— Samedi ça fera trois mois. Une étincelle s'alluma dans les yeux de Martin. Et on a décidé de vivre ensemble. Elle m'annonçait justement qu'elle a trouvé un super appartement à Grebbestad, on va le visiter ce soir.

Peu à peu sa rougeur se calma mais il eut du mal à dissimuler à quel point il était fou amoureux.

Patrik se rappela comment Erica et lui étaient au début de leur relation. Avant le bébé. Il l'aimait toujours à la folie, mais l'amour passionné lui paraissait tout à coup très lointain, comme un rêve flou. Les couches pleines et les nuits blanches n'y étaient sans doute pas pour rien.

— Et toi – quand est-ce que tu vas faire une femme honnête d'Erica ? Tu ne peux quand même pas la laisser comme ça, avec un bâtard…

— Ça, mon pote, t'aimerais bien le savoir, hein ? rigola Patrik.

— Bon, tu es venu là pour fouiner dans ma vie privée, ou tu voulais quelque chose de précis ?

Martin avait retrouvé son aplomb et il regarda calmement Patrik, qui se fit sérieux subitement. Il se rappela que ce qui les attendait était à mille lieues d'une plaisanterie.

— Pedersen vient d'appeler. Le rapport d'autopsie de Sara arrive par fax, mais il m'a fait un bref exposé de son contenu. Ce qu'il a trouvé signifie que la noyade de Sara n'était pas accidentelle. Elle a été assassinée.

— Merde, c'est pas vrai !

Martin écarta les mains dans un geste brusque et fit tomber son pot à crayons, mais c'était le cadet de ses soucis. Toute son attention était focalisée sur Patrik.

— Pour commencer, Pedersen était apparemment sur la même ligne que nous, il pensait que c'était un accident.

Pas de blessures visibles sur le corps, elle était entièrement habillée, avec des vêtements adaptés à la saison, à part le fait qu'elle n'avait pas de blouson, mais le vêtement a pu être emporté par le courant. Et le plus important de tout : il a effectivement trouvé de l'eau dans ses poumons.

— Alors c'est quoi qui ne colle pas avec l'accident ?

Martin écarta de nouveau les mains et leva les sourcils.

— De l'eau douce.

— De l'eau douce ?

— Oui, ce n'était pas de l'eau de mer dans ses poumons, comme on aurait pu s'y attendre, mais de l'eau douce. Probablement l'eau d'un bain. Pedersen y a en tout cas trouvé des restes de savon et de shampooing.

— Elle a donc été noyée dans une baignoire, dit Martin, incrédule. Ils avaient été tellement sûrs d'avoir affaire à une noyade accidentelle, tragique certes mais banale, qu'il eut du mal à raisonner autrement.

— Oui, on dirait. Cela concorde aussi avec les bleus sur son corps.

— Mais il n'y avait pas de blessures sur le corps, tu viens de le dire.

— Non, pas à première vue. Mais, en soulevant les cheveux de la nuque et en regardant de plus près, il a vu des hématomes très nets qui peuvent provenir d'une main. La main de quelqu'un qui a maintenu de force sa tête sous l'eau.

— Quelle horreur !

Martin eut l'air d'être sur le point de vomir et Patrik avait ressenti la même chose un instant plus tôt.

— C'est donc un meurtre qu'on a sur les bras, dit Martin, comme s'il essayait de se persuader d'un fait.

— Oui, et on a déjà perdu deux jours. Il faut qu'on commence un porte-à-porte, qu'on interroge la famille et les amis et qu'on se renseigne sur tout ce qui concerne la petite et ses proches.

Martin fit une vilaine grimace et Patrik comprit sa réaction. Les tâches qui les attendaient n'étaient pas agréables. La famille était déjà anéantie et maintenant ils allaient être obligés de venir fouiller dans les débris. Trop souvent, les meurtres d'enfants étaient commis par l'un de ceux qui devraient les pleurer le plus. Ils ne pouvaient donc pas montrer la compassion qui normalement était de mise à l'égard d'une famille qui a perdu un enfant.

— Tu es passé voir Mellberg ?

— Non, soupira Patrik. Mais j'y vais de ce pas. J'ai l'intention de demander qu'on mène cette enquête ensemble, toi et moi, puisqu'on a fait l'intervention l'autre jour quand elle a été retrouvée. J'espère que tu n'as rien contre ? Il savait que la question était purement formelle. Ni l'un ni l'autre n'avaient envie de voir leurs collègues Ernst Lundgren ou Gösta Flygare se charger d'affaires plus sérieuses que des vols de vélos.

Martin se contenta de hocher la tête en réponse.

— Bon, dit Patrik, alors j'y vais, comme ça, ça sera fait.

Le commissaire Mellberg regarda la lettre posée devant lui comme si c'était un serpent venimeux. Ce qui lui arrivait là était parmi ce qui pouvait arriver de pire. Même le fâcheux incident avec Irina l'été passé ne pouvait se mesurer avec ça.

De petites gouttes de sueur s'étaient formées sur son front, bien que la température dans son bureau soit plutôt fraîche. Mellberg les essuya distraitement avec la main et son geste fit tomber les mèches de cheveux qu'il avait soigneusement enroulées sur son crâne dégarni. Irrité, il essaya de les remettre en place lorsqu'on frappa à la porte. Il mit une dernière main à son œuvre et lança un "Entrez" bourru.

Hedström ne parut pas impressionné par le ton de Mellberg, mais il affichait une mine grave inhabituelle. D'habitude, le commissaire trouvait Patrik un peu trop blagueur à son goût. Il préférait travailler avec des hommes comme Ernst Lundgren, qui traitaient toujours leurs supérieurs avec le respect qu'ils méritaient. Alors que Hedström, Mellberg avait l'impression qu'il allait le surprendre en train de lui tirer la langue dès qu'il se retournait. Mais il se disait que le temps finirait par séparer le bon grain de l'ivraie. Avec sa longue expérience dans la police, il savait que les tendres et les gais lurons volaient en éclats les premiers.

Une seconde, il avait réussi à oublier le contenu de la lettre mais, lorsque Hedström s'installa dans le fauteuil de l'autre côté du bureau, il se rendit compte qu'elle était posée là, bien en vue devant lui, et il la glissa vivement dans le tiroir d'en haut. Il serait toujours temps de s'en occuper après.

— Bon, alors qu'est-ce qu'il se passe ?

Mellberg entendit que sa voix tremblait encore un peu après le choc et il se força à la stabiliser. Ne jamais se montrer faible, c'était son credo. Si l'on dénudait la gorge devant un subalterne, il avait vite fait d'y planter les dents.

— Un meurtre, dit Patrik sèchement.

— Qu'est-ce que c'est que ces histoires encore ? soupira Mellberg. Une de nos vieilles connaissances qui a tapé un peu trop fort sur sa bourgeoise ?

Le visage de Hedström était toujours grave et tendu.

— Non, répondit-il, c'est la noyade de l'autre jour. Il s'avère que ce n'est pas un accident. La gamine a été noyée.

Mellberg siffla entre les dents.

— Ah bon, ah bon, fit-il tandis que des pensées confuses tournoyaient dans sa tête.

D'un côté, il était révolté comme toujours quand un enfant était victime d'un crime, et de l'autre il essayait de faire une rapide estimation de l'impact qu'aurait cette évolution inattendue de l'affaire pour lui en tant que chef de la police à Tanumshede. On pouvait le voir de deux manières : soit comme une foutue surcharge de travail, soit comme une opportunité de promotion et un retour possible à Göteborg, l'endroit stratégique par excellence. Certes, il devait reconnaître que le bon déroulement des deux enquêtes pour meurtre qu'il avait eu à gérer jusque-là n'avait pas provoqué l'effet escompté, mais tôt ou tard quelque chose devrait bien convaincre ses supérieurs que sa place était au commissariat central. Cette affaire peut-être ? Il réalisa que Hedström attendait une autre forme de réaction de sa part et il se dépêcha d'ajouter :

— Une gamine, tu me dis que quelqu'un a tué une gamine ? On va le coincer, le salaud. Mellberg serra le poing pour souligner ses mots, et Patrik prit un air préoccupé.

— Tu aimerais connaître la cause du décès ? demanda Hedström comme s'il voulait lui souffler la réplique. Mellberg trouva son ton extrêmement agaçant.

— Bien entendu, j'allais y venir. Bon, qu'est-ce qu'il a dit alors, le médecin légiste ?

— Elle s'est noyée, mais pas dans la mer. Ils ont trouvé de l'eau douce dans ses poumons et, comme ils ont aussi repéré des restes de savon, Pedersen estime qu'il doit s'agir de l'eau d'un bain. Sara a donc été noyée dans une baignoire, puis on l'a portée jusqu'à la mer et immergée pour maquiller le meurtre en accident.

L'image que le compte rendu de Hedström fit naître dans l'esprit de Mellberg lui donna des frissons et pendant un instant il ne pensa plus à sa promotion éventuelle. Il estimait avoir vu de tout durant ses années de service et il se faisait un point d'honneur de rester impassible mais, quand la victime d'un meurtre était un enfant, il lui était impossible de rester de marbre. S'en prendre à une fillette dépassait l'ignominie. L'indignation que cela éveillait en lui était peu habituelle, mais il dut reconnaître qu'elle lui faisait du bien.

— Pas de coupable en vue ? demanda-t-il.

Hedström secoua la tête.

— Non, ce n'est pas une famille à problèmes et nous n'avons pas connaissance d'autres abus contre des enfants à Fjällbacka. Rien de tel. On va commencer par interroger la famille, j'imagine ? dit Patrik pour sonder le terrain.

Mellberg comprit immédiatement ce qu'il cherchait. Il n'avait rien contre. Laisser Hedström faire tout le boulot ingrat et ensuite poser lui-même sous les projecteurs quand tout serait terminé, cela avait bien fonctionné auparavant. Et il n'y avait pas de quoi en avoir honte. Après tout, bien déléguer les tâches était la clé d'une gestion réussie.

— On dirait que tu as envie de mener cette enquête ?

— Oui, j'ai déjà commencé en quelque sorte. C'est Martin et moi qui avons répondu à l'appel et j'ai déjà rencontré les parents de la fillette.

— Bon, ça me semble une bonne idée alors. Pense seulement à me tenir informé.

— D'accord, alors on démarre, Martin et moi.

— Martin ? dit Mellberg sur un ton perfide.

Le ton nonchalant de Patrik l'énervait toujours et il avait très envie de le remettre à sa place. Par moments Hedström se comportait comme s'il était le patron de ce commissariat, et Mellberg tenait là une occasion en or de montrer qui était le chef.

— Non, je ne crois pas que je pourrai me passer de Martin en ce moment. Je l'ai mis sur le coup d'une série de vols de voitures hier, probablement une bande de Baltes qui opère par ici, et je pense qu'il est débordé. Mais… il étira les mots et se réjouit de l'inquiétude qu'il lisait sur le visage de Hedström. Ernst n'a pas grand-chose en cours, vous pouvez sans problème faire équipe pour cette affaire.

Le jeune inspecteur devant lui se tortilla comme s'il souffrait le martyre et Mellberg sut qu'il avait appuyé le doigt juste au bon endroit. Il décida cependant d'atténuer un peu le tourment de Hedström.

— Mais je te nomme responsable de l'enquête, Lundgren te communiquera directement ses rapports.

Si Mellberg trouvait Ernst Lundgren plutôt sympa à côtoyer en tant que collègue, il avait aussi pleinement conscience de ses limites. Il n'était pas bête au point de se tirer une balle dans le pied…

Dès que la porte fut refermée derrière Hedström, Mellberg ressortit la lettre et la relut pour la dixième fois au moins.

Morgan fit quelques exercices avec les doigts et les épaules avant de s'installer devant son écran d'ordinateur. Il savait que parfois il disparaissait tellement loin dans le monde informatique qu'il conservait la même position pendant des heures. Il vérifia minutieusement qu'il avait tout à portée de main, pour n'avoir à se lever qu'en cas de besoin absolu. Oui, tout était en place. Une grande bouteille de Coca, un grand Daim et un grand Snickers. Avec ça, il serait calé pour un bon bout de temps.

Le classeur que Fredrik lui avait donné pesait sur ses genoux. Il contenait tout ce qu'il avait besoin de savoir. Tout l'univers imaginaire qu'il était lui-même incapable de créer était réuni entre les couvertures rigides du classeur et serait bientôt codé en langage binaire. Ça, c'était une chose qu'il maîtrisait. A cause d'un caprice de la nature, les sentiments, l'imagination, les rêves et les contes n'avaient jamais trouvé de place dans son cerveau, mais il possédait la logique, tout ce qui était prévisible dans les un et les zéros, ces petites impulsions électriques dans l'ordinateur qui se transformaient en quelque chose de visible sur l'écran.

Parfois il se demandait comment ça faisait. Etre comme Fredrik, capable de pondre d'autres mondes avec son esprit, de créer et d'imaginer les sentiments d'autres personnes. La plupart du temps, il se contentait de hausser les épaules et d'expédier ces réflexions comme de parfaites futilités mais, durant les profondes dépressions qui le frappaient périodiquement, il pouvait sentir tout le poids de son handicap et se désespérer d'avoir été conçu si différent des autres.

En même temps, c'était une consolation de savoir qu'il n'était pas seul. Il se connectait souvent aux blogs de gens comme lui et il échangeait des mails avec eux. Une fois, il était même allé à une réunion à Göteborg, mais c'est une expérience qu'il n'était pas près de renouveler. Leurs difficultés à communiquer avec les gens normaux les empêchaient de communiquer entre eux, et la rencontre avait été un échec d'un bout à l'autre.

Mais il avait quand même été content de se rendre compte qu'il n'était pas seul. Savoir cela était suffisant. En réalité, la vie sociale qui paraissait si importante pour les gens normaux ne lui manquait pas du tout. Là où il se sentait le mieux, c'était seul dans sa cabane avec les ordinateurs pour unique compagnie. De temps à autre il tolérait celle de ses parents, mais sans plus. Eux représentaient une sécurité. Pendant de nombreuses années il avait appris à les lire, à interpréter la langue muette et compliquée que constituaient les expressions du visage, les postures et les mille autres petits signaux que son cerveau n'arrivait pas à gérer. Eux aussi avaient appris à s'adapter à lui, à parler d'une façon qu'il pouvait un tant soit peu comprendre.

Devant lui, l'écran était vide. Il appréciait cet instant. Quelqu'un de normal aurait sans doute utilisé le mot “aimer”, mais il n'était pas très sûr de ce qu'aimer voulait dire. C'était peut-être ça, ce qu'il ressentait en ce moment. Cette sensation intense de satisfaction, de faire partie, d'être normal.

Morgan laissa ses doigts agiles courir sur le clavier. De temps à autre il jetait un regard dans le classeur sur ses genoux, sinon son regard restait rivé sur l'écran. Il s'étonnait toujours que ses difficultés à coordonner les mouvements de son corps et de ses doigts cessent si miraculeusement lorsqu'il travaillait. Il devenait tout d'un coup parfaitement habile et sa main aussi stable qu'elle aurait toujours dû être. Des troubles moteurs, c'est comme ça que s'appelaient les difficultés qu'il avait à diriger ses doigts quand il voulait nouer ses lacets ou boutonner une chemise. Cela faisait partie du diagnostic, il le savait. Il comprenait parfaitement ce qui le distinguait des autres, mais il n'y pouvait rien. Il trouvait d'ailleurs que ce n'était pas correct de qualifier les autres de normaux et ceux de son espèce d'anormaux. En réalité, c'était uniquement les normes de la société qui soutenaient que c'était lui, l'anormal. Alors qu'il était simplement – différent. Ses pensées roulaient sur d'autres rails, c'était tout. Pas nécessairement moins bons, mais différents.

Il fit une longue pause et but une gorgée de Coca-Cola directement à la bouteille, pour ensuite laisser ses doigts reprendre leur course sur les touches du clavier.

Morgan était content.

STRÖMSTAD 1923

Allongé sur le lit, les mains sous la nuque, il fixa le plafond. La soirée était déjà bien avancée et il ressentait comme toujours le poids d'une longue journée de travail dans les articulations. Mais ce soir il avait du mal à se calmer. Tant de pensées tournoyaient dans sa tête, c'était comme essayer de s'endormir au milieu d'une nuée de mouches.

Le rendez-vous pour le monolithe s'était bien passé et il occupait entièrement son esprit. Il avait conscience du défi que représentait ce travail et il tournait et retournait les différentes options, essayant de déterminer la meilleure façon de procéder. Il savait déjà à quel endroit de la carrière il allait dégager sa pierre. Dans le coin sud-est, il y avait un gros rocher intact et il pensait pouvoir en sortir avec un peu de chance un bloc de granit splendide, sans défauts ni faiblesses qui le fragiliseraient.

Son autre préoccupation était la fille aux cheveux noirs et aux yeux bleus. Il savait que ce genre d'idées était interdit. De telles filles, quelqu'un comme lui n'avait même pas le droit de les frôler en pensée. Mais il n'y pouvait rien. Quand il avait tenu sa petite main dans la sienne, il avait été obligé de se contraindre à la lâcher. Plus il sentait sa peau contre la sienne, plus ça devenait difficile de l'abandonner. Pourtant, jamais il n'avait aimé jouer avec le feu. Toute la réunion avait été un supplice. Les aiguilles de l'horloge murale avançaient à une allure d'escargot et il avait dû se faire violence pour ne pas se retourner sans cesse et la regarder dans le coin là-bas où elle était assise si sagement.

Jamais il n'avait vu de fille aussi belle. Aucune des femmes qui étaient passées dans sa vie ne pouvait se comparer à elle. Elle appartenait à un autre monde, voilà tout. Il soupira et se tourna sur le côté pour essayer de trouver le sommeil. Le lendemain, sa journée commencerait à cinq heures, comme tous les jours, et qu'il reste éveillé à se creuser la tête n'y changeait rien.

Il entendit un claquement. On aurait dit un caillou contre la vitre, mais le bruit avait été si bref et soudain qu'il se demandait s'il n'avait pas rêvé, et il referma les yeux. Le bruit se fit de nouveau entendre. Il n'y avait plus aucun doute. Quelqu'un lançait des cailloux contre sa fenêtre. Anders se redressa dans le lit. C'était probablement les copains avec qui il allait parfois siffler quelques verres et, furieux, il se dit que, s'ils réveillaient sa logeuse, ils auraient affaire à lui. Tout se passait bien depuis trois ans et il ne tenait pas à avoir de plaintes.

Il détacha doucement les crochets et ouvrit la fenêtre. Sa chambre était au rez-de-chaussée mais un gros lilas dissimulait la vue et il plissa les paupières à la faible lueur de la lune pour essayer de distinguer qui était là.

Quand il la vit, il n'en crut pas ses yeux.

Erica avait longuement hésité, avait enfilé puis retiré deux fois son manteau avant de finalement se décider. Ça ne pouvait pas être mal d'offrir son soutien, et elle verrait bien si Charlotte avait la force de recevoir des visites ou pas. En tout cas, il lui semblait impossible de rester simplement à la maison à tourner en rond alors qu'elle savait son amie plongée en enfer.

Le chemin portait encore tout du long des traces de la tempête. Des arbres renversés, des déchets et des morceaux d'objets étaient éparpillés par petits tas mélangés à des feuilles rouges et jaunes. Mais on aurait dit aussi que le vent avait balayé la couche de crasse automnale qui auparavant recouvrait la ville, maintenant l'air était frais et limpide comme une plaque de verre translucide.

Maja hurlait à pleins poumons dans le landau et Erica hâta le pas. Pour une raison inconnue, l'enfant avait très tôt décidé que rester dans le landau quand elle était réveillée était totalement absurde, et elle protestait bruyamment. La panique fit accélérer le cœur d'Erica et elle commençait à transpirer. Son instinct lui dit qu'elle devait tout de suite s'arrêter, sortir Maja du landau et la sauver des crocodiles, mais elle se blinda. Il ne restait plus beaucoup de chemin à faire, elle était presque arrivée chez la mère de Charlotte.

C'était bizarre qu'un simple événement isolé puisse si totalement modifier votre manière d'appréhender le monde. Erica avait toujours trouvé que les maisons au-dessous du camping de Sälvik formaient un joli et paisible collier de perles le long de la route, surplombant la baie et les îles.

Maintenant une chape sombre s'était installée au-dessus des toits et surtout au-dessus de la maison des Florin. Elle hésita encore une fois, mais elle arrivait si près que ce serait ridicule de faire demi-tour. Ils n'auraient qu'à la mettre à la porte s'ils trouvaient qu'elle dérangeait. C'est dans la détresse qu'on mesure ses amis et elle ne voulait pas faire partie de ces gens qui, par une sollicitude exagérée, peut-être même par lâcheté, tournent le dos aux amis marqués par le sort.

Elle poussa le landau dans la côte, en soufflant sous l'effort. La maison des Florin était à mi-hauteur et, arrivée devant leur garage, elle s'arrêta une seconde pour reprendre sa respiration. Les cris de Maja avaient atteint un niveau de décibels qui aurait été classé intolérable dans un lieu de travail, et elle se dépêcha de ranger le landau sous le porche et de prendre son bébé dans les bras.

Pendant quelques longues secondes elle resta devant la porte la main levée avant de la laisser frapper le bois, le cœur battant. Il y avait une sonnette, mais ce serait vraiment importun d'envoyer un signal strident dans la maison. Un long silence suivit et Erica était sur le point de faire demi-tour et de s'en aller lorsqu'elle entendit des pas à l'intérieur. C'est Niclas qui ouvrit.

— Salut, dit-elle à voix basse.

— Salut, dit Niclas. Les bords rouges de ses paupières ressortaient dans son visage pâle. Erica lui trouvait la tête d'un homme déjà mort mais qui continuait à errer ici-bas.

— Je suis désolée si je dérange, ce n'est absolument pas mon intention, mais j'ai pensé que… Elle chercha les mots, mais n'en trouva pas. Un silence compact s'installa. Niclas avait les yeux rivés sur ses pieds et, pour la deuxième fois depuis qu'elle avait frappé à la porte, Erica fut sur le point de pivoter sur ses talons et de se sauver chez elle.

— Tu veux entrer ? demanda-t-il.

— Tu penses que c'est possible ? demanda Erica. Je veux dire, tu penses que je pourrais me rendre… – de nouveau elle chercha le bon mot – utile ?

— Elle a pris des sédatifs puissants et elle n'est pas entièrement… Il ne termina pas sa phrase. Mais elle a dit plusieurs fois qu'elle aurait dû t'appeler, ce serait bien si tu pouvais entrer et la rassurer sur ce point.

Que Charlotte puisse s'inquiéter de ne pas l'avoir prévenue, après une telle tragédie, montrait bien dans quelle confusion elle devait se trouver. En arrivant dans le séjour, Erica étouffa un gémissement. Si Niclas avait l'air d'un mort vivant, Charlotte paraissait avoir déjà passé quelque temps sous terre. De la femme énergique, chaude et vivante, il ne restait rien. On aurait dit une coquille vide allongée sur le canapé. Ses cheveux châtains, qui d'habitude dansaient en boucles pétillantes autour de sa tête, pendaient maintenant en mèches tristes. Les kilos en trop que sa mère n'arrêtait pas de lui reprocher donnaient un genre à Charlotte, ils la faisaient ressembler à une charmante Dalécarlienne potelée sortie tout droit d'un tableau de Zorn. Désormais sa peau et son corps avaient un aspect malsain et pâteux.

Elle ne dormait pas. Mais les yeux fixaient le vide et elle était parcourue de petits frissons comme si elle avait la fièvre. Sans enlever son manteau, Erica se précipita instinctivement et s'agenouilla devant le canapé. Elle posa Maja par terre à côté d'elle, le bébé sembla sentir l'ambiance et se tint pour une fois silencieux et calme.

— Oh Charlotte, je suis si désolée.

Erica pleura et prit le visage de Charlotte entre ses mains, mais elle ne décela aucune réaction dans le regard vide.

— Elle a été comme ça tout le temps ? demanda Erica en se tournant vers Niclas.

Il était planté au milieu de la pièce, tanguant légèrement. Il finit par hocher la tête et se passa une main fatiguée sur les yeux.

— Ce sont les médicaments. Mais, dès qu'on les supprime, elle se met à crier. On dirait un animal blessé. Je ne supporte pas de l'entendre.

Erica se tourna de nouveau vers Charlotte et lui caressa tendrement les cheveux. Une légère odeur de transpiration et d'angoisse émanait de son corps, comme si elle n'avait pas pris de bain et ne s'était pas changée depuis plusieurs jours. Elle remua la bouche pour dire quelque chose, mais ses paroles se perdirent tout d'abord dans un murmure indéchiffrable. Après quelques tentatives, elle articula d'une voix basse et rauque :

— Pas pu venir. Aurais dû téléphoner.

Erica secoua vigoureusement la tête et continua à caresser les cheveux de son amie.

— Ça ne fait rien. N'y pense plus.

— Sara, partie, dit Charlotte et elle posa pour la première fois son regard sur Erica, un regard tellement rempli de douleur que celle-ci eut l'impression qu'il lui brûlait la rétine.

— Oui, Charlotte. Sara est partie. Mais Albin est là, et Niclas. Il faut vous soutenir l'un l'autre maintenant.

Elle entendit combien c'était plat, ce qu'elle disait, mais la simplicité d'un cliché pouvait peut-être atteindre Charlotte. Le seul résultat fut l'esquisse d'un sourire et une voix sourde et amère : "Soutenir l'un l'autre." Le sourire ressemblait à une grimace et tout indiquait qu'il y avait un message caché dans le ton amer de Charlotte quand elle reproduisait les mots d'Erica. Mais peut-être qu'elle se faisait des idées. Les calmants puissants pouvaient avoir des effets secondaires étranges.

Un bruit derrière elles fit se retourner Erica. Lilian se tenait à la porte et elle semblait étouffer de colère. Elle lança un regard foudroyant à Niclas.

— On avait pourtant bien dit que Charlotte n'était pas en état de recevoir des visites !

La situation était extrêmement inconfortable pour Erica, mais Niclas ne parut pas incommodé par le ton de sa belle-mère. Faute d'une réponse de sa part, Lilian se tourna directement vers Erica assise par terre.

— Charlotte est trop mal en point pour voir du monde sans arrêt. C'est pourtant pas difficile à comprendre !

Elle amorça le geste d'aller chasser Erica du chevet de sa fille, exactement comme on chasse une mouche, mais pour la première fois les yeux de Charlotte s'animèrent un peu. Elle leva la tête du coussin et regarda sa mère droit dans les yeux.

— Je veux qu'Erica reste avec moi.

La bravade de sa fille augmenta encore la colère de Lilian, mais elle fit appel à toute sa volonté et ravala ce qu'elle avait au bout de la langue puis elle se précipita dans la cuisine. Le tumulte sortit Maja de son état remarquablement calme et sa voix stridente fusa dans la pièce. Charlotte se redressa péniblement dans le canapé. Niclas aussi se réveilla de sa torpeur et fit un rapide pas en avant pour l'aider. Elle repoussa sèchement son bras et tendit le sien vers Erica.

— Tu es sûre que tu as assez de forces pour rester assise ? Ce serait peut-être mieux que tu restes allongée encore un peu ? s'inquiéta Erica, mais Charlotte secoua la tête.

Elle eut du mal à former les mots, mais avec un effort manifeste elle réussit à prononcer :

— ... assez de rester couchée. Puis ses yeux se remplirent de larmes et elle chuchota : Pas un rêve ?

— Non, pas un rêve, dit Erica.

Ensuite elle ne savait plus quoi dire. Elle s'assit dans le canapé à côté de Charlotte, prit Maja sur ses genoux et mit un bras autour des épaules de son amie. Le tee-shirt de Charlotte était tout humide et Erica se demanda si elle oserait proposer à Niclas d'aider sa femme à prendre une douche et à se changer.

— Tu veux un autre cachet ? dit Niclas, mais sans se risquer à regarder Charlotte après avoir été éconduit.

— Finis les cachets, dit Charlotte en secouant de nouveau la tête. Je dois rester lucide.

— Tu veux prendre une douche ? demanda Erica. Niclas ou ta mère pourrait t'aider.

— Et toi, tu ne peux pas le faire ? La voix de Charlotte paraissait désormais plus stable à chaque phrase qu'elle prononçait.

Erica hésita une brève seconde avant de finalement accepter.

Tenant Maja sur un bras, elle aida Charlotte à se lever du canapé et la fit sortir du salon. Le trajet dans le couloir jusqu'à la salle de bains parut interminable. En passant devant la cuisine, Lilian les aperçut et elle fut sur le point d'ouvrir la bouche et de lâcher une salve quand Niclas arriva et la réduisit au silence d'un seul regard. Erica entendit des murmures indignés monter de la cuisine, mais elle n'y prêta qu'un intérêt modéré. Le principal était que Charlotte aille mieux, et pour cela elle avait une confiance totale dans les bienfaits d'une douche et de vêtements propres.

STRÖMSTAD 1923

Ce n'était pas la première fois qu'elle faisait le mur. C'était tellement facile. Elle n'avait qu'à ouvrir la fenêtre, sortir sur le toit et descendre par l'arbre dont les branches solides touchaient la maison. Grimper était un jeu d'enfant. Après mûre réflexion, elle avait renoncé à porter une jupe, qui pourrait compliquer le passage dans l'arbre, et avait préféré un pantalon serré qui moulait ses cuisses comme une deuxième peau.

Elle avait l'impression d'être poussée par une grosse vague à laquelle elle ne pouvait ni ne voulait résister. C'était à la fois effrayant et agréable de ressentir un élan aussi fort vers quelqu'un, et elle comprit que les béguins fugaces qu'auparavant elle avait pris au sérieux n'avaient été que des jeux puérils. Ce qu'elle éprouvait à présent, c'étaient les sentiments d'une femme adulte et ils étaient plus puissants qu'elle n'aurait jamais pu imaginer. Au cours des nombreuses heures de réflexion qu'elle avait passées depuis le matin, quelques lueurs de lucidité lui avaient fait comprendre que les braises qui enflammaient son cœur étaient en grande partie dues à la tentation du fruit défendu. Mais le sentiment était indéniablement là, et elle qui n'avait pas l'habitude de se refuser quoi que ce soit n'avait certainement pas l'intention de le faire maintenant. En fait, elle n'avait aucun plan. Seulement une intuition de ce qu'elle voulait et la certitude qu'elle le voulait tout de suite. Elle n'avait jamais eu besoin de se préoccuper des conséquences de ses actes et les choses avaient toujours eu tendance à se résoudre, alors pourquoi ne le feraient-elles pas à présent ?

Qu'il puisse ne pas vouloir d'elle ne l'avait même pas effleurée. Elle n'avait encore jamais rencontré un homme qu'elle laissait indifférent. Les hommes étaient comme des pommes, elle n'avait qu'à tendre la main pour les cueillir. Elle était encline à admettre, cependant, que cette pomme-là impliquait peut-être un plus gros risque. Même les hommes mariés qu'elle avait embrassés, à l'insu de son père bien sûr, et à qui, dans certains cas, elle avait permis d'aller plus loin encore, étaient plus rassurants que l'homme qu'elle s'apprêtait à aller trouver, car ils appartenaient à la même classe sociale qu'elle. Leurs rendez-vous auraient peut-être causé du scandale s'ils avaient été découverts, mais les gens les auraient très vite considérés avec une certaine indulgence. Alors qu'un homme de la classe ouvrière ! Un tailleur de pierre ! Personne n'avait probablement encore ne fût-ce qu'imaginé une telle chose. Cela n'existait tout simplement pas.

Mais elle en avait assez des hommes de son milieu. Inconsistants, fades, avec des poignées de main molles et des voix criardes. Aucun n'était mâle à la manière de celui qu'elle avait rencontré aujourd'hui. Elle frissonna en se rappelant la sensation de ses mains calleuses contre sa peau.

Trouver où il habitait n'avait pas été facile. Pas sans éveiller des soupçons. Mais un rapide coup d'œil sur les bulletins de paie à un moment où le bureau n'était pas surveillé lui avait fourni l'adresse.

Le premier caillou ne provoqua aucune réaction et elle attendit un instant, de crainte d'éveiller la vieille chez qui il louait. Mais personne ne bougea dans la maison. Elle prit le temps de s'admirer à la lueur douce de la lune. Les vêtements qu'elle avait choisis étaient simples et sombres, pour ne pas trop trancher avec lui, et la même raison l'avait poussée à tresser ses cheveux et les enrouler au sommet du crâne en une coiffure répandue chez les ouvrières. Satisfaite de ce qu'elle voyait, elle ramassa un autre petit gravier de l'allée et le lança sur la vitre. Elle vit quelqu'un bouger à l'intérieur et son cœur tressaillit. L'excitation fit circuler l'adrénaline dans son corps et Agnes sentit ses joues s'empourprer. Lorsqu'il apparut, l'air déconcerté, elle se glissa derrière le lilas qui masquait en partie la fenêtre et prit une profonde inspiration. La chasse pouvait commencer.

C'est le cœur gros et le pas lourd qu'il sortit du bureau de Mellberg. "Quel con, celui-là !" fut la pensée bien articulée qui surgit dans son esprit. Il savait très bien que le commissaire l'avait forcé à faire équipe avec Ernst rien que pour l'emmerder. Si ce n'avait pas été si sinistrement pathétique, ça aurait pu être comique à force de stupidité.

Patrik alla voir Martin dans son bureau et tout son corps signala que les choses ne s'étaient pas déroulées comme ils l'avaient imaginé.

— Qu'est-ce qu'il a dit ? demanda Martin, sur un ton qui évoquait de mauvais pressentiments.

— Malheureusement il ne peut pas se passer de toi. Tu dois continuer à travailler sur une embrouille de bagnoles. Par contre, il peut sans problèmes se passer d'Ernst.

— C'est une blague ? Lundgren et toi, vous allez bosser ensemble ?

— On dirait. Si on connaissait l'assassin, on pourrait lui envoyer un télégramme de félicitations. On va prendre un de ces retards si je ne réussis pas à tenir ce type le plus possible à l'écart de l'enquête.

— Merde alors ! dit Martin.

Patrik ne put qu'être d'accord. Après un moment de silence, il se leva, les mains sur les cuisses, et il essaya de mobiliser quelque enthousiasme.

— Bon, quand il faut y aller, il faut y aller.

— Tu pensais commencer par quel bout ?

— Eh bien, en premier je suppose qu'il faudra informer les parents de la tournure des événements et poser quelques questions en douceur.

— Tu iras avec Ernst ? dit Martin avec scepticisme.

— Ben, j'avais plutôt pensé essayer d'y aller seul. J'attendrai un max pour l'informer de son changement de partenaire.

Mais, en sortant dans le couloir, il comprit que Mellberg avait déjà mis un terme à ce projet.

— Hedström ! La voix d'Ernst, geignarde et forte, était une calamité pour l'oreille.

Un bref instant, Patrik envisagea de retourner se cacher dans le bureau de Martin, mais il résista à une impulsion aussi puérile. Il fallait bien qu'une personne au moins dans cette nouvelle équipe policière se comporte en adulte.

— Par ici !

Il fit un léger signe de la main à Lundgren qui arriva à toute vapeur. Grand et maigre, avec une expression permanente de mécontentement, il n'était pas beau à voir. Ce qu'il maîtrisait le mieux, c'était cirer les pompes des uns en bottant le cul aux autres. Il n'avait aucune compétence ni aucune ambition d'effectuer un travail de police dans les règles. Après l'incident de l'été passé, Patrik estimait même qu'il était carrément dangereux, à cause de sa témérité et de son désir de briller. Et voilà maintenant qu'il allait être obligé de se le trimballer.

— Je viens de parler avec Mellberg. Il a dit que la gamine, là, elle a été assassinée, et qu'on va mener l'enquête ensemble, tous les deux.

Patrik sentit l'inquiétude monter en lui. Il espérait vraiment que Mellberg n'avait pas agi dans son dos.

— Je pense que Mellberg a plutôt dit que moi, je mènerais l'enquête et que toi, tu travaillerais avec moi. N'est-ce pas ? dit Patrik d'une voix de velours.

Lundgren baissa les yeux, mais pas suffisamment vite et Patrik eut le temps de voir une rapide lueur d'antipathie dans son regard. En fait, il avait seulement tenté un coup bas pour voir.

— Oui, je suppose que oui, dit-il, contrarié. Bon, on commence où alors – patron… ? Ernst prononça ce dernier mot avec un profond mépris et Patrik, furieux, crispa le poing. Au bout de cinq minutes de collaboration il avait déjà envie d'étrangler le bonhomme.

— Viens, on se met dans mon bureau.

Il entra le premier et s'installa derrière sa table de travail. Ernst s'assit en face, ses longues jambes étalées devant lui.

Dix minutes plus tard, Ernst avait reçu toutes les informations, et ils prirent leurs blousons pour se rendre chez les parents de Sara.

Le trajet pour Fjällbacka se déroula dans un silence compact. Aucun des deux n'avait quoi que ce soit à dire. En se garant devant la maison de la famille Florin, Patrik reconnut immédiatement le landau. Sa première pensée fut un "Merde alors !" mais il changea vite d'avis. La présence d'Erica pouvait être utile à toute la famille. Ou au moins à Charlotte. C'était surtout pour elle qu'il se faisait du souci, il ignorait totalement comment elle répondrait aux nouvelles qu'il apportait. Les gens pouvaient avoir des réactions tellement différentes. Il connaissait des cas où les proches avaient mieux supporté que l'être aimé ait été tué plutôt que de le savoir victime d'un accident. Cela leur donnait quelque chose à incriminer, quelque chose qui servait de support au deuil. Mais il ne savait pas si les parents de Sara réagiraient ainsi.

Ernst sur les talons, Patrik alla frapper discrètement à la porte. La mère de Charlotte ouvrit et elle était manifestement furibarde. Des taches rouges flamboyaient sur son visage et ses yeux avaient un éclat d'acier qui fit souhaiter à Patrik de ne jamais avoir de contentieux avec elle.

Reconnaissant Patrik, elle fit visiblement un effort pour se maîtriser et elle adopta une mine de circonstance.

— La police ?

Patrik fut sur le point de présenter son collègue, lorsque Ernst dit : "On s'est déjà rencontrés." Il adressa un signe de la tête à Lilian qui le lui rendit.

Bien sûr, se dit Patrik, évidemment. Avec le ping-pong de plaintes entre Lilian et son voisin, tous les policiers de Tanumshede devaient l'avoir déjà rencontrée. Mais aujourd'hui ils étaient venus pour une affaire autrement plus sérieuse qu'une minable guerre entre voisins.

— On peut entrer une minute ? demanda Patrik.

Lilian hocha la tête et les précéda dans la cuisine où Niclas était attablé, lui aussi les joues rouges de colère. Patrik chercha Charlotte et Erica des yeux. Niclas vit son regard et dit :

— Erica est en train d'aider Charlotte à prendre une douche.

— Comment elle va, Charlotte ?

— Elle était totalement KO. Mais l'arrivée d'Erica a fait des miracles. C'est la première fois qu'elle prend une douche et qu'elle se change depuis... depuis que c'est arrivé.

Patrik lutta avec lui-même. Devait-il avoir une conversation particulière avec Niclas et Lilian, et demander à Erica de se charger de Charlotte, ou bien était-elle suffisamment forte pour participer ? Il choisit cette dernière option. Si elle était debout maintenant, et de plus avec le soutien de sa famille, ça devrait bien se passer. Et, après tout, Niclas était médecin.

— Qu'est-ce que vous voulez ? dit Niclas, et ses yeux déconcertés allaient d'Ernst à Patrik.

— J'aimerais attendre que Charlotte soit là pour en parler.

Lilian et Niclas s'en contentèrent, mais ils échangèrent un rapide regard difficile à interpréter. Cinq minutes s'écoulèrent en silence. Parler de la pluie et du beau temps aurait été totalement déplacé.

La cuisine où ils se trouvaient était agréable mais apparemment gérée par un véritable maniaque. Tout était rutilant et aligné au cordeau. Rien à voir avec leur cuisine, à Erica et lui, son chaos généralisé dans l'évier, et la poubelle qui débordait d'emballages de plats cuisinés. Patrik entendit une porte s'ouvrir et Erica arriva, une Maja endormie dans les bras et une Charlotte douchée de frais derrière elle. Le visage surpris d'Erica prit rapidement une expression d'inquiétude pendant qu'elle pilotait son amie vers une chaise. Patrik ignorait comment avait été Charlotte avant, mais à présent son visage avait pris un peu de couleurs et ses yeux étaient brillants et conscients.

— Qu'est-ce que vous faites ici ? dit-elle d'une voix encore un peu éraillée après plusieurs jours à alterner les pleurs et le silence. Elle regarda Niclas qui haussa les épaules dans un geste indiquant que lui non plus ne le savait pas encore.

— On voulait t'attendre avant de...

Les mots manquaient à Patrik et il chercha une manière de présenter ce qu'il avait à dire. Heureusement Ernst se taisait et le laissait s'occuper de tout.

— Il y a du nouveau concernant la mort de Sara.

— Vous en avez appris plus sur l'accident ? Qu'est-ce que vous savez ? dit Lilian, très agitée.

— Tout indique qu'il ne s'agit pas d'un accident.

— Comment ça, indique ? C'est un accident ou ce n'est pas un accident ? dit Niclas avec une irritation manifeste.

— Ce n'est pas un accident. Sara a été tuée.

— Tuée, mais comment ? Elle s'est noyée, non ?

Charlotte eut l'air confuse et Erica prit sa main. Maja dormait toujours dans une heureuse ignorance de ce qui se jouait autour d'elle.

— Elle a été noyée, mais pas dans la mer. Le médecin légiste n'a pas trouvé d'eau de mer dans ses poumons, comme il s'y attendait, mais de l'eau douce, probablement provenant d'une baignoire.

Le silence autour de la table fut explosif. Patrik jeta un regard inquiet à Charlotte, et Erica chercha à entrer en contact avec ses yeux écarquillés d'angoisse.

Patrik comprit qu'ils se trouvaient tous en état de choc et il commença tout doucement à poser des questions pour les ramener à la réalité. Il espérait que c'était la bonne manière de procéder. Quoi qu'il en soit, il faisait son travail, et il était obligé de lancer les questions, autant pour Sara que pour sa famille.

— Nous avons besoin de passer en revue tout ce que Sara a fait ce matin-là, et à quelle heure. Qui d'entre vous est le dernier à l'avoir vue ?

— Moi, dit Lilian. Je l'ai vue la dernière. Charlotte était en train de se reposer au sous-sol et Niclas était parti au travail. Je m'occupais des enfants un petit moment. Un peu après neuf heures, Sara a dit qu'elle partait chez Frida. Elle a mis son blouson elle-même, puis elle est partie. Elle m'a fait au revoir avec la main en partant, dit Lilian sur un ton vide et machinal.

— Vous pouvez préciser un peu plus ? Il était neuf heures vingt ? Neuf heures cinq ? Combien de minutes après neuf heures ? Chaque minute aura son importance, dit Patrik.

Lilian réfléchit.

— Je dirais qu'il était environ neuf heures dix. Mais je ne suis pas entièrement sûre.

— D'accord, on va vérifier avec les voisins si quelqu'un a vu quelque chose, comme ça on pourra peut-être obtenir une confirmation de l'heure exacte. Il prit quelques notes dans son calepin, et continua : Et, après cela, personne ne l'a vue ?

Ils secouèrent la tête.

Ernst demanda brutalement :

— Et vous autres, qu'est-ce que vous faisiez alors ?

Patrik fit une grimace virtuelle et maudit les méthodes d'interrogatoire peu diplomatiques de son collègue.

— Ernst veut dire que c'est la procédure habituelle de le demander à tout le monde, donc à toi aussi, Niclas, et à Charlotte. De la pure routine, seulement pour pouvoir vous rayer de l'enquête au plus vite.

Il eut l'impression que sa tentative d'arrondir les angles réussissait. Niclas et Charlotte répondirent sans trop d'émotion et semblèrent accepter la justification que donnait Patrik à cette question inconfortable.

— J'étais au centre médical, dit Niclas. J'ai commencé à travailler vers huit heures.

— Et toi, Charlotte ? demanda Patrik.

— Maman vient de le dire, je me reposais au sous-sol. J'avais la migraine, précisa-t-elle avec une voix qui semblait surprise. Comme si elle s'étonnait que quelques jours auparavant cela ait pu être un gros problème dans sa vie.

— Stig aussi était à la maison. Il dormait dans sa chambre. Ça fait quelques semaines qu'il est alité, précisa Lilian, toujours agacée que Patrik et Ernst osent poser des questions sur les occupations de sa famille.

— Oui, Stig, il faudra qu'on lui parle aussi, mais ça peut attendre, dit Patrik qui dut reconnaître qu'il avait totalement oublié le mari de Lilian.

Un long silence s'ensuivit. Des pleurs d'enfant parvinrent d'une des chambres et Lilian se leva pour aller chercher Albin, qui comme Maja avait traversé toute l'agitation en dormant. Pas encore complètement réveillé, il affichait le même air sérieux que toujours. Lilian se rassit et laissa son petit-fils jouer avec la chaîne en or qu'elle portait autour du cou.

Ernst ouvrit la bouche pour poser d'autres questions, mais un regard d'avertissement de Patrik le retint. Celui-ci poursuivit en douceur :

— Connaissez-vous quelqu'un, n'importe qui, qui aurait pu vouloir du mal à Sara ?

Charlotte le regarda, incrédule, et dit de sa voix rauque :

— Qui aurait pu vouloir du mal à Sara ? Elle n'avait que sept ans. Sa voix se cassa, mais elle prit visiblement sur elle pour garder le contrôle.

— Alors vous ne voyez pas le moindre motif ? Personne qui aurait voulu vous nuire, à vous, rien de tel ?

A cette question, Lilian fit de nouveau entendre sa voix. La colère qui avait fait flamboyer ses joues à leur arrivée se ralluma.

— Quelqu'un qui cherche à nous nuire ? Eh bien, vous ne sauriez pas si bien dire. Il y a une personne, et une seule, qui colle avec cette description, et c'est notre voisin, Kaj. Il nous hait et ça fait des années qu'il s'applique à transformer notre vie en enfer !

— Ne sois pas stupide, maman, dit Charlotte. Kaj et toi, vous avez des histoires *entre vous* depuis des années. Pourquoi voudrait-il faire du mal à Sara ?

— Cet homme-là est capable de n'importe quoi. C'est un psychopathe, je te le dis. Et jetez donc un œil sur Morgan, tant que vous y êtes. Il a quelque chose qui cloche dans la tête, et des gens comme ça, ils peuvent faire n'importe quoi. Regardez tous ces détraqués qu'ils lâchent dans la nature, ils font n'importe quoi. Celui-là aussi, il devrait être derrière les barreaux, si quelqu'un avait une once de bon sens !

Niclas posa une main sur son bras pour la calmer, mais sans effet. Albin geignit, inquiet, en entendant le ton de leurs voix.

— Kaj me hait, parce que j'ose lui tenir tête, ce que personne n'a jamais fait avant ! Il se croit quelqu'un seulement parce qu'il a été PDG et qu'il a de l'argent, et c'est pour ça qu'il s'imagine que lui et sa femme, ils peuvent venir s'installer ici à Fjällbacka et qu'on va les traiter comme des princes ! Il est sans scrupules, et je ne tiens rien pour impossible quand il s'agit de cet homme-là !

— Arrête, maman ! La voix de Charlotte avait retrouvé sa vivacité et elle regarda sa mère d'un œil furibond. Ne provoque pas une scène, pas maintenant !

La sortie de Charlotte cloua le bec à Lilian et la contrariété lui fit serrer les mâchoires. Mais elle ne se risqua pas à répondre à sa fille.

— Donc, dit Patrik en hésitant, légèrement déstabilisé par le numéro de Lilian, à part votre voisin vous ne voyez personne qui pourrait avoir quelque chose contre vous ?

Tout le monde secoua la tête. Il referma son calepin.

— Bon, alors on n'a plus de questions pour le moment. Encore une fois, je voudrais vous présenter toutes mes condoléances.

Niclas hocha la tête et se leva pour les raccompagner. Patrik se tourna vers Erica.

— Tu restes, ou je te ramène à la maison ?

— Je reste encore un petit moment, répondit Erica, le regard fixé sur Charlotte.

Sur le perron, Patrik s'arrêta pour respirer à fond.

Il entendait des voix tantôt sonores, tantôt feutrées au rez-de-chaussée et se demanda qui c'était. Comme d'habitude, personne ne se donnait la peine de l'informer de ce qui se passait. Mais c'était peut-être tout aussi bien. Très sincèrement, il n'était pas sûr d'avoir assez de forces pour participer. Dans un certain sens, c'était plus agréable de se trouver ici dans le lit, comme dans un cocon, et de laisser son cerveau traiter tranquillement tous les sentiments qu'avait engendrés la mort de Sara. C'était bizarre mais, grâce à sa maladie, le deuil était plus facile à gérer. La souffrance physique réclamait sans cesse son attention et refoulait une partie de la souffrance mentale.

A grand-peine, Stig se retourna dans le lit et fixa le mur sans le voir. Il avait aimé la fillette comme si c'était sa propre petite-fille. Bien sûr qu'il voyait qu'elle avait un caractère difficile, mais jamais quand elle montait le voir. C'était comme si elle sentait instinctivement qu'il était malade et qu'elle leur témoignait du respect, à lui et à la maladie. Elle était sans doute la seule à savoir à quel point il allait mal. Devant les autres, il faisait tout pour ne pas montrer combien il souffrait. Aussi bien son père que son grand-père avaient connu une mort misérable et dégradante dans une salle commune à l'hôpital et il était prêt à tout pour s'éviter le même destin. Si bien que devant Lilian et Niclas il réussissait toujours à mobiliser ses dernières réserves d'énergie pour afficher une façade relativement maîtrisée. Et c'était comme si la maladie faisait de son mieux pour le tenir éloigné de l'hôpital. Régulièrement il se rétablissait, parfois un peu plus fatigué et faible que d'ordinaire, mais tout à fait capable de fonctionner au quotidien. Puis il rechutait et devait rester alité pendant quelques semaines. Niclas commençait à avoir l'air de plus en plus soucieux, mais Lilian avait heureusement réussi à le persuader qu'il était mieux à la maison.

C'était un don de Dieu, cette femme. Certes, tout n'avait pas marché comme sur des roulettes en six ans de mariage. Lilian pouvait se montrer très dure, mais on aurait dit que tout ce qu'elle avait de doux et de merveilleux se révélait dans les soins qu'elle lui prodiguait. Depuis qu'il était tombé malade, ils avaient vécu dans une relation de symbiose totale. Elle adorait s'occuper de lui, et il adorait être soigné par elle. Aujourd'hui il avait du mal à imaginer qu'ils avaient été si près de prendre des chemins séparés. A quelque chose malheur est bon, se disait-il souvent. Mais ça, c'était avant que l'horreur, le pire de tout ce qu'on pouvait imaginer, ne les frappe. Et il n'y avait rien de bon à trouver là-dedans.

La petite avait compris comment il allait. Sa main douce contre sa joue laissait toujours une chaleur qu'il pouvait encore sentir. Elle s'asseyait sur le bord de son lit et bavardait de ce qui s'était passé dans la journée et il hochait la tête et écoutait avec sérieux. Il ne la traitait pas comme une enfant, mais comme une égale. Elle avait apprécié ça.

C'était inconcevable qu'elle ne soit plus là.

Il ferma les yeux et laissa la douleur l'emporter sur une nouvelle déferlante.

STRÖMSTAD 1923

Ce fut un automne étrange. Jamais auparavant il ne s'était senti aussi exténué, mais jamais non plus aussi dynamique. C'était comme si Agnes lui insufflait l'envie de vivre et, parfois, Anders se demandait comment il avait réussi à faire fonctionner son corps avant qu'elle n'entre dans sa vie.

Après le premier soir, celui où elle avait pris son courage à deux mains et était venue à sa fenêtre, son existence tout entière avait changé. Le soleil commençait à briller quand elle arrivait, et il s'éteignait quand elle partait. Le premier mois, ils s'étaient rapprochés avec prudence. Elle était si timide, elle parlait si bas qu'il était encore surpris qu'elle ait osé faire ce premier pas. La hardiesse ne lui ressemblait pas et il devenait tout chaud intérieurement en pensant à l'immense entorse à ses principes qu'elle avait faite pour lui.

Au début, il avait hésité, il le reconnaissait volontiers. Il avait pressenti les problèmes à venir, voyant seulement ce que tout cela avait d'impossible, mais son attachement était si fort qu'il s'était persuadé que ça finirait par s'arranger. Et Agnes était tellement confiante. Quand elle posait sa tête sur son épaule et laissait sa petite main reposer dans la sienne, il avait l'impression de pouvoir déplacer des montagnes pour elle.

Ils n'avaient pas beaucoup d'instants pour eux. Il rentrait tard le soir de la carrière et il était obligé de se lever tôt le matin pour y retourner. Mais elle trouvait toujours des solutions, et il l'adorait pour ça. Ils faisaient de longues promenades dans les environs à l'abri de l'obscurité et, malgré le froid humide de l'automne, ils trouvaient toujours un endroit sec où s'asseoir pour se bécoter. Lorsque leurs mains osèrent enfin s'égarer sous les vêtements, novembre était déjà bien entamé, et il sut qu'ils étaient arrivés à un carrefour.

Avec quelques précautions, il avait évoqué l'avenir. Il n'avait certainement pas envie qu'elle se retrouve enceinte, il l'aimait trop pour cela, pourtant son corps lui criait de choisir la voie qui les obligerait à s'unir. Mais elle étouffa avec un baiser toutes ses tentatives de lui parler de son tourment.

— Ne parlons pas de ça, dit-elle en l'embrassant encore et encore. Demain soir, quand je viendrai chez toi, tu ne sortiras pas me rejoindre, tu me feras entrer.

— Mais, et si jamais la veuve…, dit-il avant qu'elle ne l'interrompe avec un baiser.

— Chuuut, on ne fera pas plus de bruit que deux petites souris. Elle caressa sa joue et poursuivit : Deux petites souris silencieuses qui s'aiment.

— Mais, si jamais…, continua-t-il, inquiet et exalté tout à la fois.

— Tu penses trop. Nous n'avons qu'à vivre l'instant présent. Qui sait, demain nous serons peut-être morts.

— Ne parle pas comme ça, dit-il en la serrant fort dans ses bras. Elle avait raison. Il pensait trop.

— Autant s'en débarrasser une fois pour toutes, soupira Patrik.

— Je ne comprends pas à quoi ça servira, marmonna Ernst. Lilian et Kaj sont en conflit depuis des années, mais j'ai du mal à croire qu'il aurait tué la môme pour ça.

Patrik sursauta.

— On dirait que tu les connais ? J'ai déjà eu cette impression quand on a vu Lilian tout à l'heure.

— Je ne connais que Kaj, fit Ernst, maussade. On est quelques zigues à taper le carton de temps en temps.

— Est-ce que je dois m'inquiéter ? Une ride soucieuse se forma sur le front de Patrik. Pour tout te dire, je ne sais pas si c'est bien que tu participes à l'enquête dans ces conditions.

— Foutaises. S'il ne fallait pas qu'on travaille sur une affaire pour des histoires de récusation, on ne résoudrait pas le moindre foutu cas ici. Tout le monde connaît tout le monde, tu le sais aussi bien que moi. Et je suis capable de faire la distinction entre travail et vie privée, que la chose soit claire.

Patrik n'était pas entièrement satisfait de la réponse, mais il savait aussi qu'Ernst avait en partie raison. La région n'était pas grande et tous se connaissaient d'une façon ou d'une autre, si bien qu'on ne pouvait pas détacher quelqu'un d'une enquête à cause de cela. Ou bien il faudrait un lien de parenté. Mais c'était dommage. Pendant une brève seconde il avait senti l'air frais et entraperçu un moyen d'échapper à Lundgren.

Côte à côte, ils avancèrent vers la maison voisine. Un rideau bougea à une fenêtre près de la porte, mais il retomba à sa place si rapidement qu'ils n'eurent pas le temps de voir qui se cachait derrière.

Patrik observa la maison, la baraque à frime, comme Lilian l'avait appelée. Il la voyait tous les jours en partant de chez lui pour aller au boulot et en revenant, mais il ne l'avait jamais regardée de plus près. Il était d'accord avec Lilian pour penser que ce n'était pas une construction particulièrement belle. Une création moderne, avec beaucoup de verre et d'angles bizarres. On avait manifestement donné carte blanche à l'architecte et Patrik dut reconnaître que, là, Lilian marquait un petit point. Cette maison était construite pour figurer dans les magazines d'architecture, et elle était aussi déplacée ici parmi les bâtiments anciens qu'un adolescent dans un thé dansant du troisième âge. Qui a dit que l'argent et le bon goût font bon ménage ? L'architecte de la ville devait être aveugle le jour où il avait accordé le permis de construire.

Il se tourna vers Ernst.

— Qu'est-ce qu'il fait comme boulot, Kaj ? Puisqu'il est à la maison un jour ouvrable, je veux dire. Lilian disait un truc, PDG, c'est ça ?

— Il a vendu son entreprise et pris sa retraite anticipée, dit Ernst qui restait froissé après avoir vu son professionnalisme mis en doute. Mais il est bénévole pour l'entraînement de l'équipe de foot. Il a un putain de jeu, d'ailleurs. Il aurait pu avoir un contrat de pro quand il était jeune, mais il a eu un accident et ça n'a plus été possible. Et, je le répète, c'est du temps foutu en l'air. Kaj Wiberg fait partie des gens bien, et celui qui prétend autre chose, il ment. C'est ridicule, tout ça.

Patrik choisit d'ignorer le commentaire et monta l'escalier. Il sonna et la porte fut ouverte par un homme qui devait être Kaj. Celui-ci s'illumina en voyant Ernst.

— Salut Lundgren, ça gaze ? On n'a pas de partie aujourd'hui, si ?

Son large sourire s'éteignit aussitôt quand il vit qu'Ernst et Patrik restaient sérieux comme des papes. Il leva les yeux au ciel.

— Qu'est-ce qu'elle est allée inventer encore, cette vieille folle ?

Ils le suivirent dans l'immense salon où il se laissa tomber dans un fauteuil tout en leur indiquant le canapé.

— Bon, évidemment que je les plains pour ce qui est arrivé, c'est une vraie tragédie, mais qu'elle ait encore le culot de nous faire des histoires dans des circonstances pareilles, ça montre bien ce qu'elle est.

Patrik ne dit rien et examina l'homme en face de lui. De taille moyenne, il était mince comme un lévrier afghan, des cheveux gris d'une coupe passe-partout. Toute sa personne était banale, un homme que des témoins auraient le plus grand mal à décrire, si la fantaisie lui prenait de braquer une banque.

— Nous faisons le tour de tous les voisins qui pourraient avoir vu quelque chose. Ça n'a rien à voir avec des conflits personnels.

Avant même de sonner à la porte, Patrik avait décidé de ne pas évoquer le fait que Lilian avait désigné Kaj.

— Ah bon, dit Kaj avec une pointe de déception qui indiqua très clairement que la guerre avec sa voisine était devenue un élément constant et apprécié de son existence. Et pourquoi ? poursuivit-il. C'est un drame que la fille se soit noyée, certes, mais je ne vois pas pourquoi la police y consacrerait tant d'heures. Vous ne devez pas être trop débordés, gloussa-t-il mais il changea rapidement d'expression en voyant la mine de Patrik.

Celui-ci ne trouvait manifestement rien de comique à la situation. Puis la lumière se fit lentement dans son cerveau.

— A moins que ça soit faux ? Tout le monde raconte qu'elle s'est noyée, mais les gens peuvent dire n'importe quoi, on le sait. La police fait le tour pour questionner les voisins, ça pourrait signifier que ça s'est passé autrement. J'ai raison ou je n'ai pas raison, hein ? Hein ?

Patrik le regarda avec dégoût. Les gens étaient vraiment fêlés. Comment pouvait-on considérer la mort d'une petite fille comme un événement excitant ? Et la bienséance élémentaire, où était-elle passée ? Il s'obligea à conserver une mine neutre en répondant à Kaj.

— Oui, c'est vrai en partie. Je ne peux pas entrer dans des détails, mais il s'avère que Sara Klinga a été assassinée. Raison pour laquelle il est d'une extrême importance que nous connaissions tous ses faits et gestes ce jour-là.

— Assassinée ? Mais c'est épouvantable.

Kaj eut l'air compatissant, mais Patrik sentit, plus qu'il ne le vit, que sa compassion n'était pas spécialement profonde.

Il dut réprimer une envie de lui flanquer une baffe, tant il trouvait sa fausse empathie détestable, et il se contenta de dire entre les dents :

— Comme je viens de le dire, je ne peux pas entrer dans les détails mais, si vous avez vu Sara lundi matin, il est important que nous sachions quand et où. De préférence avec la plus grande exactitude.

— Voyons voir, lundi. Kaj plissa le front et réfléchit. Oui, je l'ai vue à un moment donné le matin, mais j'ai du mal à dire quand. Elle est sortie de chez elle, elle sautait comme une grenouille. Cette môme-là ne pouvait jamais marcher comme tout le monde, fallait toujours qu'elle bondisse comme une balle de tennis.

— Tu as vu dans quelle direction elle allait ?

Ernst prenait la parole pour la première fois et Kaj le regarda, amusé. Manifestement il trouvait rigolo de voir son pote de belote en train d'exercer son métier.

— Non, je l'ai seulement vue descendre l'accès au garage. Elle s'est retournée pour agiter la main à quelqu'un, puis elle est repartie en sautillant, mais je n'ai pas vu quelle direction elle a prise.

— Et vous ne pouvez pas dire quand c'était ? demanda Patrik.

— Je sais que ça devait être autour de neuf heures, mais je regrette, je ne peux pas être plus exact que ça.

Patrik hésita un instant avant de poursuivre.

— J'ai compris que vous n'êtes pas les meilleurs amis du monde, Lilian Florin et vous.

— C'est le moins qu'on puisse dire. D'ailleurs personne ne peut avoir de rapports d'amitié avec cette harpie.

— Y a-t-il une raison particulière à cette… Patrik chercha le mot le plus approprié. Cette antipathie ?

— Personne n'a besoin d'une raison particulière pour se brouiller avec Lilian Florin, mais il se trouve que j'ai effectivement une raison tout à fait légitime. Ça a commencé dès qu'on a acheté le terrain pour construire cette maison. Elle donnait son point de vue sur les plans et elle faisait tout pour essayer d'arrêter le chantier. Elle a même réussi à provoquer un véritable mouvement de protestation, je dirais. Un mouvement de protestation à Fjällbacka ! Tremblez, braves gens ! Kaj écarquilla les yeux et fit semblant d'être terrorisé, avant d'éclater de rire. Puis il se ressaisit : Bon, on a évidemment réussi à mater la petite révolte, mais ça nous a coûté et du temps et de l'argent. Pourtant, son manège n'a fait que continuer de plus belle. Oui, vous êtes bien placés pour savoir jusqu'où elle est allée. Un enfer, c'est un véritable enfer qu'on a vécu ces dernières années. Il se pencha en arrière et croisa les jambes.

— Vous ne pouviez pas vendre et aller vivre ailleurs ? demanda Patrik prudemment, mais la question fit flamber le regard de Kaj.

— Déménager ! Jamais de la vie ! Jamais je ne lui donnerais cette satisfaction ! Ah, elle s'en gargariserait... Si quelqu'un doit déménager, c'est elle. Moi, j'attends maintenant que la justice se prononce.

— La justice ?

— Ils ont ajouté un balcon à leur maison, sans vérifier la réglementation d'abord. Et il dépasse de deux centimètres sur mon terrain, c'est contraire aux règles en vigueur. Ils vont être obligés de le faire démolir dès que le tribunal de proximité aura donné son verdict. Et ça devrait arriver d'un jour à l'autre, je me réjouis d'avance de voir la mine de Lilian, pouffa Kaj.

— Vous ne pensez pas que pour le moment ils ont des soucis autrement plus importants que l'existence ou non d'un balcon ? glissa Patrik, incapable de rester neutre.

Le visage de Kaj s'assombrit.

— Ce n'est pas que leur tragédie ne me touche pas, mais la loi, c'est la loi, et il faut la respecter. La justice n'a pas ce genre de considérations, ajouta-t-il en cherchant le regard d'Ernst pour un soutien.

Ernst hocha la tête avec approbation et Patrik eut encore une fois l'occasion de s'inquiéter du bien-fondé de sa participation à cette enquête.

Pour le porte-à-porte, ils avaient pris chacun un côté de la rue afin d'être plus efficaces. Ernst pestait dans le vent humide. Son grand corps semblait particulièrement apte à capturer le vent, sa taille dégingandée le faisait tanguer et il dut lutter pour garder l'équilibre. Il ressentait de l'amertume, comme un mauvais goût au fond de la gorge. Encore une fois il avait dû s'incliner devant un morveux qui avait la moitié de son âge. Comment se faisait-il que sa longue expérience et son habileté soient toujours ignorées ? C'était une énigme pour Ernst. Une conspiration, ce fut la seule explication qu'il trouvait. Quant au motif et aux cerveaux qui étaient derrière, c'était un peu dans le flou, mais il s'en foutait. On le percevait probablement comme une menace, se dit-il, justement à cause des qualités qu'il était certain de posséder.

Frapper aux portes était d'un ennui mortel, et il aurait aimé entrer au chaud. Les gens n'avaient pas grand-chose de valable à raconter. Personne n'avait vu la gamine ce matin-là et tout ce qu'ils pouvaient dire était que tout ça était terrible. Ernst était bien obligé de leur donner raison. Heureusement il n'avait jamais commis la bêtise d'avoir des enfants lui-même. Il avait réussi assez bien à rester à l'écart des bonnes femmes aussi, se dit-il en refoulant habilement le fait que les femmes n'avaient jamais manifesté beaucoup d'intérêt pour lui.

Il jeta un coup d'œil à Hedström qui couvrait les maisons situées à droite de celle des Florin. Parfois ça lui démangeait d'aller lui coller son poing dans la gueule. Il avait au moins eu la satisfaction de voir la tronche qu'il faisait ce matin quand il avait été obligé de le prendre avec lui. Hedström et Molin étaient comme les deux doigts de la main, et ils refusaient d'écouter leurs collègues plus âgés, comme Gösta et lui-même. Bon, Gösta n'était peut-être pas l'exemple du policier parfait, Ernst dut l'admettre, mais ses nombreuses années dans le métier méritaient du respect. Et il ne fallait pas s'étonner qu'on perde l'envie de mettre toute son énergie dans le boulot avec des conditions de travail pareilles. A y penser, c'était sans doute la faute aux policiers jeunes s'il n'avait pas trop le cœur à l'ouvrage et s'il n'hésitait pas à s'offrir des pauses à tout bout de champ. Cette pensée le réchauffa. Bien sûr que ce n'était pas de sa faute. Il n'avait pas spécialement eu mauvaise conscience jusque-là, mais c'était bien d'avoir mis le doigt sur l'origine du problème. L'épine du cactus pour ainsi dire. C'était la faute des morveux. Tout à coup, la vie lui sembla beaucoup plus agréable. Il alla frapper à la porte suivante.

Frida peignait soigneusement les cheveux de la poupée. Il fallait qu'elle soit belle. Elle était invitée. La table devant elle était déjà dressée avec la dînette. De toutes petites tasses en plastique avec de jolies assiettes bleues. D'accord, les gâteaux n'étaient pas des vrais, mais ce n'était pas grave, les poupées ne pouvaient pas manger pour de vrai de toute façon.

Sara trouvait idiot de jouer à la poupée. Elle disait qu'elles étaient trop grandes pour ça. Les poupées, c'était pour les bébés, disait Sara, mais Frida ne se gênait pas pour jouer avec ses poupées quand même. Elle pouvait être tellement difficile parfois, Sara. Il fallait toujours que ce soit elle qui décide. Tout devait être comme elle voulait, sinon elle boudait ou cassait des choses. Maman se fâchait toujours tout rouge contre Sara quand elle cassait les jouets de Frida. Elle devait rentrer chez elle, puis maman appelait la maman de Sara et elle prenait sa voix énervée. Mais, quand Sara était gentille, Frida l'aimait beaucoup, vraiment, et elle voulait bien jouer avec elle. Si elle restait gentille comme ça.

Elle ne comprenait pas exactement ce qui était arrivé à Sara. Maman avait expliqué qu'elle était morte, qu'elle s'était noyée dans la mer, mais elle se trouvait où alors ? Au ciel, avait dit maman, mais Frida était restée longtemps, longtemps à regarder le ciel sans la voir. Elle était certaine que, si Sara avait été au ciel, elle lui aurait fait un signe. Comme elle n'en faisait rien, elle ne pouvait pas y être. La question était donc de savoir où elle était. Parce qu'on ne pouvait quand même pas simplement disparaître ? Et si maman disparaissait comme ça, par exemple ? Frida sentit la peur se répandre dans tout son corps. Si Sara pouvait disparaître, est-ce que les mamans le pouvaient aussi ? Elle serra fort la poupée contre elle et essaya de repousser cette idée épouvantable.

Elle réfléchit à autre chose aussi. Maman avait dit que les messieurs qui étaient venus leur dire pour Sara étaient des policiers. Frida savait qu'on devait tout dire à la police. Il ne fallait jamais mentir à la police. Mais elle avait promis à Sara de ne parler à personne du méchant monsieur. Est-ce qu'on était obligé de tenir une promesse qu'on avait faite à quelqu'un qui avait disparu ? Si Sara n'était plus là, elle ne saurait pas que Frida avait parlé du bonhomme. Mais si elle revenait, et apprenait plus Frida avait rapporté ? Alors elle se fâcherait sans doute plus que jamais et elle casserait peut-être tout dans la chambre de Frida, même la poupée. Frida décida qu'il valait mieux ne rien dire du méchant monsieur.

— Dis, Flygare, tu as un moment ?

Patrik avait frappé doucement à la porte de Gösta, et en entrant il eut le temps de voir son collègue se dépêcher de fermer un jeu de golf sur son ordinateur.

— Oui, je dois bien avoir une minute, dit Gösta sur un ton maussade, douloureusement conscient que Patrik avait vu à quoi il occupait ses heures de travail. C'est au sujet de la fillette ? poursuivit-il sur un ton plus avenant. Annika m'a dit que ce n'était pas un accident. Putain de saloperie.

— Oui, Ernst et moi, on vient de parler avec la famille. Ils sont informés que nous avons ouvert une enquête pour homicide et on a commencé à leur demander où ils se trouvaient à l'heure de la disparition de Sara, et s'ils connaissaient quelqu'un qui lui voulait du mal.

— Tu penses que c'est quelqu'un de la famille qui l'a tuée ?

— Pour l'instant je ne pense rien. Mais, quoi qu'il en soit, il est important de pouvoir les exclure de l'enquête au plus vite. Puis il nous faudra aussi vérifier s'il y a des criminels sexuels connus dans les parages.

— Mais elle n'avait pas subi d'abus sexuels, si j'ai bien compris ?

— Pas d'après ce que le médecin légiste a pu voir, non, mais une petite fille qu'on assassine…

Patrik ne termina pas sa phrase, mais Gösta comprit ce qu'il voulait dire. Il y avait eu trop d'histoires dans la presse qui parlaient d'abus sexuels sur des enfants pour qu'ils excluent cette possibilité.

— En revanche, poursuivit Patrik, ce qui m'a plutôt surpris, c'est que, quand j'ai demandé s'ils connaissaient quelqu'un qui leur voudrait du mal, j'ai eu une réponse concrète.

Gösta leva la main.

— Laisse-moi deviner, Lilian a balancé Kaj aux loups.

— Oui, on peut peut-être le dire comme ça. Patrik esquissa un sourire. En tout cas, il ne semble pas y avoir des sentiments particulièrement chaleureux entre eux. On est allés voir Kaj aussi et on a eu un petit entretien informel avec lui. Il y a manifestement beaucoup de choses qui couvent sous la cendre.

— Je ne dirais pas que ça couve, au contraire, renifla Gösta. C'est un drame qui se déroule au grand jour depuis près de dix ans. On en a vite marre quand on n'est pas directement concerné.

— Oui, Annika m'a fait comprendre que c'est toi qui as consigné leurs déclarations au fil des ans. Tu peux m'en dire un peu plus ?

Gösta se retourna et prit un classeur dans la bibliothèque derrière son bureau. Il feuilleta rapidement et trouva ce qu'il cherchait.

— Je n'ai que ce qui touche à ces dernières années, le reste est en bas dans les archives, tu comprends. Gösta parcourut les documents en diagonale. Oui, bon, tu n'as qu'à prendre le classeur. Il y a pas mal de joyeusetés dedans. Des plaintes de l'un et de l'autre, pour toutes sortes de raisons.

— Comme quoi par exemple ?

— Intrusion – Kaj avait apparemment coupé par leur terrain à un moment donné –, menace de mort – Lilian avait dit à Kaj qu'il ferait mieux de faire attention s'il tenait à la vie. Gösta continua à feuilleter. Oui, puis il y en a pas mal qui concernent Morgan, le fils de Kaj. Lilian prétendait qu'il l'avait espionnée, et, je cite, "ces gens-là ont des pulsions sexuelles excessives à ce qu'il paraît, et je suis sûre qu'il avait l'intention de me violer", fin de citation. Et encore, ce n'est qu'un échantillonnage.

— Ils n'ont donc rien de mieux à faire de leur temps ?

— Apparemment pas. Et, pour une raison que j'ignore, ils s'entêtent à toujours venir me voir, moi, avec leurs conneries. C'est donc avec grand plaisir que je te laisse prendre le relais, jusqu'à nouvel ordre, dit Gösta et il tendit le classeur à Patrik qui le prit avec une certaine réserve. Mais, ajouta-t-il, même si Kaj et Lilian sont tous les deux de foutus provocateurs, j'ai du mal à croire que Kaj serait allé jusqu'à tuer la petite.

— Tu as certainement raison, mais son nom vient d'être évoqué et le moins que je puisse faire, c'est de vérifier la piste.

Gösta hésita.

— Dis-moi si tu as besoin de plus d'aide. Vous ne pouvez pas gérer ça tout seuls, Ernst et toi, Mellberg ne devait pas être sérieux. C'est malgré tout une enquête sur un homicide. Alors, si je peux être utile…

— Merci, j'apprécie ton offre. Et je pense que tu as raison. Mellberg voulait probablement seulement me remettre à ma place, il sait très bien qu'on a besoin de Martin et de toi aussi. Je pensais convoquer tout le monde à un briefing demain. Si Mellberg a quelque chose contre, il n'a qu'à le dire. Mais ça m'étonnerait.

Le classeur serré sur sa poitrine, il remercia Gösta d'un mouvement de la tête avant de retourner à son bureau. Bien installé dans son fauteuil, il ouvrit le dossier et commença la lecture. Ce fut un long voyage à travers la mesquinerie humaine.

STRÖMSTAD 1923

Sa main trembla un peu lorsqu'elle frappa délicatement à sa vitre. La fenêtre s'ouvrit immédiatement et elle se dit avec satisfaction qu'il avait dû l'attendre. Il faisait chaud dans la chambre et elle ne savait pas s'il avait les joues en feu à cause de la chaleur ou à force de penser aux heures qui les attendaient. Probablement pour cette dernière raison, pensa-t-elle, puisqu'elle pouvait sentir le même feu embraser son propre visage.

Enfin ils étaient arrivés au point qu'elle visait depuis qu'elle avait lancé le premier caillou sur sa fenêtre. Son instinct lui avait dit qu'il fallait avancer en douceur avec Anders. Et, s'il y avait une chose qu'elle savait faire, c'était interpréter les hommes. Les interpréter et ensuite leur donner la femme qu'ils voulaient. Dans le cas d'Anders, cela signifiait qu'elle devait jouer la femme vertueuse pendant quelques interminables semaines. Elle aurait préféré entrer chez lui et se glisser dans son lit dès le premier soir, mais elle savait que cela l'aurait rebuté. Si elle le voulait, elle devait jouer le jeu. Pute ou madone. Elle savait donner les deux aux hommes.

— Tu as peur ? lui demanda-t-il quand ils furent assis côte à côte dans le lit étroit.

Elle retint un sourire. S'il avait su combien elle était versée dans ce qui était sur le point de se passer, c'est lui qui tremblerait. Mais elle ne devait pas se trahir. Pas maintenant, quand pour la première fois elle désirait un homme aussi ardemment qu'il la désirait. C'est pourquoi elle baissa les yeux et se contenta de hocher légèrement la tête. Quand il la prit dans ses bras rassurants, elle ne put cependant empêcher le sourire d'éclater contre son épaule.

Puis elle chercha sa bouche avec la sienne. Le baiser se prolongea et devint sérieux, et elle sentit qu'il commençait doucement à déboutonner son chemisier. Il le fit avec une lenteur exaspérante. Elle eut envie de prendre le tissu entre ses doigts et de le déchirer, mais elle savait que cela gâcherait l'image qu'elle s'était patiemment construite pendant des semaines. Elle avait tout son temps pour laisser ressortir cet autre aspect d'elle-même et, le moment venu, Anders s'en attribuerait toute la gloire. Les hommes étaient si simples.

Quand le dernier vêtement tomba, elle tira chastement la couverture sur elle. Anders lui caressa les cheveux et l'interrogea du regard en attendant son acquiescement avant de se glisser à côté d'elle.

— Tu peux souffler la bougie ? demanda-t-elle d'une toute petite voix peureuse.

— Oui, bien sûr, évidemment.

Embarrassé de ne pas avoir pensé lui-même qu'elle préférerait la protection de l'obscurité, il se pencha vers la table de chevet et étouffa la flamme avec les doigts. Dans le noir, elle le sentit se tourner et commencer à l'explorer et il prenait tout son temps.

Exactement au bon moment, elle laissa échapper un gémissement de douleur feinte en espérant que l'absence de sang ne la trahirait pas. Mais, à en juger par le comportement tendre d'Anders, il n'avait pas eu de soupçons et elle était satisfaite de sa prestation. Elle avait été obligée de réfréner ses instincts naturels, ce qui avait rendu la chose un peu ennuyeuse, mais il y avait du potentiel. Bientôt elle allait pouvoir laisser éclore tous ses talents et lui offrir une agréable surprise.

Couchée sur son bras, elle se demanda si elle allait prendre l'initiative d'une deuxième fois, mais elle décida d'attendre. Pour l'instant, elle devait se satisfaire d'avoir bien joué son rôle et de l'avoir mené exactement là où elle voulait. Ensuite il s'agirait juste de faire fructifier au maximum le temps qu'elle avait investi en lui. Si elle jouait habilement ses cartes, elle pourrait se réjouir d'un chouette divertissement pour l'hiver.

Monica circulait avec le chariot et rangeait les livres rendus sur les rayonnages. Toute sa vie elle avait adoré les livres. Après la vente de l'entreprise, elle avait failli mourir d'ennui la première année passée à la maison, et elle avait tout de suite sauté sur l'occasion quand la bibliothèque avait recherché quelqu'un pour un mi-temps. Kaj la trouvait folle de travailler alors qu'elle n'était pas obligée de le faire. Elle le soupçonnait de voir cela comme une perte de prestige, mais cet emploi lui plaisait trop pour qu'elle y prête attention. Il y avait une bonne ambiance sur son lieu de travail et elle avait besoin de la relation avec ses collègues pour trouver un sens à sa vie. Kaj était devenu de plus en plus grincheux et susceptible d'année en année, et Morgan n'avait plus besoin d'elle. Elle n'aurait jamais de petits-enfants non plus, en tout cas c'était hautement improbable. Même cette joie-là lui serait refusée. Elle ne pouvait s'empêcher de ressentir une jalousie dévorante quand ses collègues parlaient de leurs petits-enfants. Non pas qu'elle n'aimait pas Morgan. Elle l'aimait. Bien qu'il ne leur ait pas facilité la tâche. Et elle pensait qu'il les aimait aussi. Simplement il ne savait pas comment manifester son amour, il ne savait peut-être même pas que ce qu'il ressentait s'appelait amour.

Il avait fallu de nombreuses années pour qu'ils comprennent qu'il n'était pas normal. Ou, plus exactement, ils savaient que quelque chose clochait, mais rien dans leur champ de connaissances ne collait avec ce qu'ils voyaient chez Morgan. Il n'était pas arriéré, au contraire, il était extrêmement intelligent pour son âge. Elle ne pensait pas qu'il soit autiste, parce qu'il ne se retirait pas dans sa coquille et qu'il n'avait rien contre le contact physique – symptômes qui d'après les lectures de Monica étaient en général liés à l'autisme. Morgan fréquentait l'école bien avant que les notions de TDAH, TOC et troubles déficitaires soient sur toutes les lèvres. Pourtant elle comprenait que quelque chose n'allait pas. Il se comportait bizarrement et semblait réfractaire à toute éducation. C'était comme s'il ne comprenait pas la communication invisible entre les êtres humains. Les règles qui gouvernent la vie sociale étaient comme du chinois pour lui, et il était toujours à côté de la plaque. Monica était bien consciente que les gens chuchotaient dans leur dos, prétendant que le comportement du fils était dû à une éducation laxiste de leur part. Mais elle savait qu'il y avait plus que ça. Même son schéma corporel était grossier. Sa gaucherie causait tout le temps des accidents, gros ou petits, et parfois ce n'était même pas des accidents mais des actes volontaires. C'était cela qui lui causait le plus de soucis, le fait qu'il semblait impossible de lui apprendre ce qui était bien et ce qui était mal. Ils avaient tout essayé : des punitions, la carotte et le bâton, des promesses, tous les outils qu'utilisent les parents pour inculquer un sens moral à leurs enfants. Mais rien n'avait marché. Morgan pouvait faire les pires choses sans manifester de regrets quand on le prenait sur le fait.

Il y a quinze ans, ils avaient cependant eu une chance incroyable. L'un des nombreux médecins qu'ils avaient consultés au fil des années était passionné par son métier et lisait tout ce qu'il pouvait trouver en matière de nouvelles recherches. Un jour, il leur raconta qu'il était tombé sur un diagnostic qui collait parfaitement avec Morgan : le syndrome d'Asperger. Une forme d'autisme, mais avec un QI normal voire supérieur. Monica avait eu l'impression que toutes les années de souffrance la quittaient à l'instant même où elle avait entendu le mot pour la première fois. Elle l'avait goûté, avec jouissance, l'avait roulé sur sa langue. Syndrome d'Asperger. Ils ne s'étaient pas fait des idées, ce n'était pas dû à leur incapacité à élever un enfant, et elle avait eu raison. Morgan avait des difficultés à déchiffrer ce qui facilitait la vie de tous, il en était même pratiquement incapable : le langage corporel, les expressions du visage et les sous-entendus. Rien de ceci n'était enregistré par son cerveau. Pour la première fois ils pouvaient aussi commencer à lui apporter une aide sérieuse. Quoique… pour être tout à fait honnête, Kaj ne s'était pas spécialement mobilisé pour Morgan. Pas depuis qu'il avait froidement constaté que son fils ne répondrait jamais à ses attentes. Morgan était devenu le fils de Monica. Elle fut la seule à lire tout ce qu'elle pouvait trouver sur la maladie d'Asperger et elle inventa des outils simples pour aider son fils dans la vie quotidienne. De petites cartes qui décrivaient différents scénarios et comment on devait se comporter dans de tels cas. Des jeux de rôles où ils s'entraînaient à toutes sortes de situations et des entretiens où elle essayait de lui faire comprendre sur un plan intellectuel ce que son cerveau refusait d'assimiler intuitivement. Elle s'efforça aussi de s'exprimer avec clarté devant Morgan. D'éliminer toutes les métaphores, exagérations et locutions utilisées pour donner une forme et une couleur au langage. Cela avait en grande partie réussi. Il avait appris à se débrouiller à peu près dans le monde, mais il préférait encore rester seul. Avec ses ordinateurs.

C'est pour cela que Lilian Florin avait réussi à transformer une vague irritation en haine. Monica aurait pu supporter tout le reste. Elle se fichait des permis de construire et des infractions et des menaces de ceci ou de cela. Kaj avait sa part de responsabilité dans le conflit et il lui semblait même que parfois il y prenait plaisir. Mais le fait que Lilian se soit attaquée plusieurs fois à Morgan avait réveillé la tigresse en elle. Parce qu'il était différent, on aurait dit que Lilian estimait avoir le champ libre, et elle n'était pas la seule, d'ailleurs. Gare à celui qui se détachait de la masse. Rien que le fait qu'il habite encore chez ses parents, même s'il avait sa propre petite bicoque au fond du jardin, dérangeait beaucoup de monde. Mais personne n'était aussi malveillant que Lilian. Certaines de ses accusations mettaient Monica dans un tel état qu'elle manquait s'évanouir rien que d'y penser. Plus d'une fois elle avait regretté d'être venue habiter à Fjällbacka. Elle avait même abordé le sujet avec Kaj quelques fois, tout en sachant que ça ne servait à rien. Son mari était une tête de mule, point final.

Elle rangea les derniers livres du chariot et fit un tour parmi les rayons pour vérifier s'il y en avait d'autres. Ses mains tremblaient de colère alors qu'elle se rejouait toutes les offensives de Lilian contre Morgan au fil des ans. Non seulement elle n'avait pas hésité à aller le dénoncer à la police, mais elle avait aussi répandu de fausses rumeurs, et ça, c'était un dégât quasiment impossible à réparer. Pas de fumée sans feu, disait-on. Et, même si tout le monde était au courant que Lilian Florin était une vraie commère, tout ce qu'elle disait finissait par devenir vérité, à force d'être répété et rabâché.

A présent, elle récoltait un gros crédit de sympathie dans la ville, et beaucoup de ses méchancetés lui étaient tout à coup pardonnées. Elle avait malgré tout perdu une petite-fille. Mais, même pour ça, Monica n'arrivait pas à la plaindre. Non, cet apitoiement-là, elle le réservait pour Charlotte. Elle n'arrivait pas à comprendre comment celle-ci pouvait être la fille de Lilian. Plus sympa qu'elle, ça n'existait pas, et Monica la plaignait de tout son cœur.

Alors que Lilian, elle n'avait certainement pas l'intention de verser la moindre larme sur elle.

Aina fut surprise lorsqu'il surgit au centre médical comme d'habitude, à huit heures du matin.

— Salut Niclas. Elle hésita. Je croyais que tu serais en congé plus longtemps que ça ?

Il se contenta de secouer la tête et entra dans son cabinet. Pas la force d'expliquer. Expliquer qu'il ne supportait pas de rester à la maison une minute de plus, même si sa désertion pesait lourdement sur ses épaules. Car c'était une tout autre culpabilité, bien pire, qui lui faisait laisser Charlotte seule avec son désespoir chez Lilian et Stig. Une culpabilité qui lui nouait la gorge et l'empêchait presque de respirer. S'il était resté davantage il aurait étouffé, il en était sûr. Il n'arrivait même pas à regarder Charlotte en face, à croiser son regard. Avec tout ce qu'il avait sur la conscience, la douleur sur le visage de sa femme était plus qu'il ne pouvait encaisser. Voilà pourquoi il était obligé de se réfugier dans le travail. C'était de la lâcheté, il le savait. Mais il avait perdu toute illusion sur son propre compte depuis belle lurette. Il n'était pas un être fort et courageux.

Il n'avait cependant jamais voulu que Sara en soit la victime. Il n'avait pas voulu que quiconque en soit victime. Niclas plaqua une main sur sa poitrine, assis comme tétanisé derrière son grand bureau encombré de dossiers et de documents. La douleur était si intense qu'il pouvait la sentir circuler dans ses veines et converger vers le cœur. Tout à coup, il comprit ce que devait être la douleur d'un infarctus. En tout cas, elle ne pouvait pas être pire que ce qu'il ressentait.

Il passa ses mains dans ses cheveux. Ce qui s'était produit, ce à quoi il devait mettre un terme, s'étalait devant lui tel un rébus insoluble. Pourtant il devait à tout prix le résoudre. Il fallait qu'il agisse. D'une façon ou d'une autre, il devait sortir du pétrin où il s'était fourré. Ça s'était si bien déroulé jusque-là. Le charme, l'habileté et un sourire franc et ouvert l'avaient toujours sauvé des conséquences de ses actes, mais il était peut-être arrivé au bout du chemin maintenant.

Devant lui, le téléphone se mit à sonner. Les consultations par téléphone venaient de commencer. Aussi déchiré qu'il soit, il était quand même obligé de s'occuper de ses malades.

Avec Maja dans un porte-bébé sur le ventre, Erica essayait désespérément de faire le ménage. Elle avait encore en tête la dernière visite de sa belle-mère, elle s'obstinait donc à passer l'aspirateur dans les moindres recoins du salon. Avec un peu de chance, Kristina ne trouverait aucun prétexte pour monter à l'étage et, si Erica arrivait à rendre le rez-de-chaussée présentable avant son arrivée, ça devrait aller.

La dernière fois que Kristina était venue, Maja avait trois semaines et Erica était encore dans un brouillard. De gros moutons de poussière se baladaient partout dans la maison et la vaisselle sale s'empilait dans l'évier. Patrik avait certes envisagé de faire le ménage une ou deux fois mais, comme Erica lui fourrait Maja dans les bras dès qu'il rentrait, son initiative s'était limitée à sortir l'aspirateur du placard.

A peine la porte franchie, Kristina avait affiché une mine dégoûtée, qui ne s'effaçait que lorsqu'elle regardait sa petite-fille. Pendant les trois jours qu'avait duré son séjour, Erica l'avait entendue à travers les brumes qui encombraient son esprit. Elle ne cessait de marmonner que c'était une chance qu'elle soit venue, autrement Maja aurait vite fait de développer un asthme avec toute cette poussière. A son époque, on ne passait certainement pas ses journées devant la télé, on arrivait à gérer un bébé, un certain nombre de frères et sœurs, à faire le ménage tout en servant un repas cuisiné au mari quand il rentrait du travail. Heureusement, Erica était trop faible pour s'offusquer des commentaires de sa belle-mère. En fait, elle lui avait été reconnaissante d'aller promener Maja dans son landau, ou de donner un coup de main pour le bain ou le change. Mais à présent elle avait repris des forces, et elle comprenait instinctivement la nécessité de tout faire pour éviter la moindre critique de la part de sa belle-mère.

Erica regarda sa montre. Plus qu'une heure avant son arrivée, et elle n'avait pas encore eu le temps de faire la vaisselle. Et un coup de chiffon sur les meubles n'aurait pas été de trop non plus. Maja s'était endormie dans le porte-bébé, bercée par le bruit de l'aspirateur, et Erica se dit que c'était peut-être une astuce à utiliser pour qu'elle s'endorme toute seule dans son lit. Jusque-là, toute tentative dans ce sens était toujours accompagnée de protestations sonores, mais il semblait effectivement que les bruits monotones, genre aspirateur ou sèche-linge, assoupissaient les enfants. En tout cas, ça valait la peine d'essayer. Pour l'instant, la seule façon d'endormir sa fille était de la garder sur le ventre ou au sein, et ça commençait à devenir limite. Elle devrait peut-être tester les méthodes qu'elle avait trouvées dans *Barnaboken*, le chef-d'œuvre sur la puériculture d'Anna Wahlgren, elle-même mère de neuf enfants. Elle l'avait lu avant la naissance de Maja, et une foule d'autres livres aussi, mais, lorsque le bébé était arrivé, toutes les connaissances théoriques qu'elle avait assimilées s'étaient envolées. A la place, Patrik et elle pratiquaient une sorte de philosophie du "survivre minute après minute" avec Maja, et Erica sentait que le moment était sans doute venu de reprendre le contrôle. Ça ne pouvait pas être normal qu'un nourrisson de deux mois gouverne leur vie comme c'était le cas actuellement. Si Erica avait été capable de supporter une telle situation, alors pourquoi pas, mais elle sentait qu'elle s'enfonçait de plus en plus dans les ténèbres.

Quelques coups rapides frappés à la porte vinrent interrompre ses réflexions. Soit l'heure était passée à une vitesse inouïe, soit sa belle-mère arrivait avec une heure d'avance, ce qui était plus probable. Erica regarda le séjour, désespérée. Bon, il n'y avait plus grand-chose à faire maintenant, à part coller le sourire et aller ouvrir à belle-maman.

— Mais, ma chérie, ne reste pas là dans le courant d'air avec Maja ! Elle va attraper un rhume !

Erica ferma les yeux et compta jusqu'à dix.

Patrik priait pour que tout se passe bien quand sa mère viendrait. Il savait qu'elle pouvait se montrer un peu... envahissante, c'était sans doute le mot. Si en temps normal Erica la contrait sans difficulté, elle n'avait été que l'ombre d'elle-même depuis la naissance de Maja. Elle avait besoin d'être soulagée et, comme il ne pouvait pas l'y aider, ils étaient obligés d'accepter les ressources qui se présentaient. De nouveau, il se demanda s'il ne devait pas essayer de dénicher quelqu'un avec qui Erica pourrait parler, un professionnel. Mais vers qui se tourner ? Non, c'était peut-être aussi bien de laisser les choses suivre leur cours. Ça passerait tout seul, dès qu'ils auraient trouvé une sorte de routine, se persuada-t-il. Mais un petit doute agaçant pointait son museau et lui soufflait qu'il choisissait cette solution parce qu'elle lui demandait moins d'efforts.

Il se força à ne plus penser à ses soucis domestiques et se concentra sur les notes devant lui. Il avait convoqué une réunion dans son bureau pour neuf heures et il ne lui restait que cinq minutes. Effectivement, Mellberg n'avait rien eu à redire à ce que d'autres s'impliquent dans l'enquête, il semblait même le considérer comme une évidence. Toute autre manière d'agir aurait évidemment été complètement idiote, même à l'échelle de Mellberg. Comment auraient-ils pu mener une enquête pour homicide à deux seulement, Ernst et lui ?

Martin fut le premier à arriver et il s'installa sur une des deux chaises réservées aux visiteurs. Il n'y aurait pas assez de sièges pour tout le monde, les autres seraient obligés de venir avec le leur.

— Et cet appartement ? Ça vaut le coup ?

— Et comment ! Il est splendide, dit Martin, les yeux brillants. On s'est décidés aussi sec, dans deux semaines tu seras le bienvenu pour nous aider à porter les cartons.

— Ah, sympa ! rigola Patrik. Mais je ne peux rien te promettre, Erica n'est pas très généreuse avec mon temps en ce moment.

— Pas de problème, dit Martin. J'ai quelques dettes de déménagement à recouvrer, je pense qu'on s'en sortira sans toi.

— C'est quoi ce truc de déménagement ? dit Annika qui entrait, une tasse de café dans une main et un bloc-notes dans l'autre. Tu vas enfin faire ton entrée dans la communauté des gens rangés, Martin, sans blague ?

Il rougit, comme toujours lorsque Annika le taquinait, mais ne pouvait s'empêcher de sourire.

— Si, tu as bien entendu. Pia et moi, on a trouvé un appartement à Grebbestad. On déménage dans quinze jours.

— Pas mal, pas mal, dit Annika. Il était temps. Je commençais à m'inquiéter de te voir rester vieux garçon toute ta vie. Et quand est-ce qu'on va entendre le piétinement des marmots ?

— Oh, arrête, dit Martin. Je me rappelle très bien comment tu t'es acharnée sur Patrik quand il avait rencontré Erica. Le pauvre, il s'est senti obligé de la mettre enceinte tout de suite et regarde-le maintenant, on dirait qu'il a pris dix ans. Il lança un clin d'œil à Patrik.

— Oui, si tu veux savoir comment on fait, tu n'as qu'à me demander, dit Patrik, bon enfant.

Martin s'apprêtait à lâcher une réplique pince-sans-rire lorsque Ernst et Gösta tentèrent d'entrer dans la pièce en même temps, chacun avec sa chaise. En grommelant, Gösta laissa le passage à Ernst, qui s'installa au milieu de la pièce, avec un aplomb total.

— On va être serrés comme des sardines ici, dit Gösta, et Martin et Annika se poussèrent en le voyant grommeler.

— Plus on est de fous…, tenta Annika vaillamment sans terminer l'adage.

Mellberg arriva en bon dernier, et il se contenta de rester debout à la porte.

Patrik étala les papiers devant lui et respira à fond. Diriger une enquête sur un meurtre était une immense responsabilité et cette réalité le frappa pleinement. Ce n'était pas la première fois, mais ça le stressait quand même. Il n'aimait pas se trouver au centre et l'ampleur de la tâche pesait sur ses épaules. Mais il voulait à tout prix éviter l'alternative, que Mellberg endosse la responsabilité, si bien qu'il n'avait qu'à s'y mettre.

— Comme vous le savez, on a eu la confirmation que la mort de Sara Klinga n'était pas un accident, mais un homicide. Elle s'est noyée, c'est vrai, mais l'eau dans ses poumons était de l'eau douce, pas de l'eau de mer, ce qui indique qu'elle a été noyée ailleurs, puis jetée dans la mer. Tout ça n'est pas nouveau pour vous, et vous trouverez les détails dans le rapport de Pedersen, qu'Annika a copié. Il fit passer un paquet de feuilles agrafées et chacun en prit un exemplaire.

— Est-ce que l'eau dans les poumons pourra nous révéler autre chose ? Par exemple, je vois là qu'il y avait des restes de savon. Est-ce qu'on pourra savoir quelle sorte de savon ? demanda Martin en montrant un point dans le compte rendu d'autopsie.

— Oui, je l'espère, répondit Patrik. Un échantillon d'eau est parti au labo central pour analyse et dans quelques jours on en saura plus.

— Et ses vêtements ? poursuivit Martin. C'est possible de déterminer si elle était habillée ou pas dans la baignoire ? Parce que je suppose qu'on peut partir de l'hypothèse qu'elle a été noyée dans une baignoire ?

— Je regrette, mais ça va être la même réponse. Ses vêtements aussi sont partis au labo.

Ernst leva les yeux au ciel et Patrik lui lança un regard sévère. Il savait exactement ce qui se déroulait dans son crâne. Il était jaloux que ce soit Martin et pas lui qui trouve les questions intelligentes à poser. Patrik se demanda si un jour Ernst comprendrait qu'ils travaillaient en équipe pour résoudre les problèmes et qu'il ne s'agissait pas d'une compétition individuelle.

— Est-ce qu'on a affaire à un crime sexuel ? demanda Gösta.

Ernst prit une tête si possible encore plus renfrognée. Même son partenaire de glandouille réussissait à pondre une question pertinente !

— Impossible à dire, répondit Patrik. Mais je voudrais que toi, Martin, tu vérifies dans nos archives si on a un condamné pour crime sexuel sur mineur.

Martin hocha la tête et nota.

— Ensuite on doit aussi continuer à sonder la famille, poursuivit Patrik. On a eu un premier entretien avec eux, Ernst et moi. On les a informés que Sara a été tuée, et on a aussi entendu la personne que la grand-mère de Sara désigne comme suspect possible.

— Laisse-moi deviner, dit Annika ironiquement. Est-ce que par hasard il s'agirait d'un certain Kaj Wiberg ?

— Exactement, dit Gösta. Au fil des ans, ils sont devenus des habitués du commissariat. J'ai donné à Patrik tous les documents que j'ai les concernant.

— C'est du gaspillage de temps et d'énergie, dit Ernst. C'est totalement absurde de croire que Kaj aurait quelque chose à voir avec la mort de cette fille.

— Ah oui, c'est vrai, vous vous connaissez, dit Gösta et il scruta Patrik du regard pour voir s'il était au courant de ce fait.

Patrik confirma en hochant la tête, puis il se dépêcha de reprendre la parole en voyant qu'Ernst voulait ajouter quelque chose.

— Toujours est-il qu'on continuera à examiner Kaj pour déterminer au plus vite s'il est mêlé à l'affaire, et on travaillera aussi large que possible à ce stade. Ce qu'il nous faut, c'est en apprendre plus sur la petite et sur sa famille. J'ai pensé qu'Ernst et moi, on irait parler avec l'institutrice de Sara, voir si elle est au courant d'un problème familial quelconque. Vu le peu de choses qu'on sait, il nous faudra sans doute l'appui de la presse locale. Est-ce que tu pourrais t'en charger, Bertil ? Il n'eut pas de réponse et répéta un peu plus fort : Bertil ?

Toujours pas de réponse. Mellberg semblait totalement perdu dans ses pensées, appuyé contre le chambranle. Après avoir élevé la voix d'un cran, Patrik finit par obtenir une réaction.

— Euh, pardon ? Tu disais ?

Encore une fois Patrik eut du mal à comprendre que cet homme puisse être le chef de cette maison.

— Je voulais savoir si tu peux te charger de la presse locale. Tu les informes que c'est un meurtre et que toutes les observations pourraient avoir leur importance. J'ai l'impression qu'on va avoir besoin de l'aide de la population pour cette affaire.

— Euh, oh, bien sûr, dit Mellberg qui semblait tout juste émerger d'un profond sommeil. D'accord, je vais parler à la presse.

— Bien. Je pense qu'on n'ira pas plus loin que ça pour le moment, dit Patrik et il croisa les mains sur son bureau. D'autres questions ?

Personne ne dit rien et après quelques secondes de silence tout le monde commença à ramasser ses affaires, comme sur un signal donné. Patrik arrêta son partenaire avant qu'il sorte.

— Ernst ? Tu peux te tenir prêt à partir dans une demi-heure ?

— Pour partir où ?

Ernst était aussi grincheux que d'habitude. Patrik respira à fond. Parfois il se demandait s'il avait réellement parlé, ou seulement cru le faire.

— A l'école de Sara. Pour nous entretenir avec son instit, dit-il en exagérant sa prononciation.

— Ah oui, ça. Oui, je peux être prêt dans une demi-heure, dit Ernst et il tourna le dos à Patrik.

Patrik le lorgna hargneusement. Il donnerait encore deux, trois jours à son partenaire imposé, ensuite il pourrait sans doute braver Mellberg et discrètement remplacer Ernst par Martin.

STRÖMSTAD 1924

Les attraits de la nouveauté commençaient à s'estomper. Les rendez-vous amoureux avaient rempli l'hiver et au début elle avait joui de chaque instant. Mais, à présent que la mauvaise saison cédait du terrain et que le printemps s'approchait doucement, elle sentit l'ennui pointer. Pour être tout à fait franche, elle ne voyait plus guère ce qu'elle avait bien pu lui trouver de si séduisant. Bien sûr, il était bel homme, elle ne pouvait pas le nier, mais il parlait comme un bouseux et une légère odeur de transpiration l'entourait en permanence. Ça devenait aussi plus difficile de se faufiler jusqu'à sa chambre maintenant que l'obscurité retirait peu à peu sa couverture protectrice. Non, il fallait mettre un terme à cette histoire, sa décision fut prise devant le miroir de sa chambre.

Elle mit une dernière main à son habillage et descendit prendre le petit-déjeuner avec son père. Elle avait vu Anders hier, et la fatigue s'attardait encore dans son corps. Après avoir posé une bise sur la joue de son père, elle s'installa à la table de la salle à manger et se mit sans entrain à entamer la coquille de son œuf. L'épuisement ajouté à l'odeur d'œuf lui souleva le cœur.

— Comment ça va, ma chérie ? demanda August inquiet, en l'observant de l'autre côté de la grande table.

— Juste un peu fatiguée, répondit-elle, piteusement. J'ai mal dormi cette nuit.

— Ma pauvre chérie, dit-il avec compassion. Mange d'abord un peu, ensuite tu peux remonter te reposer encore un moment. On devrait peut-être prendre rendez-vous avec le docteur Fern pour qu'il t'examine, je t'ai trouvé mauvaise mine tout au long de l'hiver.

Agnes ne put s'empêcher de sourire et, à la dernière seconde, elle dissimula son sourire derrière la serviette. Les yeux baissés, elle répondit à son père :

— Oui, je n'ai pas été très en forme. Mais je pense que c'est surtout dû à l'hiver et au manque de lumière. Tu verras, quand le printemps sera là, j'aurai retrouvé mon tonus.

— Humm, oui, on verra bien. Mais réfléchis-y, tu devrais peut-être quand même voir le docteur.

— Oui, père, dit-elle et elle se força à manger une cuillerée d'œuf à la coque.

Elle n'aurait pas dû. A l'instant même où elle sentit le blanc d'œuf figé dans sa bouche, son estomac se révulsa et elle eut un haut-le-cœur. Vivement, elle se leva de table et courut, la main devant la bouche, vers les toilettes installées au rez-de-chaussée. Elle eut à peine le temps d'ouvrir le couvercle de la cuvette qu'une cascade du dîner de la veille mêlé à de la bile jaillit, et les larmes lui montèrent aux yeux. Des spasmes contractèrent son estomac et elle dut attendre un instant pour être sûre qu'il n'y avait plus rien à vomir. Alors, dégoûtée, elle s'essuya la bouche et sortit du petit réduit, les jambes en coton. Son père l'attendait et il avait l'air soucieux.

— Mon petit cœur, qu'est-ce qu'il t'arrive ?

Elle ne fit que secouer la tête et avala sa salive pour chasser l'immonde goût de bile de sa bouche.

August l'entoura de son bras, la fit entrer dans le salon et s'asseoir sur l'un des canapés. Il posa sa main sur son front.

— Mais, Agnes, tu es couverte de sueurs froides. J'appelle le docteur Fern tout de suite, il viendra t'examiner ici à la maison.

Elle ne put que hocher faiblement la tête, puis elle s'allongea sur le canapé et ferma les yeux. La pièce se mit à tournoyer derrière ses paupières closes.

C'était comme vivre dans un monde d'ombres sans attaches avec la réalité. Elle n'avait pas eu le choix, pourtant elle était toujours assaillie de doutes. Avait-elle bien fait ? Anna savait que personne ne pouvait comprendre. Alors qu'elle avait enfin réussi à se dégager de Lucas, pourquoi était-elle retournée avec lui ? Pourquoi, après ce qu'il avait fait à Emma ? La réponse était que c'était leur seule chance de survivre, à elle et aux enfants, elle en était convaincue. Lucas avait toujours été dangereux, mais maîtrisé. A présent on aurait dit que quelque chose était cassé en lui et la maîtrise avait laissé place à une folie latente. C'était le seul mot qu'elle pouvait y mettre : une folie. Anna pensait qu'il l'avait toujours eue en lui. D'ailleurs, c'était sans doute ce courant sous-jacent de danger potentiel qui l'avait attirée au début. Maintenant le danger avait percé la surface et elle était morte de peur.

Elle avait pris les enfants et l'avait quitté, mais ce n'était pas seulement ça qui l'avait fait basculer dans la folie. Plusieurs autres facteurs s'étaient joints pour tourner le petit commutateur en lui. Le travail, qui avait toujours été son grand domaine de réussite, l'avait aussi trahi. Quelques affaires ratées et sa carrière était finie. Peu avant qu'elle retourne auprès de lui, elle avait croisé un de ses collègues. Il lui avait appris que Lucas se comportait de plus en plus bizarrement quand les choses se corsaient pour lui. Des accès de colère soudains et des attaques verbales. Le jour où il avait coincé un gros client contre le mur, il avait immédiatement été mis à la porte. Le client avait porté plainte, et une enquête serait ouverte sous peu.

Ces rapports sur son état mental l'avaient inquiétée, mais ce ne fut qu'en trouvant son appartement totalement dévasté, en rentrant après les vacances, qu'elle avait compris qu'elle n'avait pas le choix. Il finirait par la détruire ou, pire encore, par détruire les enfants, si elle ne revenait pas vivre avec lui. C'était la seule façon d'obtenir un peu de sécurité pour Emma et Adrian, se tenir aussi près de l'ennemi que possible.

Anna savait cela, et pourtant elle avait l'impression d'être tombée de Charybde en Scylla. Elle était pratiquement prisonnière chez elle, avec un Lucas agressif et irrationnel pour geôlier. Il l'avait forcée à démissionner de son mi-temps à la salle des ventes de Stockholm, un travail qu'elle adorait et qui la comblait. Il l'autorisait à sortir uniquement pour faire des courses et aller chercher ou déposer les enfants. Lui n'avait pas retrouvé de travail, et il n'essayait pas non plus. Il avait été obligé de rendre le grand et magnifique appartement des beaux quartiers d'Östermalm, et maintenant ils s'entassaient dans un petit deux-pièces en banlieue. Mais, tant qu'il ne frappait pas les enfants, elle pouvait supporter n'importe quoi. Pour sa part, elle avait à nouveau des bleus partout sur le corps, mais d'une certaine façon c'était comme enfiler un bon vieux vêtement familier. Elle avait vécu de cette façon pendant tant d'années que c'était plutôt sa brève période de liberté qui lui paraissait irréelle, pas cette vie-ci. Anna faisait aussi de son mieux pour éviter aux enfants de se rendre compte de ce qui se passait. Elle avait réussi à persuader Lucas qu'ils devaient continuer à fréquenter le jardin d'enfants, et devant eux elle faisait comme si leur vie était normale. Mais elle n'était pas certaine qu'ils soient dupes. Au moins pas Emma qui avait maintenant quatre ans. Au début elle s'était extasiée de retourner vivre avec son papa, mais Anna l'avait plusieurs fois surprise en train de la regarder avec une expression perplexe.

Même si elle essayait sans cesse de se persuader qu'elle avait pris la bonne décision, Anna comprenait qu'ils ne pourraient pas vivre ainsi le reste de leur vie. Plus Lucas tombait dans l'irrationalité, et plus elle avait peur de lui. Elle était convaincue qu'un jour il franchirait la limite et la tuerait. La question était de savoir comment lui échapper.

Elle avait envisagé d'essayer de téléphoner à Erica pour demander son aide, mais d'une part Lucas surveillait étroitement le téléphone et, d'autre part, quelque chose en elle la retenait. Elle avait mis sa confiance en Erica tant de fois déjà, et aujourd'hui elle sentait qu'elle devait faire front toute seule, en adulte. Lentement elle avait conçu un plan. Elle devait recueillir suffisamment de preuves contre Lucas pour que les mauvais traitements ne puissent pas être mis en doute. Alors les enfants et elle pourraient obtenir une identité protégée*. Parfois l'envie la submergeait de simplement prendre les enfants et aller se réfugier dans un foyer pour femmes battues, mais elle savait que, sans preuves contre Lucas, ce ne serait qu'une solution temporaire. Ils ne tarderaient pas à être de retour en enfer.

Elle avait donc commencé à rassembler des preuves. Dans un supermarché sur le chemin du jardin d'enfants il y avait un photomaton, elle s'y arrêtait et faisait des photos de ses blessures. Elle notait la date et l'heure où elles lui avaient été infligées et cachait les notes et les clichés derrière la photo encadrée de leur mariage. Elle appréciait la symbolique de cette cachette. Bientôt elle aurait suffisamment de documents pour pouvoir en toute confiance remettre son sort et celui des enfants entre les mains de la société. Jusque-là, il fallait qu'elle tienne le coup. Et qu'elle s'applique à survivre.

La récréation battait son plein lorsqu'ils se garèrent dans le parking. La cour de l'école fourmillait d'enfants qui jouaient dans le petit vent glacial, bien emmitouflés et

* Méthode pour protéger des personnes exposées à une menace concrète. Il en existe trois types en Suède :

– Floutage des registres. Les données personnelles sont floutées et l'accès n'est accordé qu'à quelques rares personnes. En 2007, 11 047 personnes en Suède étaient sous le sceau du secret ;

– Rester enregistré à son ancienne adresse après un déménagement ;

– Données personnelles fictives. La personne obtient une toute nouvelle identité. Seule la direction générale de la Police peut faire le lien. Une trentaine de personnes en Suède ont bénéficié de cette protection.

insouciants du froid qui saisit Patrik et lui fit hâter le pas pour entrer au chaud.

Leur fille fréquenterait probablement cette école dans quelques années. C'était une pensée agréable et il arrivait à s'imaginer Maja gambadant ici, avec des couettes blondes et un petit interstice entre les dents de devant, exactement comme Erica sur les photos de son enfance. Il espérait que Maja ressemblerait à sa mère. Enfant, elle était mignonne à croquer, et elle l'était toujours à ses yeux.

Ils tentèrent leur chance et frappèrent à la porte de la première salle de classe qu'ils virent. La salle était lumineuse et agréable, avec de grandes fenêtres et des dessins d'enfants sur les murs. Une jeune institutrice était assise à un bureau, profondément plongée dans les papiers posés devant elle. Elle sursauta en les entendant.

— Oui ?

Malgré son jeune âge, elle avait déjà le ton de l'institutrice parfaite, et Patrik dut réprimer l'envie de se mettre au garde-à-vous et de s'incliner pour lui dire bonjour.

— On est de la police. On voudrait parler à l'institutrice de Sara Klinga.

— C'est moi. Une expression peinée se glissa sur son visage. Elle se leva et s'approcha d'eux, la main tendue. Beatrice Lind. J'enseigne dans les trois premières classes.

Elle leur fit signe qu'ils pouvaient s'installer sur les petites chaises devant les pupitres, et en s'y glissant Patrik se sentit comme un géant. La vue d'Ernst qui essayait de coordonner les différentes parties de son grand corps pour le loger sur la minuscule chaise le fit sourire. Mais, en se tournant vers l'institutrice, Patrik reprit un visage sérieux et se concentra sur sa mission.

— Quelle tragédie, dit Beatrice et sa voix trembla. Qu'une enfant puisse être là un jour, et disparue le lendemain… Sa lèvre inférieure se mit à trembler aussi. Et noyée qui plus est…

— Oui, et il s'avère que ce n'est pas un accident, il faut que vous le sachiez.

Patrik était surpris que la nouvelle n'ait pas encore atteint tous les habitants de la ville. Mais Beatrice eut réellement l'air sidérée.

— Comment ça, pas un accident, qu'est-ce que vous voulez dire ? Elle s'est bien noyée… ?

— Sara a été tuée, dit Patrik et il entendit lui-même la brutalité de ses mots. Sur un ton plus doux il dit : Sa mort n'est pas accidentelle, et c'est pourquoi nous avons besoin d'en savoir plus sur elle. Comment elle était, si vous êtes au courant de problèmes dans la famille, ce genre de choses.

Il vit que Beatrice était toujours consternée par la nouvelle, mais qu'elle commençait à réfléchir à ce que cela signifiait, et au bout d'un moment elle se ressaisit.

— Eh bien, que dire de Sara ? Elle était… Le mot approprié ne lui vint pas spontanément. C'était une enfant pleine de vivacité. Ce qui était à la fois bien et pas bien. Il n'y avait pas une minute de silence quand Sara était là et, pour être tout à fait honnête, c'était parfois difficile de maintenir l'ordre dans la classe. Elle avait quelque chose d'un chef et elle entraînait les autres. Si je n'arrivais pas à mettre le holà à temps, c'était le chaos total. Mais… Beatrice hésita de nouveau et eut l'air de bien peser chaque mot. Mais c'était justement cette énergie en elle qui suscitait une créativité extraordinaire. Elle était vraiment douée pour le dessin et tout ce qui touche à l'esthétique, et elle avait aussi une imagination qui dépassait tout ce que j'ai pu rencontrer. Elle était tout simplement une enfant très créative, qu'il s'agisse de faire des bêtises ou de produire quelque chose de concret.

Ernst bougea sur la petite chaise et dit :

— On a entendu dire qu'elle avait un de ces problèmes de concentration dont ils parlent partout, TDAH ou je ne sais pas quoi.

Son ton désinvolte heurta Beatrice qui lui lança un regard sévère, et Patrik eut la satisfaction de voir son collègue se faire tout petit.

— Sara présentait un TDAH, effectivement. Elle bénéficiait d'un soutien scolaire. Les connaissances en ce domaine ont énormément avancé et nous sommes désormais en mesure de donner à ces enfants tout ce qu'il leur faut pour pouvoir fonctionner au maximum de leurs capacités.

On aurait dit qu'elle faisait une conférence et Patrik comprit que ceci était un sujet qui lui tenait à cœur.

— Comment se manifestaient les problèmes de Sara ? demanda Patrik.

— Comme je viens de le dire. Elle avait un niveau d'énergie très élevé, et parfois elle pouvait avoir des crises de rage terribles. Mais c'était aussi une enfant très créative, donc. Elle n'était pas méchante, ni malveillante ou mal élevée, comme disent ceux qui n'y connaissent rien. Elle avait tout simplement du mal à guider ses impulsions.

— Et les autres enfants, comment réagissaient-ils à son comportement ? Patrik était sincèrement curieux.

— Ça dépend. Certains ne la supportaient pas du tout et se tenaient à l'écart, tandis que d'autres paraissaient gérer à peu près sereinement ses crises et ils s'entendaient assez bien avec elle. Je dirais que sa meilleure amie était Frida Karlgren. Elles habitent tout près l'une de l'autre aussi.

— Oui, on l'a déjà vue, dit Patrik en se tortillant sur sa chaise. Il avait des picotements dans les jambes et une crampe était en train de contracter son mollet droit. Il espéra de tout son cœur qu'Ernst aussi commençait à se sentir mal.

— Et la famille, glissa Ernst, est-ce que vous savez si Sara avait des problèmes à la maison ?

Patrik constata que son collègue était effectivement en train de se masser les mollets et il étouffa un sourire.

— Je suis désolée, mais là je ne vous suis d'aucune aide, dit Beatrice en pinçant les lèvres. Elle n'avait manifestement pas pour habitude de révéler la situation familiale de ses élèves. Je n'ai rencontré ses parents, et sa grand-mère, qu'à quelques rares reprises, et je les ai trouvés stables et sympathiques. Sara ne m'a jamais laissé entendre non plus que quelque chose n'allait pas.

Une sonnette stridente annonça la fin de la récréation et un vacarme joyeux envahit le hall, signe que les enfants avaient compris le message. Beatrice se leva et tendit la main pour marquer que l'entretien était terminé. Patrik réussit non sans mal à s'extirper de la chaise. Du coin de l'œil il vit qu'Ernst se frottait la jambe, apparemment engourdie. Comme deux vieillards, ils sortirent en titubant de la salle de classe après avoir pris congé de l'institutrice.

— Putain de chaise, dit Ernst en boitillant vers la voiture.

— Oui, on n'est plus aussi souples qu'autrefois, dit Patrik en s'engouffrant dans la voiture. Soudain le siège confortable laissant beaucoup de place pour les jambes lui apparut comme un luxe inouï.

— Parle pour toi. Moi, j'ai encore la forme de mes vingt ans, c'est juste qu'on n'est pas faits pour des meubles de nains.

Patrik transféra la conversation sur un autre sujet.

— Ça ne nous fait pas grand-chose de plus à nous mettre sous la dent.

— Cette môme-là m'a tout l'air d'une petite peste. De nos jours, on a l'impression que tous les gamins qui n'arrivent pas à se comporter correctement, on leur colle une foutue variante de syndrome ceci ou cela pour les excuser. De mon temps, on les guérissait avec quelques coups de règle sur les doigts. Alors qu'aujourd'hui c'est des médicaments et des psys et va que je te les dorlote et que je te les mets dans du coton. Faut pas s'étonner si la société part en vrille.

Ernst jeta un regard maussade par la vitre du côté passager en secouant la tête. Patrik garda le silence. De telles déclarations ne méritaient certainement pas qu'on y réponde, et de toute façon ça n'aurait servi à rien.

— Tu vas vraiment encore lui donner le sein ? A mon époque, ce n'était que toutes les quatre heures, dit Kristina avec un regard critique sur Erica qui s'était installée dans le fauteuil pour allaiter Maja au bout de "seulement" deux heures et demie.

Erica avait appris à ne pas argumenter et elle ignora simplement la remarque de Kristina. Ce n'était qu'une parmi d'autres qui avaient fusé dans la matinée, mais Erica sentit qu'elle en aurait bientôt assez. Sa tentative interrompue de faire le ménage avait effectivement été commentée. A présent, sa belle-mère était en train de passer l'aspirateur comme une forcenée en glosant sur son sujet préféré : la propension de la poussière à provoquer de l'asthme chez les jeunes enfants. Avant cela, elle s'était ostensiblement mise à laver toute la vaisselle sale empilée sur le plan de travail tout en prodiguant des conseils à Erica. Il fallait toujours rincer les assiettes tout de suite pour empêcher les restes de coller et autant s'en occuper sans tarder, pour ne pas remettre à plus tard… En grinçant des dents, Erica essaya d'orienter son esprit sur la longue sieste qu'elle ferait quand Kristina irait promener Maja avec le landau. Mais elle se demandait de plus en plus si le jeu en valait la chandelle.

Elle s'installa confortablement dans le fauteuil et essaya de faire téter Maja. Le nourrisson avait perçu les tensions dans l'air et n'avait pas arrêté de pleurer. Cette fois, elle protesta de toutes ses forces quand Erica voulut la calmer avec une tétée. Se confronter ainsi à son bébé la stressait, et c'est seulement lorsque Maja abandonna la partie et se résigna à téter qu'elle put se détendre. Doucement, pour que sa lutte ne soit pas vaine, elle alluma la télé pour regarder *Amour, gloire et beauté* et elle essaya de se plonger dans la relation compliquée de Brooke et Ridge. Kristina jeta un coup d'œil sur l'écran en passant avec l'aspirateur.

— Pouah, tu regardes ces foutaises ? Pourquoi tu n'en profites pas plutôt pour lire un bon bouquin ?

Pour toute réponse, Erica augmenta le volume et se permit pendant une seconde de se réjouir de sa rébellion. Puis elle vit la tête offusquée de sa belle-mère et baissa le son, sachant pertinemment que toute tendance à la révolte serait payée au prix fort. Elle regarda sa montre. Seigneur, pas encore midi ! Une éternité avant que Patrik rentre. Puis il y aurait encore une autre journée semblable avant que Kristina fasse ses valises et rentre chez elle, satisfaite de l'aide inestimable qu'elle aurait apportée à son fils et à sa belle-fille. Deux longues, longues journées…

STRÖMSTAD 1924

Le redoux faisait des merveilles sur l'humeur des tailleurs de pierre. En arrivant sur son lieu de travail, Anders entendit ses collègues qui avaient déjà entamé leurs chants rythmés par les coups de masse sur la barre à mine. Ils étaient en train de creuser les trous pour la poudre qui fendrait les gros blocs de granit. L'un tenait la barre à mine tandis que deux autres frappaient dessus en alternance jusqu'à ce qu'ils aient obtenu un trou profond dans la pierre. Ensuite il fallait y verser la poudre noire et allumer. Ils avaient fait des essais avec de la dynamite, mais ça ne fonctionnait pas très bien. L'explosion était trop forte, elle pulvérisait la pierre et la faisait éclater n'importe comment.

Les collègues saluèrent Anders de la tête quand il passa, mais sans louper un seul des coups rythmés sur la barre.

La joie remplissait son cœur lorsqu'il gagna le coin où il dégageait son bloc pour la statue. Le travail avait avancé avec une lenteur exaspérante pendant l'hiver, car le froid avait souvent rendu impossible toute intervention sur la pierre. Par longues périodes, il avait dû abandonner sa tâche dans l'attente d'une température plus clémente et il avait eu du mal à joindre les deux bouts. Mais à présent il allait pouvoir attaquer le gros bloc de granit pour de bon, et il n'avait pas à se plaindre, l'hiver avait apporté d'autres joies.

Parfois il avait du mal à croire que c'était vrai. Qu'un ange pareil soit descendu sur terre pour se glisser dans son lit. Chaque minute passée ensemble était un souvenir précieux qu'il conservait dans un compartiment secret de son cœur. La pensée de l'avenir venait cependant troubler sa joie de temps à autre. Il avait essayé d'en parler à plusieurs reprises, mais Agnes le faisait toujours taire avec un baiser. Elle disait que les choses finiraient par s'arranger toutes seules. Il avait interprété ses paroles à sa convenance, se disant qu'elle, comme lui, espérait qu'ils avaient un avenir ensemble, et par moments il s'autorisait à la croire, à croire que les choses s'arrangeraient. Dans le fond, Anders était un authentique sentimental et l'idée que l'amour vient à bout de tout était profondément enracinée en lui. Certes, il n'était pas de la condition sociale d'Agnes, mais il était honnête et travailleur, et il pourrait sans aucun doute lui offrir une vie agréable, si seulement on lui en donnait la chance. Et, si ses sentiments étaient réciproques, l'argent ne devrait pas être très important pour elle, vivre avec lui vaudrait bien quelques sacrifices. Un jour comme celui-ci, quand le soleil du printemps réchauffait ses doigts, il avait grand espoir que tout finirait par tourner à son avantage. Pour l'instant, il attendait seulement l'accord d'Agnes pour aller voir son père. Alors il se préparerait à prononcer le discours de sa vie.

Le cœur en émoi, il taillait doucement la pierre pour dégager la forme de la statue. Dans sa tête, les mots tourbillonnaient. Et les images d'Agnes.

Arne étudia attentivement la page nécrologie du journal. Il fronça le nez. Il l'aurait parié. Ils avaient choisi un nounours pour illustrer l'annonce, c'était vraiment du plus mauvais goût. Une nécrologie devait comporter les symboles de l'Eglise suédoise, et rien d'autre. Un nounours, c'était tout simplement impie. Mais à quoi d'autre devait-on s'attendre ? Ce garçon l'avait déçu du début à la fin et rien de ce qu'il faisait ne pouvait plus le surprendre. C'était une véritable honte. Qu'un homme pieux comme lui ait un rejeton qui avait si totalement pris ses distances avec le droit chemin. Des gens naïfs avaient essayé de les réconcilier. Ils avaient cru comprendre que son fils était un homme bon et intelligent, disaient-ils, qu'il avait un métier honorable, docteur, n'est-ce pas. Des bonnes femmes, surtout, qui étaient venues les voir avec ce genre de discours. Les hommes étaient plus avisés, ils ne se prononçaient pas sur des sujets dont ils ignoraient tout. D'accord, il était obligé d'admettre que son fils avait une profession honnête et qu'il semblait remplir ses engagements mais, si on n'avait pas Dieu dans son cœur, tout cela ne comptait pas.

Ce dont Arne avait le plus rêvé, c'était d'avoir un fils qui irait sur les pas de son arrière-grand-père pour devenir pasteur. Pour sa part, il avait été obligé de mettre ce genre de rêves aux oubliettes, puisque son père à lui avait dilapidé en soûleries tout l'argent qui lui aurait permis d'entrer au séminaire. Il devait se contenter de travailler comme bedeau à l'église. Au moins, ça lui donnait l'occasion d'être dans la maison de Dieu.

Mais l'église avait beaucoup changé. Autrefois elle était différente. Chacun connaissait sa place et témoignait au pasteur le respect qui lui était dû. On suivait aussi les préceptes de Schartau* de son mieux et on ne s'occupait pas de toutes ces nouveautés que même les pasteurs semblaient apprécier aujourd'hui : danse, musique et cohabitation avant le mariage, pour ne mentionner que ces abus-là. Mais ce qu'il avait le plus de mal à accepter, c'est que les jupons aient désormais le droit de représenter Dieu. Cela lui était incompréhensible. La Bible ne pouvait pas être plus claire là-dessus : "La femme doit se taire dans les assemblées." C'était indiscutable. Les femmes n'avaient rien à faire dans le clergé. Elles pouvaient être un bon soutien en tant qu'épouses de pasteur ou même en tant que diaconesses, mais autrement elles devaient se taire en public. Ce fut une époque sinistre quand l'autre femme, là, s'était emparée de l'église de Fjällbacka. Il avait été obligé d'aller à Kville le dimanche pour le culte et il avait carrément refusé de se rendre au travail. Cela lui en avait coûté, mais il préférait. Maintenant l'abominable créature était partie et, même si le nouveau pasteur était un peu trop moderne à son goût, c'était quand même un homme. Ne restait plus maintenant qu'à faire en sorte que l'organiste ne soit qu'un chapitre temporaire dans l'histoire de l'église de Fjällbacka. Certes, une femme organiste était un moindre mal en comparaison d'une femme pasteur, mais quand même.

D'une mine abattue, Arne tourna la page de *Bohuslä-ningen*. Et, en plus de ça, Asta tournait en rond à longueur de journée avec une tête d'enterrement. Il savait que c'était à cause de la fillette. Elle souffrait de savoir son fils si près maintenant. Mais il lui avait expliqué qu'elle devait rester forte dans sa foi et fidèle à leur conviction. Il voulait bien lui accorder que c'était triste, ce qui était arrivé à la petite, mais il l'avait toujours dit. Leur fils n'était pas resté dans le bon chemin et, tôt ou tard, le châtiment devait arriver. Il revint à la page des décès et regarda de

* Henric Schartau (1757-1825), pasteur puritain actif le long de la côte ouest suédoise, qui prônait un respect strict des Evangiles. Il existe encore aujourd'hui des communautés restées fidèles à ses dogmes.

nouveau le nounours de la nécrologie. Quelle honte tout de même, quelle honte…

Mellberg ne ressentit pas l'habituelle satisfaction d'être le centre d'intérêt des journalistes. Il n'avait pas pris la peine d'organiser une conférence de presse, se contentant de rassembler quelques représentants des journaux locaux dans son bureau. La lettre qu'il avait reçue occupait toutes ses pensées et il avait du mal à se concentrer sur autre chose.

— Vous avez des pistes concrètes ? lança un jeune scribouillard bouillant d'impatience.

— Rien que nous soyons en mesure de commenter au jour d'aujourd'hui, répondit-il sèchement.

— Est-ce que quelqu'un de la famille est considéré comme suspect ? La question était posée par le reporter du journal concurrent.

— Nous tenons tout pour possible actuellement, mais nous n'avons rien de concret qui pointe dans cette direction.

— S'agit-il d'un crime sexuel ?

— Désolé, je ne peux rien en dire, éluda Mellberg.

— Comment avez-vous constaté que c'était un homicide ? glissa le troisième journaliste. Avait-elle des blessures ?

— Je ne peux pas répondre à ça pour des raisons techniques liées à l'enquête, dit Mellberg.

Il vit la frustration s'étaler sur les visages des journalistes. Communiquer avec la presse était toujours un exercice de funambule. Il fallait leur donner suffisamment pour qu'ils sentent que la police coopérait, mais pas trop, pour que ça ne nuise pas à l'enquête. En général il se considérait comme maître dans cet équilibre-là, mais aujourd'hui il avait du mal à se concentrer. Il ne savait pas quelle attitude adopter vis-à-vis de l'information que la lettre lui avait fournie. Est-ce que ça pouvait réellement être vrai… ?

L'un des journalistes l'exhorta du regard et il comprit qu'il avait loupé une question.

— Pardon, tu peux répéter ? se hâta-t-il de dire.

Le journaliste le regarda, perplexe. Ils s'étaient déjà rencontrés à plusieurs reprises dans ce genre de contexte, et le commissaire était en général débridé et hâbleur, alors qu'à présent il semblait totalement ailleurs.

— Eh bien, je demandais si les parents des environs auraient des raisons de s'inquiéter pour leurs enfants.

— Nous recommandons toujours aux parents de surveiller leurs enfants, mais je voudrais souligner qu'il n'y a aucune raison de provoquer une hystérie collective. Je suis persuadé qu'il s'agit d'un événement isolé et que nous aurons très vite un coupable sous les verrous.

Il se leva pour signaler que l'audience était terminée et les journalistes rangèrent docilement leurs blocs-notes et leurs stylos et prirent congé. Ils sentirent tous qu'ils auraient peut-être pu titiller davantage le commissaire, mais il était important aussi pour la presse d'avoir une bonne relation avec la police locale. Le journalisme au bazooka, ils laissaient leurs collègues des grandes villes s'en charger. Ici on était souvent voisin de ceux qu'on interviewait, les enfants des uns et des autres étaient dans les mêmes classes et associations sportives, et pour conserver une bonne entente il valait mieux renoncer à vouloir à tout prix balancer de grandes révélations.

Satisfait, Mellberg se laissa aller dans son fauteuil. Malgré sa concentration défaillante, les journalistes n'avaient pas obtenu plus que ce qu'il avait eu l'intention de leur donner. Mais demain la nouvelle serait à la une de tous les journaux de la région. Il espérait que cela secouerait la population et qu'elle commencerait à fournir des informations. Avec un peu de chance, parmi tous les commérages qu'ils recevraient il y aurait quelque chose d'utilisable.

Il sortit la lettre et la relut. Il avait toujours du mal à en croire ses yeux.

STRÖMSTAD 1924

Elle était allongée dans sa chambre, une serviette froide et mouillée sur le front. Le docteur l'avait consciencieusement examinée, puis il lui avait recommandé de garder le lit. En ce moment il parlait avec son père dans le salon, et pendant une seconde elle se dit qu'elle souffrait peut-être d'une maladie grave. Elle avait vu quelque chose d'inquiétant passer comme un éclair dans les yeux du médecin, mais il lui avait aussitôt tapoté la main et dit que tout s'arrangerait et qu'elle avait sans doute seulement besoin de repos.

Elle ne pouvait guère révéler au bon docteur la véritable raison de sa faiblesse. Que toutes les nuits blanches au cours de l'hiver avaient sans doute affecté sa santé. C'était le diagnostic qu'elle avait fait, mais elle devait le garder pour elle. Le docteur Fern allait sans doute lui prescrire des gouttes fortifiantes et, comme elle avait décidé de mettre un terme à l'aventure avec Anders, elle aurait vite fait de retrouver la forme. Entre-temps, ça ne lui ferait pas de mal de rester au lit et de se faire servir pendant une semaine ou deux. Agnes réfléchit à ce qu'elle demanderait pour le déjeuner. Le dîner de la veille avait été évacué avec la chasse d'eau et elle sentit son ventre gronder et crier famine. Peut-être des crêpes, ou les excellentes boulettes de viande de leur cuisinière, avec pommes de terre, sauce à la crème et confiture d'airelles.

Au bruit des pas dans l'escalier elle s'enfouit davantage sous la couverture et se mit à geindre doucement. Elle décida que les boulettes de viande iraient très bien, juste avant que la porte de sa chambre ne s'ouvre.

La fureur couvait en lui depuis la veille. Quel putain de culot, cette bonne femme n'avait aucun scrupule ! Le désigner à la police, lui ! Kaj n'était pas idiot, il comprenait très bien que les ragots ne tarderaient pas à circuler en ville et alors il pourrait protester tant qu'il voulait, la seule chose que retiendraient les gens serait que la police était venue chez lui poser des questions sur la mort de la fillette. Il serra violemment les poings. Après une brève hésitation il enfila son blouson et sortit d'un pas décidé. La clôture qu'il avait installée entre les deux terrains l'empêcha d'y aller directement, il dut sortir dans la rue pour remonter ensuite vers la maison des Florin. Il avait pris soin de s'assurer que Niclas et Charlotte étaient partis. Il allait lui dire ses quatre vérités, à cette pouffe.

Elle n'avait pas fermé à clé, comme la plupart des gens dans cette ville, ce qui permit à Kaj d'entrer directement sans frapper. Il se rendit dans la cuisine. En le voyant arriver, Lilian sursauta mais se maîtrisa rapidement et eut recours à l'habituelle expression pincée de quelqu'un qui se la joue. Elle ne se prenait pas pour de la merde, celle-là. Comme si elle était une foutue princesse au lieu d'une bonne femme tout ce qu'il y a de plus ordinaire dans une petite ville ordinaire.

— C'est quoi ces conneries d'envoyer la police chez moi ! meugla-t-il en abattant son poing sur la table.

Elle le regarda froidement.

— Ils ont demandé si on voyait quelqu'un qui voulait du mal à notre famille, et j'ai immédiatement pensé à toi, c'est normal, non ? Et, si tu ne te dépêches pas de sortir tout de suite de ma maison, j'appelle la police. Comme ça ils verront de leurs yeux ce dont tu es capable.

Il dut se contrôler pour ne pas se jeter sur elle et l'étrangler. Le calme apparent de Lilian décupla sa rage, et de petites taches commencèrent à danser devant ses yeux.

— Essaie, espèce de putain de salope, tu n'oserais pas faire ça !

— Moi, je n'oserais pas, *moi* ? Oh que si, tu peux en être sûr. Tu n'arrêtes pas de nous casser les pieds, à moi et à ma famille, tu nous menaces, tu nous empoisonnes la vie.

Elle se plaqua les deux mains sur la poitrine en un geste théâtral et adopta la mine de victime qu'il avait appris à tant détester au fil des ans. Chaque fois, elle réussissait le même tour de force. Le faire passer pour le méchant, lui, et elle-même pour la victime. Alors qu'en réalité c'était le contraire. Il avait toujours tout fait pour être correct, vraiment tout. Il avait essayé de ne pas se rabaisser au même niveau qu'elle. Mais, il y avait quelques années, il avait pris sa décision. Si c'était la guerre qu'elle voulait, elle l'aurait. Et, depuis, tous les moyens étaient permis.

Encore une fois, il se maîtrisa et se contenta de siffler entre ses dents :

— En tout cas, ça n'a pas pris. Les flics ne semblaient pas avoir très envie de croire ce que tu racontais sur moi.

— Oui, mais ils peuvent orienter leur enquête sur quelqu'un d'autre aussi, dit Lilian méchamment.

— Comment ça ? demanda Kaj, puis, réalisant où elle voulait en venir, il répondit lui-même à la question. Tu fous la paix à Morgan, t'entends !

— Je n'ai pas besoin de dire quoi que ce soit. La voix de Lilian était remplie d'une joie maligne. La police finira par trouver toute seule que dans la villa d'à côté il y en a un qui n'a pas toute sa tête. Et tout le monde sait ce dont ils sont capables, ceux-là. Il suffit de jeter un coup d'œil sur les déclarations au commissariat.

— Ces déclarations-là ne sont que des foutaises, et tu le sais ! Morgan n'a jamais mis les pieds sur votre terrain et encore moins fait le voyeur.

— Eh bien, moi je sais seulement ce que j'ai vu de mes yeux, dit Lilian. Et les flics le sauront aussi, dès qu'ils auront consulté leurs registres.

Il ne répondit pas. Ça n'aurait servi à rien.

Puis la colère prit le dessus.

Profondément plongé dans les documents sur son bureau, Martin sursauta lorsque Patrik frappa à la porte.

— Désolé, je ne voulais pas te filer une crise cardiaque, sourit Patrik. Tu es occupé, là ?

— Non, entre. Bon, ça s'est passé comment ? L'instit vous a appris quelque chose sur la famille ?

— Non, ça n'a pas donné grand-chose. Elle n'était pas au courant de problèmes familiaux quelconques. Par contre, on en a appris un peu plus sur Sara. Elle souffrait apparemment de TDAH et elle pouvait se montrer assez difficile.

— De quelle manière ? demanda Martin qui n'avait que de très vagues notions au sujet de ce diagnostic de plus en plus fréquent.

— Surplus d'énergie, difficultés à tenir en place, agressivité si elle était contrariée, problèmes de concentration.

— On dirait qu'elle devait être assez difficile à gérer.

— Oui, c'est comme ça que je l'interprète, même si l'instit ne l'a évidemment pas dit directement.

— Tu t'en es rendu compte toi-même quand tu voyais Sara ?

— C'était surtout Erica qui la voyait. Je ne l'ai croisée qu'en passant et je me souviens surtout d'avoir trouvé qu'elle était pleine de vie. Rien qui m'ait fait tiquer plus que ça. J'ignore si ça a quelque chose à voir avec le fait qu'elle a été tuée, mais il faut bien qu'on commence par quelque chose, pas vrai ?

Martin hocha la tête et montra ensuite les papiers devant lui.

— J'ai vérifié toutes les plaintes pour crimes sexuels de ces dernières années, et rien ne colle vraiment. Quelques déclarations d'abus sur enfant au sein de la famille mais qu'on a dû classer faute de preuves. Il n'y a eu qu'une seule condamnation, tu te souviens du père qui avait abusé de sa fille ?

— Oui, dit Patrik. Peu d'affaires lui avaient laissé un arrière-goût aussi désagréable. Torbjörn Stiglund, mais il est toujours en taule, non ?

— Oui, j'ai appelé pour vérifier, il n'a même pas bénéficié de permissions. On peut le rayer de la liste. Pour le reste, on a surtout des viols, mais sur des adultes, et puis quelques rares cas de comportement obscène, mais vis-à-vis d'adultes encore une fois. D'ailleurs je suis tombé sur un nom familier dans ce contexte-là. Martin montra le classeur que Patrik avait vu la dernière fois dans son bureau, mais qui se trouvait maintenant chez son collègue. Oui, je suis allé chercher le pavé de la famille Florin chez toi, j'espère que tu ne m'en veux pas ?

— Non, pas de problèmes. Et j'imagine que tu fais allusion aux plaintes de Lilian contre Morgan Wiberg ?

— Oui, elle affirme qu'il a rôdé autour de leur maison et qu'à plusieurs reprises il a essayé de regarder par la fenêtre quand elle s'habillait.

— Oui, je l'ai lu, dit Patrik, fatigué. Mais, pour tout te dire, je ne sais vraiment pas quoi en penser. Je n'ai pas l'impression que tout ça ait un véritable ancrage dans la réalité. Ce sont surtout des accusations dans un sens, puis dans l'autre, et un gaspillage monumental du temps et des ressources de la police.

— Je suis d'accord avec toi. Mais en même temps on ne peut pas fermer les yeux sur le fait qu'il y a un mateur potentiel dans la maison voisine. Tu sais, les crimes sexuels débutent très souvent par ce type de comportement.

— Je sais, je sais, mais ça me semble quand même tiré par les cheveux. Supposons que Lilian dise vraiment la vérité – ce dont je doute fortement. Alors Morgan aurait essayé d'épier une femme adulte sans vêtements, mais rien n'indique pour autant qu'il ait un intérêt sexuel pour des enfants. De plus, on ne sait même pas si le meurtre de Sara a été précédé d'un abus sexuel. L'autopsie n'a rien donné en ce sens. Mais d'accord, ça peut valoir le coup de cerner Morgan de plus près. Au moins d'aller le voir.

— Tu penses qu'il y a la moindre chance pour que je puisse t'accompagner ? dit Martin tout excité. Ou tu commences à t'attacher à Ernst ?

— Non, ce jour-là n'est pas près d'arriver. Patrik fit une grimace. En ce qui me concerne, tu peux venir sans le moindre problème, mais la question est de savoir ce que Mellberg en pense.

— Ben, on peut toujours poser la question. Je trouve qu'il s'est montré un peu plus calme dernièrement. Qui sait, il commence peut-être à se civiliser sur ses vieux jours…

— Ça m'étonnerait. Mais je vais voir avec lui. Dans ce cas, on irait cet après-midi, je voudrais régler un peu de paperasse avant.

— Au poil. Comme ça j'ai le temps de terminer avec tout ça, dit Martin avec un geste vers le tas de plaintes. J'espère avoir un rapport complet à te soumettre alors. Mais ne t'attends pas à des miracles, j'ai l'impression qu'il n'y a pas grand-chose qui colle.

— Fais de ton mieux, dit Patrik.

Gösta s'était presque assoupi devant son ordinateur. Seule la petite secousse lorsque son menton venait heurter sa poitrine le réveillait sans arrêt et l'empêchait de sombrer totalement dans les bras de Morphée. Il aurait bien aimé pouvoir monter ses jambes sur le bureau, il avait vraiment besoin d'un petit roupillon, ensuite il serait frais et dispo pour s'attaquer au travail. Une sieste, comme en Espagne. Là-bas, ils en avaient compris l'utilité, alors qu'ici en Suède, on devait subir ses huit heures de boulot quotidiennes, dans la bonne humeur et avec une pêche d'enfer permanente. Non, ce pays était vraiment un pays de merde.

La sonnerie stridente du téléphone le tira de sa torpeur.

— Merde, dit-il, et son humeur ne s'améliora pas en voyant le numéro qui s'affichait sur l'écran. Encore cette foutue bonne femme, qu'est-ce qu'elle voulait encore ? Puis il se rappela qu'il devait peut-être faire preuve d'un peu de compassion, vu ce qui était arrivé, et il se ressaisit avant de décrocher.

— Gösta Flygare, commissariat de Tanumshede.

La voix à l'autre bout était dans tous ses états et il fut obligé de lui dire de se calmer pour comprendre ce qu'elle disait. Peine perdue, et il répéta :

— Lilian, parlez plus lentement, j'ai du mal à entendre ce que vous dites. Respirez à fond et reprenez depuis le début.

Elle sembla enfin saisir et en l'écoutant Gösta sentit son intérêt s'éveiller. En voilà, une évolution inattendue de l'affaire ! Après l'avoir rassurée plusieurs fois, il réussit à mettre un terme à la conversation. Il prit son blouson et alla voir Patrik. Il ne se donna pas la peine de frapper, mais d'un autre côté Patrik travaillait la porte ouverte, tant pis pour lui alors si les gens entraient directement.

— Dis-moi, Hedström.

— Oui ?

— Je viens d'avoir un appel de Lilian Florin.

— Oui ? répéta Patrik, plus intéressé tout à coup.

— On dirait que ça bouge là-bas chez eux. Elle prétend que Kaj l'a tabassée.

— Que quoi ? dit Patrik et il fit pivoter son fauteuil de bureau de manière à se trouver face à Gösta.

— Oui, elle prétend qu'il a débarqué chez elle, là, il n'y a pas longtemps, qu'il a gueulé comme un âne et, quand elle a essayé de le faire partir, il l'a attaquée à coups de poing.

— Mais c'est complètement fou, dit Patrik incrédule.

— En tout cas, c'est ce qu'elle a dit. Gösta haussa les épaules. J'ai promis qu'on serait là-bas illico. Il leva ostensiblement son blouson à bout de bras.

— Oui, bien sûr, répondit Patrik et, dans un seul mouvement, il fut debout et attrapa son propre blouson pendu à la patère.

Vingt minutes plus tard, ils se trouvaient encore une fois devant la maison des Florin. Lilian ouvrit presque immédiatement et les fit entrer. Dès qu'ils eurent franchi la porte, elle commença à gesticuler frénétiquement.

— Regardez ce qu'il m'a fait ! Elle montra une petite rougeur sur la joue, puis elle remonta la manche de son pull et indiqua une marque sur le bras. S'il ne va pas en taule pour ça, alors... Elle se montait la tête de plus en plus et avait du mal à parler tant elle était déchaînée.

Patrik la rassura en lui touchant le bras :

— On va regarder tout ça de plus près, je vous le promets. Avez-vous laissé un médecin vous examiner ?

— Non, c'est obligatoire ? Il m'a frappée au visage et il m'a attrapé le bras comme ça, mais apparemment les blessures ne sont pas trop sérieuses, reconnut-elle à contrecœur.

Mais vous avez peut-être besoin de preuves, des photos ou quelque chose ? Le visage de Lilian s'illumina un bref instant avant que Patrik ne refroidisse ses espoirs.

— Non, je pense que ce qu'on a vu suffira. On va aller voir Kaj, puis on verra comment poursuivre. Est-ce que vous avez quelqu'un que vous pouvez appeler ?

— Oui, je peux demander à mon amie Eva de venir.

— Bien, alors je vous propose de l'appeler, de préparer du café et d'essayer de vous calmer. Ça va s'arranger, tout ça, vous verrez.

Patrik essaya de paraître confiant mais, pour être vraiment honnête, il y avait quelque chose dans le comportement hystérique de cette femme qui lui donnait des frissons de malaise. Quelque chose clochait.

— Mais je n'ai pas de formulaires à remplir ? Pour déposer une plainte formelle ?

— On s'en occupera plus tard. Pour commencer, Patrik et moi, on va aller discuter avec Kaj voir ce qu'il a à dire.

Gösta avait pris un ton autoritaire inhabituel chez lui, mais Lilian ne se contenta pas de promesses aussi floues.

— Si vous avez l'intention de fermer les yeux sur ça, parce que vous êtes trop paresseux pour intervenir quand une femme sans défense est victime d'une agression honteuse, dites-vous bien que je ne resterai pas les bras croisés à vous regarder faire, ça c'est sûr. Je commencerai par passer un coup de fil à votre chef, puis j'alerterai les journaux s'il le faut et…

Gösta interrompit sa harangue et dit d'une voix d'acier :

— On n'a pas l'intention de fermer les yeux sur quoi que ce soit, Lilian, mais pour l'instant on va faire comme on a dit, on va d'abord parler avec Kaj, et ensuite on s'occupera des formalités. Si vous avez quelque chose à y redire, vous n'avez qu'à appeler notre chef, le commissaire Bertil Mellberg, pour faire vos réclamations. Sinon, on revient dès qu'on a parlé avec le suspect.

Après avoir hésité, Lilian parut se dire que l'heure de la retraite avait sonné.

— Bon, si vous insistez, je vais aller appeler Eva. Mais je compte sur vous pour revenir tout de suite, maugréa-t-elle.

Elle ne put s'empêcher d'avoir un dernier geste démonstratif, et claqua la porte derrière eux de toutes ses forces.

— Qu'est-ce que tu en penses ? dit Patrik qui n'en revenait toujours pas que Gösta entre tous ait réussi à se faire respecter.

— Ben, je ne sais pas trop, je…, dit Gösta en hésitant. Il y a quelque chose qui ne semble pas… normal.

— C'est exactement mon sentiment. Durant toutes ces années de conflit, est-ce que Kaj a déjà utilisé la violence ?

— Non et, si cela avait été le cas, on aurait été prévenus dans la seconde, tu peux me croire. D'un autre côté, c'est la première fois qu'il se voit jeter en pleine figure une accusation de meurtre même pas déguisée.

— Oui, évidemment, tu n'as pas tort. Mais il n'a pas le profil de quelqu'un qui use de violence, si tu vois ce que je veux dire. Il serait plutôt du genre sournois qui fait un croche-patte s'il en a l'occasion.

— Je suis d'accord. On verra bien ce qu'il a à en dire.

— Exactement, dit Patrik et il frappa à la porte.

STRÖMSTAD 1924

Au moment même où son père franchit la porte, le cœur d'Agnes se serra. Quelque chose n'allait pas. Quelque chose n'allait vraiment pas. August semblait avoir pris vingt ans en un instant, et tout à coup elle comprit qu'elle devait être mourante. C'était l'unique chose qui pouvait creuser de tels sillons sur la figure de son père en si peu de temps.

Elle mit la main sur son cœur et se prépara à entendre le verdict. Mais quelque chose n'était pas normal. Le chagrin qu'elle s'attendait à voir dans les yeux de son père était absent, au contraire, ils étaient noirs de colère. Etrange, pour le moins, pourquoi serait-il en colère si elle était sur le point de mourir ?

Malgré sa petite taille, il se dressa comme une silhouette menaçante à côté du lit, et Agnes fit instinctivement de son mieux pour avoir l'air le plus pitoyable possible. Cela avait toujours fonctionné les rares fois où son père avait été fâché contre elle. Mais cela sembla sans effet cette fois-ci, et l'inquiétude monta dans sa poitrine. Puis une pensée la frappa, si incroyable et épouvantable qu'elle l'écarta aussitôt.

Mais la pensée revint à la charge, impitoyablement. En voyant son père remuer les lèvres dans une tentative de parler, sans réussir à proférer le moindre son, elle réalisa, épouvantée, que cela était non seulement une possibilité, mais une probabilité.

Lentement elle s'affaissa davantage sous la couverture et, lorsque la main de son père vint lourdement s'abattre sur sa joue et qu'elle sentit la douleur cuisante, ses craintes se transformèrent en certitude.

— Espèce de... espèce de..., bégaya August en cherchant désespérément les mots. Espèce de traînée ! Qui... quoi ? continua-t-il à bafouiller.

De sa position couchée elle le vit en contre-plongée déglutir plusieurs fois comme pour donner un coup de pouce aux mots. Jamais elle n'avait vu son père, son gros papa jovial, dans cet état, et la vision lui fit peur.

Agnes sentit aussi la confusion la saisir au milieu de la terreur. Comment ceci avait-il pu arriver ? Ils avaient eu recours au seul moyen de protection qui s'offrait à eux, ils avaient toujours interrompu à temps, et même dans son imagination la plus débridée elle n'aurait pu penser qu'elle allait quand même se retrouver enceinte. Bien sûr, elle avait entendu parler de filles engrossées par accident, mais elle s'était toujours dit qu'elles avaient été imprudentes, qu'elles avaient laissé l'homme aller plus loin qu'il n'aurait dû.

Et maintenant c'était son tour. Ses pensées erraient fébrilement à la recherche d'une solution. Les choses s'étaient toujours arrangées pour elle. Ceci aussi allait certainement se résoudre. Il fallait qu'elle réussisse à le faire comprendre à son père, comme chaque fois qu'elle s'était trouvée en difficulté. Certes, il n'avait jamais été question de problèmes aussi graves, mais pendant toute sa vie son père lui était toujours venu en aide, il lui avait toujours nivelé le chemin. Il le ferait maintenant aussi, forcément. Elle sentit le calme revenir en elle, maintenant que le premier choc était passé. Evidemment que ça s'arrangerait. Père serait en colère pendant quelque temps, elle le supporterait, mais il allait l'aider à sortir de ce mauvais pas. Il existait des endroits où on pouvait aller pour résoudre ce genre de problème, c'était une simple question d'argent, et ça, elle n'en manquait pas.

Satisfaite d'avoir élaboré un plan, elle ouvrit la bouche pour commencer à entreprendre son père, mais ses paroles furent arrêtées par la main d'August qui atterrit sur sa joue encore une fois. Incrédule, elle le regarda. Jamais elle n'aurait imaginé qu'il porterait la main sur elle et voilà qu'il l'avait frappée deux fois en très peu de temps. C'était injuste de se faire traiter ainsi, et la colère l'enflamma. Elle se redressa dans le lit et ouvrit la bouche pour s'expliquer. Vlan ! La troisième gifle brûla sa joue déjà endolorie, et Agnes sentit des larmes de dépit lui monter aux yeux. Pourquoi est-ce qu'il la traitait de cette manière ? Résignée, elle retomba sur les oreillers et fixa avec perplexité et fureur le père qu'elle avait cru si bien connaître. Mais l'homme devant elle était devenu un étranger.

Lentement Agnes commença à réaliser que sa vie allait peut-être prendre une vilaine tournure.

On frappa doucement à la porte et il leva les yeux. Il n'attendait pas de patients, et il était très occupé à faire le tri dans la paperasserie qui s'était accumulée. Le dérangement lui fit froncer les sourcils.

— Oui ?

Le ton était froid et la personne de l'autre côté sembla hésiter. Puis elle appuya sur la poignée et la porte s'ouvrit lentement.

— Je dérange ?

Sa voix était aussi frêle que dans les souvenirs de Niclas et la ride d'irritation s'effaça immédiatement.

— Mère ?

Il bondit du fauteuil et regarda interloqué la petite femme menue qui hésitait à entrer. Elle avait toujours éveillé ses instincts protecteurs, et à présent il eut envie de se précipiter pour la prendre dans ses bras. Mais il savait qu'au fil des ans elle s'était déshabituée des grandes effusions de sentiments et qu'elle serait surtout gênée, si bien qu'il s'en abstint et attendit qu'elle prenne l'initiative.

— Je peux entrer ? Mais tu es peut-être occupé ?

Asta lorgna les piles de papiers devant lui et commença à se retourner pour partir.

— Non, absolument pas, entre, entre.

Il se sentit comme un écolier quand il fit le tour du bureau pour lui présenter une chaise. Elle s'assit, tout au bord du siège, et jeta un regard nerveux autour d'elle. Elle ne l'avait jamais vu exerçant son métier, et il comprit qu'elle devait avoir du mal à le reconnaître dans cet environnement. Elle ne l'avait pratiquement pas vu du tout depuis de nombreuses années et elle était sans doute décontenancée de passer directement du garçon de dix-sept ans à l'homme adulte. Penser à cela éveilla la colère en lui. Ils avaient dû renoncer à tant de choses, sa mère et lui, à cause de l'autre vieux fou. Heureusement, il avait pu lui échapper, mais en observant sa mère il vit les dégâts du temps sur elle. La même expression fatiguée et soumise que lorsqu'il était parti, mais intensifiée par toutes les nouvelles rides qui étaient apparues sur son visage.

Niclas tira une chaise à côté d'elle, à quelque distance, et attendit qu'elle commence. Elle ne semblait pas trop savoir elle-même ce qu'elle était venue dire. Après un moment de silence elle se décida.

— Je suis tellement désolée pour la petite, Niclas.

Puis elle se tut et il ne put rien dire, seulement hocher la tête.

— Je ne la connaissais pas… mais j'aurais vraiment aimé.

Sa voix trembla un tout petit peu et il devina le déferlement de sentiments sous la surface. Elle avait dû faire un immense effort pour venir ici. A sa connaissance, jamais auparavant elle ne s'était opposée à une décision de son mari.

— Elle était merveilleuse. Elle avait tes yeux, mais on ne sait pas d'où elle tenait ses cheveux roux, dit-il et, bien que les pleurs fussent là derrière les mots, les larmes ne venaient pas. Il y en avait tant eu ces derniers jours qu'il doutait qu'il en reste encore.

— Ma grand-mère paternelle avait la plus belle chevelure rousse qu'on pouvait voir. Ça doit être d'elle que… Elle hésita à dire le nom, mais finit par lui faire franchir ses lèvres. Que Sara les tenait.

Asta regarda ses mains qui reposaient sur ses genoux.

— Je la voyais de temps en temps. J'ai croisé ta femme quand elle les promenait. Elle et le garçon. Mais je ne me suis jamais approchée. On s'est seulement regardées. Maintenant je regrette de ne pas lui avoir parlé au moins une fois. Est-ce qu'elle savait qu'elle avait une grand-mère ici ?

— J'ai beaucoup parlé de toi. Elle connaissait ton nom et on lui a montré des photos de toi. Celles que j'ai pu emporter quand je... Il laissa les mots s'éteindre. Ni l'un ni l'autre n'osait venir marcher sur le terrain miné que constituait leur rupture.

— C'est vrai, ce que j'ai entendu ? Elle leva les yeux et le fixa pour la première fois droit en face. C'est quelqu'un qui s'en est pris à elle ?

Il essaya de répondre, mais les mots restèrent coincés quelque part loin dans sa gorge. Il avait tant de choses à lui raconter, tant de secrets qui pesaient sur son cœur. Il avait surtout envie de se jeter à ses pieds. Mais il ne pouvait pas. Trop d'années avaient passé.

Les larmes qu'il croyait taries finirent par arriver, elles débordèrent et coulèrent le long de ses joues. Il n'osa pas regarder sa mère, mais l'instinct maternel dépassa toutes les recommandations et tous les interdits, et la seconde suivante il sentit ses bras frêles autour de ses épaules. Elle était si petite et lui si grand, mais en cet instant il y avait un renversement de situation.

— Allons, allons.

Elle lui passa une main experte dans le dos, il sentit alors les années s'enlever comme on épluche un oignon et il se retrouva dans l'enfance. Rassuré dans les bras de sa mère. Sa chaude haleine, sa voix tendre dans l'oreille, ses affirmations que tout irait bien. Que les monstres sous le lit n'existaient que dans son imagination et qu'ils partiraient dès qu'il leur dirait de partir. Mais cette fois le monstre était là pour rester.

— Est-ce que père est au courant ? dit-il, la bouche contre son épaule.

Il savait qu'il n'aurait pas dû demander, mais c'était plus fort que lui. Immédiatement il la sentit se figer et se retirer de l'étreinte consolatrice. La magie était rompue et elle fut de nouveau assise devant lui, une petite vieille grise et usée qui choisissait son père avant lui quand il avait le plus besoin d'elle. Les sentiments étaient si troubles. Elle lui manquait et il l'aimait, mais il était aussi rempli d'amertume et de mépris parce qu'elle n'était pas de son côté.

— Il ne sait pas que je suis venue ici, répondit-elle seulement.

Niclas vit que dans sa tête elle était déjà partie. Mais il ne pouvait pas la laisser partir encore. Même si ce n'était que pour un tout petit instant, il voulut la garder encore près de lui et il connaissait un moyen.

— Tu veux voir des photos des enfants ? demanda-t-il doucement et elle hocha seulement la tête.

Il contourna le bureau et ouvrit le premier tiroir, en sortit un album et le lui tendit, en prenant garde de le regarder. Il n'était pas encore prêt pour ça.

Elle tourna solennellement les pages et afficha un petit sourire chagriné à chaque photo. Ce qu'elle avait perdu devenait tout à coup si tangible.

— Ils sont magnifiques, dit-elle avec une fierté de grand-mère dans la voix, cependant mêlée de chagrin de savoir qu'un des enfants n'était plus là. Tu as pris le nom de famille de ta femme ? dit-elle avec hésitation, en tenant toujours l'album serré sur ses genoux.

— Oui, dit Niclas en fixant un point sur le mur derrière elle. Je ne voulais plus porter le même nom que lui.

Elle hocha tristement la tête.

— Est-ce vraiment raisonnable de reprendre le travail si vite ? ajouta-t-elle, inquiète, en le contemplant derrière son bureau.

Niclas tripota au hasard les papiers devant lui et déglutit pour retenir les dernières larmes.

— C'est la seule solution que j'ai trouvée pour survivre, dit-il seulement.

Sa mère se contenta de cette explication, mais l'inquiétude dans ses yeux augmenta.

— Fais attention seulement de ne pas oublier ceux qui restent, dit-elle doucement et elle atteignit avec une effrayante précision le point douloureux dans sa poitrine.

Mais c'était comme s'il était deux personnes à la fois. Une qui voulait rester à la maison avec Charlotte et Albin et ne plus jamais les quitter. Et une autre qui voulait se réfugier dans le travail pour échapper à la douleur exacerbée quand ils étaient ensemble. Et surtout il ne voulait pas voir le reflet de sa propre culpabilité sur le visage de Charlotte, et ainsi l'instinct de fuite avait-il fini par vaincre. Il eut envie de dire tout cela à sa mère, il voulut poser la tête sur ses genoux, tout adulte qu'il était, raconter et l'entendre lui assurer que tout s'arrangerait. Mais l'instant fut vite passé et, après avoir posé l'album de photos sur le bureau, elle se leva et se dirigea vers la porte.

— Mère ?

— Oui. Elle se retourna.

— Prends-le. Nous, on a d'autres photos.

Niclas lui tendit l'album. Asta hésita, mais finit par l'accepter comme s'il était un œuf en or précieux mais fragile, et elle le glissa dans son sac à main.

— Tu ferais mieux de bien le cacher, dit-il doucement avec un sourire de guingois, mais elle avait déjà refermé la porte derrière elle.

Il fixa le plafond et donna de petits coups de pied dans le mur. Comment en était-il arrivé là ? Pourquoi lui ? Et pourquoi n'avait-il pas refusé, quand il en était peut-être encore temps ?

Les affiches sur les murs lui rappelaient celui qu'il voulait être. En général, les héros qui l'entouraient arrivaient à le motiver pour qu'il se batte encore plus, fasse davantage d'efforts. Aujourd'hui, ils le mettaient en rogne. Eux n'auraient jamais accepté toute cette merde. Ils auraient protesté tout de suite. Auraient fait ce qu'il faut faire. C'est pour ça qu'ils étaient arrivés là où ils étaient aujourd'hui. C'est pour ça que c'étaient des héros. Lui n'était qu'un petit merdeux, il ne serait jamais autre chose. Comme Rune l'avait toujours dit. Il n'avait pas voulu le croire, il avait fait des pieds et des mains et pensé qu'il allait lui montrer qu'il se trompait. Il allait montrer à Rune qu'il était un héros, comme ça il regretterait. Tous les mots durs. Toutes les humiliations. Pour une fois, il aurait le dessus et Rune serait obligé de se mettre à genoux pour le supplier de pouvoir passer ne serait-ce qu'une minute avec lui.

Le pire, c'est qu'au début il l'avait plutôt bien aimé, Rune. Quand sa mère l'avait rencontré, il l'avait trouvé vraiment cool. Grosse bagnole américaine et des potes qui avaient des bécanes de folie, et qui le laissaient monter derrière eux. Mais ensuite ils s'étaient mariés et tout avait commencé à dérailler. Rune et sa vieille s'étaient subitement mis en tête de montrer qu'ils étaient comme tout le monde, avec villa, Volvo et même une foutue caravane. *Exit* les potes à bécanes, ils ne fréquentaient plus que d'autres foutus Monsieur et Madame Tout-le-Monde, et le samedi soir ils dînaient avec des couples d'amis. Et évidemment il fallait qu'ils aient un môme à eux. Il avait entendu Rune dire ça un jour à un des connards de voisins. Qu'ils allaient faire un môme à eux. Bien sûr qu'il aimait Sebastian, avait-il dit, mais en ajoutant sur un ton grave que ce n'était pas la même chose qu'un enfant *à soi*. Et, comme cet enfant à soi tardait à venir, Rune avait réussi en quelque sorte à retourner la déception contre lui. Lui, Sebastian, devait porter toute la frustration de Rune de ne pas avoir un môme *à soi* avec sa mère. Ensuite, quand sa mère était morte d'un cancer il y avait quelques années, ça n'avait fait qu'empirer. Maintenant Rune devait se farcir un môme qui n'était pas à lui. Il le disait à tout bout de champ. Que Sebastian devait s'estimer heureux qu'il ne l'ait pas déposé dans un horrible orphelinat quand sa mère était morte, qu'il s'occupe de lui comme s'il était *son propre* enfant. Parfois Sebastian se disait que si c'était ça, l'idée que Rune se faisait de l'éducation d'un enfant *à soi*, alors c'était tout aussi bien que sa mère et lui n'en aient jamais eu.

Ce n'était pas que Rune le frappe ou des trucs comme ça. Non, un chouette Monsieur Tout-le-Monde comme Rune ne ferait jamais ça. Mais d'une certaine façon Sebastian aurait préféré. Il aurait eu une raison plus précise de le haïr. Tandis que, là, Rune s'en prenait uniquement aux endroits qui ne se voyaient pas extérieurement.

Allongé sur son lit à fixer le plafond, il comprit dans un éclair de lucidité que c'était probablement pour ça qu'il s'était retrouvé dans ce pétrin. Car malgré tout il aimait son beau-père. Rune était le seul père qu'il avait connu et Sebastian n'avait jamais rien voulu d'autre que lui plaire et être aimé en retour. Et c'était pour ça qu'il était dans la merde. Il le comprenait. Il n'était pas bête. Mais à quoi ça lui servait d'être futé ? Il était coincé quand même.

— C'est une blague ou quoi ? Kaj devint écarlate et on aurait dit qu'il allait se ruer comme un taureau sur la maison voisine. Patrik lui bloqua efficacement le chemin et leva les mains en un geste apaisant.

— Allons nous asseoir pour en parler tranquillement.

Les mots ne semblaient pas s'imprimer dans le cerveau de Kaj, où la rage servait d'obstacle filtrant.

Patrik et Gösta échangèrent un regard. Tout à coup, ça ne semblait pas si incroyable qu'il se soit attaqué à Lilian. Mais il était imprudent de suivre ce genre de raisonnement et, avant d'avoir entendu la version de Kaj, il vaudrait mieux ne pas tirer de conclusions.

Au bout de quelques secondes, les paroles de Patrik finirent par faire leur chemin et Kaj se retourna et rentra dans la maison, furibond. Manifestement, il s'attendait à ce que Patrik et Gösta le suivent. En arrivant dans la cuisine, ils le trouvèrent appuyé contre le plan de travail, les bras croisés sur la poitrine, prêt à batailler. Il dégagea une main pour leur indiquer les chaises. Pour sa part, il n'avait certainement pas l'intention de s'asseoir.

— Qu'est-ce qu'elle est encore allée inventer maintenant, la vipère ? Que je l'aurais frappée ? C'est ça qu'elle dit ?

La rougeur monta de nouveau sur son visage et un bref instant Patrik craignit qu'il ne fasse un infarctus là, juste devant leurs yeux.

— On nous a signalé des coups, oui, dit Gösta calmement en devançant Patrik.

— Elle a porté plainte, la salope ! hurla Kaj et de petites gouttes de sueur commencèrent à perler sur ses tempes grisonnantes.

— Formellement, Lilian n'a pas porté plainte contre vous – pour l'instant, ajouta Patrik. On voulait d'abord avoir une petite conversation avec vous en toute tranquillité pour essayer de comprendre ce qui s'est passé. Il regarda son bloc-notes et poursuivit : Vous vous êtes donc rendu chez Lilian Florin il y a une heure à peu près ?

A contrecœur, Kaj hocha la tête.

— Je voulais juste savoir ce qu'elle avait eu en tête quand elle m'a accusé d'avoir tué la petite. C'est vrai qu'elle ne s'est pas gênée pour faire des coups bas depuis toujours – mais un truc aussi… D'autres gouttes de sueur se mirent à perler et la fureur le fit bafouiller.

— Donc, vous êtes entré comme ça chez elle ? demanda Gösta qui commençait lui aussi à se faire du souci pour l'état de santé de Kaj.

— Ben oui, merde, si j'avais frappé elle ne m'aurait jamais fait entrer. Je voulais seulement avoir une occasion de la mettre le dos au mur. De lui demander ce qu'elle est en train de foutre. Un soupçon d'inquiétude se glissa pour la première fois dans la voix de Kaj.

— Et après, que s'est-il passé ? demanda Patrik qui prenait de brèves notes pendant que Kaj parlait.

— C'est tout ! Kaj écarta les mains. Oh, j'ai dû crier un peu, je veux bien le reconnaître, et elle m'a dit de sortir de sa maison, et, comme j'avais dit ce que j'avais à dire, je suis parti.

— Vous ne l'avez pas frappée, donc ?

— Ce n'était pas l'envie qui me manquait de lui fermer sa gueule, mais je ne suis pas con à ce point-là !

— Ce qui veut dire non ?

— Oui, ça veut dire non, répondit Kaj avec humeur. Je ne l'ai pas touchée et, si elle dit ça, elle ment. Ce qui en soi ne m'étonnerait pas. Il commençait à avoir l'air vraiment inquiet maintenant.

— Y a-t-il quelqu'un qui pourrait confirmer ce que vous dites ? demanda Gösta.

— Non, il n'y a personne. J'ai vu Niclas partir ce matin et j'ai saisi l'occasion d'y aller quand Charlotte était sortie promener le petit avec le landau. Il s'épongea le front avec la main puis il l'essuya sur la jambe de son pantalon.

— Eh bien, ça fait votre parole contre la sienne, malheureusement, dit Patrik. Et Lilian porte des traces de coups.

A chaque mot de Patrik, Kaj s'affaissait de plus en plus. La résignation était venue remplacer l'agressivité du début. Puis il se redressa subitement.

— Son jules. Il était là. Putain, je l'avais oublié. On dirait un fantôme, Stig. On ne le voit plus. Mais il était forcément à la maison. Il a peut-être vu ou entendu quelque chose.

Cette pensée lui redonna courage et Patrik regarda Gösta. Ils n'avaient pas pensé à Stig. Ils n'étaient même pas allés le voir au sujet de la mort de Sara. Kaj avait raison. Stig était comme un fantôme invisible depuis le début de l'enquête, et ils l'avaient totalement oublié.

— On va parler avec lui aussi, dit Patrik, et on verra ce qu'il aura à dire. Mais, s'il n'a rien à ajouter, ça ne semble pas très bien parti pour vous si Lilian persiste et porte plainte...

Il n'eut pas besoin de développer son raisonnement. Kaj en comprenait parfaitement les conséquences éventuelles.

Charlotte se promenait au hasard dans la ville. Albin dormait tranquillement dans son landau mais, depuis qu'elle avait émergé de son brouillard de calmants, elle avait du mal à le regarder. Pourtant elle s'occupait de lui, elle le changeait, l'habillait et le nourrissait, mais machinalement, sans sentiments. Parce que si jamais ça se reproduisait ? S'il lui arrivait quelque chose, à lui aussi ? Comment allait-elle pouvoir continuer à vivre sans Sara ? Elle mit un pied devant l'autre, se força à marcher, mais en réalité elle aurait voulu s'effondrer en un petit tas, là dans la rue, et ne plus jamais se relever. Mais ça, elle ne pouvait pas se le permettre, comme elle ne pouvait pas se permettre de replonger dans les brumes des médicaments. Car, malgré tout, Albin était toujours là. Même si elle n'arrivait pas à le regarder, elle sentait avec chaque fibre de son corps qu'elle avait toujours un enfant en vie. Pour lui, elle était obligée de continuer à respirer. Simplement, c'était si difficile.

Et Niclas qui se réfugiait dans le travail. Il n'y avait que trois jours que leur fille avait été assassinée et il était déjà retourné à son cabinet au centre médical traiter des rhumes et des égratignures. Il bavardait peut-être joyeusement avec les patients, faisait du gringue aux infirmières et jouissait de son rôle de médecin tout-puissant. Charlotte savait qu'elle était injuste. Elle savait que Niclas souffrait autant qu'elle. Elle aurait juste aimé qu'ils puissent partager la douleur, au lieu d'essayer chacun de son côté de trouver une raison de respirer une minute de plus, puis une autre et encore une. Elle ne pouvait s'empêcher d'être irritée et de lui en vouloir de l'abandonner maintenant qu'elle avait le plus besoin de lui. Mais, d'un autre côté, elle n'aurait peut-être pas dû s'attendre à autre chose. Quand avait-elle pu s'appuyer sur lui ? Quand avait-il été autre chose qu'un grand enfant qui s'en remettait à elle pour gérer la grisaille et l'ennui qui constituaient le quotidien de la plupart des gens ? Sauf celui de Niclas. Lui aurait le droit de traverser la vie en chantant. Ne faire que ce qui l'amusait et le tentait. Elle avait été étonnée qu'il termine ses études de médecine. Elle n'avait jamais cru qu'il tiendrait suffisamment longtemps pour arriver à bout des obligations et des gardes épuisantes. Mais la récompense avait dû être une bonne carotte pour faire durer sa motivation et l'aider à devenir quelqu'un que tout le monde admire. Un homme heureux et couronné de succès. Extérieurement, en tout cas.

Elle était restée avec lui uniquement à cause des brefs aperçus de l'autre homme en lui, celui qui était vulnérable et qui montrait ses sentiments. Qui osait se mettre à nu et qui n'avait pas tout le temps besoin de séduire. C'étaient ces lueurs qui l'avaient fait tomber amoureuse de Niclas, il y avait maintenant une vie de cela, lui semblait-il. Les dernières années, ces instants s'étaient faits de plus en plus rares et elle ne savait plus qui il était ni ce qu'il voulait. Parfois elle s'était même demandé s'il tenait réellement à sa famille. Dans des moments de froide lucidité, elle était persuadée que, tout compte fait, Niclas aurait préféré vivre sans les obligations qu'impliquait une vie de famille. Mais il y trouvait sans doute quelque attrait, sinon il ne serait pas resté aussi longtemps. Au cours des journées sombres qu'ils venaient de traverser, dans des élans fugaces d'égoïsme, elle s'était dit que ce qui était arrivé allait peut-être les rapprocher, Niclas et elle. Quel aveuglement ! Ils étaient bien plus éloignés l'un de l'autre maintenant qu'avant.

Sans s'en rendre compte, Charlotte avait pris la direction du camping de Fjällbacka et elle se tenait devant la maison d'Erica. Ça lui avait fait un bien fou de voir son amie arriver hier, et pourtant Charlotte hésita. Toute sa vie, elle avait été habituée à se faire toute petite, à ne rien demander pour elle, à ne pas déranger. Elle comprenait que son deuil pesait sur les autres, et elle n'était pas certaine de vouloir accabler Erica davantage. Mais elle avait besoin de voir une tête souriante. De parler avec quelqu'un qui ne lui tournait pas le dos ou, comme dans le cas de sa propre mère, ne loupait pas une occasion de lui dire comment elle aurait dû agir.

Albin commençait à se réveiller. Elle le sortit doucement du landau et elle le tenait dans ses bras, tout plein de sommeil encore, quand elle frappa à la porte. Une femme d'une cinquantaine d'années qu'elle ne connaissait pas vint ouvrir.

— Bonjour ? dit Charlotte, peu sûre d'elle, puis elle réalisa que ça devait être la mère de Patrik.

Un vague souvenir de l'époque lointaine d'avant la mort de Sara remonta à la surface. Erica avait effectivement mentionné que sa belle-mère devait venir.

— Bonjour, c'est Erica que tu cherches ? dit la maman de Patrik. Sans attendre de réponse, elle s'effaça pour laisser entrer Charlotte.

— Elle est réveillée ?

— Mais oui, elle nourrit Maja. Elle ne fait que ça, tout le temps. Oui, j'ai du mal à m'y faire, à ces nouveautés. De mon temps on donnait le sein aux enfants toutes les quatre heures, point final, et je n'ai pas l'impression que c'est une génération qui a souffert.

La mère de Patrik parlait sans discontinuer, et Charlotte la suivit, un peu nerveuse. Après plusieurs jours où les gens autour d'elle marchaient sur la pointe des pieds, ça faisait bizarre d'entendre quelqu'un qui parlait sur un ton normal. Puis la belle-mère d'Erica réalisa apparemment tout à coup qui elle était et le bavardage disparut aussitôt, tout comme sa gesticulation. Elle se plaqua la main sur la bouche et dit :

— Oh pardon, je n'avais pas compris qui tu étais. Toutes mes condoléances… La belle-mère d'Erica gigota fébrilement et visiblement elle avait envie de se trouver n'importe où sauf juste là.

Charlotte se demanda si ça allait tout le temps se passer ainsi désormais. Des gens qui reculaient comme si elle était pestiférée. Qui chuchotaient et la montraient du doigt derrière son dos en disant : "C'est elle dont la fille a été tuée", sans oser croiser son regard. Peut-être parce qu'ils ne savaient pas quoi dire. Ou alors parce qu'ils éprouvaient une sorte de crainte irrationnelle que les tragédies soient contagieuses et viennent contaminer leur vie s'ils s'approchaient trop.

— Charlotte ?

La voix d'Erica résonna dans le salon et la femme entre deux âges fut manifestement soulagée d'avoir une excuse pour s'éclipser. Lentement, en hésitant un peu, Charlotte alla rejoindre Erica, en train de donner le sein à Maja. La scène paraissait à la fois familière et bizarrement lointaine. Combien de fois ces deux derniers mois n'était-elle pas entrée dans cette pièce pour tomber sur cette même scène ? Mais la pensée fit aussi surgir l'image de Sara. La dernière fois qu'elle était venue ici, sa fille était avec elle. Rationnellement, elle savait que c'était dimanche dernier, mais elle avait du mal à le réaliser. Elle pouvait encore la voir sauter sur le canapé blanc, ses longs cheveux roux virevoltant autour de sa tête. Elle se souvenait de l'avoir réprimandée. De lui avoir dit d'arrêter, assez sévèrement. Comme ça paraissait mesquin aujourd'hui. Quelle importance si elle sautait parmi les coussins ? L'image la fit tanguer, mais Erica fut rapidement sur pied et l'aida à s'asseoir dans le fauteuil. Maja protesta bruyamment que le sein lui soit si brutalement retiré, mais Erica ignora les pleurs de sa fille et l'installa dans le transat.

Entourée des bras de son amie, Charlotte osa formuler la question qui travaillait son inconscient depuis lundi dernier quand les policiers étaient venus leur apprendre la mort de Sara. Elle dit :

— Comment ça se fait qu'ils n'aient pas réussi à joindre Niclas ?

STRÖMSTAD 1924

Anders soupira et plissa le front en entendant le contremaître l'appeler. Il était en train de terminer le travail du socle et n'aimait pas être dérangé dans sa concentration. Mais, comme toujours, il n'y avait qu'à obéir. Avec précaution il posa ses outils dans la boîte à côté du bloc de granit et alla voir ce qu'on lui voulait.

L'homme replet tordait nerveusement sa moustache entre les doigts.

— Qu'est-ce que tu es allé fabriquer, Andersson ? dit-il, mi-figue, mi-raisin.

— Moi ? Comment ça ? répondit Anders et il regarda l'homme sans rien comprendre tout en enlevant ses gants de travail.

— Le bureau a appelé. Ils veulent te voir. Et que ça saute.

Merde alors, jura Anders intérieurement. Pourvu qu'ils ne veuillent pas modifier quelque chose sur la statue maintenant à la dernière minute. Ces architectes, ou "artistes", quel que soit le nom qu'ils se donnaient, ils n'avaient aucune idée de ce qu'ils exigeaient. Ils étaient là dans leurs bureaux à faire leurs dessins puis ils s'attendaient à ce que le tailleur de pierre fasse les modifications aussi facilement sur la pierre. Ils ne comprenaient pas que dès le début il avait déterminé dans quel sens il fendrait et avait adapté les endroits à ronger à partir du dessin original. Un changement du dessin modifiait totalement son point de départ et pouvait au pire signifier que la pierre éclaterait et que tout son travail serait vain.

Mais Anders savait aussi que ça ne servait à rien de protester. C'était le client qui décidait, lui n'était qu'un esclave sans visage. On attendait de lui qu'il fasse tout le boulot ingrat que ne pouvait ou ne voulait pas faire celui qui avait dessiné la statue.

— Bon, je suppose que je vais y aller alors, voir ce qu'ils veulent, dit-il en soupirant.

— Ce n'est pas nécessairement une grande modification. Le contremaître savait exactement ce qu'Anders craignait et, pour une fois, il manifestait sa sympathie.

— Qui vivra verra, répondit Anders et il partit sans entrain en direction des bureaux.

Il frappa gauchement à la porte et entra. Il s'était essuyé les pieds de son mieux, mais comprit que ça ne changeait pas grand-chose. Ses vêtements étaient couverts de poussière et d'éclats de pierre, et ses mains et son visage étaient sales. Pour se donner du courage, il se dit qu'ils n'avaient qu'à le prendre comme il était quand ils le convoquaient avec un délai si court, puis il suivit l'homme qui l'accompagna au bureau du directeur.

Un regard rapide dans la pièce le fit déglutir. Il comprit immédiatement que cette affaire ne concernait pas la statue, qu'on allait traiter de problèmes autrement plus graves.

Il n'y avait que trois personnes. Le directeur, qui était assis derrière son bureau, toute sa personne reflétant une colère retenue. Agnes qui était assise dans un coin, le regard rivé au sol. Et, devant le bureau, un inconnu qui observa Anders avec une curiosité mal dissimulée.

Peu sûr de la façon de se comporter, Anders avança d'un mètre puis il adopta une attitude qui ressemblait à un garde-à-vous. Quoi qu'il ait à subir, il allait le supporter comme un homme. Tôt ou tard ils se seraient quand même retrouvés ici, Agnes et lui, il aurait juste aimé pouvoir décider lui-même du moment.

Il chercha les yeux d'Agnes, mais elle refusa de les lever et continua obstinément d'examiner ses chaussures. A la voir ainsi, son cœur saignait, tout ceci devait être extrêmement difficile pour elle. Mais ils étaient deux et, quand le plus gros de la tempête serait calmé, ils pourraient commencer à construire leur vie ensemble.

Anders tourna le regard vers le père d'Agnes derrière son bureau. Il attendit que l'homme prenne la parole, une très longue et insupportable minute. Lorsque August finit par parler, sa voix avait un timbre froid et métallique.

— Si j'ai bien compris, vous vous êtes rencontrés en secret, ma fille et toi.

— Les circonstances nous ont obligés à agir ainsi, oui, répondit Anders calmement. Mais j'ai toujours eu des intentions honnêtes avec Agnes, poursuivit-il sans détourner le regard.

Pendant une seconde, il eut l'impression de voir de l'étonnement dans les yeux de son patron. Ce n'était apparemment pas le comportement auquel il s'était attendu.

— Ah bon, tiens donc.

August se racla la gorge pour gagner du temps et décider de l'attitude à adopter. Puis la fureur revint.

— Et comment avais-tu pensé faire alors ? Une fille fortunée et un tailleur de pierre pauvre. Es-tu naïf au point de croire cela possible ?

Anders vacilla devant le ton railleur de l'homme. Avait-il été naïf ? Sa résolution commença à céder face au mépris qu'il rencontrait et il entendit subitement lui-même combien ça paraissait stupide quand c'était dit à voix haute. Evidemment que ça n'aurait jamais été possible. Il sentit son cœur se briser lentement en mille morceaux et il chercha désespérément le regard d'Agnes. Serait-ce donc la fin ? Ne la reverrait-il plus jamais ? Elle ne levait toujours pas les yeux.

— Agnes et moi, nous nous aimons, dit-il à voix basse et il se rendit compte que ça ressemblait au plaidoyer d'un fou.

— Je connais ma fille bien mieux que toi, mon garçon. Et je la connais bien mieux que ce qu'elle s'imagine. Certes, je l'ai gâtée et je lui ai laissé plus de liberté qu'elle n'aurait dû avoir, mais je sais aussi que c'est une fille ambitieuse, et jamais elle n'aurait tout sacrifié pour un avenir avec un ouvrier.

Ses paroles brûlèrent comme du feu et Anders voulut crier qu'il se trompait. Le père d'Agnes ne décrivait pas du tout la femme qu'il connaissait. Elle était bonne et douce, et surtout elle l'aimait avec autant d'ardeur qu'il l'aimait. Elle serait tout à fait prête à faire les sacrifices nécessaires pour qu'ils puissent vivre ensemble. Il essaya de lui faire lever les yeux par la force de sa volonté et dire à son père ce qu'il en était réellement, mais elle restait silencieuse et distante. Lentement le sol se mit à tanguer sous ses pieds. Non seulement il était sur le point de perdre Agnes, mais il comprenait parfaitement que, dans ces circonstances, il ne garderait pas non plus son boulot.

August reprit la parole, et à présent Anders eut l'impression d'entendre une douleur derrière la colère.

— Mais voilà que les choses se retrouvent sous un autre éclairage. Dans des circonstances normales j'aurais tout fait pour empêcher ma fille de s'acoquiner avec un tailleur de pierre mais, comme je le constate, vous avez déjà veillé à me mettre devant le fait accompli.

Perplexe, Anders se demanda de quoi il parlait. August vit son désarroi et poursuivit :

— Oui, Agnes est enceinte. Vous êtes vraiment deux idiots si vous n'aviez pas envisagé cette possibilité.

Anders chercha sa respiration. Il était enclin à donner raison au père d'Agnes. Ils avaient été idiots de négliger cette possibilité. Il avait été tout aussi persuadé qu'elle que leurs précautions étaient suffisantes. A présent tout prenait une autre tournure. Les émotions tourbillonnèrent en lui et ajoutèrent à son désarroi. D'un côté, il ne put que se réjouir que son Agnes adorée porte son enfant, d'un autre côté il avait honte devant son père et il comprenait sa colère. Lui aussi aurait été furieux si quelqu'un avait agi ainsi avec sa fille. Anders attendit fébrilement la suite.

Tristement, August dit, en évitant soigneusement de regarder sa fille :

— Il n'y a évidemment qu'une seule solution. Vous allez vous marier et c'est dans ce but que j'ai fait venir M. Flemming ici. Il est magistrat. Il va vous marier sur-le-champ, nous nous occuperons des formalités plus tard.

Dans son coin, Agnes leva les yeux pour la première fois. A sa grande surprise, Anders ne vit aucune joie dans son regard, seulement du désespoir. Sa voix était suppliante lorsqu'elle s'adressa à son père :

— Je t'en prie, père, ne me force pas à faire ça. Il y a d'autres solutions, tu ne peux pas me forcer à me marier avec lui. Après tout, ce n'est qu'un… simple ouvrier.

Les mots atteignirent Anders de plein fouet. Il eut l'impression de la voir pour la première fois, comme si elle s'était transformée en quelqu'un d'autre là devant ses yeux.

— Mais, Agnes ? Le ton de sa voix la supplia de rester la fille qu'il aimait, bien qu'il sût déjà que tous ses rêves étaient en train de s'écrouler.

Elle l'ignora et continua à implorer son père. Mais August ne la gratifia même pas d'un regard, il regarda simplement le magistrat en lui disant sèchement :

— Faites ce que vous avez à faire.

— S'il te plaît, père ! cria Agnes maintenant et elle se jeta à genoux dans un élan théâtral.

— Silence ! répondit son père en la regardant froidement. Tu te ridiculises ! Je n'ai pas l'intention de tolérer des crises d'hystérie de ta part. Tu as fait ton lit toi-même et maintenant tu n'as plus qu'à t'y coucher ! rugit-il en coupant court aux protestations de sa fille.

Avec une expression de souffrance, Agnes se leva malgré elle et laissa le magistrat faire son travail. Ce fut une drôle de cérémonie, la mariée morose plantée à plusieurs mètres du marié. Mais à la question du magistrat les deux répondirent "oui", fût-ce avec beaucoup de réticence d'un côté, et beaucoup de perplexité de l'autre.

— Bon, voilà qui est fait, constata August une fois que l'acte eut été accompli, tel un accord commercial. Je ne peux évidemment pas te garder à la carrière, dit-il à Anders, et celui-ci inclina simplement la tête en confirmation. Il ne s'était pas attendu à autre chose. Son beau-père de très fraîche date continua : Tu as terriblement mal agi avec ma fille, mais je ne peux quand même pas la laisser sur la paille, je dois au moins cela à sa mère.

Agnes lui jeta un regard tendu, elle avait encore un petit espoir de ne pas tout perdre.

— Je me suis arrangé avec la carrière de Fjällbacka, qui va te prendre comme employé. Quelqu'un d'autre ici se chargera de terminer la statue. J'ai aussi payé le premier mois de loyer pour une chambre avec cuisine dans les baraquements ouvriers. Ensuite vous vous débrouillerez vous-mêmes.

Agnes laissa échapper un gémissement. Sa main partit vers sa gorge, comme si elle était en train d'étouffer, et

Anders eut l'impression de se trouver sur un navire en train de couler lentement. S'il avait encore nourri quelque espoir pour leur avenir commun, celui-ci fut définitivement brisé en voyant avec quel mépris Agnes regarda son tout nouveau mari.

— Père, mon père adoré, supplia-t-elle de nouveau. Tu ne peux pas faire ça. Je préfère mettre fin à mes jours plutôt qu'aller vivre dans une remise puante avec cet homme.

Anders fit une grimace en entendant ces mots. S'il n'y avait pas eu l'enfant, il aurait tourné les talons et serait parti, mais un vrai homme prenait ses responsabilités quelles que soient les circonstances, il l'avait appris tout petit déjà. C'est pourquoi il resta dans la pièce qui lui paraissait à présent petite et oppressante, et il essaya d'imaginer l'avenir avec une femme qui manifestement le voyait comme un compagnon de vie répugnant.

— Ce qui est fait est fait, répondit August à sa fille. Je te donne l'après-midi pour rassembler les affaires que tu arrives à porter, puis direction Fjällbacka. Choisis avec discernement. Tes robes de gala ne te seront probablement pas de grande utilité, ajouta-t-il méchamment, montrant ainsi à quel point sa fille avait blessé son âme. C'était irréparable.

Quand la porte se referma derrière eux, le silence fut tonitruant. Puis Agnes le fixa avec tant de haine qu'Anders dut réprimer l'envie de faire un pas en arrière. Une voix intérieure lui chuchota de prendre ses jambes à son cou pendant qu'il en était encore temps, mais ses pieds ne bougeaient pas, ils étaient comme cloués au sol.

Un pressentiment des mauvais jours à venir le parcourut comme un frisson.

Morgan vit les policiers arriver chez ses parents puis repartir. Mais il ne perdit pas de temps à se demander ce qu'ils venaient faire là. Se poser des questions n'était pas dans sa nature.

Il s'étira. L'après-midi était bien avancé et il avait comme d'habitude passé pratiquement toute la journée devant l'ordinateur. Sa mère s'inquiétait pour son dos, mais lui ne voyait aucune raison de se faire du souci tant qu'il n'avait pas mal. D'accord, il commençait à être un peu voûté, mais il ne souffrait pas et, du moment que le problème n'était que d'ordre esthétique, son cerveau ne l'enregistrait pas. Pour quelqu'un qui de toute façon n'était pas normal, être un peu bossu n'avait aucune importance.

C'était bon de ne pas être dérangé. Maintenant que la fille n'était plus là, il était débarrassé de cette source de perturbation. Il l'avait vraiment détestée. Vraiment. Elle venait toujours le déranger en plein travail et elle faisait semblant de ne pas l'entendre quand il lui disait de partir. Les autres enfants avaient peur de lui et se contentaient de le montrer du doigt les rares fois où il sortait de sa bicoque. Mais pas elle. Elle s'imposait, exigeait son attention et refusait de se laisser effrayer quand il prenait une grosse voix. Parfois il avait été tellement énervé qu'il s'était mis à crier en se bouchant les oreilles dans l'espoir de la faire partir. Mais elle avait seulement ri. Il était vraiment content qu'elle ne puisse plus revenir. Plus jamais.

La mort le fascinait. Il y avait quelque chose dans la fatalité de la mort qui stimulait son cerveau, et ses pensées s'y attardaient souvent. Il pensait à la mort sous toutes ses formes. Les jeux qu'il affectionnait particulièrement dans son travail étaient ceux qui contenaient beaucoup de mort. Du sang et de la mort.

Parfois, il avait envisagé de mettre fin à ses jours. Pas tant parce qu'il ne voulait plus vivre, mais parce qu'il voulait savoir comment ça faisait d'être mort. Avant, il en parlait. Il disait carrément à ses parents qu'il pensait au suicide. Juste pour l'information. Mais leurs réactions l'avaient poussé à garder ces idées-là pour lui. Ils l'avaient pris au sérieux, et les visites chez le psychologue étaient devenues plus fréquentes, en même temps qu'ils – ou peut-être surtout maman – avaient commencé à le surveiller vingt-quatre heures sur vingt-quatre. Morgan n'avait pas aimé ça.

Il ne voyait pas pourquoi tout le monde avait si peur de la mort. Tous ces sentiments incompréhensibles que les gens semblaient avoir se condensaient et se multipliaient dès qu'il était question de la mort. Il avait du mal à le comprendre. La mort était un état, n'est-ce pas, tout comme la vie, pourquoi l'un devait-il être mieux que l'autre ?

Avant tout, il aurait aimé être là quand ils découpaient la fille. Pouvoir observer. Voir ce que c'était qu'ils trouvaient si effrayant. La réponse était peut-être là quand ils l'ouvraient. La réponse était peut-être sur la figure des gens qui l'ouvraient.

Parfois il avait rêvé qu'il se trouvait à la morgue. Sur une table froide en acier, sans rien qui couvrait son corps nu. Dans le rêve il voyait le bistouri scintiller juste avant que le médecin légiste procède à l'incision rectiligne au milieu de sa poitrine.

Cela non plus, il ne le disait à personne. On irait croire qu'il était fou, en plus de ne pas être normal, l'étiquette avec laquelle il avait appris à vivre au fil des ans.

Morgan retourna au codage sur son ordinateur. Il jouissait du calme et du silence. Tant mieux, vraiment, qu'elle ne soit plus là.

Lilian ouvrit sans qu'ils aient à frapper. Patrik la soupçonna de les avoir épiés depuis leur départ. Dans l'entrée, il y avait une paire de chaussures qui n'était pas là tout à l'heure, et Patrik supposa que l'amie, cette Eva, était arrivée pour apporter son soutien moral.

— Alors ? dit Lilian. Qu'est-ce qu'il a dit pour sa défense ? Est-ce qu'on pourrait s'occuper des formalités de la plainte maintenant, comme ça il ne vous restera plus qu'à l'arrêter.

Patrik respira à fond.

— On voudrait voir votre mari d'abord, avant d'entamer la procédure d'une plainte. Il y a encore certains détails qui paraissent flous.

Pendant une seconde, il vit une hésitation passer sur son visage, mais elle reprit rapidement son air combatif.

— C'est hors de question. Stig est malade, il se repose et ne doit absolument pas être dérangé. Sa voix était forcée avec des notes d'inquiétude, et Patrik comprit que même Lilian avait oublié que Stig était un témoin potentiel. D'autant plus important alors de pouvoir lui parler.

— Je regrette, mais on doit passer outre. Il doit bien être en état de nous voir une minute ou deux, dit Patrik avec le plus d'autorité possible, tout en enlevant son blouson pour marquer le coup.

Lilian fut sur le point d'ouvrir la bouche pour protester lorsque Gösta prit la parole de son ton le plus policier :

— Ça s'appelle de l'obstruction à enquête, si vous nous empêchez de parler à Stig. Ça fait mauvais effet dans les rapports.

Patrik n'était pas sûr qu'une telle affirmation puisse tenir longtemps, mais elle sembla faire son effet sur Lilian qui les précéda d'un pas furieux vers l'escalier. Elle était prête à les accompagner à l'étage, mais Gösta posa fermement une main sur son épaule.

— On trouvera le chemin, merci.

— Mais…

Son regard erra à la recherche d'autres protestations légitimes, mais elle fut obligée d'abandonner la partie.

— Bon, mais ne venez pas dire que je ne vous ai pas prévenus. Il n'est *pas* en bonne santé, Stig, et, si son état empire à cause de vous et de vos questions, je ne…

Ils l'ignorèrent et montèrent l'escalier. La chambre d'amis était située à gauche et, comme Lilian avait laissé la porte ouverte, il ne fut pas difficile de localiser son mari. Stig était couché mais réveillé et il avait tourné la tête en direction de la porte dans l'attente de leur arrivée. La voix indignée de Lilian dans la cuisine au rez-de-chaussée avait porté jusqu'ici. Patrik précéda Gösta dans la chambre et dut prendre sur lui pour ne pas retenir son souffle. L'homme dans le lit était si frêle et maigre que son corps se dessinait comme en relief sous la couverture. Le visage creux, le teint gris et malsain et des cheveux devenus prématurément blancs, il avait l'air d'être bien plus âgé qu'il ne l'était réellement. Une odeur écœurante de maladie flottait dans la pièce, et Patrik s'efforça de respirer discrètement par la bouche.

En hésitant, il tendit une main vers Stig pour le saluer. Gösta fit de même, puis il chercha du regard un endroit où s'asseoir dans la chambre monacale. Ça semblait trop solennel de rester debout devant un malade alité. Stig indiqua le bord du lit d'une main grisâtre.

— Je crains que ce ne soit tout ce que j'aie à vous proposer.

La voix était sèche et faible, et Patrik fut effaré de voir à quel point il semblait atteint. Cet homme paraissait beaucoup trop malade pour rester chez lui, sa place était à l'hôpital. Mais ce n'était pas à lui de décider, et il y avait malgré tout un médecin à demeure.

Ils s'assirent doucement sur le lit, qui bougea un peu, et Stig fit une petite grimace. Patrik s'excusa, inquiet de lui avoir fait mal, mais le malade balaya son excuse.

Patrik s'éclaircit la voix.

— Je voudrais commencer par présenter mes condoléances pour la perte de votre petite-fille. Involontairement, il avait adopté cette voix protocolaire qu'il détestait.

Stig ferma les yeux, se concentrant pour fournir une réponse. Les paroles de Patrik avaient manifestement éveillé des sentiments en lui qu'il luttait pour maîtriser.

— D'un point de vue formel, Sara n'était pas ma petite-fille. Son vrai grand-père, le père de Charlotte donc, est mort il y a huit ans, mais dans mon cœur elle l'était. Je la connaissais depuis qu'elle n'était qu'un petit bébé jusqu'à... jusqu'à la fin. Il ferma de nouveau les yeux, mais en les rouvrant il semblait avoir retrouvé une sorte de calme.

— Nous avons parlé avec le reste de la famille pour essayer d'apprendre ce qui s'était passé ce matin-là. Est-ce que vous, vous avez entendu quelque chose de particulier ? Est-ce que vous savez, par exemple, à quelle heure Sara a quitté la maison ?

Stig secoua la tête.

— Je prends des somnifères pour pouvoir dormir et en général je ne me réveille que vers dix heures. Et alors elle était déjà... partie. Il ferma de nouveau les yeux.

— Nous avons demandé à votre femme si elle pensait à quelqu'un qui aurait pu vouloir du mal à Sara, et elle a mentionné votre voisin, Kaj Wiberg. Est-ce que vous êtes d'accord avec ce jugement ?

— Lilian a dit que Kaj a tué Sara ? Incrédule, Stig les dévisagea.

— Ben, pas dans ces termes-là, mais elle a laissé entendre que votre voisin pouvait avoir ses raisons de vouloir nuire à votre famille.

Stig laissa échapper un long soupir.

— Ouh là, je n'ai jamais compris ce qu'ils ont, ces deux-là, les hostilités avaient commencé bien avant que je fasse mon apparition, avant la mort de Lennart. A vrai dire, je ne sais pas qui a jeté la première pierre et je dirais que Lilian est tout aussi douée que Kaj pour souffler sur les braises. J'ai essayé de rester à l'écart autant que possible, mais ce n'est pas si facile que ça. Il secoua la tête. Non, j'ai du mal à comprendre pourquoi ils continuent comme ça. Je connais bien mon épouse, c'est une femme chaleureuse et sympathique mais, quand il s'agit de Kaj et de sa famille, on dirait qu'elle a des œillères. Vous savez, parfois je me dis que, autant l'un que l'autre, ils y prennent plaisir. Qu'ils vivent pour ces conflits. Mais ça serait complètement fou, non ? Comment peut-on s'acharner comme ils le font, en allant au tribunal et tout ? Et ça nous a coûté une fortune aussi. Kaj, lui, il a les moyens, mais nous, on ne roule pas sur l'or, on est à la retraite tous les deux. Non, se chamailler comme ils le font, ça me dépasse totalement.

— Est-ce qu'ils en sont jamais venus aux mains ? demanda Patrik à brûle-pourpoint.

— Non, Dieu nous en préserve. Ils ne sont pas fous à ce point-là.

Patrik et Gösta échangèrent un regard.

— Mais vous avez entendu que Kaj est passé chez vous aujourd'hui ?

— Eh bien, il était difficile de ne pas s'en rendre compte. Il y avait un de ces ramdams dans la cuisine, Kaj n'arrêtait pas de gueuler. Mais Lilian l'a mis à la porte vite fait, bien fait. Stig regarda Patrik. Je n'arrive pas à comprendre comment certaines personnes fonctionnent. Je veux dire, indépendamment des problèmes qu'ils ont, je trouve qu'il aurait pu faire preuve d'un peu de compassion, vu ce qui est arrivé. Je veux dire avec Sara…

Patrik était d'accord avec lui. Il aurait dû y avoir beaucoup plus de compassion dans l'air ces derniers jours mais, contrairement à Stig, il ne mettait pas tout sur le compte de Kaj. Lilian aussi montrait un terrible manque de respect pour la situation. En lui, un soupçon désagréable venait de surgir. Il continua à interroger Stig, pour obtenir la confirmation.

— Avez-vous vu Lilian après le passage de Kaj ? Il retint sa respiration.

— Mais oui. Stig semblait se demander où Patrik voulait en venir. Elle est montée avec du thé et elle m'a parlé de Kaj, m'a dit qu'il avait du culot.

Patrik commença à comprendre pourquoi Lilian avait paru si inquiète quand ils avaient annoncé leur intention de voir Stig. En oubliant son mari, elle avait commis une erreur tactique.

— Vous avez constaté quelque chose de particulier ? demanda Patrik.

— Comment ça, de particulier ? Elle était un peu agitée, mais ça me semble tout à fait normal.

— Rien qui indiquait qu'elle ait reçu des coups sur le visage ?

— Des coups sur le visage ? Non, rien du tout. Qui a dit ça ? Stig eut l'air confus et Patrik le plaignit presque.

— Lilian prétend que Kaj s'en est pris à elle quand il est venu ici. Et, pour le prouver, elle nous a montré des blessures, entre autres sur la figure.

— Mais elle n'avait aucune blessure sur la figure après le passage de Kaj. Je ne comprends pas… Inquiet, Stig bougea dans le lit, ce qui provoqua une nouvelle grimace de douleur.

Patrik signala des yeux à Gösta qu'ils avaient terminé et son visage n'était pas tendre.

— Nous allons redescendre maintenant avoir un petit entretien avec votre femme, dit-il en essayant de se relever le plus doucement possible.

— Oui, mais alors, qui a pu... ?

Ils laissèrent Stig avec sa confusion. Patrik était en ébullition en descendant l'escalier. Il n'y avait que trois jours que Sara était morte, et Lilian essayait d'utiliser son décès comme matraque dans une guerre minable entre voisins. C'était tellement dénué de sentiment qu'il avait du mal à saisir. Ce qui le mettait le plus en pétard était le fait qu'elle gaspille le temps et les ressources de la police alors qu'ils avaient besoin de se concentrer sur la recherche du meurtrier de sa petite-fille. Ne pas prendre en considération les conséquences d'un tel acte était si cruel et stupide qu'il eut du mal à trouver des mots pour le décrire.

Quand il entra dans la cuisine, l'expression de Lilian lui annonça qu'elle savait la bataille perdue.

— Stig vient de nous fournir quelques informations intéressantes, dit Patrik d'un air sinistre.

Eva, l'amie de Lilian, les regarda sans rien comprendre. Elle avait certainement avalé toute crue l'histoire de Lilian, mais dans quelques minutes elle aurait déchanté et elle verrait sa copine sous un autre éclairage.

— Eh bien, je ne comprends pas pourquoi vous avez insisté pour déranger un malade, mais la police ne prend apparemment pas de gants de nos jours, cracha Lilian dans une tentative avortée de reprendre le contrôle.

— Je ne pense pas que vous ayez à vous inquiéter de cela, dit Gösta et il s'assit calmement en face de Lilian et d'Eva. Patrik tira la chaise à côté et s'installa, lui aussi.

— Je me félicite de l'avoir questionné, parce qu'il nous a fourni un témoignage étrange. Est-ce que vous pouvez nous aider à éclaircir les choses ?

Lilian ne demanda pas quelle sorte d'information ils attendaient d'elle, se contentant d'observer un silence furieux. Ce fut Gösta qui reprit la parole.

— Il nous a dit que vous êtes montée le voir après le départ de Kaj, et qu'à ce moment-là il n'y avait aucun signe de coups sur votre visage. Et vous ne lui en avez rien dit non plus. Pouvez-vous expliquer cela ?

— Je suppose qu'il faut un moment avant que ça se voie, murmura Lilian dans une tentative courageuse de sauver la situation. Et je n'ai pas voulu inquiéter Stig, vu son état, vous voyez ?

Ils voyaient plus que ça. Et elle le savait. Patrik prit le relais.

— J'espère que vous comprenez la gravité des faits, inventer de fausses accusations ?

— Je n'ai rien inventé du tout. Lilian s'emporta, puis elle dit sur un ton plus docile : J'ai peut-être… à la rigueur… exagéré un peu. Mais uniquement parce qu'il aurait tout aussi bien pu le faire. J'ai vu dans ses yeux qu'il était prêt à me sauter dessus.

— Et les blessures que vous nous avez montrées ?

Elle ne dit rien et ce ne fut pas non plus nécessaire. Ils avaient déjà deviné qu'elle se les était faites elle-même avant leur arrivée. Pour la première fois Patrik commença à se demander si elle avait toute sa tête.

— Mais ce n'était que pour vous donner une raison de le cueillir. Elle persista. Ensuite vous auriez eu tout loisir de chercher les preuves contre lui ou Morgan. Je sais que c'est l'un des deux qui a tué Sara, et je voulais seulement vous donner un coup de pouce.

Patrik la regarda, dubitatif. Soit elle était extrêmement déterminée, soit elle était tout simplement cinglée. Quoi qu'il en soit, il fallait mettre un terme à ces bêtises.

— Nous apprécierions que dorénavant vous nous laissiez faire notre travail. Et vous laisserez la famille Wiberg tranquille. Compris ?

Lilian hocha la tête, mais elle était visiblement furax. Son amie n'avait pas arrêté de la regarder, stupéfaite, tout au long de la conversation, et elle saisit l'occasion de partir en même temps que Patrik et Gösta. Leur amitié venait probablement de prendre un coup dans l'aile.

Sur le chemin du retour au commissariat, ils s'abstinrent de parler de l'initiative de Lilian. Tout cela était trop déprimant.

Il ressentit une pointe d'angoisse. Stig était sûr que Lilian serait fâchée maintenant, mais il ne savait pas trop comment il aurait pu faire autrement. Elle avait la même tête que d'habitude quand elle était montée le voir, et cette histoire selon laquelle elle aurait accusé Kaj de l'avoir maltraitée, ça ne tenait pas debout. Elle ne pouvait tout de même pas mentir sur une telle chose ?

Les pas dans l'escalier étaient exactement aussi énervés qu'il avait prévu. Un bref instant, il eut envie de tirer la couverture sur sa tête et faire semblant de dormir, mais il se ressaisit. Ça ne pouvait quand même pas être si grave que ça. Il n'avait dit que la vérité, Lilian le comprendrait. Et, pour le reste, tout ça était sûrement une seule grosse erreur.

Le visage de Lilian lui en dit plus qu'il ne voulait savoir. Elle était manifestement furieuse contre lui et Stig sentit qu'il se ratatinait littéralement sous son regard. Quand elle était de cette humeur, il la détestait. Il ne comprenait pas comment un être aussi doux et bon que sa Lilian pouvait de temps à autre se transformer en une personne aussi désagréable. Subitement, il se demanda si la police pouvait avoir raison. Qu'elle ait inventé une fausse accusation contre Kaj. Puis il écarta cette pensée. Il fallait juste leur donner le temps de tirer tout ça au clair, ensuite tout s'arrangerait.

— Tu ne pouvais pas fermer ta grande gueule ! Elle se dressa au-dessus de lui et la dureté de sa voix lança comme des éclairs à travers sa tête.

— Mais ma chérie, j'ai seulement dit…

— Seulement dit ce qu'il en était ! C'est ça ? Tu as seulement dit ce qu'il en était ! Eh bien, il faut s'estimer heureux qu'il existe des gens comme toi, Stig, avec une telle droiture. Des gens francs et honnêtes qui se moquent complètement de mettre leur femme dans la merde ! Je croyais que tu étais censé être de mon côté !

Il sentit une douche de postillons sur sa figure et il eut du mal à reconnaître le visage tordu qui oscillait devant lui.

— Mais je suis toujours de ton côté, Lilian. Simplement, je ne pouvais pas savoir…

— Pas savoir ! Suis-je donc obligée de tout te dire, espèce de crétin !

— Mais tu ne m'avais rien dit ! Et ce n'était que des fadaises, ce qu'ils disaient, ces inspecteurs, je veux dire, tu n'inventerais jamais une chose pareille.

Stig lutta courageusement pour trouver une sorte de logique dans la rage dont il faisait les frais. Tout à coup il remarqua la marque sur le visage de Lilian qui commençait à prendre une nuance bleu-violet. Ses yeux retrouvèrent leur acuité et il la scruta de plus près.

— C'est quoi cette marque que tu as au visage, Lilian ? Tu n'avais pas ça quand tu es venue me voir tout à l'heure ? Tu veux dire que c'est vrai, ce que la police insinuait tout à l'heure ? Tu as inventé que Kaj t'a frappée ?

Sa voix était sceptique, mais il vit les épaules de Lilian s'affaisser légèrement et cela lui suffit comme confirmation.

— Pourquoi, Dieu du ciel, es-tu allée faire une chose aussi stupide ? Les rôles étaient inversés maintenant. La voix de Stig était dure et Lilian se laissa tomber sur le bord du lit et se cacha le visage dans les mains.

— Je ne sais pas, Stig. Je réalise maintenant que c'était idiot, mais je voulais seulement qu'ils commencent à s'intéresser à Kaj et sa famille. Je suis convaincue que d'une façon ou d'une autre ils sont mêlés à la mort de Sara ! J'ai toujours dit que cet homme était prêt à dépasser les bornes ! Et ce Morgan, il est si bizarre, tu sais très bien qu'il se cachait dans les buissons pour m'espionner. Et la police, pourquoi elle ne fait rien ?

Son corps était secoué de sanglots et Stig mobilisa ses dernières forces pour se redresser dans le lit malgré la douleur et prendre sa femme dans ses bras. Il lui caressa le dos pour la calmer, mais son regard était inquiet et scrutateur.

Erica était seule dans le noir en train de cogiter, quand Patrik rentra. Kristina était allée promener Maja, et Charlotte était rentrée chez elle depuis un bon moment. Ce que Charlotte avait dit la tracassait. En entendant Patrik arriver, elle se leva et alla l'accueillir.

— Mais tu restes dans le noir ?

Il posa quelques sacs de provisions sur le plan de travail de la cuisine et alluma la lumière. Erica se laissa tomber sur une chaise et l'observa ranger les courses.

— Elle est bien propre maintenant, la maison. C'est quand même pas mal que maman vienne prendre le relais de temps en temps, dit-il joyeusement, sans se rendre compte qu'Erica le regardait d'un mauvais œil.

— Oui, bien sûr, c'est super, dit-elle vertement. Ça doit être chouette pour toi d'arriver dans une maison propre et bien rangée pour une fois.

— Oui, vraiment, dit Patrik, sans comprendre qu'il était en train de s'enfoncer de plus en plus.

— Alors tu n'as qu'à t'arranger pour être là à partir de maintenant, comme ça il y aura de l'ordre ! rugit Erica.

Patrik sursauta à l'entendre élever la voix ainsi. Il se retourna, la perplexité peinte sur la figure.

— Qu'est-ce que j'ai dit, encore ?

Erica se leva simplement et quitta la cuisine. Parfois il était plus crétin que permis. S'il ne comprenait pas, elle n'avait même pas la force d'expliquer.

Elle s'assit de nouveau dans le noir du salon et regarda par la fenêtre. Le temps au-dehors reflétait exactement ses propres sentiments. Gris, venteux, humide et froid. Des moments d'accalmie traîtres qui étaient aussitôt remplacés par des rafales soudaines. Les larmes se mirent à couler sur ses joues. Patrik vint la rejoindre dans le canapé.

— Pardon, je crois que j'ai été plutôt idiot. Ce n'est évidemment pas de tout repos pour toi d'avoir maman ici à la maison, c'est ça ?

Sa lèvre inférieure tremblait. Elle en avait marre de pleurer. Il lui semblait qu'elle n'avait rien fait d'autre ces derniers mois. Si au moins elle y avait été préparée ! Le contraste était tellement énorme avec le tourbillon de bonheur qui, avait-elle pensé, allait l'emporter quand elle aurait son bébé. Dans ses moments sombres, elle détestait presque Patrik de ne pas ressentir la même chose qu'elle. Son côté rationnel lui soufflait que c'était tant mieux, quelqu'un devait bien gérer la famille, mais elle aurait tant voulu qu'il se mette à sa place, juste un court moment, et comprenne ce qu'elle ressentait.

Comme s'il avait pu lire ses pensées, il dit :

— J'aurais bien aimé pouvoir prendre ta place, vraiment. Mais ce n'est pas possible, tu le sais, et il faut que tu arrêtes de jouer les martyres, il faut que tu me dises ce qu'il y a. Tu devrais peut-être aller voir quelqu'un, un professionnel ?

Erica secoua vigoureusement la tête. Sa dépression allait sûrement s'arrêter toute seule. Il le fallait. De plus, il y en avait qui vivaient des situations bien pires que la sienne.

— Charlotte est passée aujourd'hui, dit-elle.

— Comment elle va ?

— Mieux, si on peut le dire comme ça. Elle hésita. Vous avez avancé ?

Patrik se laissa aller dans le canapé et regarda le plafond avant de répondre avec un profond soupir :

— Non, malheureusement. On ne sait même pas par quel bout la prendre, cette affaire. Et il y a l'autre folle, la mère de Charlotte, qui semble plus déterminée à trouver des armes pour sa guerre de voisinage qu'à nous aider dans l'enquête, et ça n'a pas facilité notre travail.

— C'est quoi, cette histoire ?

L'intérêt d'Erica fut tout de suite éveillé et Patrik lui fit un court résumé des événements de la journée.

— Tu penses que quelqu'un de la famille de Sara peut avoir quelque chose à voir avec sa mort ? demanda-t-elle doucement.

— Non, j'ai du mal à le croire. De plus, ils ont tous donné des explications crédibles à leur emploi du temps de ce matin-là.

— Ah oui ? dit Erica sur un drôle de ton.

Patrik était sur le point de lui demander ce qu'elle voulait dire lorsqu'ils entendirent la porte s'ouvrir et Kristina entrer avec Maja dans les bras.

— Je ne comprends pas ce que vous avez fait à ce bébé, dit-elle, irritée. Elle a pleuré sur tout le chemin du retour et elle refuse de se calmer. Voilà ce qui arrive quand on la prend dans les bras dès qu'elle fait le moindre petit bruit. Vous la gâtez trop. Toi et ta sœur, jamais vous n'avez pleuré comme ça…

Patrik interrompit le sermon en allant prendre Maja. Erica entendit aux pleurs de sa fille qu'elle avait faim, et elle s'assit dans le fauteuil, dégrafa le soutien-gorge d'allaitement et enleva un coussinet trempé de lait. Et rebelote…

Dès qu'elle eut franchi la porte, Monica sentit que quelque chose n'allait pas. La rage de Kaj se propageait dans l'air telles des ondes sonores, et elle se sentit tout à coup encore plus fatiguée. Qu'est-ce que c'était cette fois ? Cela faisait un moment qu'elle en avait assez de sa mauvaise humeur, mais d'un autre côté elle n'arrivait pas à se rappeler qu'il en ait jamais été autrement. Ils étaient ensemble depuis l'adolescence, et le tempérament fougueux de Kaj lui avait peut-être paru attirant et dynamique à cette époque-là. Elle n'arrivait même pas à s'en souvenir. Mais bon, ça n'avait plus d'importance, la vie était devenue ce qu'elle était devenue. Elle était tombée enceinte, ils s'étaient mariés. Morgan était né et ensuite les jours s'étaient ajoutés aux jours. Il y avait longtemps que leur vie intime était morte et qu'ils faisaient chambre à part. Elle pourrait peut-être trouver une existence meilleure, mais celle-ci était familière et bien rodée. Certes, de temps en temps elle avait gambergé au divorce et une fois, il y avait plus de vingt ans, elle avait même fait sa valise et s'était apprêtée à partir en emmenant Morgan avec elle. Puis elle s'était dit qu'elle allait d'abord préparer le dîner de Kaj, et repasser quelques chemises et lancer une machine pour ne pas laisser un tas de linge sale derrière elle, et, avant même d'avoir eu le temps de s'en rendre compte, elle avait défait sa valise.

Monica alla dans la cuisine, elle savait qu'elle l'y trouverait. C'était son lieu de refuge lorsqu'il était énervé. Peut-être parce que, de là, il avait vue sur l'objet habituel de son exaspération. Effectivement, il avait écarté un peu le rideau, et il était en train de fixer la maison voisine par l'interstice, le regard sombre.

— Salut, fit Monica.

Pour seule réponse elle obtint une longue diatribe fielleuse.

— Tu sais ce qu'elle a fait aujourd'hui, l'autre vipère ? Elle m'a envoyé la police, elle a prétendu que je l'avais frappée ! Elle leur a montré des bleus qu'elle s'était faits elle-même et elle a dit que c'était moi qui les lui avais faits. Cette folle a un putain de problème dans sa putain de tête !

Monica était venue dans la cuisine bien décidée à ne pas se laisser entraîner dans la dernière pomme de discorde en date de Kaj, mais cette fois les choses étaient pires que jamais, et elle sentit la colère enfler malgré elle dans sa poitrine. Pourtant, avant tout, elle devait calmer son inquiétude.

— Et c'est vraiment sûr que tu ne t'es pas attaqué à elle, Kaj ? Tu as tendance à t'emporter facilement…

Kaj la regarda comme si elle avait perdu la tête.

— C'est quoi ces âneries ? Tu penses vraiment que je suis con au point de lui fournir les armes pour me tuer ? J'aurais effectivement envie de lui filer une bonne rouste, mais je sais très bien ce qu'elle pourrait faire ! Je suis allé la voir pour lui dire ce que j'en pense, mais je ne l'ai pas touchée !

Monica vit qu'il disait la vérité et elle jeta elle-même un regard haineux sur la maison voisine. Si seulement cette Lilian avait pu leur fiche la paix !

— Qu'est-ce qu'il s'est passé alors ? Les flics ont gobé ses mensonges ?

— Non, heureusement ils ont réussi d'une façon ou d'une autre à savoir qu'elle mentait. Ils ont parlé avec Stig, et je crois que c'est lui qui a tout fait capoter. Mais c'était moins une !

Elle s'assit en face de son mari. Il était écarlate de fureur et il tambourinait avec les doigts sur la table.

— Et si on jetait l'éponge et qu'on déménageait ? On ne peut pas continuer comme ça. C'était un appel qu'elle lui avait lancé plus d'une fois déjà, mais chaque fois elle voyait la même détermination dans ses yeux.

— C'est hors de question, je l'ai déjà dit. Jamais elle ne me fera quitter mon foyer, je refuse de lui donner cette satisfaction.

Il abattit son poing sur la table pour appuyer ses paroles, mais ce n'était pas nécessaire. Monica avait déjà entendu tout ça. Elle savait que ça ne servait à rien. Et, pour être tout à fait honnête, elle non plus n'avait pas envie de tendre la coupe du vainqueur à Lilian. Pas après tout ce qu'elle avait dit sur Morgan. Penser à son fils lui fournit le prétexte pour changer de sujet.

— Tu as vu Morgan aujourd'hui ?

A contrecœur, Kaj déplaça son regard de la maison des Florin et marmonna :

— Non, pourquoi ? Il ne sort jamais de son cabanon, tu le sais aussi bien que moi.

— Oui, mais je pensais que tu y étais peut-être allé lui faire un petit coucou, voir comment ça se passe. Elle savait que c'était utopique, mais elle ne pouvait s'empêcher de garder espoir. Après tout, Morgan était son fils aussi.

— Pourquoi est-ce que je ferais ça ? S'il veut nous voir, il n'a qu'à venir ici. Bon, on mange ou quoi ?

En silence, Monica se leva et commença à préparer le repas. Quelques années auparavant, elle aurait sans doute estimé que c'était à Kaj de préparer le dîner, lui qui ne travaillait plus. A présent la pensée ne l'effleurait même pas. Tout était comme ça avait toujours été. Et comme ça resterait.

FJÄLLBACKA 1924

Pas un mot n'avait été prononcé durant le trajet pour Fjällbacka. Après avoir passé tant de soirées au lit à se chuchoter des mots tendres, ils n'avaient plus la moindre chose à se dire. Ils étaient assis raides comme des soldats de plomb, le regard dans le vide, chacun perdu dans ses ruminations.

Agnes avait l'impression que son monde s'était écroulé. Etait-ce vraiment ce matin qu'elle s'était réveillée dans son grand lit dans sa jolie chambre dans la magnifique villa où elle avait habité toute sa vie ? Comment se pouvait-il qu'elle soit maintenant dans ce train, un sac sur les genoux, en route pour une vie de misère avec un homme dont elle ne voulait plus ? Elle pouvait à peine le regarder. A un moment du voyage, Anders avait amorcé de poser sa main sur la sienne dans une tentative de consolation. Elle s'était dégagée avec une mine si dégoûtée qu'elle espérait qu'il se garderait bien de le refaire.

Quelques heures plus tard, lorsque le fiacre s'arrêta devant la baraque qui allait devenir leur foyer commun, Agnes refusa tout d'abord de mettre pied à terre. Elle fut incapable de bouger, paralysée par la crasse qui l'entourait et par les gamins morveux et braillards qui fourmillaient autour du fiacre. Ça ne pouvait pas être ça, la vie qui l'attendait ! Un instant, elle envisagea de demander au cocher de faire demi-tour et de la ramener à la gare, mais elle comprit ce que la démarche avait d'impossible. Où iraitelle ? Son père lui avait bien fait comprendre qu'il ne voulait plus la voir, et jamais elle n'aurait accepté d'entrer au service de quelqu'un, même sans un enfant dans le ventre.

Toutes les issues lui étaient fermées, à part celle qui menait à cette maison sale et délabrée.

Les larmes n'étaient pas loin quand elle se décida finalement à descendre du fiacre. Son pied s'enfonça dans la boue et elle fit une vilaine grimace. Elle portait ses jolies chaussures rouges à bout ouvert, ce qui n'arrangeait rien, et elle sentit l'humidité pénétrer et mouiller ses chaussettes jusqu'aux orteils. Des yeux curieux observaient le spectacle par des rideaux entrouverts. Elle redressa la nuque. Qu'ils regardent donc, elle n'en avait rien à faire de ce qu'ils pouvaient bien penser. Tous des larbins, qui n'avaient sans doute jamais vu une vraie dame de leur vie ! Bon, après tout, elle ne ferait qu'un bref séjour ici. Elle finirait bien par trouver un moyen de se sortir de ce pétrin, jamais auparavant elle n'avait connu de situation dont elle n'était pas venue à bout, soit par le mensonge, soit en usant de son charme.

Elle prit résolument son sac et partit clopin-clopant en direction des baraquements.

Le lendemain matin, autour d'une petite tasse de café, Patrik et Gösta racontèrent à Martin et à Annika ce qui s'était passé la veille. On voyait rarement Ernst avant neuf heures et Mellberg jugeait que prendre un café avec le personnel pouvait nuire à son rôle de chef, si bien qu'il restait enfermé dans son bureau.

— Mais elle ne comprend donc pas qu'elle se tire une balle dans le pied avec ce genre de caprices, dit Annika. Sa première préoccupation devrait plutôt être de vous voir concentrés sur la recherche du meurtrier. Ses paroles reflétaient ce que Patrik et Gösta s'étaient dit la veille.

— Oui, je n'arrive pas à déterminer si elle est incapable de voir plus loin que le bout de son nez, ou si elle est tout simplement cinglée, dit Patrik en secouant la tête. Mais laissons ça. Je pense qu'on a réussi à lui faire peur hier, elle ne va pas recommencer de sitôt. Avez-vous autre chose qui nous permette d'avancer ?

Personne ne parla. Ils souffraient d'un manque inquiétant de preuves et de pistes pour démarrer.

— Tu disais qu'on les aura quand, les résultats du labo central ? demanda Annika en rompant le silence maussade.

— Lundi, répondit Patrik laconiquement.

— La famille est entièrement lavée de tout soupçon ? demanda Gösta en les regardant par-dessus sa tasse.

Patrik se rappela tout à coup le ton étrange d'Erica la veille au soir quand il avait mentionné les alibis de la famille. Quelque chose l'avait tracassée, il fallait à tout prix qu'il se souvienne de quoi.

— Bien sûr que non. La famille fait toujours partie des suspects, mais on n'a rien de concret qui aille dans ce sens.

— Et leurs alibis ? dit Annika. En général, elle se sentait assez exclue pendant les réunions et elle sautait toujours sur les occasions où elle pouvait en apprendre plus sur le déroulement de l'enquête.

— Dignes de foi, mais pas confirmés, je dirais. Patrik se leva et se resservit du café, puis il resta appuyé contre la paillasse. Charlotte est restée alitée toute la matinée, elle souffrait de migraine et dormait. Stig dormait aussi, à l'en croire. Il avait pris des somnifères et ne savait rien de ce qui se passait. Lilian était à la maison et s'occupait d'Albin, après le départ de Sara, et Niclas était au travail.

— Si bien qu'aucun ou presque ne dispose d'un alibi qu'on peut qualifier de béton, constata Annika.

— Elle a raison, dit Gösta. Je pense qu'on a été trop timides, on aurait dû les serrer de plus près. Toutes leurs déclarations peuvent être remises en question. A part Niclas, aucun ne peut avoir son alibi confirmé.

Voilà, c'était ça ! Voilà ce qui avait titillé son esprit ! Patrik se mit à arpenter la cuisine, tout agité.

— Niclas ne pouvait pas être à son travail. Tu ne te souviens pas ? dit-il à l'intention de Martin qui eut l'air déconcerté. On n'arrivait pas à mettre la main sur lui ce matin-là. Il n'est rentré chez lui que deux heures plus tard. Est-ce qu'on sait où il était ? Et pourquoi a-t-il menti en disant qu'il était au centre médical ?

Martin se contenta de secouer la tête. Comment avaient-ils pu négliger ça ?

— On devrait sans doute interroger Morgan aussi, le fils des voisins ? Après tout, il y a ces déclarations, véridiques ou pas, comme quoi il aurait rôdé chez les Florin et regardé par les fenêtres, d'après Lilian pour la voir à poil. Quoique je ne vois pas bien l'intérêt, dit Gösta et il but une gorgée de café tout en leur lançant un regard malicieux.

— Elles datent franchement, ces déclarations, et, comme tu le dis, il n'y a pas grand-chose qui indique que ce soit vrai, surtout après ce qu'on a entendu hier. Patrik s'entendit répondre avec impatience. Il n'était pas du tout sûr de vouloir gaspiller du temps à examiner encore des mensonges de Lilian, qu'ils soient anciens ou nouveaux.

— D'un autre côté, on n'a pas grand-chose à se mettre sous la dent, si bien que… Gösta écarta les mains et maintenant trois paires d'yeux le contemplèrent, incrédules. Ça lui ressemblait si peu de prendre des initiatives. Mais ils devaient peut-être écouter justement parce qu'elles étaient si rares. Pour étayer davantage ce qu'il disait, Gösta ajouta : De plus, si je me souviens bien, on voit la maison des Florin de sa cabane, et il peut très bien avoir vu quelque chose ce matin-là.

— Tu as raison, dit Patrik et il se sentit de nouveau un peu bête. Il aurait au moins dû y penser, que Morgan était un témoin potentiel. On va faire comme ça : Martin et toi, vous irez voir Morgan Wiberg, moi et… – il se tut puis se força à prononcer le nom – Ernst, on s'intéressera d'un peu plus près au père de Sara, puis on fait le point cet après-midi.

— Et moi ? Je peux faire quelque chose ? dit Annika.

— Tu peux surveiller le téléphone de près. Il devrait y avoir des articles dans les journaux aujourd'hui et, si on a de la chance, la population nous apportera peut-être quelque chose de substantiel.

Annika hocha la tête et se leva pour ranger sa tasse à café dans le lave-vaisselle. Les autres firent de même et Patrik alla dans son bureau attendre l'arrivée d'Ernst. Pour commencer, ils auraient une discussion sur l'importance de la ponctualité dans une enquête sur un homicide.

Mellberg sentait l'instant fatidique s'approcher à pas de géant. Plus qu'un jour. La lettre se trouvait toujours dans le tiroir d'en haut. Il ne s'était pas risqué à la lire une nouvelle fois. D'ailleurs il la connaissait par cœur. Que des sentiments aussi contrastés se disputent en lui l'étonnait. Sa première réaction avait été l'incrédulité et la rage, le scepticisme et la fureur. Mais lentement, lentement, un espoir avait aussi commencé à poindre. Et cet espoir l'avait totalement pris au dépourvu. Il avait toujours pensé avoir une vie quasiment parfaite, au moins jusqu'à ce qu'il soit affecté dans ce trou. Il était obligé de reconnaître qu'après sa mutation, elle s'était peut-être un peu détériorée. Mais, à part la promotion qu'il estimait mériter, il n'avait pas cru manquer de quoi que ce soit. La petite mésaventure avec Irina avait peut-être conduit certains à croire qu'il n'était pas totalement comblé dans la vie, mais lui-même avait rapidement laissé cet épisode désagréable derrière lui.

Il s'était toujours glorifié d'être indépendant. La seule personne qui lui avait été vraiment proche, et de qui il avait tenu à être proche, était sa chère mère, et elle n'était plus de ce monde. Mais cette lettre signifiait que tout allait peut-être changer.

Sa respiration était lourde et difficile. La curiosité fébrile qu'il ressentait était troublée par de l'appréhension. D'un côté, il aurait aimé que la journée passe vite pour que la certitude du lendemain vienne remplacer les doutes. D'un autre, il aurait préféré qu'elle passe très lentement, au point de ne presque pas avancer du tout.

A un moment donné, il avait envisagé de ne pas y prêter attention du tout. Jeter la lettre à la poubelle et espérer que le problème disparaîtrait tout seul. Mais il savait que ça ne marcherait pas.

Il soupira, posa ses pieds sur le bureau et ferma les yeux. Autant attendre sereinement ce que le lendemain allait apporter.

Gösta et Martin contournèrent discrètement la grande villa en espérant ne pas se faire repérer tandis qu'ils se dirigeaient vers la cabane. Ni l'un ni l'autre n'était d'humeur à se confronter à Kaj, et ils voulaient avoir l'occasion de parler avec Morgan sans que ses parents s'en mêlent. Il était adulte après tout, et il n'y avait aucune raison qu'un parent soit présent.

Après avoir frappé, ils attendirent un long moment devant la porte, si long qu'ils commencèrent à se dire qu'il n'y avait personne. Finalement un homme pâle et blond d'une trentaine d'années vint ouvrir.

— Vous êtes qui ? Sa voix était monotone et le visage n'avait pas l'expression de curiosité qui accompagne en général ce genre de phrase.

— On est de la police, dit Gösta et il les présenta, Martin et lui. On rend visite à tous les voisins, c'est au sujet de la mort de la petite fille.

— Ah bon, dit Morgan, toujours avec le même visage dépourvu d'expression et sans faire le moindre geste pour les recevoir.

— Est-ce qu'on pourrait entrer te parler ? dit Martin. Il commençait à se sentir mal à l'aise avec cet étrange Morgan.

— Je préférerais pas. Il est dix heures et je travaille entre neuf heures et onze heures et quart. Ensuite je déjeune entre onze heures et quart et midi, puis je travaille de nouveau entre midi et deux heures et quart. C'est l'heure où je vais chercher du café et un bout de gâteau chez maman et papa et je fais une pause jusqu'à trois heures. Puis je travaille de nouveau jusqu'à cinq heures et ensuite je mange. Puis il y a le journal télévisé sur la deux à six heures, ensuite sur la quatre à six heures et demie, puis sur la une à sept heures et demie et ensuite de nouveau sur la deux à neuf heures. Ensuite je vais me coucher.

Il parlait toujours avec la même voix monotone et semblait à peine respirer pendant son long monologue. La voix était haut perchée, presque criarde, et Martin échangea un rapide coup d'œil avec Gösta.

— On dirait que tu as un emploi du temps bien chargé, dit Gösta, mais, tu comprends, c'est important qu'on puisse te parler, et on apprécierait vraiment que tu nous accordes quelques minutes.

Morgan sembla réfléchir un moment sur la question, puis il décida d'accéder à leur demande. Il s'écarta et les laissa entrer, mais il n'aimait manifestement pas qu'on dérange ses habitudes.

Martin sursauta en entrant. La cabane consistait en une seule petite pièce, qui semblait faire fonction à la fois de pièce de travail et de chambre, et il y avait aussi un coin cuisine. Ça avait l'air propre et rangé, à une exception près. Partout, il y avait des piles de journaux. De petits couloirs s'étaient formés entre les piles pour permettre de se déplacer entre les différentes parties de la pièce. Un couloir jusqu'au lit, un jusqu'aux ordinateurs et un jusqu'au coin cuisine. Sinon, tout l'espace était occupé. Martin regarda de plus près les couvertures et constata qu'il s'agissait de magazines d'informatique en tous genres, certains tout neufs alors que d'autres semblaient être là depuis un bon bout de temps déjà. De toute évidence, ils avaient devant eux la collection de nombreuses années.

— Tu t'intéresses à l'informatique, à ce que je vois, dit Martin.

Morgan ne fit que le regarder, sans commenter cette affirmation qui allait de soi.

— Tu travailles sur quoi ? demanda Gösta pour remplir le silence gêné qui flottait dans l'air.

— Je fais des jeux pour ordinateurs. Surtout de la fantasy, répondit Morgan.

Il s'approcha des ordinateurs, comme pour trouver une protection, et Martin se rendit compte que ses mouvements étaient saccadés et malhabiles, et sans arrêt il manquait renverser les piles sur son passage. Mais d'une façon ou d'une autre il réussit à les éviter et il s'assit devant l'un des ordinateurs sans avoir causé d'incident. D'un visage totalement inexpressif, il contempla Martin et Gösta, qui se tenaient hésitants au beau milieu du fouillis, se demandant comment ils allaient poursuivre l'interrogatoire de cet étrange personnage. C'était difficile de dire quoi, mais quelque chose en lui clochait.

— Intéressant, dit Martin. Je me suis toujours demandé comment on fait pour créer ces mondes fantastiques. Je suppose qu'il faut une sacrée dose d'imagination.

— Ce n'est pas moi qui conçois les jeux. Moi je ne fais qu'encoder. J'ai le syndrome d'Asperger, ajouta-t-il comme une brève constatation.

Martin et Gösta échangèrent un autre coup d'œil perplexe.

— Asperger, dit Martin, je ne sais malheureusement pas ce que ça veut dire.

— Non, la plupart des gens ne connaissent pas. C'est une forme d'autisme, mais une variante où on a généralement un QI élevé. J'ai un QI élevé. Très élevé, ajouta Morgan sans le moindre jugement de valeur. Quand on est atteint d'Asperger, on a du mal à comprendre des choses comme les expressions du visage, les métaphores, l'ironie et la tonalité de la voix. Ça fait qu'on a des problèmes pour vivre en société.

On aurait dit qu'il lisait dans un livre, et Martin dut faire un effort pour suivre la leçon de Morgan.

— Je ne peux donc pas concevoir les jeux moi-même puisque ça impliquerait d'imaginer les sentiments d'autrui et des choses comme ça, en revanche je suis un des meilleurs programmateurs en Suède. Ses paroles constataient un fait, elles ne véhiculaient aucune forfanterie ou vantardise.

Malgré lui, Martin fut fasciné. Il n'avait jamais entendu parler de ce syndrome avant et ce qu'en disait Morgan éveilla un réel intérêt en lui. Mais ils étaient ici pour faire un travail et ils feraient mieux de s'y mettre.

— On peut s'asseoir ? demanda-t-il en parcourant la pièce des yeux.

— Sur le lit, répondit Morgan en levant le menton en direction du lit étroit.

Gösta et Martin se frayèrent délicatement un chemin entre les piles de magazines. Gösta prit la parole le premier.

— Tu es au courant de ce qui est arrivé chez les Florin lundi. As-tu vu quelque chose de particulier ce matin-là ?

Morgan ne répondit pas, il se contenta de les contempler d'un regard vide. Martin comprit que "quelque chose de particulier" était peut-être trop abstrait pour lui et il essaya de reformuler sa question d'une façon plus concrète. Il n'arrivait même pas à imaginer la difficulté que ça devait représenter, de fonctionner dans la société sans pouvoir interpréter les sous-entendus entre les gens.

— Tu as vu la fille partir ? tenta-t-il en espérant que ce soit suffisamment précis pour que Morgan puisse répondre.

— Oui, j'ai vu la fille partir, dit Morgan, puis il se tut, sans réaliser que la teneur de la question était plus vaste que ça.

Martin commença à saisir le fonctionnement et il précisa :

— A quelle heure l'as-tu vue sortir ?

— Je l'ai vue sortir à neuf heures dix, répondit Morgan, toujours avec sa voix forte et aiguë.

— As-tu vu quelqu'un d'autre ce matin-là ? demanda Gösta.

— Oui.

— Qui as-tu vu ce matin et à quelle heure ? dit Martin dans une tentative de soulager Gösta. Il sentit intuitivement que son collègue commençait à s'énerver face au comportement de ce garçon bizarre.

— A huit heures moins le quart, j'ai vu Niclas, répondit Morgan.

Martin nota soigneusement tout ce qu'il disait. Il ne doutait pas une seconde de l'exactitude des renseignements.

— Tu connaissais Sara ?

— Oui.

Gösta se tortilla et Martin se dépêcha de poser une main sur son bras, en avertissement. Quelque chose lui disait que des effusions sentimentales n'avantageraient pas leurs possibilités d'en tirer le plus possible de Morgan.

— Tu la connaissais comment ?

La question ne provoqua qu'un regard dans le vide chez Morgan et Martin reformula sa question. Il n'avait jamais pensé à ça avant, combien c'est difficile d'être exact dans ses propos, puisque habituellement on s'attend à ce que l'interlocuteur saisisse l'idée générale de ce qu'on dit.

— Elle venait ici ?

— Elle me dérangeait dans mes habitudes. Elle frappait à la porte et voulait entrer quand je travaillais. Elle touchait à mes affaires. Une fois elle s'est fâchée quand je lui ai dit de partir et elle a fait tomber plusieurs de mes piles.

— Tu ne l'aimais pas ? dit Martin.

— Elle dérangeait mon planning. Et elle faisait tomber mes piles, répondit Morgan et ce fut tout ce qu'il put exprimer s'approchant un tant soit peu d'un sentiment vis-à-vis de Sara.

— Et sa grand-mère, qu'est-ce que tu en penses ?

— Lilian n'est pas une personne gentille. C'est papa qui le dit.

— Elle dit que tu as rôdé autour de leur maison et regardé par les fenêtres, est-ce que c'est vrai ?

Morgan hocha la tête sans hésitation.

— Oui, c'est vrai. J'avais juste envie de regarder un peu. Mais maman s'est fâchée quand je l'ai raconté. Elle m'a dit que je ne devais plus le faire.

— Et alors tu as arrêté de le faire ?

— Oui.

— Parce que ta maman a dit qu'il ne fallait pas le faire ?

Le ton de Gösta était railleur, mais cela sembla totalement échapper à Morgan.

— Oui, maman me dit toujours ce qu'on peut faire et ce qu'on ne peut pas faire. Elle me fait faire des exercices avec ce qu'on peut dire et ce qu'on peut faire. Elle m'apprend que, même si quelqu'un dit quelque chose, ça peut vouloir dire complètement autre chose. Sinon je me trompe tout le temps, je dis ou je fais ce qu'il ne faut pas dire ou faire. Morgan regarda sa montre. Il est dix heures et demie. C'est l'heure où je travaille, habituellement.

— On ne va pas te déranger plus longtemps, dit Martin et il se leva. Excuse-nous de t'avoir bousculé, mais nous, en tant qu'inspecteurs de police, nous ne pouvons pas tenir compte de ce genre de choses.

Morgan sembla se contenter de cette explication, il s'était déjà tourné vers son écran d'ordinateur.

— Fermez bien la porte derrière vous, sinon le vent l'ouvre.

— Quel branque, dit Gösta quand ils se faufilèrent à travers le jardin pour rejoindre la voiture qu'ils avaient garée quelques rues plus loin.

— Moi, j'ai trouvé ça intéressant, dit Martin. Je n'avais jamais entendu parler d'Asperger. Et toi ?

— Non, ces trucs-là n'existaient pas de mon temps. Ils ont tellement de diagnostics extravagants aujourd'hui, mais moi, je me contenterais de le qualifier d'idiot.

Martin soupira et s'installa derrière le volant. Gösta n'était pas un surdoué pour les sentiments humains, ça c'était sûr.

Quelque chose s'agita dans l'inconscient de Martin. Quelque chose qui lui fit se demander s'ils avaient posé les bonnes questions. Il lutta avec sa mémoire défaillante, mais dut abandonner. Après tout, il se faisait peut-être juste des idées.

Le centre médical était nimbé d'un brouillard gris, et il n'y avait qu'une seule voiture dans le parking. Ernst, qui boudait encore de s'être fait remonter les bretelles par Patrik pour son arrivée tardive, descendit de la voiture et se dirigea vers l'entrée à grands pas. Enervé, Patrik claqua la portière un peu trop fort et dut courir à moitié pour le rattraper. Ce type réagissait comme un foutu gamin, quelle poisse d'avoir à gérer ça en plus !

Ils dépassèrent le guichet de la pharmacie et entrèrent à gauche dans le centre de soins. Il n'y avait personne en vue et leurs pas résonnèrent dans le couloir désert. Ils finirent par trouver une infirmière et demandèrent Niclas. Elle leur apprit qu'il était avec un patient mais qu'il aurait terminé dans une dizaine de minutes, et leur proposa de s'asseoir en attendant. Patrik était toujours fasciné de voir à quel point les salles d'attente de tous les cabinets médicaux se ressemblaient. Les mêmes meubles tristes en bois clair avec des tissus moches, les mêmes œuvres d'art lambda et toujours les mêmes revues sans intérêt. Il en feuilleta une intitulée *Le Guide des soins* et s'étonna du nombre de maladies dont il n'avait jamais entendu parler. Ernst s'était assis aussi loin de lui que possible et il battait du pied d'une façon agaçante. Par moments, Patrik le surprenait en train de lui décocher des regards furieux, mais cela ne lui faisait ni chaud ni froid. Ernst pouvait penser ce qu'il voulait, à condition qu'il fasse son boulot.

— Le docteur est disponible maintenant, dit l'infirmière.

Elle leur indiqua un cabinet de consultation où ils trouvèrent Niclas derrière un bureau débordant de dossiers. Il avait l'air fatigué. Il se leva et leur serra la main, il tenta même un sourire, qui n'arriva cependant pas jusqu'aux yeux, se limitant à une grimace d'angoisse figée.

— L'enquête a donné quelque chose ?

Patrik secoua la tête.

— On y travaille à fond, mais pour l'instant on n'a pas beaucoup avancé. Ça viendra, fit-il d'un ton qu'il espérait rassurant, alors qu'en lui, le doute ne faisait que croître. Il était loin d'être sûr qu'ils réussiraient cette fois.

— En quoi puis-je vous aider ? dit Niclas d'une voix lasse, en se passant la main sur ses cheveux blonds.

Malgré lui, Patrik se dit que cet homme avait un physique sur mesure pour la couverture d'un roman de gare avec de jolies infirmières et de beaux médecins. Même maintenant, le charme perçait et on pouvait aisément deviner la force d'attraction qu'il devait avoir sur les femmes. D'après ce que lui avait dit Erica, ça n'avait pas été très favorable à son mariage avec Charlotte.

— Nous aurions quelques questions concernant ton emploi du temps lundi matin.

C'était Patrik qui menait l'entretien. Ernst faisait toujours la tête, ignorant totalement les regards appuyés de Patrik pour essayer de le faire participer.

— Ouiii ? dit Niclas, en apparence imperturbable, mais Patrik eut l'impression de voir son regard chanceler légèrement.

— Tu as déclaré que tu étais au travail.

— Oui, je suis parti vers huit heures moins le quart, comme d'habitude, dit Niclas, et cette fois impossible de se méprendre sur l'inquiétude dans sa voix.

— Oui, c'est ça qui nous pose quelques problèmes, dit Patrik et il fit une dernière tentative pour intégrer Ernst.

Mais son collègue s'entêtait à regarder par la fenêtre donnant sur le parking.

— On a essayé de te joindre ce matin-là, pendant une paire d'heures. Et tu n'étais pas ici. C'est facile de vérifier avec la secrétaire, dit Patrik en indiquant la porte. Je suppose qu'elle a ton emploi du temps, elle verra tout de suite si tu étais ici ce matin-là.

Niclas gigota sur son fauteuil, mal à l'aise, et des gouttes de sueur commençaient à perler sur ses tempes. Pourtant, il lutta pour paraître impassible et Patrik dut reconnaître qu'il s'en sortait assez honorablement quand il dit d'une voix tranquille :

— Oui, c'est ça, ça me revient. Je m'étais libéré pour aller voir quelques maisons à vendre. Je n'ai rien dit à Charlotte, je voulais lui faire la surprise.

L'explication aurait pu être plausible, s'il n'y avait pas eu la tension que Patrik percevait sous le calme apparent. Il ne croyait pas un seul instant à ce que disait Niclas.

— Tu peux préciser un peu plus ? Tu as visité des maisons ?

Niclas afficha un sourire forcé et eut l'air d'essayer de trouver une manière de gagner du temps.

— Il me faudra vérifier d'abord, je ne m'en souviens pas très bien, dit-il lentement.

— Il ne doit quand même pas y avoir dix mille maisons à vendre par ici, tu devrais au moins te rappeler dans quels quartiers c'était ?

Patrik le harcelait avec ses questions et il vit que Niclas devenait de plus en plus nerveux. Quoi qu'il ait fait ce matin-là, il n'avait certainement pas visité de maisons à vendre.

Il y eut un silence. Manifestement, ça bouillonnait derrière le front de Niclas, pour trouver une manière de sauver la situation. Puis Patrik le vit se détendre, s'affaisser en quelque sorte. Maintenant ils allaient peut-être pouvoir avancer.

— Je... La voix de Niclas se cassa et il reprit : Je ne veux pas que Charlotte l'apprenne.

— On ne peut rien promettre. Mais les choses ont tendance à se savoir tôt ou tard, alors en parlant maintenant tu as une chance de donner ta version, avant qu'on apprenne celle de quelqu'un d'autre.

— Mais tu ne comprends pas. Ça la briserait totalement si... Sa voix se rompit encore une fois et, bien que Patrik devinât la tournure qu'allaient prendre les choses, il ne put s'empêcher de ressentir une certaine sympathie pour Niclas.

— Comme je l'ai dit, je ne peux rien promettre.

Il attendit que Niclas surmonte son angoisse et poursuive. Des images de Charlotte, si chouette, si gentille, lui vinrent à l'esprit et tout à coup l'aversion se mêla à sa compassion. Parfois il avait honte d'appartenir à la gent masculine. Niclas se racla la gorge.

— J'ai... j'ai rencontré quelqu'un.

— Et qui est ce quelqu'un ? demanda Patrik qui avait entièrement abandonné l'espoir d'intégrer Ernst à l'interrogatoire. Celui-ci avait cependant lâché la fenêtre des yeux et il contemplait Niclas avec grand intérêt.

— Jeanette Lind.

— C'est elle qui tient la boutique de cadeaux dans Galärbacken ? demanda Patrik. Il se rappela vaguement une petite femme brune aux formes généreuses.

— Oui, c'est elle, Jeanette. On... On se voit depuis quelque temps.

— Combien de temps ?

— Quelques mois. Trois peut-être.

— Et vous arrivez à trouver le temps pour vous voir ?

La curiosité de Patrik était sincère. Il n'avait jamais compris comment faisaient ces gens qui donnent des coups de canif dans le contrat. Et comment ils osaient. Surtout dans une toute petite ville comme Fjällbacka où il suffisait de laisser sa voiture garée cinq minutes devant chez quelqu'un pour mettre en route les mauvaises langues.

— Parfois entre midi et deux, parfois je dis que je fais des heures sup. Une fois ou deux, j'ai prétendu avoir une urgence à domicile.

Patrik dut prendre sur lui pour ne pas lui coller une baffe. Mais ils étaient ici uniquement pour tirer au clair un problème d'alibi, et tout sentiment personnel était à bannir.

— Et lundi tu as tout simplement pris quelques heures dans la matinée pour aller voir… Jeanette, c'est ça ?

— Oui, dit Niclas d'une voix éraillée. J'ai dit que je devais faire quelques visites à domicile que j'avais négligées depuis longtemps, mais que je serais joignable sur le portable s'il y avait une urgence.

— Mais tu n'étais pas joignable. On a essayé de te joindre par l'intermédiaire de la secrétaire à plusieurs reprises, mais tu n'as pas répondu sur ton portable.

— J'avais oublié de le mettre en charge. Il est mort peu après mon départ, mais je ne m'en suis même pas rendu compte.

— A quelle heure as-tu quitté ton cabinet, pour retrouver ta maîtresse ?

Ce dernier mot sembla atteindre Niclas de plein fouet, mais il ne protesta pas. Il se contenta de passer les mains dans ses cheveux encore une fois en répondant d'un ton fatigué :

— Peu après neuf heures et demie, je crois. J'ai consulté au téléphone entre huit et neuf et ensuite j'ai fait de la paperasse pendant une demi-heure environ. Ça nous mène à entre neuf heures trente et neuf heures quarante, je dirais.

— Et on a réussi à te joindre peu avant treize heures. C'est à ce moment-là que tu es revenu au centre médical ?

Patrik luttait pour garder sa voix neutre, mais il eut du mal à se débarrasser de la vision de Niclas au lit avec sa maîtresse alors que sa fille gisait morte dans la mer. On pouvait tourner ça comme on voulait, l'image qui se dessinait de Niclas Klinga n'était pas très sympathique.

— Oui, c'est exact. Je devais commencer à consulter à une heure, et j'étais de retour vers moins dix.

— On sera obligés de vérifier tes dires avec Jeanette, tu le comprends ?

Résigné, Niclas hocha la tête pour toute réponse. Il répéta sa demande :

— Essaie de garder Charlotte en dehors de ça, ça la briserait totalement.

Tu aurais dû y penser avant, pensa Patrik, s'abstenant cependant de le clamer haut et fort. Niclas se l'était probablement dit lui-même plus d'une fois ces derniers jours.

FJÄLLBACKA 1924

Le temps où travailler était un plaisir lui paraissait un beau rêve lointain. A présent, le dur labeur n'éveillait plus aucun enthousiasme en lui et il exécutait machinalement sa besogne. Les exigences d'Agnes semblaient sans fin. Elle n'arrivait jamais à joindre les deux bouts avec l'argent qu'il lui donnait, contrairement aux épouses des autres tailleurs de pierre, qui pourtant avaient souvent de nombreuses petites bouches à nourrir. C'était un vrai panier percé, et souvent il devait partir à la carrière le ventre vide le matin parce qu'il n'y avait plus d'argent pour acheter à manger. Pourtant, il apportait à la maison tout ce qu'il gagnait, ce qui était plutôt rare parmi les tailleurs de pierre. Le poker était leur plus grande distraction. Les parties accaparaient leurs soirées et week-ends et se terminaient la plupart du temps en mines déconfites et poches vides face à des épouses résignées depuis longtemps et dont l'amertume avait creusé de profondes rides sur le visage.

Il commençait lui-même à faire connaissance avec l'amertume. La vie avec Agnes avait été un rêve magnifique moins d'un an auparavant et maintenant elle se révélait un châtiment pour un crime qu'il n'avait pas commis. Sa seule faute était de l'aimer et de lui avoir fait un enfant, pourtant il était puni comme s'il s'était rendu coupable du pire péché mortel. Il n'avait même plus le cœur à se féliciter de l'enfant dans son ventre. La grossesse n'avait pas été une sinécure et, maintenant qu'Agnes entamait les dernières semaines, c'était pire que tout. Tout au long de ces mois d'attente, elle n'avait fait que se plaindre de maux réels ou imaginaires, refusant de s'atteler aux tâches ménagères. Cela signifiait que non seulement il travaillait à la carrière du matin au soir, mais qu'il devait aussi se charger de tout ce qui normalement incombe à une épouse. Il savait que, quand ils ne le prenaient pas en pitié, ses collègues se moquaient de lui parce qu'il devait accomplir les devoirs d'une femme, et ça ne facilitait pas les choses. Mais en général il était trop épuisé pour se préoccuper de ce qui se disait dans son dos.

Malgré tout, il se réjouissait de l'enfant à naître. L'amour maternel viendrait peut-être détourner l'attention d'Agnes et elle ne se prendrait plus pour le nombril du monde. Un nourrisson réclamait toute l'attention et ce serait sans doute une expérience utile à sa femme. Car il refusait d'abandonner l'idée qu'ils allaient réussir leur mariage. Il n'était pas homme à prendre ses promesses à la légère. Du moment qu'ils avaient joint leurs destins devant la loi, ils n'avaient pas le droit de défaire ces liens, quelles que soient les difficultés.

Bien sûr, en regardant les autres femmes dans les logements ouvriers, qui trimaient dur sans jamais se plaindre, il avait l'impression que la vie lui avait attribué un bien piètre lot. Mais en même temps il savait très bien que le lot ne lui avait pas été attribué, il fallait rester honnête, il avait provoqué cette situation lui-même. Et, dans ces cas-là, on n'avait pas le droit de se plaindre.

D'un pas lourd, il rentra à la maison sur l'étroit chemin. Cette journée avait été aussi monotone que les autres. Il l'avait passée à tailler des pavés et il en avait l'épaule tout endolorie. La faim lui tenaillait le ventre aussi. Au matin, il n'avait rien trouvé à la maison pour préparer un casse-croûte et, si Jansson n'avait pas eu pitié de lui et partagé son sandwich, il n'aurait rien avalé de la journée. Non, pensa-t-il, à partir de maintenant, c'en était fini de confier tout son salaire à Agnes. Il lui faudrait se charger des courses lui-même, comme de tout le reste. Lui pouvait vivre avec la faim, mais pas question de laisser son enfant se passer de nourriture. Il était grand temps de commencer à introduire d'autres habitudes à la maison.

Il soupira et marqua un temps d'attente avant d'ouvrir la mince porte en bois et d'entrer retrouver son épouse.

Derrière la vitre de l'accueil, Annika pouvait surveiller le va-et-vient des uns et des autres. Mais aujourd'hui tout était calme. Seul Mellberg était encore dans son bureau, et aucun visiteur n'avait eu d'affaire urgente à régler au commissariat. Dans son espace de travail, pourtant, l'activité était à son comble. La couverture médiatique avait provoqué une avalanche d'appels téléphoniques, mais il était encore trop tôt pour dire si dans le lot il y en avait qui méritaient un suivi. Et ce n'était pas à elle d'en décider. Elle ne faisait que prendre le nom et l'adresse de ceux qui appelaient et noter leurs déclarations. Ensuite ces données seraient examinées par le responsable de l'enquête, Patrik en l'occurrence, qui deviendrait l'heureux dépositaire d'une bonne dose de ragots et d'accusations sans fondement. L'expérience avait appris à Annika que dans la majorité des cas il s'agissait surtout de ça.

Cette affaire avait cependant engendré plus d'appels que d'habitude. Tout ce qui touchait à des enfants bouleversait toujours la population et rien ne suscitait des sentiments aussi révoltés que des meurtres. Mais l'image de la grande masse anonyme que lui donnaient tous ces appels n'était pas très belle. Elle notait surtout que la tolérance naissante envers les homosexuels ne semblait pas avoir trouvé d'ancrage hors des grandes villes. Elle recevait quantité de tuyaux concernant des hommes qui devenaient des individus suspects uniquement à cause d'une homosexualité confirmée ou supposée. Dans la plupart des cas, les arguments avancés étaient d'une stupidité confondante. Il suffisait qu'un homme exerce un métier traditionnellement réservé aux femmes pour qu'on estime nécessaire de signaler à la police qu'il était sûrement "un de ces pervers, vous savez". Selon la logique rurale, c'était assez pour l'accuser de toutes sortes de maux. Elle avait reçu une foule de renseignements concernant un coiffeur, un fleuriste en intérim, un professeur qui avait commis la faute inouïe de porter des chemises roses, ainsi que le phénomène le plus suspect de tous : un responsable de jardin d'enfants. Au total, Annika pouvait compter dix appels pour ce dernier, et elle reposa les notes en soupirant. Parfois elle se demandait si le temps ne restait pas suspendu dans les petits patelins.

L'appel suivant se révéla différent. La femme à l'autre bout du fil tenait à son anonymat, mais l'information qu'elle fournit était indéniablement intéressante. Annika se redressa et nota soigneusement tout ce qu'elle disait. Elle mettrait cette note en haut de la pile. Elle sentit un frisson parcourir sa colonne vertébrale et elle eut l'intuition que ce qu'elle venait d'apprendre serait décisif pour l'affaire. C'était tellement rare qu'elle soit impliquée dans les instants déterminants d'une enquête qu'elle en ressentit une certaine satisfaction. Le téléphone sonna de nouveau et elle décrocha. Encore une dénonciation du fleuriste.

De mauvais gré, il disposa les livres de cantiques sur les bancs d'église. Habituellement, ce travail lui plaisait beaucoup, mais pas aujourd'hui. Encore des fantaisies modernes ! Culte en musique un vendredi soir ! Et on était loin d'une musique pieuse ! Accrocheuse et enjouée, et pour tout dire blasphématoire ! Il devait y avoir de la musique à l'église uniquement pour les cultes du dimanche et principalement des cantiques figurant dans le recueil officiel. De nos jours, on pouvait apparemment jouer n'importe quoi et il était même arrivé que des gens se mettent à applaudir. Bon, il devait peut-être se réjouir de ne pas être aussi mal loti qu'à Strömstad, où le pasteur faisait venir des artistes de variétés. Ici, ce soir, ce n'était que des jeunes de l'école de musique locale, pas des péronnelles de Stockholm avec leurs niaiseries à tralala, qui s'exhibaient indifféremment dans la maison de Dieu et devant les ivrognes des fêtes populaires.

Il y aurait malgré tout quelques hymnes aussi, et Arne afficha avec un soin exemplaire leur numéro sur le tableau à droite du chœur. Une fois tous les chiffres accrochés, il fit un pas en arrière pour s'assurer qu'ils étaient droits. Il mettait un point d'honneur à ce que tout soit parfait.

Si seulement il avait pu instaurer le même ordre parmi les gens, tout irait tellement mieux. Si, au lieu de n'en faire qu'à leur tête, ils l'avaient écouté. Tout était écrit dans la Bible. Tout y était précisé dans le moindre détail, il suffisait de se donner la peine de lire.

Le dépit d'être passé à côté du métier de pasteur le frappa de nouveau de plein fouet. Après avoir vérifié autour de lui et s'être assuré qu'il était seul, il ouvrit la grille du chœur et s'approcha solennellement de l'autel. Il regarda le Christ décharné et blessé sur sa croix. C'était ça, le sens intime de la vie. Regarder le sang qui suintait des plaies du Christ, observer les épines qui blessaient son crâne et, devant tout ça, incliner respectueusement la tête. Il se retourna et parcourut du regard les bancs vides de l'église. Il pouvait les imaginer remplis de paroissiens, ses paroissiens, ses auditeurs. Il leva les mains, juste pour voir, et sa voix frêle résonna lorsqu'il psalmodia : "Que le Seigneur fasse pour vous rayonner son visage…"

Il vit ses paroles pénétrer l'assistance. Il les vit accepter la bénédiction dans leur cœur et le contempler, le visage rayonnant. Lentement, Arne baissa les mains et lorgna la chaire. Il n'avait jamais osé y monter, mais aujourd'hui il lui semblait que le Saint-Esprit en personne l'inondait. Si son père n'avait pas fait obstruction à sa vocation, il aurait été autorisé à gravir les marches de ce belvédère d'où l'on surplombait l'assemblée pour répandre la parole de Dieu.

Il fit quelques pas hésitants, mais en posant le pied sur la première marche il entendit la lourde porte de l'église s'ouvrir. Il descendit et retourna à ses tâches. Dans son corps, l'amertume brûlait comme de l'acide.

La boutique n'était ouverte que durant les mois d'été et pendant les grandes fêtes, si bien qu'ils essayèrent de trouver Jeanette Lind là où elle travaillait les neuf autres mois de l'année. Elle était serveuse dans un des rares restaurants de Grebbestad ouverts en hiver et Patrik sentit son ventre se manifester quand il franchit la porte. Mais il était trop tôt encore pour le déjeuner et il n'y avait aucun client dans la salle. Une jeune femme était en train de mettre les couverts en circulant lentement entre les tables.

— Jeanette Lind ?

Elle leva la tête.

— Oui, c'est moi.

— Patrik Hedström et Ernst Lundgren, de la police de Tanumshede. On a quelques questions à vous poser, si vous n'y voyez pas d'inconvénient.

Elle fit un bref signe de la tête et baissa les yeux. Si elle avait le moindre sens déductif, elle comprenait très bien de quoi il s'agissait.

— Je vous sers un café ? demanda-t-elle.

Patrik l'observa quand elle se dirigea vers la cafetière électrique. Petite, brune et bien roulée. De grands yeux marron et une cascade de cheveux ondulés qui lui tombaient sur les épaules. Elle avait sans doute été la fille la plus mignonne de la classe, peut-être même de toute l'école. Il reconnaissait bien ce genre de femmes. Populaires et traînant toujours avec des mecs cool, plus âgés. Mais, une fois le bahut terminé, leur période de gloire l'était aussi. Elles restaient pourtant dans leur région natale, sachant qu'elles y avaient au moins un certain statut de vedette, alors que dans une grande ville elles feraient pâle figure en comparaison des hordes de filles canon. Il estimait que Jeanette avait plusieurs années de moins que lui et donc que Niclas aussi. Tout juste vingt-cinq ans peut-être.

Elle servit à chacun une tasse de café et s'assit en rejetant ses cheveux en arrière. Dans l'adolescence, elle avait sûrement répété ce geste des centaines de fois devant le miroir. Patrik dut reconnaître qu'elle l'exécutait à la perfection.

— *Shoot !* C'est bien comme ça qu'ils disent dans les films américains ? Elle sourit jaune et ses yeux s'étrécirent légèrement quand ils se posèrent sur Patrik.

A contrecœur, Patrik dut avouer que dans un certain sens il comprenait ce que Niclas lui trouvait. Lui aussi avait passé des années à soupirer après les plus jolies nanas de l'école. On ne se refait pas. Mais il n'avait évidemment jamais eu la moindre chance. Petit, fluet et avec des notes correctes, il était catalogué parmi les tocards. Il devait se contenter d'admirer à distance tous les frimeurs qui séchaient les cours de maths pour traîner dans le coin fumeurs, une clope au bec. D'un autre côté, il avait eu l'occasion de croiser beaucoup de ces mecs ensuite, dans le cadre de son métier. Certains pouvaient appeler la cellule de dégrisement leur second foyer.

— On vient de parler avec Niclas Klinga et… votre nom a été mentionné.

— Oui, ça ne m'étonne pas, dit Jeanette et manifestement elle n'était pas le moins du monde embarrassée du contexte où son nom avait figuré.

Elle contempla calmement Patrik et attendit la suite. Comme d'habitude, Ernst se taisait, se contentant de siroter doucement son café brûlant. Les yeux qu'il posa sur Jeanette ne laissèrent nullement entendre qu'il avait l'âge d'être son père. Patrik le foudroya du regard et il dut réprimer l'envie de lui donner un coup de pied dans le tibia à l'abri de la table.

— Il dit que vous étiez ensemble lundi matin, est-ce vrai ?

Elle exécuta encore une fois le lancer pro de ses cheveux, puis elle hocha la tête.

— Oui, c'est exact. On était chez moi. Je ne travaillais pas lundi.

— Niclas est arrivé chez vous à quelle heure ?

En réfléchissant, elle examina ses ongles longs et parfaitement vernis. Patrik se demanda comment elle pouvait faire son travail avec de telles griffes.

— Vers neuf heures et demie, je dirais. Non, attendez, je suis assez sûre en fait, j'avais réglé mon réveil sur neuf heures et quart et j'étais sous la douche quand il est arrivé.

Elle pouffa et Patrik commença à la trouver assez répugnante. Il visualisa Charlotte, Sara et Albin, mais de telles images ne posaient apparemment aucun problème à Jeanette.

— Il est resté combien de temps ?

— Nous avons déjeuné vers midi. Il avait des consultations à une heure, je pense qu'il a dû partir de chez moi environ vingt minutes avant. J'habite Kullen, c'est tout près du centre médical. Elle laissa échapper un nouveau petit rire.

Patrik fut obligé de faire un gros effort pour ne pas laisser apparaître son antipathie. Ernst, en revanche, ne semblait avoir aucun reproche à faire à Jeanette. Son regard devenait de plus en plus visqueux.

— Et il est resté chez vous tout ce temps ? A aucun moment il n'est sorti ?

— Non, dit-elle calmement, il n'est allé nulle part, je peux vous l'assurer.

Patrik regarda Ernst et demanda :

— Tu as quelque chose à ajouter ?

Ernst secoua la tête pour toute réponse et Patrik ramassa ses notes.

— Nous aurons probablement d'autres questions à vous poser plus tard, mais pour l'instant c'est tout.

— J'espère vous avoir été utile, dit-elle en se levant.

Pas un mot sur le fait que la fille de son amant était morte. Qu'une enfant avait été tuée pendant qu'elle faisait des galipettes au lit avec le père. Son manque manifeste d'empathie avait quelque chose de révoltant.

— Oui, tout à fait, dit-il seulement et il enfila son blouson suspendu au dos de la chaise.

En sortant, il vit qu'elle retournait à la préparation des tables. Elle fredonnait quelque chose, mais il n'arriva pas à entendre ce que c'était.

Comme en cage, elle allait et venait dans l'appartement en sous-sol qu'ils occupaient depuis quelques mois. La douleur dans la poitrine l'empêchait de se calmer et l'obligeait à rester constamment en mouvement. Elle avait mauvaise conscience de ne pas s'occuper d'Albin et de le laisser autant avec Lilian, mais il n'y avait pas de place pour lui au milieu du deuil. Dans son sourire et dans ses yeux bleus, elle ne voyait que Sara. Il lui ressemblait tant, quand elle avait son âge, et ça faisait tellement mal de le regarder. Elle souffrait aussi de le voir si anxieux et apeuré. C'était comme si Sara avait aspiré toute l'énergie qui aurait dû être répartie entre le frère et la sœur, sans rien laisser pour lui. Pourtant, Charlotte n'était pas dupe.

Le secret lui brûlait la poitrine. Elle espérait qu'il serait possible de tout réparer.

Charlotte regretta ce qu'elle avait dit à Erica la veille. Niclas et elle feraient mieux de rester unis maintenant et sa méfiance ne faisait qu'empirer les choses. Elle voyait qu'il souffrait, lui aussi, et, si cette épreuve ne leur permettait pas de se retrouver, il n'y avait plus aucun espoir pour leur couple.

Depuis qu'elle était sortie du brouillard des sédatifs, elle avait espéré que Niclas deviendrait tel qu'elle avait toujours su qu'il pouvait être. Tendre, affectueux et aimant. Elle en avait déjà vu des éclairs, c'était pour ça qu'elle l'aimait. A présent, tout ce qu'elle souhaitait, c'était de pouvoir s'appuyer contre lui, qu'il soit le plus fort des deux. Pour l'instant il n'en était rien. Il s'était replié sur lui-même, il partait à son travail aussi vite qu'il pouvait en la laissant ici, seule dans les débris de leur vie.

Son pied heurta quelque chose. Charlotte se baissa mais s'arrêta au milieu de son mouvement. Elle avait demandé à Niclas d'enlever toutes les affaires de Sara pour qu'elle ne les voie plus et il avait consacré une matinée entière à tout mettre en cartons et à les monter au grenier. Mais il avait loupé un objet. Son vieil ours en peluche dépassant de sous le lit, c'était lui que Charlotte avait cogné du pied. Elle le prit lentement et fut obligée de s'asseoir sur le bord du lit quand tout se mit à tournoyer. La peluche était rêche sous ses doigts. Sara avait refusé qu'elle le lave, et il avait l'air de sortir d'une bagarre de rue. Il dégageait aussi une drôle d'odeur, celle justement qui ne devait absolument pas se perdre dans le lave-linge. Il lui manquait un œil et Charlotte tripota des restes de fil. Ça faisait deux heures qu'elle n'avait pas pleuré, le plus long laps de temps depuis que les inspecteurs étaient venus annoncer la mort de sa fille. A présent les sanglots montaient à nouveau dans sa poitrine. Elle serra le nounours contre elle et se blottit sur le lit. Puis les larmes prirent le dessus.

— Miracle, ô miracles ! dit Pedersen au téléphone. Pour la première fois dans l'histoire du monde, nous avons obtenu un résultat d'analyse plus tôt que prévu.

— Attends un instant, je me gare, dit Patrik.

Ernst indiqua une petite piste forestière qui ferait l'affaire.

— Voilà, je ne suis plus un danger pour la circulation. Bon, qu'est-ce que tu as ? reprit-il sans mettre trop d'espoir dans sa voix.

Ils avaient probablement réussi à identifier ce que Sara avait mangé au petit-déjeuner et, en ce qui concernait l'eau dans les poumons, Patrik avait fait quelques recherches de son côté. A son grand regret il avait constaté qu'il ne fallait pas s'attendre à trouver de quelle marque provenaient les restes de savon. Ce que Pedersen confirma immédiatement.

— Comme je l'ai déjà dit, il s'agit d'eau du robinet et la composition atteste qu'il s'agit d'eau de la région de Fjällbacka. Les restes de savon n'ont malheureusement pas pu être liés à une marque particulière.

— Bon, ça ne nous laisse pas grand-chose, soupira Patrik découragé et il sentit de nouveau l'affaire lui échapper.

— Effectivement, si on s'en tient au contenu des poumons, dit Pedersen sur un ton mystérieux.

Patrik se redressa sur le siège.

— Tu as autre chose ? Il retint sa respiration en attendant la réponse.

— Oui, mais je ne sais pas ce que ça signifie. Les analyses du contenu stomacal confirment les déclarations de la famille quant au petit-déjeuner qu'elle a pris, mais... Il fit une pause et Patrik faillit hurler d'impatience. Il y avait quelque chose d'étrange dans l'estomac. On dirait que la fillette a ingurgité de la cendre.

— De la cendre ? dit Patrik, perplexe.

— Oui, répondit Pedersen. A partir du moment où on a trouvé ça dans l'estomac, le labo a refait un examen de l'eau des poumons et ils ont trouvé de toutes petites quantités de cendre là aussi, chose qu'ils avaient loupée à la première analyse.

— Mais, bordel de merde, comment est-ce qu'elle a pu absorber de la cendre ?

Du coin de l'œil Patrik vit Ernst sursauter et le dévisager.

— Impossible de dire avec certitude mais, après avoir vérifié les données et épluché le rapport d'autopsie, ma théorie est qu'on la lui a fait avaler de force. On en a également trouvé de petites traces dans la bouche et dans l'œsophage.

Patrik ne dit pas un mot, mais les pensées se bousculaient dans sa tête. Pourquoi diable quelqu'un aurait-il obligé Sara à manger de la cendre ? Il essaya de se concentrer et de se rappeler tout ce qu'il devait demander.

— Comment est-ce que la cendre s'est retrouvée dans les poumons, si on l'a forcée à l'avaler ?

— Encore une fois, ce ne sont que des théories, mais elle a pu avaler de travers si elle a été gavée de force. Si elle se trouvait dans la baignoire à ce moment-là, une partie a pu tomber dans l'eau du bain et ensuite, quand on l'a noyée, la cendre est entrée dans ses poumons avec l'eau.

Avec une netteté effroyable, Patrik put visualiser la scène. Sara dans une baignoire, un personnage inconnu et menaçant qui lui fourrait une poignée de cendre dans la bouche, puis lui fermait la bouche et le nez pour l'obliger à avaler. Puis des mains qui maintenaient sa tête sous l'eau, jusqu'à ce que les bulles cessent de remonter à la surface et que tout devienne immobile.

Un bruit dehors dans la forêt rompit le lourd silence. D'une voix basse, il dit à Pedersen :

— Tu nous faxes tout ça ?

— C'est déjà fait. Et le labo continue à analyser la cendre pour voir s'ils peuvent en tirer quelque chose. Mais ils n'ont pas voulu attendre pour vous transmettre cette information.

— Oui, ils ont bien fait. Tu penses qu'on en saura plus quand ?

— Au milieu de la semaine prochaine, je dirais. Puis Pedersen ajouta doucement : Vous avancez comment ? Vous avez trouvé quelque chose ?

C'était inhabituel que le médecin légiste pose des questions sur l'enquête, mais Patrik ne fut pas surpris. La mort de Sara semblait toucher beaucoup de monde, même les plus endurcis. Il s'octroya une seconde pour réfléchir avant de répondre.

— On n'avance pas trop, malheureusement. A vrai dire, on n'a pas grand-chose pour progresser. Mais j'espère que cette nouvelle donne mènera quelque part. Je ne vois pas trop où, là maintenant, mais c'est suffisamment bizarre pour pouvoir débloquer l'enquête peut-être.

— Oui, on peut toujours espérer, dit Pedersen.

Patrik fit un bref résumé à Ernst de ce qu'il venait d'apprendre et ils restèrent en silence tous les deux dans la voiture, à écouter le bruit dans les buissons. Patrik s'attendait presque à voir surgir un élan, mais ça ne devait être que des oiseaux ou des écureuils qui semaient la pagaille parmi les feuilles d'automne rouges.

— Qu'est-ce que t'en dis, l'heure est peut-être venue d'aller inspecter la salle de bains des Florin ?

— On n'aurait pas dû le faire plus tôt ? dit Ernst.

— Peut-être, répondit Patrik avec hargne, bien conscient qu'Ernst marquait un point. Mais il se trouve qu'on ne l'a pas fait, et mieux vaut tard que jamais.

Ernst ne répondit pas. Patrik prit son portable et passa les appels nécessaires pour obtenir le mandat de perquisition et faire venir les techniciens d'Uddevalla. Les mots d'Ernst résonnant à ses oreilles, il hâta le processus du mieux qu'il put et il reçut la promesse d'avoir son autorisation dans l'après-midi.

Avec un soupir, Patrik remit le moteur en marche et enclencha la marche arrière. Dans sa tête, des pensées de cendre. Et de mort.

FJÄLLBACKA 1924

Elle haïssait sa vie. Plus qu'elle ne l'avait cru possible le jour où elle était arrivée dans son nouveau foyer. Même dans son imagination la plus folle elle ne s'était pas figuré que ce serait aussi pauvre et misérable. Et, comme si son environnement ne suffisait pas à son malheur, son corps avait gonflé et l'avait rendue monstrueuse et difforme. Elle transpirait constamment dans la chaleur d'été et ses cheveux, qui auparavant avaient toujours été si bien coiffés, pendaient en mèches tristes. Tout en appréhendant l'accouchement avec terreur, elle avait hâte que naisse le petit être qui l'avait transformée en ce personnage immonde. Rien que d'y penser, elle avait envie de s'évanouir.

Vivre avec Anders aussi était un tourment. Si au moins il avait eu des couilles ! Mais non, ses yeux de chien battu la suivaient partout en quête d'un peu d'attention. Elle savait très bien que les autres femmes la méprisaient parce qu'elle ne passait pas ses journées, comme elles, à frotter son gourbi et à servir son ingrat de mari. Mais comment pouvaient-elles s'attendre à ce qu'elle fasse comme elles ? Elle valait bien plus, elle venait d'un tout autre milieu et elle avait reçu une bonne éducation. Anders ne pouvait pas exiger qu'elle se mette à quatre pattes pour récurer leur misérable plancher ni qu'elle se précipite à la carrière lui apporter à manger. De plus, il avait le toupet de se plaindre de sa façon de gérer les clopinettes qu'il lui apportait. Dans son état, elle n'aurait pas dû avoir à faire quoi que ce soit, et si elle cédait à la tentation d'une friandise au magasin au lieu de dépenser l'argent pour du beurre ou de la farine, ce n'était tout de même pas la fin du monde.

Agnes soupira et posa ses pieds gonflés sur le tabouret devant elle. Plus d'un soir, elle était restée ici devant l'unique petite fenêtre à rêver d'une autre vie, totalement différente. Si seulement son père n'avait pas été une telle tête de mule. Par moments, elle avait envisagé de retourner à Strömstad, de se jeter à ses pieds et de le supplier de lui pardonner. Si elle avait pensé qu'il y avait la moindre chance qu'une telle entreprise réussisse, elle l'aurait fait depuis belle lurette. Mais elle ne le connaissait que trop bien, et au fond de son cœur elle savait que ça ne servirait à rien. Elle était coincée et, avant de trouver un moyen de se sortir de cette situation, elle n'avait qu'à ronger son frein.

Elle entendit des pas sur le perron et soupira. Voilà Anders qui était de retour. S'il s'attendait à trouver la table mise et le repas servi, il se trompait lourdement. En songeant aux souffrances et aux tourments qu'elle endurait à porter son enfant, c'était plutôt à lui de préparer le repas pour elle. Certes, le garde-manger était à peu près vide et il n'y avait plus d'argent, alors qu'il avait touché son salaire la semaine précédente et qu'il restait une semaine avant la paie suivante. Mais puisqu'il s'entendait si bien avec leurs voisins, les Jansson, rien ne l'empêchait d'aller mendier un morceau de pain et peut-être de quoi préparer une soupe.

— Bonsoir, Agnes, dit Anders en entrant timidement.

Malgré les six mois qu'avait duré leur mariage, il ne paraissait toujours pas se sentir chez lui ici, il avait l'air égaré, planté là dans l'encadrement de la porte.

— Bonsoir, renifla-t-elle en fronçant le nez devant son apparence sale. Tu es vraiment obligé de faire entrer toute cette crasse dans la maison ? Tu pourrais au moins ôter les chaussures.

Docilement, il enleva ses souliers et les posa sur le perron.

— Il y a quelque chose à manger ? demanda-t-il.

Agnes écarquilla les yeux comme s'il venait de proférer le pire des jurons.

— J'ai l'air d'être en état de me mettre aux fourneaux ? Je tiens à peine debout et tu t'attends à trouver un repas chaud sur la table ? Et avec quel argent j'aurais acheté à manger, à ton avis ? Ce n'est pas avec ce que tu nous rapportes qu'on se farcira le chou. On n'a plus un sou. Et ce vieux cochon d'épicier, il ne nous fait plus crédit.

Anders grimaça en entendant parler du crédit. Il détestait avoir des dettes et, depuis ces six mois qu'il vivait avec Agnes, elle avait laissé plein d'ardoises.

— Justement, j'ai pensé qu'on allait en parler…

Il hésita et Agnes sentit qu'il y avait anguille sous roche. Ceci ne promettait rien qui vaille. Anders poursuivit :

— Oui, je pense qu'il vaut mieux que ce soit moi qui garde la paie dorénavant.

Il ne la regarda pas dans les yeux en disant cela et elle sentit la rage monter dans sa poitrine. Que voulait-il dire ? Allait-il lui enlever sa seule joie dans la vie ?

Vaguement conscient de la tempête que ses paroles soulevaient, Anders dit :

— Oui, c'est dur pour toi de descendre au magasin et ensuite, quand l'enfant sera là, tu auras du mal à te libérer, alors autant que je m'en charge dès maintenant.

Elle était tellement furieuse qu'elle n'arriva pas à parler. Puis son aphonie momentanée lâcha et elle lui dit en mots choisis ce qu'elle en pensait. Elle voyait qu'il se tordait de malaise de savoir que la moitié de la maison entendait ce qu'elle disait et de quoi elle le traitait, mais elle s'en fichait. Qu'ils pensent ce qu'ils veulent, ces corvéables à merci, ça ne lui faisait ni chaud ni froid, elle allait veiller à ce qu'Anders ne loupe pas une miette de ce qu'elle pensait de lui.

Malgré ses hurlements, il ne céda pas, à sa grande surprise. Pour la première fois, il resta ferme et la laissa crier tout son soûl. Quand elle fut obligée de souffler pour reprendre haleine, il dit seulement d'un ton posé qu'elle pouvait crier tant qu'elle voulait, même à s'en éclater les poumons, cela ne le ferait pas changer d'avis.

Agnes sentit qu'elle n'allait pas tarder à s'évanouir, sa vue se brouilla. Son père avait toujours cédé quand elle se mettait à sangloter et à haleter, mais Anders se contenta de l'observer en silence et il ne fit pas un geste pour la consoler.

Puis une douleur vint la poignarder dans la région du ventre, et elle se tut, affolée. Son père, elle voulait rentrer chez son père !

Monica sentit l'angoisse monter.

— La police est venue ici ?

Morgan hocha la tête, sans quitter l'écran du regard. Elle savait que ce n'était pas le bon moment pour venir lui parler. Selon son emploi du temps, il travaillait maintenant et on ne devait pas le déranger. Mais elle ne pouvait pas s'en empêcher. Elle était follement inquiète et ne tenait pas en place. Elle voulut aller secouer son fils, lui faire raconter davantage sans qu'elle soit obligée de lui tirer les vers du nez, mais elle savait que ça ne servirait à rien. Elle devait agir avec sa patience habituelle.

— Qu'est-ce qu'ils voulaient ?

Il refusait toujours de déplacer les yeux de son écran et il répondit sans que ses doigts ralentissent d'une seconde sur le clavier.

— Ils ont posé des questions sur la fille qui est morte.

Son cœur s'arrêta et Monica dit d'une voix rauque :

— Qu'est-ce qu'ils voulaient savoir ?

— Si je l'avais vue le matin, entre autres.

— Et tu l'avais vue ?

— Je l'avais quoi ? Morgan n'était pas très concentré.

— Est-ce que tu l'avais vue ?

Il ignora la question.

— Pourquoi tu viens maintenant ? Tu sais que ça ne colle pas avec mon emploi du temps. Habituellement tu ne viens que quand je ne travaille pas.

La voix forte et aiguë ne contenait aucune plainte, seulement une constatation des faits. Elle s'était écartée de leur routine habituelle, avait dérangé son rythme et elle savait que ça le rendait perplexe. Mais c'était plus fort qu'elle. Il fallait qu'elle sache.

— Tu as vu Sara quand elle partait ?

— Oui, je l'ai vue quand elle partait. Je l'ai dit aux inspecteurs, j'ai répondu à toutes leurs questions. Alors qu'ils dérangeaient mes habitudes, eux aussi.

Il se tourna à moitié vers elle et l'observa de son regard intelligent mais étrange. Ses yeux étaient toujours pareils. Ils ne changeaient jamais, ne montraient jamais de sentiments. Du moins plus maintenant. Il avait appris à garder un contrôle relatif. Plus jeune, il lui arrivait d'entrer dans des accès de rage terribles, frustré par des situations qu'il n'arrivait pas à gérer ou par des choix qu'il n'arrivait pas à faire. Cela pouvait porter sur des choses aussi variées que de décider quel jour il allait prendre sa douche ou de choisir ce qu'il allait manger le soir. Mais ils avaient appris, tous les deux. A présent, sa vie était quadrillée et les choix déjà faits. Il prenait une douche tous les deux jours, il avait quatre plats qu'il mangeait en alternance et le petit-déjeuner et le déjeuner étaient les mêmes tous les jours. Le travail aussi était devenu une sorte de planche de salut. Il savait très bien y faire, il y trouvait un exutoire pour son intelligence remarquable et c'était une occupation parfaite pour les dispositions particulières d'un Asperger.

C'était extrêmement rare que Monica se trompe d'heure pour venir. Elle n'arrivait pas à se souvenir de la dernière fois où cela lui était arrivé. Mais maintenant c'était fait, elle l'avait dérangé, alors autant continuer. Elle suivit un des couloirs entre les piles de magazines et s'assit sur le bord du lit.

— Je ne veux pas que tu leur parles sans que je sois là.

Morgan hocha la tête. Puis il se retourna complètement vers sa mère, de façon à se trouver le ventre contre le dossier de la chaise et les bras croisés et appuyés sur le haut.

— Tu crois qu'ils m'auraient laissé la voir, si j'avais demandé ?

— Voir qui ? demanda Monica, interloquée.

— Sara.

— Qu'est-ce que tu veux dire ? Pourquoi tu voudrais la voir ?

Monica sentit la pièce tourner. Le stress des derniers jours l'avait déstabilisée et la question de Morgan lui fit perdre son sang-froid. Elle ne sut pas réfréner la colère dans sa voix, mais comme d'habitude il n'y réagit pas. Elle n'était même pas certaine qu'il comprenait qu'elle était en colère lorsqu'elle élevait la voix.

— Pour voir comment elle est, répondit-il calmement.

— Et pourquoi ?

Sa voix devint encore plus aiguë et Monica sentit qu'elle serrait les poings. La peur la tenait dans ses griffes et chaque parole de Morgan était comme un pas supplémentaire vers l'obscurité qu'elle craignait tant.

— Pour voir à quoi elle ressemble maintenant qu'elle est morte, répondit-il en la fixant droit dans les yeux.

Monica eut du mal à respirer, elle avait l'impression que les murs de la cabane se refermaient sur elle. Elle n'en pouvait plus. Il lui fallait de l'air.

Sans un mot, elle se précipita dehors et claqua la porte derrière elle. L'air froid lui piqua la gorge quand elle respira, de longues inspirations profondes, mais au bout d'un moment elle sentit son pouls se calmer.

Elle regarda par une des fenêtres. Morgan s'était retourné. Ses mains volaient sur le clavier. Elle plaqua son visage sur la vitre et contempla sa nuque. Elle aurait pu hurler tellement elle l'aimait.

Rien ne lui procurait autant de satisfaction que le ménage. Les autres membres de la famille la traitaient de maniaque, mais elle n'y prêtait pas spécialement attention. Si seulement ils restaient hors de son chemin et n'essayaient pas de l'aider, elle était contente.

Comme toujours, Lilian commença par la cuisine. Tous les jours, le même processus. Essuyer toutes les surfaces, passer l'aspirateur, passer la serpillière et une fois par semaine vider tous les placards et nettoyer l'intérieur. Quand elle eut terminé la cuisine, elle passa à l'entrée, au salon et à la véranda. La seule pièce au rez-de-chaussée où elle ne pouvait pas faire le ménage était la petite pièce où Albin dormait. Ce serait pour plus tard.

Elle traîna l'aspirateur en haut de l'escalier. Stig avait voulu lui en acheter un plus petit, mais elle avait décliné son offre, gentiment mais fermement. Cela faisait quinze ans qu'elle avait celui-ci et il était encore comme neuf. Bien meilleur que les modèles récents qui tombaient en panne tous les quarts d'heure. Mais c'est vrai qu'il était lourd. Elle souffla un peu en arrivant sur le palier. Stig était réveillé et tourna la tête vers elle.

— Tu en fais trop, dit-il d'une voix faible.

— C'est mieux que de rester à se tourner les pouces.

C'était un dialogue qu'ils connaissaient bien tous les deux. Il lui disait d'y aller plus calmement et elle ripostait avec un commentaire bien choisi. Il y aurait certainement un autre son de cloche si elle arrêtait de s'occuper de la maison et leur en laissait toute la responsabilité. Sans elle, cette maison tomberait en ruine, et tout partirait en poussière. Elle était le ciment qui maintenait tout, et ils le savaient. Si seulement ils avaient pu se montrer un peu reconnaissants de temps à autre. Non, ils ne faisaient que lui dire d'y aller mollo. Lilian ressentit la bonne vieille irritation monter en elle lorsqu'elle entra dans la chambre de Stig. Il semblait plus pâle aujourd'hui.

— Tu as l'air d'aller moins bien, dit-elle et elle l'aida à lever la tête suffisamment pour pouvoir dégager l'oreiller. Elle redonna du gonflant à celui-ci et le replaça sous la tête de Stig.

— Oui, ce n'est pas un bon jour.

— Tu as mal où ? demanda-t-elle en s'asseyant sur le bord du lit.

— Partout, j'ai l'impression, répondit-il avec une faible tentative de sourire.

— Tu ne peux pas être plus précis ? dit Lilian, agacée.

Elle tripota le couvre-lit bouloché et l'exhorta du regard.

— Le ventre. Ça n'arrête pas d'élancer, et de temps en temps il y a une douleur fulgurante.

— Il faut vraiment que Niclas t'examine ce soir en rentrant. Tu ne peux pas rester comme ça !

— Je n'irai pas à l'hôpital, un point c'est tout.

— Ce n'est pas à toi de décider, c'est à Niclas. Lilian arracha de petites boules de peluche du couvre-lit et scruta la chambre. Où tu as mis le petit-déjeuner ?

Il montra le sol. Lilian se pencha pour regarder.

— Tu n'as rien mangé.

— Pas la force.

— Il faut que tu manges, sinon tu ne guériras jamais, tu devrais le comprendre. Bon, je descends te préparer une soupe. Il faut que tu prennes des forces.

Il se contenta de hocher la tête. C'était inutile d'argumenter avec Lilian quand elle était de cette humeur.

Elle descendit l'escalier en faisant bien claquer ses talons pour montrer son mécontentement. Tout, elle devait tout faire ici.

Il n'y avait personne à l'accueil lorsque Martin et Gösta revinrent au commissariat. Annika était partie déjeuner tôt. Martin vit un bon paquet de petits mots avec l'écriture d'Annika posé sur le bureau. Les tuyaux fournis par la population, probablement, qui avaient commencé à affluer.

— Tu vas déjeuner, là ? demanda Gösta.

— Pas encore, répondit Martin. On peut dire vers midi ?

— J'suppose que je serai mort de faim alors, mais plutôt ça que de bouffer seul.

— C'est d'accord alors, dit Martin en entrant dans son bureau.

Il avait eu une idée sur la route du retour de Fjällbacka. Il chercha dans l'annuaire et finit par trouver.

— Je voudrais parler à Eva Nestler, dit-il à la standardiste qui prit son appel.

Elle lui répondit que celle-ci était en communication et il attendit patiemment son tour. Comme d'habitude on lui déversait à l'oreille une immonde musique d'ascenseur, mais au bout d'un moment il trouva qu'elle n'était pas si mal que ça. Il regarda sa montre. Bientôt un quart d'heure qu'il attendait. Il décida de patienter cinq minutes de plus, avant de raccrocher et d'essayer plus tard. Juste à ce moment il entendit la voix d'Eva à l'autre bout du fil :

— Eva Nestler.

— Bonjour, je m'appelle Martin Molin. Je ne sais pas si tu te souviens de moi, mais on s'est rencontrés il y a quelques mois pendant une enquête sur un possible abus sur mineur. Je suis du commissariat de Tanumshede, se dépêcha-t-il d'ajouter.

— Oui, exact. Tu travailles avec Patrik Hedström, dit Eva. J'ai surtout eu affaire à Patrik, mais c'est vrai qu'on s'est rencontrés aussi.

Il y eut un moment de silence.

— Qu'est-ce que je peux faire pour toi ?

Martin se racla la gorge.

— Est-ce que tu connais quelque chose qui s'appelle Asperger ?

— Le syndrome d'Asperger. Oui, bien sûr, je connais.

— Nous avons un… Il se tut, ne sachant pas très bien comment s'exprimer. On ne pouvait pas vraiment qualifier Morgan de suspect, plutôt de potentiellement intéressant. Il recommença : Nous travaillons sur un cas en ce moment, et j'aimerais savoir un peu ce que ça implique. Est-ce que tu pourrais m'aider ?

— Ouiii, dit Eva, hésitante, mais il me faudrait probablement un petit moment pour rafraîchir mes connaissances. Martin l'entendit feuilleter ce qui devait être un agenda. Je m'étais dégagé une petite heure après le déjeuner pour aller faire quelques courses, mais si c'est pour la police… Elle continua à feuilleter. Sinon, je n'ai pas de créneau avant mardi.

— Maintenant, ça me va, dit Martin vivement.

En réalité, il avait pensé pouvoir faire ça au téléphone, mais bon, aller à Strömstad n'était pas non plus une grosse corvée.

— On dit dans trois quarts d'heure alors ?

— Parfait, répondit Martin. Puis il pensa à une chose : Tu veux que j'achète quelque chose pour le déjeuner ?

— Oui, je veux bien. J'aime bien l'idée que l'argent que je donne à l'Etat me profite. Non, je rigole, se pressa-t-elle d'ajouter pour bien faire comprendre que c'était une blague.

— T'inquiète pas, rit Martin. Tu as des désirs culinaires particuliers pour le rendement de tes impôts ?

— Quelque chose de léger. Une salade composée, peut-être. En général, les gens essaient de faire un régime avant l'été, moi je vais à contre-courant. J'essaie de perdre du poids pour l'hiver.

— Salade, à vos ordres, dit Martin et il termina la conversation.

Il prit son blouson et fit une halte devant la porte de Gösta en partant.

— Pour le déjeuner, je suis obligé de laisser tomber. Je pars à Strömstad, je vais discuter avec Eva Nestler, tu sais, la psychologue qu'on consulte parfois. La mine de Gösta l'obligea à ajouter : Tu peux venir, évidemment, si tu as envie.

Un instant, Gösta eut l'air tenté, mais comme au même moment le ciel ouvrit ses vannes au-dehors, il secoua la tête.

— Oh non, merci. Pas envie de me faire tremper. Je passerai un coup de fil à Patrik et Ernst, voir s'ils peuvent m'apporter un truc mangeable.

— Ça me paraît une bonne idée. Allez ciao, j'y vais alors.

Gösta lui avait déjà tourné le dos et ne répondit pas. Martin hésita une seconde devant la porte d'entrée, puis il remonta le col de son blouson et partit à petits pas de course en direction de la voiture. Bien qu'elle ne soit pas garée très loin, il eut le temps de se faire tremper.

Une demi-heure plus tard, il se rangea du côté de la rivière à Strömstad, à un jet de pierre du cabinet d'Eva. Celui-ci était situé dans le même immeuble que le commissariat et il supposa qu'ils devaient travailler ensemble de temps en temps. La police sollicitait assez souvent les services d'un psychologue, par exemple pour fournir l'aide d'un professionnel à une victime de maltraitance. Eva était une des rares psychologues de la commune. Elle avait une excellente réputation, on la disait très compétente. Patrik parlait toujours d'elle dans des termes élogieux, et Martin espéra qu'elle allait pouvoir l'aider.

A vrai dire, il ne savait pas exactement pourquoi il tenait à la voir. Morgan n'était pas considéré comme suspect, mais son étrange comportement et son allure générale l'avaient intrigué. Le syndrome d'Asperger était tout nouveau pour lui et ça ne pouvait pas faire de mal d'en apprendre un peu plus.

Il secoua le blouson avant de le suspendre dans le vestiaire. Sa chemise aussi était mouillée et il frissonna. La réceptionniste avait manifestement été mise au courant de son arrivée, car elle lui fit un signe de la tête en direction d'une porte où le nom d'Eva était affiché. Il frappa timidement et entendit une voix lui dire d'entrer.

— Salut, tu n'as pas traîné. Eva Nestler regarda sa montre. Tu n'as pas fait d'excès de vitesse en route, au moins ?

Elle le regarda sévèrement et il rit.

— Non, ne t'inquiète pas. Je dispose d'informations confidentielles, tu comprends, et je sais que la police a autre chose à faire aujourd'hui, chuchota-t-il avec un clin d'œil de connivence.

Il se rappela qu'il avait bien aimé Eva Nestler dès la première fois qu'il l'avait rencontrée. Elle avait un don particulier pour détendre l'atmosphère, ce qui devait être une véritable aubaine dans son métier.

En route, Martin s'était arrêté au *Kaffedoppet* acheter deux salades à emporter.

— J'ai pris des salades de crevettes, j'espère que ça te va.

— Ça ira très bien, répondit Eva. En réalité, on se leurre, dit-elle en versant la totalité de la vinaigrette du petit gobelet sur la salade. Une fois que tous ces lipides auront imbibé les légumes, j'aurais tout aussi bien pu prendre un hamburger. Mais la salade présente mieux, d'un point de vue psychologique. Comme ça je peux me persuader qu'il n'y a aucun problème à me lâcher ce soir sur les gâteaux.

A voir sa silhouette arrondie, Martin se dit qu'elle réussissait sans doute à se persuader de plus que ça. Mais elle était très chic et ses cheveux grisonnants avaient une coupe à la fois moderne et appropriée à son âge.

— Bon, tu voulais en savoir plus sur le syndrome d'Asperger.

— Oui, j'ai croisé cette maladie pour la première fois aujourd'hui, mais à ce stade il s'agit surtout d'une curiosité personnelle, dit Martin en empalant une crevette sur sa fourchette.

— Je sais évidemment de quoi il s'agit, mais je n'ai jamais eu de patient avec ce diagnostic, et j'ai été obligée de me renseigner un peu dans les livres. Qu'est-ce que tu veux savoir, exactement ? Parce qu'il y a beaucoup de choses à en dire.

— Eh bien, si tu pouvais raconter ce qui caractérise une personne atteinte d'Asperger, comment on peut savoir que c'est ça ?

— Premièrement, c'est un diagnostic qu'on a commencé à poser assez tardivement. Je pense qu'il a surgi pour de vrai il y a quinze ans environ, mais il est mentionné dans la littérature bien avant. Il s'agit d'un trouble du développement baptisé du nom de Hans Asperger. Certains chercheurs soutiennent actuellement qu'il était probablement lui-même atteint du syndrome. C'est une forme d'autisme, mais le patient a en général un QI élevé.

Ça recoupait ce que Morgan avait dit. Martin se contenta de hocher la tête et laissa Eva poursuivre.

— Il est difficile de le décrire parce que les symptômes varient d'un individu à l'autre. On les classe dans plusieurs groupes. Certaines personnes se replient sur elles-mêmes, comme la plupart des autistes, tandis que d'autres sont très actives. C'est assez rare de détecter un Asperger dans l'enfance. Les parents sont inquiets parce que leur enfant se comporte différemment des autres, sans pouvoir mettre le doigt exactement sur ce qui ne va pas. Le problème est donc que les manifestations peuvent varier énormément d'un enfant à l'autre. Certains *aspies*, c'est comme ça qu'on les appelle, parlent très tôt, d'autres très, très tard, pareil pour ce qui est de la marche et bien d'autres domaines de développement. En général les symptômes ne deviennent vraiment nets qu'à l'âge d'entrer à l'école, et alors on leur colle souvent la mauvaise étiquette de TDAH.

— Et ils ressemblent à quoi, ces symptômes ?

Martin en oubliait de manger, tellement il était fasciné. Avant de poser sa candidature pour l'école de police, il avait joué avec l'idée de faire psycho à la fac, et parfois il se demandait s'il avait fait le bon choix. Il n'y avait rien qui le passionnait plus que l'âme humaine et ses déviances.

— La manifestation la plus marquante est sans doute les difficultés qu'ils ont avec les interactions sociales. Ils se comportent sans cesse mal, ils ne comprennent pas les règles sociales. Ils ont par exemple une tendance à dire les vérités directement sans prendre de gants, ce qui complique évidemment la relation avec autrui. Il y a aussi un fort égocentrisme. Ils ont du mal à se représenter les sentiments et les intentions des autres, ils ne voient que leurs propres besoins. Souvent ils n'éprouvent d'ailleurs pas la nécessité de fréquenter d'autres enfants et, s'ils le font, ils veulent généralement prendre le commandement et tout décider, ou, s'il s'agit de filles, totalement soumettre les autres enfants à leur volonté. Si l'enfant développe un intérêt particulier qui l'absorbe totalement, c'est aussi un signe typique. Les *aspies* ont une capacité à se prendre de passion pour un détail et ils apprennent souvent tout ce qu'il y a à savoir dans leur domaine de prédilection. Pour un adulte, ça peut être passionnant au début de partager les connaissances de l'enfant, mais ils sont tellement bornés et quasiment obsédés par leur sujet que l'adulte finit par se lasser. Quand les enfants atteignent l'âge d'aller à l'école, on remarque souvent des idées fixes et des phobies. Ils sont obligés de faire les choses d'une certaine manière, et ils forcent aussi leur entourage à faire les choses comme eux.

— Et sur le plan linguistique ? demanda Martin en se rappelant l'étrange élocution de Morgan.

— Oui, le langage aussi est un bon indicateur. C'est une des grandes difficultés que rencontrent les *aspies* au quotidien. Pour communiquer, on a recours à bien plus de choses qu'aux seuls mots qu'on prononce. On utilise un langage corporel, une mimique faciale, on change de tonalité, on accentue de différentes façons et on utilise une foule de métaphores et d'images. Tout ça pose des problèmes à un *aspie*. Si tu dis : "Je pense qu'on va sauter le café", il peut l'interpréter littéralement et se dire qu'il faudra sauter à pieds joints par-dessus la tasse de café. Ils ne s'entendent pas parler. Leur voix peut être soit très basse, presque chuchotée, ou alors très forte et criarde. Elle manque souvent d'intonation, on dirait qu'ils psalmodient.

Martin hocha la tête. La voix de Morgan collait avec cette dernière description.

— La personne que j'ai rencontrée bouge d'une façon étrange. C'est fréquent aussi ?

— Oui, la motricité est un autre signe fort. Elle peut être désordonnée et maladroite, rigide ou très minimaliste. On constate aussi des maniérismes moteurs.

La mine de Martin indiqua à Eva qu'il n'avait pas bien compris.

— Des mouvements stéréotypés répétés, par exemple de petits battements des mains.

— Et ces problèmes de motricité, ils se manifestent tout le temps ? Martin se souvint des doigts de Morgan qui volaient sur le clavier d'ordinateur.

— Non, effectivement. Il est fréquent que leur motricité de précision fonctionne très bien dans leur “domaine d’intérêt spécial”, ou s’ils sont occupés par quelque chose qui les fascine.

— Et comment se passe l’adolescence pour eux ?

— L’adolescence, oui, c’est très particulier. Mais tu ne veux pas un café avant de continuer ? Ça fait beaucoup d’informations à assimiler d’un coup. Tu ne devrais pas prendre des notes ?

Martin indiqua le petit dictaphone qu’il avait posé sur la table.

— Mon assistant s’en occupe pour moi. Cela dit, je prendrai volontiers un café.

Son ventre protestait. D’habitude il ne se contentait pas d’une salade à midi et il comprit qu’il serait probablement obligé de s’arrêter pour avaler un hot-dog sur le chemin du retour.

Eva revint presque tout de suite avec une tasse de café fumant dans chaque main. Elle s’assit et continua :

— Où en étais-je ? Oui, l’adolescence. C’est la période où c’est à nouveau assez difficile de diagnostiquer un Asperger, si la personne n’a pas déjà reçu ce diagnostic. Il y a tant de problèmes généraux qui surgissent dans l’adolescence, mais le syndrome d’Asperger peut les renforcer ou les rendre plus extrêmes. L’hygiène par exemple en est un. Beaucoup négligent leur hygiène quotidienne, n’aiment pas prendre une douche, se laver les dents ou se changer. Leur scolarité en souffre. Ils ne comprennent pas l’importance de faire un effort pour apprendre, et les problèmes d’interaction sociale avec les camarades de classe persistent. Cela complique les travaux de groupe, ça les rend même parfois totalement impossibles, alors qu’il y en a de plus en plus aujourd’hui au collège et au lycée. La dépression est courante, tout comme les attitudes de rébellion.

Ici, Martin tendit l’oreille.

— Qu’est-ce que tu inclus dans ces termes ?

— Eh bien, des choses comme violences envers autrui, cambriolages et incendies criminels.

— Les personnes atteintes d’Asperger sont donc plus disposées que d’autres à commettre des actes violents ?

— Oui et non, les *aspies* ne sont pas plus violents que d'autres, mais il y a dans leur groupe une surreprésentation. Comme je viens de le dire, ils ont une très grande fixation sur eux-mêmes et une difficulté à se représenter les sentiments d'autrui. Le manque d'empathie est aussi un trait caractéristique. Pour le dire simplement, le bon sens est une notion qui leur fait totalement défaut.

— Si une personne atteinte d'Asperger apparaît dans une enquête pour homicide – Martin hésita –, y a-t-il lieu de s'intéresser plus particulièrement à elle ?

Eva prit la question au sérieux et elle réfléchit longuement.

— Je ne peux pas répondre à ça. Bien sûr, certaines caractéristiques du diagnostic font que la barrière qui nous empêche de commettre des actes violents reste ouverte, mais en même temps le pourcentage d'*aspies* qui vont jusqu'à commettre un meurtre est infime. Oui, je lis les journaux, je comprends de quelle affaire tu parles. A mon avis très personnel, ce serait extrêmement périlleux de s'engouffrer sur cette piste-là, si tu vois ce que je veux dire.

Martin hocha la tête. Il voyait exactement ce qu'elle voulait dire. C'était arrivé plus d'une fois au fil de l'histoire que des gens aient été accusés d'un crime qu'ils n'avaient pas commis uniquement parce qu'ils étaient différents. Mais la connaissance était une arme et ça avait été extrêmement édifiant de jeter un regard sur le monde de Morgan.

— Je te remercie mille fois d'avoir pris le temps de me parler. J'espère que tu n'as pas renoncé à des courses d'une importance capitale à cause de moi ?

— Pas du tout, dit Eva en se levant pour le raccompagner. Un petit renouvellement incontournable de ma garde-robe qui peut très bien attendre la semaine prochaine.

Elle l'accompagna au vestiaire et attendit pendant qu'il enfilait son blouson qui avait eu le temps de sécher un peu.

— Saleté de temps, je suis contente de ne pas être dehors, dit Eva.

Ils regardèrent par la fenêtre la pluie qui continuait à tomber à verse et qui formait de grosses flaques sur la place.

— Ça s'appelle l'automne, répondit Martin en tendant la main.

— Au revoir et merci pour le déjeuner. N'hésite pas à me rappeler si tu as d'autres questions. Ça m'a fait plaisir de raviver mes connaissances dans ce domaine. On n'y est pas confrontés très souvent.

— Oui, je te passerai un coup de fil au besoin. Et merci encore.

FJÄLLBACKA 1924

L'accouchement fut bien plus épouvantable qu'elle n'avait jamais pu l'imaginer. Elle avait souffert pendant près de deux jours et failli y succomber, avant que le médecin finisse par appuyer sur son ventre de tout son poids et force le premier bébé à sortir. Car il y en avait deux. Le deuxième garçon suivit rapidement et on lui montra fièrement les bébés une fois lavés et enveloppés d'une couverture chaude. Mais Agnes se détourna. Elle ne voulait pas voir les êtres qui avaient détruit sa vie, qui avaient même failli l'achever. En ce qui la concernait, on pouvait les donner ou les jeter dans le fleuve ou ce qu'on voulait. Leurs petites voix aiguës blessaient ses tympans et, après avoir eu à les écouter un moment, elle se boucha les oreilles et hurla à la femme qui les tenait de les emmener. L'infirmière obéit, effrayée, et Agnes put entendre les gens chuchoter autour d'elle. Mais les cris de bébés s'éloignèrent et à présent tout ce qu'elle voulait était dormir, seulement dormir. Dormir pendant cent ans et se faire réveiller par le baiser d'un prince qui l'arracherait à cette horreur et aux deux petits monstres exigeants que son corps avait produits.

Quand elle se réveilla, elle crut tout d'abord que son rêve s'était réalisé. Une grande silhouette sombre était penchée sur elle et un instant il lui sembla distinguer le prince qu'elle attendait. Puis la réalité la rattrapa et elle vit que ce n'était que la tronche bonasse d'Anders. Son expression aimante lui donna la nausée. Croyait-il vraiment que les choses entre eux allaient changer maintenant, seulement parce qu'elle lui avait donné deux fils ? Pour ce qui était d'elle, il pouvait les prendre et lui rendre sa liberté. Un bref instant, cette pensée éveilla une sensation agréable dans son ventre. Elle n'était plus grosse, difforme et enceinte. Elle pouvait s'en aller si elle voulait, rejoindre une vie digne d'elle, la vie qui était la sienne. Puis elle comprit que c'était impensable. Sans la possibilité de retourner auprès de son père, où irait-elle ? Elle n'avait pas d'argent et aucun moyen d'en trouver, à part celui de se vendre comme fille des rues, et sa vie actuelle était tout de même préférable. Sa situation était sans espoir, elle tourna la tête et se mit à pleurer. Anders caressa lentement ses cheveux. Si elle en avait eu la force, elle aurait levé les bras et repoussé ses mains.

— Ils sont si beaux, Agnes. Ils sont parfaits. Sa voix trembla légèrement.

Elle ne répondit pas, fixa seulement le mur en refoulant tout ce qui l'entourait. Si seulement quelqu'un pouvait venir et l'enlever d'ici.

Sara n'était toujours pas revenue. Maman avait expliqué qu'elle ne reviendrait pas, mais Frida avait pensé que maman disait ça juste comme ça. Sara ne pouvait tout de même pas simplement disparaître ? En tout cas, Frida regrettait de ne pas avoir été plus gentille avec elle. Elle n'aurait pas dû lui faire des histoires quand elle prenait ses jouets, elle aurait dû les lui laisser. Maintenant c'était peut-être trop tard.

Elle alla à la fenêtre et regarda le ciel à nouveau. Il était gris et paraissait sale, Sara ne pouvait quand même pas se plaire là-haut ?

Puis il y avait ce truc avec le monsieur aussi. C'est vrai qu'elle avait promis à Sara de ne rien dire, mais quand même. Maman disait qu'on devait toujours dire la vérité et, quand on ne racontait pas une chose, est-ce que c'était presque comme de mentir ?

Frida s'assit devant sa maison de poupée. C'était son jouet préféré. Sa maman l'avait eue quand elle était petite et maintenant elle était à Frida. Elle avait du mal à imaginer qu'un jour, sa mère avait eu son âge. Maman était tellement… adulte.

La maison de poupée avait des allures très nettes des années soixante-dix. Elle représentait un immeuble en briques à un étage, et elle était aménagée en brun et orange. Les meubles étaient ceux qu'avait eus maman. Frida les trouvait super, c'était juste dommage qu'il n'y ait pas plus d'objets roses et bleus. Le bleu était sa couleur préférée. Et le rose celle de Sara. Frida trouvait ça bizarre. Tout le monde savait bien que le rose et le rouge n'allaient pas ensemble et Sara qui était rousse n'aurait pas dû aimer le rose. Mais elle aimait le rose. Il fallait toujours qu'elle soit comme ça. A faire le contraire de tout le monde.

Il y avait quatre poupées pour aller avec la maison. Deux poupées enfants, une maman et un papa. Frida prit les deux poupées enfants, des filles toutes les deux, et les plaça face à face. En général, elle avait envie d'être celle en vert, c'était la plus jolie, mais, maintenant que Sara était morte, c'était elle, la verte, et Frida était celle avec la robe marron.

— Salut Frida, tu sais que je suis morte ? dit la poupée-Sara verte.

— Oui, maman me l'a dit, dit la poupée marron.

— Qu'est-ce qu'elle en dit ?

— Que ça veut dire que tu es partie au ciel et que tu ne reviendras plus jamais jouer avec moi.

— Comme c'est dommage, dit la poupée-Sara.

Frida hocha la tête de la poupée.

— Oui, je trouve aussi. Si j'avais su que tu allais mourir et que tu ne reviendrais plus jouer avec moi, je t'aurais laissée jouer avec tous mes jouets, je n'aurais rien dit.

— C'est dommage, dit la poupée-Sara. Que je sois morte, je veux dire.

— Oui, c'est dommage, dit la poupée marron.

Les deux poupées se turent un moment. Puis la poupée-Sara dit sur un ton grave :

— Tu n'as rien dit pour le monsieur ?

— Non, je te l'avais promis.

— Oui, parce que c'est notre secret.

— Mais pourquoi je ne dois rien dire ? Il était pourtant méchant, le monsieur ? La poupée marron prit une voix geignarde.

— C'est justement pour ça. Le monsieur a dit que je ne devais pas en parler. Et il faut faire ce que disent les méchants messieurs.

— Mais toi, tu es morte, le monsieur ne peut rien te faire ?

La poupée-Sara verte n'avait rien à répondre à ça. Frida reposa doucement les poupées dans la maison et retourna devant la fenêtre. Tout de même, que ça devienne si compliqué, seulement parce que Sara était morte !

De retour de sa pause déjeuner, Annika héla Patrik qui revenait avec Ernst. Il fit un signe d'impatience avec la main et sembla vouloir rejoindre son bureau au plus vite, mais elle insista. Il vint se planter dans l'encadrement de sa porte et Annika le regarda par-dessus ses lunettes. Il avait vraiment l'air fatigué, et la pluie le faisait ressembler à un chat noyé. Mais évidemment, avec un bébé et un infanticide sur les bras, il ne lui restait sans doute pas beaucoup d'énergie pour se maintenir en forme.

Elle vit l'impatience dans ses yeux et se dépêcha de lui dire ce qu'elle avait à dire :

— J'ai eu pas mal d'appels aujourd'hui, maintenant que la couverture médiatique est en place.

— Quelque chose de valable ? demanda Patrik sans trop d'enthousiasme dans la voix.

C'était tellement rare de recevoir un bon tuyau de la population qu'il n'y mettait pas de grands espoirs.

— Mouais, dit Annika. La majorité des appels vient évidemment des commères habituelles qui fournissent des tuyaux brûlants sur leurs ennemis jurés et d'autres gens aux mœurs dissolues, et dans cette affaire c'est l'homophobie qui a le vent en poupe. S'il est fleuriste ou coiffeur, un homme devient automatiquement un homosexuel patenté capable de faire les pires choses aux enfants.

Patrik s'impatienta et changea de pied d'appui, si bien qu'Annika se hâta de continuer. Elle prit le bout de papier en haut de la pile et le lui tendit.

— J'ai eu l'impression que ça pouvait être important. Une femme a appelé, elle refusait de dire son nom, mais elle nous a conseillé de jeter un coup d'œil sur le dossier médical du petit frère de Sara. Elle n'a pas voulu en dire davantage, mais quelque chose me dit que c'est important. En tout cas ça vaut le coup de vérifier.

Patrik n'eut pas du tout l'air aussi intéressé qu'elle avait espéré, mais il n'avait pas entendu le ton insistant de la femme, qui tranchait très nettement avec le venin déversé par tous ceux qui adoraient colporter des rumeurs.

— Oui, ça peut valoir le coup de le vérifier, mais n'en espère pas trop. Les tuyaux anonymes donnent rarement quoi que ce soit.

Annika voulut parler, mais Patrik leva les mains pour l'arrêter.

— Oui, oui, je sais. Quelque chose t'a dit que celui-ci était différent. Et je promets que je le vérifierai. Mais ça attendra un peu. On a des trucs plus urgents à régler pour l'instant. Rassemblement dans la cuisine dans cinq minutes, je vous en dirai plus.

Il tambourina le signal de ralliement sur le montant de la porte, puis s'en alla, le bout de papier à la main.

Annika se demanda quelles nouvelles données prioritaires avaient bien pu surgir. Pourvu qu'elles soient du genre à faire avancer cette affaire et à alléger l'ambiance au commissariat qui avait été beaucoup trop maussade ces derniers jours.

Il ne trouvait pas la tranquillité d'esprit nécessaire pour travailler. L'image de Sara ne le quittait pas et la visite des inspecteurs de police dans la matinée avait fait remonter toute son angoisse. Peut-être avaient-ils raison aussi, tous ces gens qui disaient qu'il était retourné au travail trop tôt. Mais pour lui cela avait été un moyen de survivre. D'éloigner les pensées douloureuses et se concentrer sur des ulcères à l'estomac, des cors aux pieds, des fièvres intermittentes et des otites. N'importe quoi, pourvu qu'il n'ait pas à penser à Sara. Ni à Charlotte. Mais à présent la réalité l'avait inexorablement rattrapé et il sentit qu'il se précipitait vers le gouffre. Que la faute lui incombe entièrement ne rendait pas les choses plus faciles. S'il était vraiment sincère, ce qui ne lui venait pas naturellement, il n'arrivait pas à comprendre ses propres agissements. C'était comme si quelque chose en lui le poussait constamment à une quête sauvage d'un objet hors de sa portée. Alors qu'il possédait déjà tant. Ou qu'il aurait pu posséder tant. Maintenant cette vie-là était en miettes et rien de ce qu'il disait, ou faisait, ne pouvait changer la donne.

Sans entrain, Niclas feuilleta les dossiers devant lui. Il avait toujours détesté la paperasserie et aujourd'hui il n'arrivait tout simplement pas à se concentrer suffisamment pour la terminer. Au cours du premier rendez-vous après le déjeuner, il avait même été brusque et désagréable avec le patient. D'habitude il était charmant quel que soit le malade, mais aujourd'hui il n'avait pas eu la patience de prendre des gants avec une énième bonne femme qui venait le consulter pour des maladies imaginaires. Cette patiente était une sorte de pilier du centre médical, mais maintenant on pouvait douter qu'elle revienne. L'avis sincère qu'il avait donné sur son état de santé ne lui avait pas plu. Bon, ces choses-là ne lui semblaient plus avoir beaucoup d'importance.

Avec un soupir, il commença à ramasser tous les dossiers. Puis les sentiments qu'il avait essayé de contenir pendant si longtemps le submergèrent et il envoya tout valdinguer par terre. Les papiers se répandirent pêle-mêle dans toute la pièce et Niclas eut soudain envie d'ôter sa blouse, séance tenante. Il la lança par terre, attrapa sa veste et quitta le cabinet comme s'il avait le diable aux trousses. Ce qui était effectivement le cas, en un certain sens. Il prit cependant le temps de s'arrêter rapidement pour dire à la secrétaire d'annuler tous ses rendez-vous de l'après-midi. Puis il se précipita dehors sous la pluie. Une goutte salée trouva son chemin dans sa bouche et le goût de sel fit surgir une image de sa fille, flottant dans une mer grise, avec une écume blanche moussant à la surface autour de sa tête. Il se mit à courir plus vite encore. Les yeux noyés de larmes que la pluie rendait invisibles, il prit la fuite. Et c'était avant tout lui-même qu'il fuyait.

La cafetière fit son bruit habituel et produisit l'ordinaire breuvage noir quasi imbuvable. Patrik choisit de rester debout devant la paillasse tandis que les autres s'installèrent autour de la table avec leur tasse. Tout le monde était là sauf Martin qui arriva en courant, complètement essoufflé.

— Excusez-moi, j'arrive en retard. Annika m'a appelé pour dire qu'il y avait réunion. J'étais parti pour…

Patrik leva une main pour l'arrêter.

— On prend ça plus tard. J'ai quelques petites choses que je veux voir avec vous.

Martin hocha la tête et s'assit au bout de la table, la curiosité en éveil.

— On vient de recevoir les résultats d'analyse du contenu de l'estomac et des poumons de Sara. Ils ont trouvé quelque chose de bizarre.

L'ambiance autour de la table était particulièrement tendue. Mellberg observa Patrik avec attention et même Ernst et Gösta eurent l'air intéressés pour une fois. Annika prenait des notes, comme toujours, elle leur ferait un compte rendu après la réunion.

— Quelqu'un a obligé la fillette à manger de la cendre.

Si une aiguille était tombée par terre, elle aurait fait l'effet d'un coup de tonnerre, tant le silence était dense. Puis Mellberg se racla la gorge.

— De la cendre, tu as bien dit de la cendre ?

— Oui, il y en avait dans l'estomac mais aussi dans les poumons. La théorie de Pedersen est que quelqu'un l'a forcée à avaler la cendre alors qu'elle se trouvait déjà dans la baignoire. Il y en a qui est tombée dans l'eau et, quand elle a été noyée, elle en a eu dans les poumons aussi.

— Mais pourquoi ? demanda Annika déconcertée en oubliant totalement de prendre des notes.

— Oui, c'est ça la question. Est-ce que cela va nous aider à avancer en quoi que ce soit ? J'ai commencé à préparer un examen scientifique de la salle de bains des Florin. Quel que soit l'endroit où l'on trouvera de la cendre, ça correspondra au lieu du crime.

— Mais tu crois vraiment que quelqu'un dans la famille… Gösta ne termina pas sa question.

— Je ne crois rien, dit Patrik. Mais, si un autre lieu de crime possible surgit, on le passera au peigne fin aussi, au cas où l'examen de cet après-midi ne donnerait rien. La maison familiale est toujours le dernier endroit où elle a été vue, alors on peut tout aussi bien commencer là. Non ? Qu'est-ce que tu en dis, Bertil ?

La question était de pure forme. Mellberg ne s'était absolument pas impliqué dans l'enquête, mais tout le monde savait qu'il appréciait qu'on lui donne l'illusion de garder le contrôle.

— Ça me semble une bonne idée. Mais n'aurait-on pas déjà dû perquisitionner leur maison ?

Patrik dut se maîtriser pour ne pas faire une grimace. C'était déjà fâcheux qu'Ernst ait fait la même remarque peu de temps auparavant, et l'entendre de la part de Mellberg aussi rendit la chose pire encore. Mais c'était facile pour eux de venir dire ça maintenant. Si Patrik était tout à fait honnête, ils n'avaient pas eu de raison légitime jusque-là de faire plus qu'un examen sommaire de la maison. Il pouvait même ne pas obtenir les autorisations nécessaires pour une perquisition dans les règles. Il choisit cependant de ne rien en dire et répondit de façon aussi anodine que possible.

— Peut-être, mais je pense que le moment est mieux choisi maintenant que nous avons quelque chose de concret à chercher. Quoi qu'il en soit, l'équipe scientifique d'Uddevalla sera là-bas vers quatre heures. J'envisage de participer et j'aimerais t'avoir avec moi, Martin, si tu as le temps.

Patrik lorgna en douce vers Mellberg en disant cela. Il espéra que celui-ci n'allait pas s'entêter à lui coller Ernst. Il eut de la chance. Mellberg ne dit rien. C'était peut-être une affaire réglée.

— C'est bon, je peux t'accompagner, dit Martin.

— Bien. Alors la réunion est terminée.

Annika fut sur le point d'ouvrir la bouche pour parler de l'appel qu'elle avait reçu, mais tout le monde avait commencé à se lever et elle décida de s'abstenir. Elle avait déjà donné la note à Patrik et il allait certainement s'en occuper au plus vite.

Dans la poche arrière de Patrik se trouvait le bout de papier d'Annika. Oublié.

Stig entendit les pas dans l'escalier et se blinda. Il avait perçu les voix de Niclas et de Lilian en bas et compris qu'ils parlaient de lui. Péniblement, il réussit à se hisser en position à demi assise. Il eut immédiatement l'impression que des milliers de couteaux lacéraient son estomac mais, lorsque Niclas entra dans la chambre, le visage de Stig était lisse et sans expression particulière. Il voyait l'image de son père à l'hôpital, tout menu et désemparé, dépérissant dans un lit froid et aseptisé, et il jura une fois de plus que cela ne lui arriverait pas. Ceci n'était qu'une mauvaise passe.

— Lilian vient de me dire que tu vas moins bien aujourd'hui.

Niclas s'assit sur le bord du lit, arborant sa tête de médecin soucieux. Stig vit que ses paupières étaient bordées de rouge. Comment s'étonner qu'il ait pleuré ? Personne ne devrait être obligé de traverser ce qu'il traversait. Perdre un enfant. A Stig lui-même, le manque faisait mal. Puis il réalisa que Niclas attendait une réponse.

— Oh, tu connais les bonnes femmes. Elles font un monde de tout ce qu'on dit. Non, je crois que j'ai eu une mauvaise position la nuit dernière, ça va mieux maintenant. La douleur l'obligea à serrer les mâchoires, et il lui en coûta de ne pas montrer ce qu'il ressentait.

Niclas posa sur lui un regard suspicieux, puis il sortit quelques instruments de sa sacoche de médecin aux dimensions impressionnantes.

— Je ne suis pas sûr de te croire, je vais prendre ta tension et vérifier deux, trois petits trucs pour commencer, puis on verra.

Il passa le brassard du tensiomètre autour du bras maigre de Stig et le gonfla au maximum. Il observa l'aiguille du compteur baisser, puis il dégrafa le brassard.

— 15/8, ça peut aller. Déboutonne-moi cette chemise aussi, je voudrais écouter un peu ton cœur.

Stig obéit et déboutonna sa chemise de ses doigts bizarrement rigides et récalcitrants. Le stéthoscope froid sur sa cage thoracique lui fit étouffer un gémissement, et Niclas dit sèchement :

— Respire lentement, à fond.

Chaque inspiration était douloureuse, mais à force de volonté il réussit à faire ce que lui demandait Niclas. Après avoir écouté un moment, Niclas enleva les embouts de ses oreilles et regarda Stig droit dans les yeux.

— Bon, je n'ai rien de concret sur quoi me baser, mais, si tu te sens moins bien, il est important de me le dire. Tu es vraiment sûr de ne pas vouloir un véritable examen de fond ? Si on va à Uddevalla, ils peuvent faire des prélèvements et des tests et voir s'il y a quelque chose qui cloche que je ne peux pas voir ici.

Stig montra son hostilité à la proposition en secouant violemment la tête.

— Non, je vais pas trop mal, je te jure. C'est totalement inutile de gaspiller du temps et de l'argent pour moi. J'ai dû attraper une vilaine bactérie, je ne vais pas tarder à me remettre. C'est ce qui s'est passé les autres fois, pas vrai ? Une note de supplication s'était glissée dans sa voix.

— Bon, ne dis pas que je ne t'ai pas prévenu. Niclas secoua la tête et soupira. On ne peut jamais prendre assez de précautions quand le corps signale que ça ne va pas. Mais je ne peux pas te forcer. C'est ta santé, c'est toi qui décides. Mais je ne me réjouis pas de descendre et de me confronter à Lilian, je te le dis. Elle était pratiquement sur le point d'appeler l'ambulance quand je suis rentré.

— Oui, elle sait prendre des initiatives, ma Lilian, gloussa Stig, mais il dut s'arrêter aussitôt, quand les couteaux se remirent à lui labourer le ventre.

Niclas referma sa sacoche et lança un dernier regard soupçonneux à Stig.

— Tu promets de me prévenir si ça empire ?

— Absolument.

Dès que Stig entendit les pas de Niclas s'éloigner dans l'escalier, il se remit douloureusement en position couchée. Ça finirait bien par passer. Il supporterait tout si seulement il arrivait à se soustraire à l'hôpital. Il devait l'éviter à tout prix.

Le visage de Lilian exprima un large registre de sentiments lorsqu'elle ouvrit la porte. Patrik et Martin étaient à la tête d'une équipe de techniciens, trois hommes et une femme.

— Oh là là, c'est quoi cette mobilisation ?

— Nous avons un mandat pour perquisitionner votre salle de bains.

Patrik eut du mal à rencontrer son regard. Bizarre, comme ce métier lui donnait souvent l'impression d'être le dernier des salauds sans cœur.

Les yeux de Lilian étaient durs comme du granit. Après les avoir contemplés en silence un instant, elle s'effaça pour les laisser entrer.

— Ne me dégueulassez pas tout, je viens de faire le ménage, cracha-t-elle.

Ce commentaire éveilla en Patrik la sensation diffuse qu'il aurait peut-être dû faire cette inspection bien avant. A en juger par ce qu'il avait déjà vu de l'intérieur des Florin plus tôt dans la semaine, on y faisait le ménage plus ou moins constamment. S'il y avait eu des traces de quoi que ce soit, elles étaient sans aucun doute nettoyées à l'heure qu'il était.

— On a une salle de bains ici au rez-de-chaussée, avec une douche, et une autre à l'étage, avec baignoire. Enlevez vos chaussures. Et faites attention à ne pas déranger Stig, il se repose.

Lilian montra l'escalier, puis elle partit dans la cuisine d'un pas furieux et se mit bruyamment à laver la vaisselle.

Patrik et Martin échangèrent un regard et précédèrent les techniciens dans l'escalier. Ils ne voulaient surtout pas entraver leur travail, et ils restèrent dans le couloir, les laissant passer la salle de bains au crible. La porte de la chambre de Stig était fermée et ils parlèrent à voix basse.

— Tu crois vraiment que c'est justifié, ce qu'on fait ? dit Martin. Je veux dire, rien n'indique que le coupable serait de la famille et ça doit être suffisamment difficile pour eux sans ça.

— Tu as entièrement raison, bien sûr, répondit Patrik, en chuchotant lui aussi. Mais on ne peut pas l'exclure seulement parce que ça nous paraît désagréable. Ce qu'on fait ici aujourd'hui, ça va dans leur sens, même s'ils ne le comprennent pas. Si on peut les rayer de la liste des suspects, on pourra consacrer davantage d'énergie aux autres pistes ensuite. Pas vrai ?

Martin hocha la tête. Oui, il savait que Patrik avait raison. Seulement, c'était vachement désagréable, tout ça. Ils entendirent des pas dans l'escalier et, en se retournant, ils se trouvèrent face à face avec Charlotte.

— Qu'est-ce qu'il se passe ici ? Maman m'a dit que vous êtes venus avec tout un troupeau pour voir notre salle de bains. Pourquoi ? La voix monta légèrement et elle sembla sur le point d'y entrer. Patrik l'arrêta.

— On ne pourrait pas s'asseoir un moment pour parler de ça ? demanda-t-il.

Charlotte jeta un dernier regard sur les techniciens derrière eux puis elle fit demi-tour pour redescendre.

— On peut se mettre dans la cuisine, dit-elle sans regarder ni Martin ni Patrik. Je veux que maman soit là aussi.

Lilian s'efforçait toujours de faire le plus de bruit possible avec la vaisselle. Albin était assis sur une couverture par terre et il contemplait le manège de sa grand-mère avec de grands yeux sérieux. Il sursautait comme un lapin peureux chaque fois que quelqu'un élevait la voix.

— Si vous êtes censés démonter des trucs aussi, je vous préviens, vous remettez tout en état après. La voix de Lilian était glaciale.

— Je ne peux rien promettre, ils seront peut-être obligés d'emporter des pièces. Mais ils font très attention, je vous le garantis, précisa Patrik en s'asseyant.

Charlotte souleva Albin et le prit sur ses genoux. Il se serra contre elle. Elle avait maigri et les cernes sous ses yeux étaient larges et sombres. Elle semblait n'avoir pas dormi depuis une semaine. Ce qui était vraisemblablement le cas. Patrik vit qu'elle essayait de contrôler les tremblements de sa lèvre inférieure quand elle demanda :

— Bon, alors, pourquoi est-ce qu'une bande de flics se présente ici tout à coup ? Pourquoi ne sont-ils pas sur le terrain à chercher l'assassin de Sara ?

— On veut simplement pouvoir exclure certaines possibilités, Charlotte. Il se trouve qu'on a… qu'on a reçu quelques renseignements. Je voudrais te demander, est-ce que tu arrives à imaginer pourquoi quelqu'un voudrait faire manger de la cendre à Sara ?

Charlotte le regarda comme s'il avait perdu la tête. Ses mains serrèrent Albin plus fort et il gémit.

— Manger de la cendre ? Qu'est-ce que tu veux dire ?

Il lui fit part de ce que le médecin légiste avait trouvé, et il la vit blêmir à chaque mot.

— Il faut un psychopathe pour faire une chose pareille. Alors je comprends encore moins pourquoi vous perdez votre temps ici.

La dernière phrase ressemblait à un cri et, sentant l'angoisse de sa mère, Albin se mit à pleurer. Elle le berça immédiatement, mais sans quitter Patrik du regard.

Il répéta ce qu'il venait de dire à Martin peu de temps auparavant.

— C'est important pour nous de pouvoir vous rayer de l'enquête. Il n'y a absolument rien qui indique que l'un de vous aurait quoi que ce soit à voir avec la mort de Sara, mais ça fait partie de notre boulot de tout vérifier pour exclure la possibilité. Ça s'est déjà vu, tu le sais, et c'est pourquoi on ne peut pas prendre de gants, même si on le voulait.

Lilian souffla de mépris devant l'évier et toute sa posture montra ce qu'elle pensait de la petite allocution de Patrik.

— Oui, dans un certain sens je peux comprendre, dit Charlotte, à condition de ne pas gaspiller un temps qui pourrait être mieux utilisé.

— On travaille plein pot pour vérifier toutes les pistes, je te le promets.

Il céda à l'impulsion de se pencher par-dessus la table et de poser sa main sur celle de Charlotte. Elle ne fit rien pour se dégager et croisa son regard avec intensité comme si elle voulait sonder son âme et voir de ses propres yeux s'il disait la vérité. Patrik ne détourna pas le regard. Ce qu'elle trouva la rassura manifestement car elle baissa les yeux et hocha doucement la tête.

— Bon, je suppose que je dois vous faire confiance alors. Mais je pense que vous avez de la chance que Niclas ne soit pas à la maison.

— Il est venu faire un tour tout à l'heure, glissa Lilian, sans se retourner. Il est allé voir Stig, puis il est reparti.

— Mais pourquoi il est rentré ? Et pourquoi il ne m'a pas dit qu'il était là ?

— Tu devais dormir, sans doute. Et comment veux-tu que je sache pourquoi il rentre en plein après-midi ? J'imagine qu'il avait besoin d'une petite pause. Je le lui avais bien dit, il est retourné travailler beaucoup trop tôt, mais c'est un garçon tellement dévoué et on ne peut qu'admirer…

Le soupir ostentatoire que poussa Charlotte interrompit net les commentaires de Lilian qui se remit à la vaisselle avec une frénésie renouvelée. Patrik sentit physiquement l'extrême nervosité qui vibrait dans la pièce.

— Quoi qu'il en soit, il faut qu'il soit au courant aussi. J'appelle le centre médical.

Charlotte posa Albin sur sa couverture et composa le numéro sur le téléphone mural de la cuisine. Personne ne parla pendant la conversation et Patrik aurait surtout voulu se trouver ailleurs. Au bout d'une petite minute, Charlotte raccrocha.

— Il n'était pas là, dit-elle sur un ton déconcerté.

— Il n'est pas là ? Lilian se retourna. Mais où il est alors ?

— Aina ne savait pas. Elle m'a seulement dit qu'il a pris son après-midi. Elle croyait qu'il était rentré à la maison.

— Eh bien, il n'est resté qu'un quart d'heure ici. Lilian plissa les sourcils, faisant front aux autres. Il est monté voir Stig un tout petit moment, puis il est reparti. Et j'ai compris qu'il retournait à la consultation.

Patrik et Martin échangèrent un regard. Ils avaient leur théorie sur l'endroit où s'était rendu le père éploré.

— On en aura pour une heure ou deux. Le technicien responsable passa la tête dans la cuisine. Vous aurez les résultats dès qu'on aura terminé.

Patrik et Martin se levèrent, mal à l'aise, et prirent congé de Charlotte et de Lilian.

— Bon, on y va alors. Et, si vous vous rappelez quoi que ce soit en rapport avec de la cendre, vous savez où nous trouver.

Le visage blême, Charlotte hocha la tête. Lilian fit semblant d'être sourde devant son évier et ne les gratifia même pas d'un regard. Ils quittèrent la maison en silence pour aller retrouver la voiture.

— Tu pourras me déposer chez moi ? demanda Patrik.

— Mais ta voiture est au commissariat. Tu n'en auras pas besoin ce week-end ?

— C'est au-dessus de mes forces d'aller la chercher. De toute façon, je dois y passer samedi ou dimanche, j'ai du boulot à faire. Je prendrai le bus et je rentrerai avec ma voiture.

— J'avais cru comprendre que tu avais promis à Erica d'oublier le travail pendant tout le week-end ?

— Oui, je sais. Patrik fit une grimace. Mais je n'avais pas pris en compte qu'on allait se retrouver avec une enquête pour meurtre sur les bras.

— Moi, je suis de garde samedi et dimanche, tu n'as qu'à me dire s'il y a quelque chose que je peux faire.

— C'est sympa, mais je sens que j'ai besoin de tout passer en revue, tranquillement.

— Bon, je suppose que tu sais ce que tu fais, dit Martin en montant dans la voiture. Patrik s'assit du côté passager, il n'en était pas si sûr que ça.

Il était temps. Enfin sa belle-mère allait dégager de la maison. Toutes les recommandations, le pseudo-bon sens et les reproches mal dissimulés avaient eu raison de ses réserves de patience et Erica comptait les minutes avant que Kristina ne monte dans sa petite Ford Escort et rentre chez elle. Si elle s'était sentie mauvaise mère avant l'arrivée de sa belle-mère, c'était encore pire maintenant. Rien ne trouvait grâce à ses yeux. Erica ne savait pas habiller Maja correctement, ne savait pas la nourrir correctement, elle était trop brusque, elle était trop maladroite, elle était trop paresseuse, elle devrait se reposer davantage. Ses contre-performances étaient infinies. Assise avec sa fille sur les genoux, elle avait l'impression qu'elle pouvait tout aussi bien jeter l'éponge tout de suite. Elle n'y arriverait jamais. La nuit, elle rêvait qu'elle confiait Maja à Patrik et s'en allait. Loin, très loin. Quelque part au calme, où elle était en paix sans pleurs d'enfant, sans responsabilités et exigences. Un endroit où elle pouvait se blottir et être petite, où l'on s'occupait d'elle.

En même temps un autre sentiment la menait dans une direction totalement opposée. Un instinct protecteur et la certitude qu'elle ne pourrait jamais abandonner l'enfant qu'elle tenait dans ses bras. C'était aussi inimaginable que de se couper un bras ou une jambe. Elles étaient unies et seraient obligées de traverser cette épreuve ensemble. Pourtant, elle avait commencé à réfléchir à ce qu'avait dit et redit Charlotte, avant le drame. Qu'elle devait en parler avec quelqu'un. Ce n'était peut-être pas normal de se sentir comme ça. Pas normal du tout.

C'était la mort de Sara qui l'avait amenée à envisager une telle possibilité. Le drame avait relativisé ses propres ennuis, lui avait fait comprendre que ses démons, contrairement à ceux de Charlotte, pouvaient être chassés. Charlotte devrait vivre avec son deuil le restant de sa vie, alors qu'elle, elle pourrait sans doute remédier à sa situation. Mais, avant d'aller consulter quelqu'un, elle allait essayer la méthode dont Anna Wahlgren parlait dans son bouquin. Si elle arrivait à faire dormir Maja ailleurs que collée à elle, ce serait une grande victoire. Tout ce qu'il lui fallait, c'était retrouver un peu de niaque. Et ne plus avoir belle-maman dans les pattes.

Kristina arriva dans le salon et regarda Erica et Maja d'un air soucieux.

— Tu la nourris encore ? Ça ne fait que deux heures depuis la dernière fois. Sans attendre de réponse, elle poursuivit imperturbablement : En tout cas, j'ai fait ce que j'ai pu pour vous aider à mettre un peu d'ordre ici. Tout le linge est lavé et il y en avait un sacré paquet, tu peux me croire. La vaisselle est faite et j'ai passé un chiffon sur les meubles. Et, ah oui, je vous ai préparé quelques vrais steaks hachés que j'ai mis au congélateur, pour remplacer un peu tous ces plats industriels que vous mangez. Vous avez besoin de nourriture saine, toutes les deux, tu le sais, et c'est valable pour Patrik aussi. Il se crève à bosser toute la journée et il s'occupe énormément de Maja le soir aussi, je m'en suis bien rendu compte. Il faut qu'il s'alimente correctement. J'ai eu un choc en le voyant, je peux te dire que jamais je ne l'ai vu aussi pâle et mal en point.

Kristina continua son monologue et Erica dut serrer les dents pour résister à l'impulsion de se boucher les oreilles et se mettre à chanter, comme une gamine. Bien sûr, la présence de sa belle-mère lui avait dégagé quelques moments de repos aussi, elle ne pouvait pas le nier, mais les inconvénients prenaient très nettement le dessus. Les larmes menaçaient de monter, et elle regarda fixement Ricki Lake à la télé. Qu'est-ce qu'elle attendait donc pour partir ?

On aurait dit que sa prière avait été entendue, parce qu'elle vit Kristina poser une petite valise dans le vestibule et commencer à enfiler son manteau.

— Tu es vraiment sûre que vous allez vous en sortir ?

Erica fit un effort considérable pour quitter la télé des yeux et réussit à produire un petit sourire.

— Oui, tout ira très bien. En mobilisant toutes ses forces elle parvint même à proférer un remerciement : Et merci mille fois pour ton aide.

Elle espéra que Kristina n'entende pas son manque de sincérité. Apparemment non, parce qu'elle hocha dignement la tête et dit :

— Oh, il n'y a pas de quoi, je suis contente de pouvoir donner un coup de main. Je pense que je reviendrai bientôt.

Mais pars, qu'est-ce que tu attends ? pensa Erica fébrilement et elle tenta de pousser sa belle-mère dehors par la force de sa volonté. Miraculeusement, ça sembla fonctionner et, lorsque la porte se referma derrière Kristina, Erica poussa un profond soupir de soulagement. Mais la paix ne dura pas longtemps. Dans le silence qui suivit le départ de Kristina, ponctué seulement par les suçons rythmés de Maja, la vision d'Anna surgit. Elle n'avait toujours pas réussi à la joindre et sa sœur n'avait pas donné signe de vie. Frustrée, elle composa le numéro de son portable mais, comme tant de fois déjà au cours de ces dernières semaines, elle tomba sur le répondeur. Elle laissa un bref message, pour la énième fois, puis elle raccrocha. Pourquoi ne répondait-elle pas ? Erica commença à imaginer des plans pour découvrir ce qui était arrivé à sa sœur, mais ils s'écroulèrent les uns après les autres lorsque la grande fatigue vint l'envahir. Elle s'en occuperait un autre jour.

Lucas disait qu'il sortait pour chercher du travail, mais elle n'y croyait pas un instant. Pas aussi débraillé, mal rasé et mal coiffé. Anna ne savait pas ce qu'il faisait réellement, mais elle avait appris à ne pas demander. Les questions étaient punies. Les questions menaient à des coups qui laissaient des traces visibles. La semaine dernière, elle n'avait pas pu emmener Emma et Adrian au jardin d'enfants. Les marques sur son visage étaient si parlantes que même Lucas comprenait qu'il aurait été téméraire de la laisser sortir.

Sans cesse elle se demandait comment ça allait se terminer. Tout s'était détérioré si vite que ça lui donnait le vertige. Le temps qu'ils avaient passé dans le bel appartement à Östermalm, Lucas qui allait tous les jours à son travail de courtier, bien habillé et sûr de lui, tout cela semblait un rêve lointain. Elle se rappelait qu'à cette époque déjà, elle avait voulu rompre, mais à présent elle avait du mal à comprendre pourquoi. Comparée à aujourd'hui, sa vie à l'époque n'avait finalement pas été si horrible que ça. D'accord, elle prenait quelques coups de temps en temps, mais il y avait eu du bon aussi, et tout était si bien, si organisé. Elle regarda autour d'elle dans le petit deux-pièces et sentit le désespoir l'envahir. La nuit, les enfants dormaient sur des matelas par terre dans le séjour et leurs jouets étaient éparpillés partout. Si Lucas rentrait avant qu'elle n'ait trouvé le courage de les ranger, les conséquences seraient redoutables, mais elle était trop fatiguée pour s'en faire.

Ce qui l'effrayait le plus, c'était cette absence de vie dans les yeux de Lucas. L'aspect humain s'était échappé pour laisser la place à un éclat sombre et menaçant. Il avait tout perdu, pratiquement, et rien n'était plus dangereux qu'un être qui n'a plus rien à perdre.

Un instant, elle envisagea de tenter de sortir de l'appartement pour appeler au secours. Aller récupérer les enfants à la garderie, appeler Erica et lui demander de venir les chercher. Ou appeler la police. Mais elle n'alla pas plus loin. Elle ne savait jamais quand Lucas allait rentrer et, s'il arrivait au moment où elle essayait de sortir de sa prison, elle n'aurait plus jamais d'occasion de s'enfuir, elle n'aurait aucune chance de refaire sa vie.

Elle s'installa dans le fauteuil devant la fenêtre et regarda l'arrière-cour. Lentement, elle laissa le crépuscule tomber sur son existence.

FJÄLLBACKA 1925

Son sifflement accompagna le bruit de la masse qui tombe sur le coin. Depuis la naissance de ses fils, il avait retrouvé la joie de travailler et chaque jour il allait à la carrière sachant qu'il travaillait pour eux. Il n'avait jamais rêvé de plus. Les garçons n'avaient que six mois, mais ils réglaient déjà tout son monde et constituaient tout son univers. L'image de leurs petites têtes sans cheveux et de leurs sourires édentés se présentait sans cesse à lui quand il taillait la pierre, et chaque fois son cœur chantait d'émotion. Il avait hâte que la journée se termine pour pouvoir rentrer les retrouver.

En pensant à son épouse, il perdit un peu le rythme régulier des coups frappés sur le granit. Elle ne semblait toujours pas s'être prise d'affection pour les bébés, bien que plusieurs mois se soient écoulés depuis qu'elle avait failli mourir en couches. Le docteur avait dit que certaines femmes mettaient très longtemps à retrouver leurs forces après une telle expérience, parfois il fallait attendre des mois avant qu'elles acceptent l'enfant, ou les enfants dans le cas d'Agnes. Mais six mois s'étaient écoulés. Et Anders avait fait de son mieux pour la soulager. Malgré ses longues journées de travail, il s'était occupé des bébés la nuit quand ils se réveillaient et, comme Agnes refusait de leur donner le sein, il avait effectivement pu se montrer efficace. C'est avec joie qu'il les avait nourris et changés. Cependant, il était obligé de passer le plus clair de son temps à la carrière et Agnes devait alors s'occuper d'eux. Cela l'inquiétait souvent. Plus d'une fois, en rentrant le soir, il les avait trouvés avec des couches mouillées, pleurant désespérément de faim. Il avait tenté de lui en parler, mais elle refusait d'écouter. Il avait fini par aller trouver les Jansson pour demander à Karin si elle voyait un inconvénient à faire un saut de temps en temps, voir comment ça se passait chez lui. Elle l'avait scruté du regard, puis elle avait promis de s'en occuper. Anders lui serait éternellement reconnaissant pour cela. Car elle avait bien assez à faire chez elle. Ses huit enfants accaparaient presque tout son temps, pourtant elle promettait sans hésiter de veiller également sur ses deux fils aussi souvent que possible. Cette promesse lui avait ôté un grand poids. Parfois il avait l'impression de voir une drôle de lueur dans les yeux d'Agnes, mais elle disparaissait aussitôt, et il se persuadait qu'il se faisait des idées. Mais quelquefois, quand il travaillait, ce regard-là lui venait à l'esprit, et alors il devait se maîtriser pour ne pas lâcher la masse et se précipiter à la maison afin de s'assurer que les bébés étaient sains et saufs, en train de jouer par terre.

Ces derniers temps, il avait accepté encore plus de travail que d'ordinaire. Coûte que coûte, il fallait qu'il trouve un moyen de rendre à Agnes sa joie de vivre, sinon elle finirait par les rendre malheureux, tous. Depuis qu'ils s'étaient installés dans le logement ouvrier, elle n'arrêtait pas de le harceler pour qu'ils déménagent en ville, et Anders avait décidé de faire tout ce qu'il pouvait pour combler ses vœux. Si cela pouvait contribuer à la rendre un tant soit peu plus aimable envers lui et les enfants, ses longues heures de travail n'auraient pas été vaines. Il mettait de côté chaque *öre* supplémentaire qu'il gagnait. Maintenant que c'était lui qui gérait l'argent du ménage, il arrivait à économiser, même si cela leur imposait un régime assez monotone. Sa mère ne lui avait pas appris à cuisiner grand-chose, et il cherchait toujours à acheter ce qu'il y avait de moins cher. Agnes s'était résignée à prendre en charge une partie des tâches d'une mère au foyer et, après quelques tentatives aux fourneaux, elle commençait à préparer des plats à peu près mangeables, si bien qu'Anders avait bon espoir d'être débarrassé de la responsabilité des repas sous peu.

Si seulement ils trouvaient une location dans le centre de Fjällbacka, qui était nettement plus animé que ce quartier excentré, les choses s'arrangeraient peut-être. Ils retrouveraient une intimité de couple, qu'elle lui refusait depuis plus d'un an.

Devant lui, la pierre se fendit en deux en une cassure parfaite. Il prit cela comme un bon signe – son plan le menait dans la bonne direction.

Le train arriva pile à dix heures dix. Mellberg attendait depuis une heure. Plusieurs fois en chemin il avait failli faire demi-tour, mais cela n'aurait servi à rien. Il était facilement trouvable, son adresse figurait dans l'annuaire et, s'il s'esquivait, les mauvaises langues ne tarderaient pas à jaser. Autant affronter cette situation inconfortable tout de suite. En même temps il ne pouvait pas ignorer l'espèce d'excitation qui le gagnait. Il arpentait nerveusement le quai en attendant l'arrivée du train et, pour la première fois de sa vie, il aurait aimé être fumeur pour se calmer avec une cigarette. Avant de partir, il avait lorgné la bouteille d'Absolut qu'il gardait toujours à la maison, mais il avait su résister à la tentation. Il ne voulait pas sentir l'alcool la première fois qu'il le rencontrait. La première impression, c'était important.

Puis l'autre pensée le frappa de nouveau. Si ce n'était pas vrai, ce qu'elle avait dit ? C'était déroutant de ne pas savoir ce qu'il espérait au juste, que ce soit vrai, ou faux. Il avait déjà balancé entre les deux, plusieurs fois, mais en cet instant il espérait que la lettre disait la vérité. Même si c'était déstabilisant.

Le train entra en gare à une telle vitesse qu'il crut tout d'abord qu'il ne s'arrêterait pas. Qu'il continuerait sa route vers l'inconnu et le laisserait là, avec son excitation et son incertitude. Mais il finit par ralentir et s'immobiliser dans un épouvantable grincement de métal. Son regard balaya toutes les portières. Subitement, il se dit qu'il n'était même pas sûr de le reconnaître. Elle aurait peut-être dû lui glisser un œillet à la boutonnière ou quelque chose comme ça ? Puis il réalisa qu'il était seul à attendre sur le quai, et celui qu'il était venu chercher n'aurait pas de mal à le repérer.

La portière du dernier wagon s'ouvrit et Mellberg sentit son cœur s'arrêter de battre une seconde. Une retraitée descendit lentement et la déception relança son cœur. Puis il arriva. Et, à l'instant où Mellberg le vit, tous ses doutes furent éliminés. Une joie tranquille, étrange et douloureuse l'inonda.

Les week-ends passaient trop vite. Erica était heureuse d'avoir Patrik à la maison. Les semaines étaient longues et, bien que le samedi et le dimanche filent à toute vitesse, elle les attendait avec impatience. Patrik pouvait s'occuper de Maja le matin et lui donner le biberon de nuit avec le lait qu'elle tirait. Ainsi elle avait une nuit entière d'un sommeil béni, certes en se réveillant avec deux boulets de canon tendus et douloureux, dégoulinant de lait, mais ça valait la peine. Jamais elle n'avait imaginé que dormir toute une nuit pouvait à ce point ressembler au nirvana.

Mais ce week-end était différent. Patrik était parti au boulot quelques heures le samedi et à son retour il était taciturne et replié sur lui-même. Elle avait beau comprendre pourquoi, ça l'agaçait qu'il ne leur accorde pas toute son attention, à Maja et elle, ce qui à son tour lui donna mauvaise conscience et la fit se sentir une piètre compagne. Si les ruminations de Patrik pouvaient le mener sur la piste de l'assassin de Sara et permettre à Charlotte et Niclas de retrouver une sorte de paix, Erica avait le devoir de se montrer généreuse et indulgente. Mais la logique et les sentiments rationnels semblaient l'avoir désertée désormais.

Le dimanche après-midi, le temps couvert qui avait régné toute la semaine céda du terrain, et ils firent une longue promenade autour de la ville. Erica ne cessa de s'émerveiller du soleil qui changeait si totalement l'environnement quand il faisait son apparition. Durant les intempéries, Fjällbacka était tellement rude, tellement implacable et grise, mais à présent la ville étincelait, adossée au mont Vedde. Plus aucune trace des grosses vagues qui avaient submergé les pontons et causé une inondation temporaire de la place Ingrid-Bergman. L'air était limpide maintenant, et l'eau plus calme et lisse que jamais.

Patrik poussait le landau et, pour une fois, Maja avait accepté de s'y endormir.

— Tu vas comment, en vrai ? demanda Erica et Patrik sursauta, comme s'il émergeait de profondes réflexions.

— Ce serait plutôt à moi de te le demander, dit Patrik, coupable. Tu es assez occupée comme ça sans te faire de souci pour moi aussi.

Erica glissa son bras sous le sien et pencha la tête vers son épaule.

— On se fait du souci l'un pour l'autre, d'accord ? Et, pour répondre la première, il y a eu mieux, je dois l'admettre, mais il y a eu pire aussi. A toi maintenant.

Elle reconnaissait l'état de Patrik. Il avait été ainsi pendant la dernière enquête pour homicide qu'il avait menée, et cette fois c'était une enfant qui avait été tuée. Et pas n'importe quelle enfant, la fille d'une de ses amies.

— Je ne sais pas comment on va poursuivre. Et je ressens ça depuis le début de cette affaire. Hier au poste, j'ai tout repassé en revue, encore et encore, et je n'ai plus d'idées.

— Personne n'a vraiment rien vu ?

— Non, seulement qu'elle est partie de chez elle. Après, on n'a plus la moindre trace. C'est comme si elle s'était évaporée pour ensuite réapparaître dans la mer.

— J'ai appelé Charlotte tout à l'heure, c'est Lilian qui a répondu, dit Erica pour tâter le terrain. Elle m'a paru très sèche, plus que d'habitude. Est-ce qu'il y a quelque chose que je devrais savoir ?

Patrik hésita, puis il se décida.

— On a fait des recherches scientifiques chez eux vendredi. Lilian ne l'a pas très bien pris…

— Ça ne m'étonne pas. Mais pourquoi vous avez fait ça ? Je veux dire, c'est forcément quelqu'un d'extérieur que vous cherchez, non ?

— Oui, probablement. Mais on ne peut pas le prendre pour acquis. Il faut qu'on vérifie tout.

Patrik commençait à être énervé par toutes ces questions sur son travail. Il ne pouvait pas s'abstenir d'enquêter sur les membres de la famille seulement parce que c'était désagréable. C'était aussi important que d'enquêter sur tout coupable potentiel extérieur à la famille. Faute d'indices, toutes les pistes avaient la même importance.

Erica entendit son irritation et lui tapota le bras pour montrer qu'elle n'avait pas de mauvaises intentions. Elle le sentit se détendre.

— On a besoin d'acheter quelque chose ?

Ils passèrent devant l'ancien centre médical qui abritait aujourd'hui la garderie et aperçurent l'enseigne de la Coop un peu plus loin.

— Mmm, quelque chose de bon.

— Tu parles du dîner ou de sucreries ? dit Patrik en s'engageant dans la petite descente qui menait vers le parking de la supérette.

Erica lui lança un regard rapide et Patrik rit :

— Les deux, j'ai compris. Où avais-je donc la tête ?

En sortant du magasin un moment plus tard, le panier du landau chargé de sucreries, Patrik demanda, intrigué :

— Est-ce que je me fais des idées ou est-ce que la femme derrière nous dans la queue m'a regardé bizarrement ?

— Non, tu ne te fais pas d'idées. C'était Monica Wiberg, la voisine des Florin. Son mari s'appelle Kaj et ils ont un fils qui s'appelle Morgan, il paraît qu'il est un peu bizarre.

Patrik comprit pourquoi cette femme l'avait dévisagé avec tant de hargne. Certes, ce n'était pas lui qui s'était présenté chez eux pour interroger son fils, mais il incarnait la police et c'était sans doute suffisant.

— Il est atteint du syndrome d'Asperger, dit Patrik.

— Qui ça ? Erica avait déjà oublié de quoi ils parlaient, totalement absorbée par le bonnet de Maja qui avait glissé dans son sommeil et qui exposait une petite oreille au froid de l'automne.

— Morgan Wiberg. Gösta et Martin sont allés le voir, c'est lui qui leur a appris qu'il est atteint d'un truc qui s'appelle Asperger.

— Et c'est quoi ? demanda Erica.

Patrik raconta ce que Martin lui avait appris le vendredi. C'était une bonne initiative d'être allé voir la psychologue.

— Il est soupçonné ? demanda Erica.

— Non, pas dans l'état actuel des choses. Mais on dirait qu'il est le dernier à avoir vu Sara, et ça vaut la peine d'en apprendre le plus possible sur lui.

— Faites attention de ne pas trop le viser sous le simple prétexte qu'il est différent. Elle se mordit la langue dès qu'elle l'eut dit. Pardon, je sais que vous êtes des pros. Mais c'est toujours comme ça dans les petits patelins comme Fjällbacka, je le sais d'expérience. Les gens atypiques sont montrés du doigt dès qu'il se passe quelque chose. Il a bon dos, l'idiot du village.

— D'un autre côté, tu dois admettre que ces gens-là ont toujours rencontré plus de respect dans les petites villes que dans les métropoles. Les originaux font naturellement partie du quotidien, on les prend comme ils sont, alors que, dans une grande ville, ils sont beaucoup plus isolés.

— Oui, tu as raison, mais c'est une tolérance qui repose sur un socle fragile, c'est tout ce que je veux dire.

— Bon, en tout cas, Morgan n'est pas traité autrement que tous les autres, que ça soit clair.

Erica glissa de nouveau son bras sous celui de Patrik, sans répondre. Sur le chemin du retour ils changèrent de sujet de conversation. Mais elle se rendit compte que les pensées de son compagnon étaient sans cesse ailleurs.

Lundi, le beau temps du week-end était terminé. Il faisait aussi gris et froid qu'avant et Patrik était emmitouflé dans un gros pull en laine derrière son bureau. L'été précédent, la clim était hors service et ils avaient eu l'impression de travailler dans un sauna. Maintenant c'était une humidité glacée qui suintait des murs et le faisait frissonner. Il sursauta quand le téléphone sonna. La voix d'Annika lui annonça qu'il avait de la visite.

— Je n'attends personne.

— Une Jeanette Lind dit qu'elle veut te voir.

Patrik visualisa la petite brune aguichante et se demanda ce qu'elle pouvait bien lui vouloir.

— Envoie-la-moi, dit-il.

Il se leva pour aller accueillir sa visiteuse inattendue. Ils se saluèrent poliment dans le couloir devant le bureau.

Jeanette avait l'air fatiguée et il se demanda ce qui s'était passé depuis qu'il l'avait vue le vendredi. Des soirées tardives au restaurant, ou quelque chose d'ordre plus privé ? Il lui indiqua un des fauteuils réservés aux visiteurs, s'assit en posant les bras sur son bureau et en se penchant en avant.

— Bon, en quoi puis-je vous être utile ?

Elle attendit quelques secondes avant de répondre. Le regard fixé sur la table de travail, elle semblait réfléchir à la façon de commencer. Puis elle rejeta en arrière son épaisse chevelure brune et le regarda droit dans les yeux.

— J'ai menti en disant que Niclas était chez moi lundi.

Rien ne trahit la stupeur de Patrik, mais son cœur se mit à battre plus fort.

— Racontez, dit-il seulement.

— Je n'ai fait que vous dire ce que Niclas m'a demandé de dire. Il m'a fourni les heures et m'a demandé d'affirmer qu'il était chez moi.

— A-t-il dit pourquoi il voulait que vous mentiez pour lui ?

— Il a seulement dit que sinon tout deviendrait très compliqué. Que c'était beaucoup plus simple pour tout le monde si je lui fournissais un alibi.

— Et vous ne lui avez pas posé de questions ?

— Non, je n'avais aucune raison de le faire. Elle haussa les épaules.

— Alors qu'une enfant avait été tuée, vous n'avez pas trouvé étrange qu'il vous demande de lui fournir un alibi ?

— Non, répondit-elle en haussant de nouveau les épaules pour signaler son indifférence. Je veux dire, Niclas a difficilement pu tuer son propre enfant, pas vrai ?

Patrik ne répondit pas. Au bout d'un moment il dit :

— Il ne vous a pas dit ce qu'il faisait ce matin-là ?

— Non.

— Et vous n'avez aucune théorie là-dessus ?

Encore une fois le haussement d'épaules blasé.

— J'ai supposé qu'il avait pris sa matinée. Il bosse toujours trop et sa femme est tout le temps sur son dos, elle veut qu'il donne un coup de main à la maison, vous voyez le topo, alors qu'elle ne travaille pas, et j'imagine qu'il s'est dit qu'il avait besoin d'un peu de temps libre.

— Et pourquoi risquerait-il son mariage en vous demandant de fournir un alibi ? dit Patrik.

Il essaya de percer le visage inexpressif de Jeanette. Mais en vain. La seule chose qui révélait une quelconque émotion était le tambourinage nerveux de ses longs ongles sur le bureau.

— Je n'en sais rien. Il a dû se dire qu'entre deux maux, il valait mieux choisir d'être accusé d'infidélité que soupçonné d'avoir tué sa propre fille.

Patrik trouva que ça ne tenait pas debout, mais les gens réagissaient souvent bizarrement sous l'effet du stress, il l'avait constaté plus d'une fois.

— Si vous trouviez que ça valait le coup de lui donner un alibi vendredi, qu'est-ce qui vous fait changer d'avis maintenant ?

Les ongles continuèrent à tambouriner. Ils étaient très soigneusement vernis, même Patrik pouvait le constater.

— Je... j'y ai réfléchi tout ce week-end et ça ne me va plus. Je veux dire, après tout un enfant a été tué, et alors c'est mieux si vous savez tout.

— En effet, c'est mieux, dit Patrik.

Il n'était pas sûr de croire son explication, mais ça n'avait pas d'importance. Niclas n'avait plus d'alibi pour le lundi matin et, de plus, il avait demandé à quelqu'un de lui en fournir un faux. Cela suffisait pour hisser tous les drapeaux rouges en haut du mât.

— Je vous remercie d'être venue me le raconter, dit Patrik en se levant.

Jeanette tendit une petite main et elle garda celle de Patrik un poil trop longtemps. Involontairement, il l'essuya sur son jean dès qu'elle fut partie. Cette jeune femme avait quelque chose de franchement antipathique. Mais, grâce à elle, ils avaient maintenant du concret dans leur enquête. Il était temps de cerner Niclas Klinga d'un peu plus près.

Subitement, Patrik se rappela la note que lui avait donnée Annika. Fébrilement, il tâta sa poche arrière et, quand il l'eut sortie, il se félicita qu'ils n'aient pas eu le courage de faire une lessive la veille, ni Erica, ni lui. Il lut attentivement, puis s'installa pour passer quelques coups de fil.

FJÄLLBACKA 1926

Les bambins, qui avaient déjà deux ans, chahutaient derrière elle et Agnes les houspilla. Jamais elle n'avait vu d'enfants aussi bruyants. Sans doute parce qu'ils passaient tant de temps chez les Jansson, ils en prenaient à leur aise au contact de leurs morveux, pensa-t-elle en fermant les yeux sur le fait que la voisine avait plus ou moins élevé ses fils comme s'ils étaient les siens depuis qu'ils avaient six mois. Maintenant qu'ils déménageaient en ville, les choses allaient changer. Agnes jeta un coup d'œil satisfait sur la charrette de déménagement. Elle espérait ne plus jamais revoir ces baraquements miteux. Enfin elle allait s'approcher un tout petit peu d'une vie plus digne, elle allait vivre parmi des gens convenables et avoir un peu d'animation autour d'elle. La maison qu'ils louaient n'avait rien d'extraordinaire, même si les pièces étaient plus propres, plus lumineuses et un peu plus grandes que l'unique pièce de leur ancien logement, mais elle avait l'avantage de se situer en ville. Agnes pourrait sortir sans s'enfoncer dans la boue jusqu'aux chevilles et elle pourrait commencer à cultiver des relations plus stimulantes que les épouses bêtasses de tailleur de pierre, qui étaient tout le temps enceintes. Elle aurait enfin l'occasion de rencontrer des gens plus évolués. Quant à savoir si elle allait intéresser ces personnes, elle qui faisait désormais partie des femmes d'ouvrier qu'elle méprisait tant, Agnes choisissait de l'ignorer. La pensée ne l'effleurait peut-être même pas qu'elles puissent ne pas remarquer sa différence.

— Johan, Karl, calmez-vous maintenant. Vous pouvez tomber de la charrette si vous ne restez pas tranquilles, dit Anders, à moitié tourné vers les garçons. Comme toujours, elle le trouvait beaucoup trop laxiste avec eux. S'il l'avait laissée faire, elle aurait chapitré les garçons sur un tout autre ton et elle aurait appuyé ses remontrances d'une paire de gifles. Mais, sur ce sujet, Anders était intraitable. Personne ne porterait la main sur ses fils. Une fois, il l'avait prise sur le fait tandis qu'elle flanquait une taloche à Johan, et le savon qu'elle avait pris la retenait de recommencer. Pour tout le reste, elle réussissait à mener Anders par le bout du nez mais, quand il était question de Karl et Johan, c'est lui qui menait la barque. Il avait même choisi comment ils s'appelleraient. C'étaient des prénoms bons pour des rois, alors ils étaient bons pour ses fils aussi. Agnes avait reniflé de mépris. Quelles foutaises ! Pour sa part, ses enfants pouvaient s'appeler n'importe comment et, si Anders tenait tant à décider, qu'il ne se gêne surtout pas.

Elle se réjouissait avant tout d'être débarrassée de cette femme obséquieuse, la Jansson. D'accord, qu'elle s'occupe des garçons avait été bien commode, allez savoir pourquoi elle le faisait d'ailleurs. Mais ses regards chargés de reproches lui tapaient sur les nerfs. Comme si elle était un être humain moins valable seulement parce que torcher des marmots n'était pas pour elle une vocation. La charrette ne pouvait pas atteindre la maison, située dans une des ruelles étroites en pente vers la mer, et ils durent porter leurs affaires dans les derniers mètres. Anders devait encore procéder à quelques allers et retours avec leurs pauvres meubles, et Agnes en profita pour faire connaissance avec le propriétaire de la maison. Puis elle entra dans leur nouveau foyer. Jamais elle n'avait cru que deux petites pièces dans une maison minuscule pouvaient être une ascension sociale mais, comparé aux baraquements ouvriers sombres, ce nouveau logement avait tout du château.

Elle franchit la porte en faisant froufrouter sa longue jupe et constata que l'ancien locataire avait laissé les lieux propres. Elle détestait vivre dans la saleté. Dans la petite pièce du logement ouvrier elle n'avait pas trop eu à cœur d'essayer de maintenir un semblant de propreté. Mais elle pourrait sans doute faire quelque chose d'acceptable de ce lieu si elle arrivait à asticoter ce pingre d'Anders pour qu'il accepte d'acheter des rideaux et un tapis.

Les garçons passèrent en trombe devant elle et se mirent à galoper et se pourchasser comme des fous dans la pièce vide en répandant partout la boue de leurs chaussures.

— Karl ! Johan ! rugit-elle et les garçons se figèrent instantanément.

Elle serra ses poings sur les côtés pour les empêcher de leur distribuer des gifles retentissantes, elle se contenta de les prendre par le bras et de les traîner dehors. Elle se permit de pincer un peu la peau au passage et eut la satisfaction de voir leurs petits visages se plisser de douleur.

— Père ! hurla Karl, et Johan emboîta le pas à son frère. Je veux mon père !

— Silence ! siffla Agnes en jetant un regard alarmé dans la rue. Ce serait du propre de se ridiculiser dès le premier jour. Mais les garçons avaient dépassé le stade où ils pouvaient s'arrêter.

— Père ! braillèrent-ils en chœur et Agnes s'obligea à respirer calmement et à fond pour ne rien précipiter. Ses fils mirent alors la barre plus haut.

— Karin, on veut Karin ! crièrent-ils et ils se jetèrent sur les pavés en tapant des pieds et des mains.

Saletés de petits pleurnichards, ils étaient exactement comme leur père ! Avoir le toupet de préférer cette mégère à leur propre mère. Elle sentit des tressaillements dans la jambe, une envie de leur balancer un coup de pied, mais heureusement Anders arriva en haut de la rue.

— Qu'est-ce qu'il se passe ? dit-il avec son accent chantant et les garçons furent sur pied comme de petites flèches huilées.

— Père ! Mère n'est pas gentille !

— Qu'est-ce qu'il y a encore ? soupira-t-il en lançant un regard accusateur à Agnes.

Intérieurement, elle le maudit. Ignorant de ce qui s'était passé, il prenait tout de suite le parti de ses fils. Sans se donner la peine d'expliquer, elle tourna seulement les talons et entra dans la maison pour ramasser les paquets de boue que les garçons avaient déposés. Derrière elle, elle les entendit sangloter, le visage enfoui dans le manteau d'Anders. Tel père, tels fils.

Elle se mit en congé maladie le lundi. Une semaine seulement s'était écoulée depuis qu'ils avaient trouvé la fillette, mais elle avait l'impression d'avoir vieilli de plusieurs années. Kaj s'agitait dans la cuisine et elle savait que ce n'était qu'une question de temps. Effectivement, ça ne tarda pas à venir.

— Monicaaaaa ! Il est où, le café ?

Elle ferma les yeux et se força à répondre calmement.

— Dans le placard au-dessus de la cuisinière. Elle ne put s'empêcher d'ajouter : Ça fait dix ans qu'on le range là.

Elle l'entendit marmonner et elle se leva en soupirant pour aller l'aider. Comment un être adulte pouvait-il à ce point manquer de ressources ? Qu'il ait pu diriger une entreprise avec trente employés dépassait son entendement.

— Laisse, dit-elle en lui prenant la boîte à café des mains.

— Qu'est-ce que tu as ? répondit Kaj sur le même ton agacé.

Monica respira à fond pour se calmer tout en comptant mentalement les mesurettes. Ce n'était pas la peine de démarrer une dispute avec Kaj, par-dessus le marché.

— Rien, dit-elle plus doucement. Simplement, je suis un peu fatiguée. Et je n'aime pas que la police soit venue déranger Morgan.

— Ben, qu'est-ce que ça peut bien faire ? Il est adulte, après tout, même si tu refuses de l'admettre.

Kaj s'assit à table en attendant que le café lui soit servi.

— Tu sais très bien quelles sont les difficultés de Morgan. Où tu étais pendant toutes ces années ? Tu faisais bien partie de cette famille aussi, non ?

L'irritation revint insidieusement et elle était passablement énervée en coupant quelques tranches de roulé à la confiture.

— J'ai autant fait partie de la famille que toi, je te remercie. Par contre, je n'ai jamais voulu mettre Morgan sous cloche, comme toi. Et le traîner d'un psy à un autre. A quoi ça a servi ? Il reste là dans sa cabane à longueur de journée et il devient de plus en plus bizarre chaque année.

— Je ne l'ai pas mis sous cloche, dit Monica en serrant les dents. J'ai essayé de donner à notre fils les meilleurs soins, sachant très bien contre quoi il doit lutter. Toi, tu as choisi de l'ignorer, alors assume maintenant. Si tu lui consacrais la moitié du temps que tu consacres à ton entraînement… Elle balança le plat avec le roulé sur la table et s'appuya contre le plan de travail, les bras croisés.

— Oui, oui, fit Kaj pour calmer le jeu en engouffrant un bout de gâteau. Lui non plus n'avait pas trop envie d'une dispute, en pleine matinée. On est vraiment obligés de parler de ça encore ? Mais je suis d'accord avec toi que c'est chiant d'avoir la police qui se pointe ici tout le temps. Ils feraient mieux de se concentrer sur l'autre conne, là.

Ayant ainsi entamé son thème favori, il écarta le rideau et guetta la maison des Florin.

— Ça a l'air calme. Je me demande ce que c'était, toutes ces voitures garées devant chez eux vendredi. Et tous les cartons et les trucs qu'ils portaient.

A contrecœur Monica baissa la garde et s'assit en face de lui. Elle prit un bout de roulé, sachant très bien qu'elle ne devait pas. Le sucre avait déjà considérablement alourdi ses hanches. Mais ça ne semblait pas déranger Kaj, alors à quoi bon faire des efforts ?

— Je n'en sais rien, et je m'en moque. Le principal, c'est qu'ils laissent Morgan tranquille.

La sensation froide et pesante dans sa poitrine refusait de céder. Elle augmentait même, de jour en jour. Le sucre du gâteau calma ses nerfs un court instant, mais elle savait que l'angoisse prendrait le dessus. Atterrée, elle regarda Kaj de l'autre côté de la table. Elle envisagea de tout lui raconter, mais comprit vite que c'était une idée insensée.

Trente ans de vie commune et ils n'avaient rien en commun. Il était là à manger tranquillement son gâteau dans une ignorance totale des griffes qui labouraient les entrailles de sa femme.

— Au fait, tu ne devrais pas être au boulot ? dit Kaj et il cessa de mâcher.

Typiquement Kaj. Elle aurait dû être partie depuis une bonne heure, et c'était maintenant seulement qu'il se rendait compte qu'elle était toujours là.

— J'ai posé un congé maladie. Je ne me sens pas bien.

— Tu as plutôt bonne mine, pourtant, dit-il, critique. Un peu pâle peut-être. Oui, je pense toujours que tu devrais démissionner, tu le sais. C'est de la folie de trimer comme ça, alors que tu n'es pas obligée. On n'est pas des pauvres.

Une rage violente s'empara d'elle. Elle se redressa d'un coup.

— Je ne veux plus en entendre parler. Je suis restée à la maison pendant plus de vingt ans à repasser tes chemises et préparer des dîners pour toi et tes relations d'affaires. J'ai bien le droit de vivre un peu, moi aussi, non ?

Elle prit résolument l'assiette avec le roulé à la confiture et alla jeter les derniers morceaux qui restaient à la poubelle parmi le marc de café et les vestiges de repas, puis elle abandonna Kaj bouche bée à la table. Elle ne voulait pas le voir une seconde de plus.

Elle laissa le landau derrière la Quincaillerie et s'assura que Liam dormait. Elle n'avait que quelques bricoles à acheter et c'était inutile de traîner le landau dans le magasin. Il y avait pas mal de vent, surtout dans la rue devant l'entrée, le côté qui donnait sur la mer. Mais l'arrière de la boutique était bien protégé par le mont Vedde, l'endroit était parfait pour laisser le landau les cinq petites minutes où elle s'absenterait.

La clochette de la porte tinta quand elle entra. Ce magasin était une mine d'or, il y avait de tout pour le bricoleur chevronné ou le marin confirmé. Pour sa part, elle était obligée de vérifier ce qu'elle devait acheter sur le pense-bête que Marcus lui avait donné. Il avait promis d'installer les dernières étagères qui manquaient dans la chambre du bébé ce week-end, à condition qu'elle s'occupe d'acheter le matériel.

Mia se réjouit de savoir que ça serait bientôt fait. Les mois étaient passés à vitesse grand V et, bien que Liam ait déjà six mois, sa chambre ressemblait encore à un campement provisoire. Le problème était qu'elle dépendait de son mec pour obtenir la chambre de bébé jolie et douillette dont elle avait toujours rêvé. Elle-même ne savait pas tenir un marteau alors que Marcus pouvait se révéler assez habile de ses mains quand il s'y mettait. Ce qui malheureusement n'arrivait pas très souvent.

Parfois elle se demandait si le reste de leur vie ressemblerait à ça. Quand ils s'étaient rencontrés, elle avait trouvé sa philosophie merveilleuse, veiller à toujours s'éclater dans la vie, ne jamais s'ennuyer. Elle avait adopté sa vision du monde et pendant près d'un an ils avaient connu une existence géniale, remplie d'insouciance, de fêtes et de décisions spontanées. Mais, alors qu'elle avait commencé à s'en lasser et à ressentir de plus en plus l'appel de la vie adulte et de la responsabilité – surtout depuis que Liam était là –, il avait, lui, continué à vivre dans sa bulle, et aujourd'hui elle avait l'impression d'avoir deux enfants à élever. Il ne contribuait ni au loyer ni à la caisse commune. Si elle n'avait pas eu l'argent de son congé maternité, ils seraient morts de faim. Marcus était pourtant très doué pour se faire embaucher, le problème n'était pas là. Non, c'est qu'aucun boulot n'était à la hauteur de ses ambitions, ou de ses exigences – toujours prendre son pied – et en général il arrêtait au bout de quelques semaines. Puis il passait un certain temps à glander et laissait à Mia le soin de le nourrir avant de sortir le grand baratin pour un nouveau boulot. Il dormait le plus clair de la journée aussi, après avoir passé la nuit devant les jeux vidéo sur l'ordinateur, si bien qu'elle devait s'occuper seule de la maison et de Liam.

Très franchement, elle commençait à en avoir marre. A vingt ans, elle avait l'impression d'en avoir quarante. Elle savait qu'elle était chiante avec ses jérémiades éternelles, par moments elle avait carrément l'impression d'entendre sa propre mère.

Elle soupira, et parcourut les rayons. Les clous et autres bricoles que Marcus avait notés sur le pense-bête étaient assez faciles à trouver, mais elle dut demander de l'aide pour les vis. A la caisse, quand elle eut enfin terminé, elle jeta un regard à sa montre. Il y avait un quart d'heure qu'elle se débattait avec la liste ! Pourvu que Liam ne se soit pas réveillé. Elle se dépêcha de sortir avec ses achats et, dès qu'elle ouvrit la porte, ses craintes furent confirmées. Il était en train de hurler. Mais ce n'était pas des cris de faim, ou ceux qu'il poussait quand il était mouillé ou pas content. Ce qui résonnait ici contre le rocher était des cris de panique. Son instinct maternel lui dit que quelque chose n'allait pas et elle lâcha les sacs pour se précipiter vers le landau. Quand elle vit son bébé, son cœur cessa de battre pendant les quelques secondes où elle essaya de comprendre ce qu'elle voyait. Le visage de Liam était tout noir, de quelque chose qui pouvait être de la suie ou de la cendre. Elle vit que la substance remplissait aussi sa bouche grande ouverte et qu'il essayait d'enlever cette chose affreuse avec sa langue, tout en poussant des hurlements. L'intérieur du landau aussi en était souillé et, quand Mia prit son fils paniqué dans ses bras et le serra contre elle, le manteau fut tout barbouillé de noir. Son cerveau n'arrivait toujours pas à formuler une explication cohérente à ce qui s'était passé. Avec Liam dans les bras, elle se précipita dans le magasin. La seule chose qu'elle savait, c'est que quelqu'un avait fait quelque chose à son fils. Elle essaya en vain d'enlever la cendre de sa bouche à l'aide d'une serviette, tandis que le personnel s'occupait d'appeler de l'aide.

Pour faire une chose pareille, il fallait être sérieusement dérangé.

Vers deux heures, ils avaient toutes les données nécessaires. Annika avait fait le plus gros du boulot et Patrik la remercia sincèrement en ramassant toutes les pages que le fax avait crachées. Il frappa à la porte de Martin, puis entra sans attendre de réponse.

— Salut, dit Martin avec une pointe d'interrogation dans la voix.

Il savait sur quoi avaient bossé Patrik et Annika, et rien qu'à voir l'expression de Patrik il comprit que leur travail avait été fructueux.

Patrik ne lui rendit pas son salut, il s'assit dans le fauteuil des visiteurs et posa les fax sur le bureau sans un commentaire.

— Je suppose que vous avez trouvé quelque chose, dit Martin en s'avançant pour prendre la liasse de documents.

— Oui, une fois qu'on a enfin obtenu les autorisations nécessaires, ça a été comme ouvrir la boîte de Pandore. Ce n'est pas de la rigolade. Lis toi-même, tu verras.

Patrik se laissa aller dans le fauteuil en attendant que Martin parcoure les fax.

— C'est pas bon, tout ça, dit Martin au bout d'un moment.

— Non, c'est pas bon du tout. Patrik secoua la tête. Treize fois. Albin est enregistré treize fois au total dans les dossiers de la Santé publique pour toutes sortes de blessures. Fractures, coupures, brûlures et Dieu sait quoi encore. C'est comme lire un rapport sur la maltraitance des enfants.

— Et tu penses que c'est Niclas, pas Charlotte, qui a fait ça ? dit Martin en levant le menton en direction de la pile de fax.

— Premièrement, il n'y a pas de preuves concrètes qu'il s'agit de maltraitance. Personne n'a jugé pertinent de poser de questions jusque-là, et théoriquement Albin peut très bien être l'enfant le plus malchanceux du monde. Cela dit, on sait tous les deux que c'est très peu probable. Quant à savoir si c'est Niclas ou Charlotte, eh bien, comment en être sûrs ? Mais c'est Niclas qui nous pose le plus de problèmes pour l'instant, et j'ai tendance à penser que c'est vraisemblablement lui le coupable.

— Ça peut être les deux. Ça s'est déjà vu, tu le sais.

— Oui, absolument. Tout est possible et on ne peut rien exclure. Mais Niclas a menti sur son alibi – et il a persuadé quelqu'un d'autre de mentir aussi. J'aimerais le convoquer pour un entretien poussé. Tu me suis là-dessus ?

— Oui, carrément. On l'embarque, et on le confronte à tout ça, puis on verra ce qu'il aura à dire. Qu'est-ce que tu en penses ?

— Je suis d'accord. On y va tout de suite ?

— On y va.

Une heure plus tard, ils avaient Niclas face à eux dans la salle d'interrogatoire. Il avait l'air tendu, mais il ne s'était pas opposé quand ils étaient venus le chercher au centre médical. C'était comme s'il n'avait plus la force de protester. A aucun moment durant le trajet il n'avait demandé pourquoi ils voulaient l'interroger. Il n'avait fait que poser un regard vide sur le paysage et avait laissé le silence parler pour lui. Patrik avait ressenti un bref éclair de compassion. On aurait dit que le cerveau de Niclas n'avait enregistré que maintenant que sa fille était morte, et qu'il consacrait actuellement toute son énergie à essayer de vivre avec cette donnée. Puis Patrik se rappela le contenu des dossiers médicaux, et sa compassion eut vite fait de s'éteindre.

— Est-ce que tu sais pourquoi tu es ici ? commença Patrik calmement.

— Non, répondit Niclas en examinant la table.

— Nous avons reçu des informations qui sont un peu... – Patrik marqua une petite pause pour l'effet – inquiétantes.

Aucune réponse de la part de Niclas. Tout son corps exprimait le découragement et les mains qui reposaient croisées sur la table tremblaient légèrement.

— Tu ne te demandes pas ce que c'est comme informations ? dit Martin sur un ton aimable, mais Niclas ne répondit toujours pas. Bon, alors il ne nous reste plus qu'à te le dire. Martin signala des yeux à Patrik qu'il lui laissait la parole. Celui-ci se racla la gorge.

— Premièrement, il s'est avéré que les indications que tu nous as fournies concernant l'endroit où tu te trouvais lundi dans la matinée ne sont pas correctes.

Niclas leva les yeux pour la première fois. Patrik eut l'impression d'y lire une lueur de surprise, qui disparut aussitôt. Faute d'une réponse, Patrik continua :

— La personne qui t'avait fourni un alibi s'est rétractée. En langage clair : Jeanette nous a raconté que tu n'étais pas du tout chez elle comme tu l'as affirmé, et elle dit aussi que tu lui avais demandé de mentir là-dessus.

Niclas n'eut aucune réaction. On aurait dit que toute émotion l'avait quitté pour ne laisser qu'un grand vide. Il ne montra ni colère, ni surprise, ni effarement, ni aucun des sentiments auxquels Patrik s'était attendu, et il s'obstina à garder le silence.

— Tu as peut-être un commentaire à faire ? tenta Martin.

— Si elle le dit, alors… Niclas secoua la tête.

— Tu pourrais nous expliquer où tu étais durant ces heures ?

Rien qu'un haussement d'épaules. Puis Niclas dit à voix basse :

— Je n'ai pas l'intention d'expliquer quoi que ce soit. Je ne comprends même pas pourquoi je suis ici ni pourquoi vous me posez toutes ces questions. Ma fille est morte. Pourquoi est-ce que je lui aurais fait du mal ? Il leva les yeux et regarda Patrik qui entrevit une bonne transition pour passer à la question suivante.

— Peut-être parce que tu as l'habitude de faire mal à tes enfants. Au moins à Albin.

Cette fois, Niclas sursauta et il fixa Patrik, bouche bée. Un léger tremblement de la lèvre inférieure fut le seul indice d'un quelconque sentiment.

— Qu'est-ce que tu veux dire ? demanda-t-il, peu sûr de lui, en laissant ses yeux errer de Patrik à Martin.

— Nous sommes au courant, dit Martin calmement.

Il feuilleta ostensiblement les papiers devant lui. Il avait fait des copies des fax pour qu'ils aient chacun un jeu, Patrik et lui.

— Vous êtes au courant de quoi ? dit Niclas avec un soupçon de défi dans la voix. Mais il ne put empêcher son regard de se poser plusieurs fois sur les papiers devant Martin.

— Treize fois. Albin a reçu des soins pour différentes blessures. Treize fois. Qu'est-ce que tu en tirerais comme conclusion, en tant que médecin, si quelqu'un consultait treize fois avec un enfant présentant des brûlures, des fractures et des coupures ?

Niclas serra les lèvres.

— Bon, c'est vrai que vous n'êtes pas allés au même endroit chaque fois. Ça aurait été tenter le diable, pas vrai ? Mais, si on rassemble les dossiers de l'hôpital d'Uddevalla et des centres de soins alentour, on arrive à treize occasions. Est-ce un enfant particulièrement frappé par les accidents, ou quoi ?

Toujours pas de réponse de Niclas. Patrik observa ses mains. Seraient-elles capables d'infliger des blessures à un tout petit enfant ?

— Il y a peut-être une explication ? dit Martin d'une voix traîtreusement douce. Je veux dire, je comprends que le stress peut devenir trop grand. Vous les médecins, vous avez de longues journées de travail, vous êtes souvent à cran. De plus, Sara était une enfant très fatigante et, avec un bébé en plus, ça peut suffire pour faire craquer n'importe qui. Toutes les frustrations qui doivent trouver un exutoire. Nous ne sommes que des êtres humains, après tout. Et ça peut expliquer pourquoi il n'y a pas eu d'autres dossiers sur des "accidents" depuis que vous habitez à Fjällbacka. Vous recevez une aide quotidienne à la maison, le boulot est moins prenant, tout a peut-être semblé plus facile soudain. Moins de frustrations, plus besoin de trouver un exutoire.

— Tu ne sais rien de moi ni de ma vie. Que ça soit clair, dit Niclas très brutalement, les yeux toujours braqués sur la table. Je n'ai pas l'intention de parler davantage avec vous, vous pouvez débrancher le baratin psychologique.

— Tu n'as donc aucun commentaire à faire, c'est ça que tu veux dire ? dit Patrik en agitant son jeu de documents.

— Non, je viens de le dire, répondit Niclas en s'entêtant à fixer le dessus du bureau.

— Tu comprends que nous sommes obligés de transmettre ce dossier aux services sociaux ?

— Faites ce que vous avez à faire, dit Niclas d'une voix épaisse. Vous avez l'intention de me retenir ici, ou je peux m'en aller maintenant ?

— Tu peux partir. Mais nous aurons d'autres questions à te poser.

Patrik se leva et accompagna Niclas à la porte, mais ni l'un ni l'autre ne tendit la main.

Patrik retourna à la salle d'interrogatoire, où Martin l'attendait.

— Qu'est-ce que tu en penses ? dit Martin.

— Je n'en sais rien, pour tout te dire. Je pense que je m'étais attendu à un peu plus de réactions de sa part.

— Oui, on aurait dit qu'il était totalement retranché du monde extérieur. Mais c'est peut-être le deuil qui s'exprime ainsi. Apparemment, il s'est jeté tête baissée dans le travail comme si de rien n'était, et il a été obligé de faire face aussi quand Charlotte a explosé. Maintenant qu'elle a repris un peu de forces, le chagrin de Niclas l'a peut-être rattrapé. Ce que j'essaie de dire, c'est qu'on ne peut pas partir du principe qu'il soit coupable de quoi que ce soit, malgré son comportement étrange. Les circonstances sont quand même assez exceptionnelles.

— Oui, tu as raison, dit Patrik en soupirant. Mais il y a certains faits qui sont bel et bien là. Il a demandé à Jeanette de mentir sur son alibi et on ne sait toujours pas où il se trouvait réellement. Et, si ces dossiers ne montrent pas qu'Albin a été maltraité, c'est que je suis la reine d'Angleterre. Si je devais parier sur un coupable, je miserais définitivement sur Niclas.

— Alors on passe le dossier aux services sociaux, comme tu l'as dit ?

— On devrait, immédiatement même, mais quelque chose me dit qu'on va attendre un peu, histoire d'en savoir plus.

— C'est toi le boss, dit Martin. J'espère seulement que tu sais ce que tu fais.

— A vrai dire, je n'en ai pas la moindre foutue idée, dit Patrik avec un sourire en coin. Pas une.

Elle sursauta quand on frappa à la porte. Maja était allongée sur le dos sous son portique d'éveil, et Erica s'était blottie dans un coin du canapé, plongée dans une torpeur d'épuisement. Elle bondit et alla ouvrir. En voyant qui se tenait là, elle leva les sourcils de surprise.

— Salut Niclas, dit-elle, sans esquisser le moindre geste pour le faire entrer.

Ils ne s'étaient jamais vus plus qu'en passant et elle se demanda ce qui pouvait bien le pousser à venir chez elle.

— Salut, dit-il, peu sûr de lui, puis il se tut. Après un moment qui sembla très long, il poursuivit : Je peux entrer un instant ? J'aurais besoin de te parler.

— Bien sûr, entre, dit Erica, sur un ton assez déconcerté. Tu veux un café ?

Elle se rendit dans la cuisine pour mettre en route la cafetière pendant que Niclas se débarrassait de son manteau, puis elle retourna dans le salon chercher Maja qui commençait à s'impatienter.

— Je reconnais ça, sourit Niclas en s'installant en face d'Erica qui servit le café de sa main libre. Cette capacité que développent les mamans de tout faire aussi facilement d'une main qu'avec les deux. Je n'arrive pas à comprendre comment vous faites.

Erica lui rendit son sourire. C'était incroyable comment le visage de Niclas se transformait quand il souriait. Puis le sérieux reprit le dessus et il se ferma de nouveau. Il sirota son café, comme pour gagner du temps. La curiosité avait assailli Erica. Qu'est-ce qu'il voulait ?

— Tu dois te demander ce que je fais ici, dit-il comme s'il avait lu dans ses pensées. Erica ne répondit pas. Niclas but encore une gorgée et continua : Je sais que Charlotte est venue te voir et que vous avez parlé.

— Je ne peux pas te dire ce qu'on a…

Il leva une main pour l'arrêter.

— Je ne suis pas ici pour essayer d'apprendre ce que Charlotte t'a dit. Je suis ici parce que tu es sa meilleure amie et, d'après ce que j'ai pu voir quand tu es venue chez nous, tu es aussi une bonne amie. Et Charlotte va avoir besoin d'une très bonne amie maintenant.

Erica l'interrogea du regard, avec un mauvais pressentiment de ce qui allait venir. Elle sentit une petite main sur sa joue et regarda Maja qui essayait d'attraper une mèche de ses cheveux. A vrai dire, elle n'était pas sûre de vouloir en entendre davantage. Quelque chose en elle voulait rester dans la petite bulle où elle avait vécu ces derniers mois. Même si elle avait souvent eu l'impression d'y étouffer, c'était un endroit rassurant et familier. Mais elle se maîtrisa, déplaça le regard de Maja à Niclas et dit :

— Tu peux compter sur moi, je ferai mon possible.

Niclas hocha la tête, puis sembla hésiter. Après avoir tourné la tasse de café entre ses mains un moment, il prit une profonde inspiration et se lança :

— J'ai trahi Charlotte. J'ai trahi ma famille de la pire manière imaginable. Mais il y a autre chose. Des choses qui nous ont rongés, qui nous ont éloignés l'un de l'autre. Des choses qu'il faut affronter maintenant. Charlotte n'est pas encore au courant de ma trahison, mais je vais le lui dire, et c'est alors qu'elle va avoir besoin de toi.

— Raconte, dit Erica doucement, et ce fut avec un soulagement manifeste que Niclas commença à tout débiter, une bouillasse infâme, sale et incohérente.

Quand il eut fini, son visage avait retrouvé une certaine sérénité. Erica ne sut pas quoi dire. Elle caressa la joue de Maja, comme pour se défendre contre une réalité trop laide et horrible. Une partie d'elle avait envie de bondir et de hurler à ce type d'aller se faire foutre. Une autre partie voulait le prendre dans ses bras et le consoler. Elle se contenta de dire :

— Tu dois tout raconter à Charlotte. Rentre immédiatement et dis-lui tout ce que tu viens de me dire. Et je serai là si elle a besoin de parler. Ensuite… Erica se tut, ne sachant pas très bien comment le dire. Ensuite il vous faut vous attaquer à votre vie. Si, je dis bien *si*, Charlotte arrive à te pardonner, tu prendras sur toi de veiller à ce que votre vie continue. La première chose à faire, c'est de quitter cette maison. Charlotte ne s'est jamais sentie bien avec sa mère, et je sais que ça ne s'est pas amélioré depuis la mort de Sara. Il faut que vous ayez un foyer à vous. Un foyer où vous renouerez les liens, où vous pourrez pleurer Sara entre vous. Où vous pourrez redevenir une famille.

— Oui, tu as raison. J'aurais dû m'en occuper depuis longtemps, mais j'étais tellement barré dans mes histoires que je n'ai pas vu…

Il baissa la tête et regarda fixement la table, quand il la releva ses yeux étaient remplis de larmes.

— Elle me manque tant, Erica. J'ai l'impression que je vais exploser en mille morceaux tellement elle me manque. Sara n'est plus là, Erica. Je ne le réalise que maintenant. Sara est partie.

Les larmes coulèrent sur ses joues et tombèrent sur la table. Tout son corps était secoué de sanglots et son visage se déforma au point d'être méconnaissable. Erica prit sa main par-dessus la table. Elle resta longtemps ainsi pendant qu'il pleurait.

Ça s'était reproduit au cours du week-end. Quelques semaines s'étaient écoulées depuis la dernière fois et il avait commencé à espérer que tout cela n'était qu'un mauvais rêve, ou que ça s'était arrêté, une fois pour toutes. Puis ils revinrent, ces instants. Les instants de dégoût, de déni et de douleur.

Si seulement il avait su comment lutter contre. Quand ça se produisait, il sentait l'apathie l'envahir et il se laissait simplement emporter.

Assis au sommet du mont Vedde, Sebastian entoura ses genoux de ses bras. D'ici, il avait vue sur la baie. Le vent soufflait et il faisait froid, mais dans un certain sens c'était tant mieux. Comme ça, c'était pareil partout, à l'extérieur et à l'intérieur de lui. Il aurait aimé qu'il pleuve aussi, comme il pleuvait dans son corps. Une pluie diluvienne, des trombes d'eau qui emportaient tout ce qui était bon et entier. Comme si ça partait dans des égouts gigantesques.

En plus, Rune l'avait engueulé, par-dessus le marché. Il avait rouspété et râlé et dit qu'il ne faisait pas assez d'efforts. Qu'il ne se bougeait pas le cul. Qu'il n'aurait aucun avenir s'il ne travaillait pas plus, vu qu'il n'était pas naturellement doué. Mais il avait essayé. Tant qu'il pouvait vu les circonstances. Ce n'était pas sa faute si tout foirait.

Les yeux lui piquaient et, d'un geste rageur, Sebastian se servit de la manche du pull pour les essuyer. C'était la dernière chose qu'il voulait, pleurer comme un môme. Alors qu'en réalité, tout était de sa faute. Si seulement il avait su tenir tête, ça ne se serait pas passé. Pas la première fois. Pas la deuxième non plus. Pas encore et encore et encore.

Malgré lui, les larmes se mirent à couler sur ses joues et il s'essuya si violemment avec le tissu rêche du pull que son visage devint tout strié de rouge.

Un bref instant, il eut l'impulsion de mettre fin à tout. Ce serait si simple. Quelques pas jusqu'au bord, puis il pouvait se jeter dans le vide. Ce serait fini en quelques secondes. De toute façon, ça n'aurait aucune importance. Rune serait probablement soulagé de ne plus avoir à s'occuper d'un gamin qui n'était pas le sien. Peut-être qu'il allait même rencontrer quelqu'un d'autre et avoir cet enfant à lui qu'il désirait tant.

Sebastian se leva. L'idée était séduisante. Il s'avança lentement au bord du précipice et regarda en bas. C'était haut. Il essaya d'imaginer comment ça serait. De voler à travers l'air, en apesanteur pendant quelques brefs instants, puis le choc lorsque son corps rencontrerait le sol. Est-ce qu'il sentirait quelque chose ? Pour voir, il avança un pied et le laissa pendre dans le vide. Puis une pensée le frappa. La chute ne le tuerait pas forcément. Il pourrait survivre mais rester paralysé ou un truc comme ça. Un légume bavant pour le restant de sa vie. Là, Rune aurait de quoi se lamenter. Mais il aurait sans doute vite fait de le fourrer dans une institution quelque part.

Il hésita avec le pied par-dessus bord. Puis il le reposa par terre et recula lentement. Les bras croisés sur la poitrine, il fixa l'horizon. Longtemps, longtemps.

Dès qu'il eut franchi la porte, elle se jeta sur lui.

— Qu'est-ce qu'il s'est passé ? Aina a appelé, elle m'a dit que la police est venue te chercher au cabinet ? La voix était angoissée, à la limite de la panique. Je n'ai rien dit à Charlotte, ajouta-t-elle.

Niclas leva les mains pour parer à l'attaque verbale de Lilian, mais elle ne se laissa pas faire. Elle marchait sur ses talons, le bombardant de questions. Il l'ignora et alla se servir une grande tasse de café dans la cuisine. La cafetière n'était pas branchée et le café était à peine tiède, mais ça n'avait aucune importance. Il lui fallait soit un café, soit un grand whisky, et il valait sans doute mieux s'en tenir au premier.

Il s'assit à la table et Lilian suivit son exemple tout en l'étudiant de près. Qu'est-ce que la police était encore allée inventer comme stupidités ? Ne savaient-ils pas que

Niclas était un homme respectable, un médecin qui avait réussi ? Encore une fois, elle s'émerveilla que sa fille soit tombée sur l'oiseau rare. Ils étaient très jeunes quand ils avaient commencé à sortir ensemble, mais Lilian avait immédiatement vu que Niclas était un homme avec un avenir et elle avait encouragé leur relation. Qu'il ait choisi Charlotte parmi toutes les filles qui lui couraient après, elle imputait ça à la chance, vraiment. Certes, Charlotte pouvait être assez jolie quand elle faisait un effort, mais dès l'adolescence elle avait pris quelques kilos de trop. Et elle n'avait pas d'ambitions, surtout. Pourtant elle avait réussi ce que sa mère souhaitait par-dessus tout. Lilian avait porté la réussite de son gendre telle une médaille sur la poitrine, mais à présent tout était menacé. Elle redoutait toutes les langues de vipère qui allaient se mettre à jaser si elles apprenaient que la police avait embarqué Niclas pour l'interroger. Et, avec ça, il était tout rouge et gonflé à force de pleurer, les flics ne l'avaient apparemment pas ménagé.

— Bon, qu'est-ce qu'ils voulaient ?

— Ils avaient quelques questions, c'est tout, dit Niclas et il but le café presque froid par grandes goulées.

— Quelles sortes de questions ?

Lilian refusa d'abandonner la partie. Si elle devait raser les murs désormais dès qu'elle sortait en ville, elle voulait au moins savoir de quoi il s'agissait.

Mais Niclas l'ignora. Il se leva et rangea la tasse vide dans le lave-vaisselle.

— Charlotte est en bas ?

— Elle se repose, répliqua Lilian sans cacher sa colère de ne pas obtenir de réponse.

— Je descends lui parler.

— Pourquoi tu veux lui parler ?

Lilian ne s'avoua pas vaincue, mais Niclas en eut assez.

— C'est entre Charlotte et moi. Je viens de dire que ce n'est rien de spécial. Et je suppose que j'ai le droit de parler avec mon épouse sans que tu en sois informée ? Erica a entièrement raison, il est grand temps qu'on se trouve un endroit rien qu'à nous, Charlotte et moi.

Lilian fit un pas en arrière à chaque mot prononcé. Niclas l'avait toujours traitée avec respect et ses paroles l'atteignirent comme des gifles. Surtout après tout ce qu'elle avait fait pour lui. Pour lui et Charlotte. L'injustice la mit en ébullition et elle chercha une réplique cinglante à lui lancer, mais ne trouva rien avant qu'il soit déjà à mi-chemin dans l'escalier. Elle se rassit. Les pensées se bousculèrent dans sa tête. Comment pouvait-il lui parler ainsi ? A elle, qui ne voulait que leur bien. Qui se sacrifiait sans cesse et plaçait leurs intérêts avant les siens. Ils étaient comme des sangsues qui la vidaient de toutes ses forces. Lilian s'en rendait compte à présent. Stig, Charlotte et maintenant même Niclas. Ils profitaient d'elle, tous. Ils mangeaient et picoraient dans sa main tendue, sans rien donner en échange.

Charlotte était en train de penser à son père. C'était étrange mais, au cours des huit années après sa mort, il avait été de moins en moins présent dans ses pensées. Les souvenirs étaient devenus des instantanés flous et de mauvaise qualité. Mais, depuis la mort de Sara, les souvenirs qu'elle avait de lui étaient devenus aussi nets que s'il avait disparu la veille.

Ils avaient été si proches, Lennart et elle. Bien plus proches qu'elle et sa mère, parfois elle avait eu l'impression qu'ils avaient une âme en commun. Il avait toujours su la faire rire. Sa mère riait rarement et Charlotte ne se rappelait pas un seul moment où ils avaient ri tous ensemble. Son père était très diplomate, toujours conciliant et prompt à expliquer. Expliquer pourquoi Lilian était toujours sur son dos, pourquoi rien de ce que faisait Charlotte ne trouvait grâce à ses yeux. Pourquoi elle n'était jamais à la hauteur des attentes de sa mère. En revanche, elle n'avait jamais déçu son père. A ses yeux, elle avait été parfaite, elle en était convaincue.

Sa maladie avait été un grand choc. Ça avait commencé si lentement, si graduellement qu'il leur avait fallu un bon moment pour s'en rendre compte. Parfois, Charlotte se demandait si elle aurait pu empêcher sa mort en étant plus attentive. En remarquant les signes plus tôt. Mais elle vivait à Uddevalla avec Niclas, elle était enceinte de Sara et avait été si occupée par sa propre vie. Quand elle avait vu qu'il n'était pas bien, elle avait pour une fois fait cause commune avec Lilian et l'avait sermonné jusqu'à ce qu'il aille voir un médecin. Mais il était trop tard. Ensuite c'était allé très vite. En un mois, il était mort. Les médecins disaient que c'était une maladie rarissime qui s'attaquait aux nerfs, et qui progressivement brisait le corps. Ils avaient dit que, même s'il était venu consulter plus tôt, ils n'auraient rien pu faire. Mais la mauvaise conscience était là, malgré tout.

Elle se dit qu'elle aurait peut-être pu maintenir son souvenir plus vivant si elle avait pu le pleurer tout son soûl. Mais Lilian avait monopolisé l'espace. Elle avait accaparé tous les droits au chagrin et exigé que son travail de deuil passe avant celui des autres. Un flot continu d'amis et de connaissances était passé chez eux les semaines suivant la disparition de Lennart et, pour ces gens, Charlotte aurait tout aussi bien pu faire partie du décor. Toutes les condoléances, tous les mots consolateurs avaient été pour Lilian, qui tenait audience telle une reine. Dans ces instants, elle haïssait sa mère. L'ironie avait voulu que, juste avant qu'ils apprennent la maladie de Lennart, elle avait cru comprendre que son père était sur le point de quitter Lilian. Les disputes et les affrontements avaient pris de l'ampleur et une séparation paraissait inévitable. Mais ensuite Lennart était tombé malade et Charlotte était obligée de reconnaître que sa mère avait oublié toute animosité et s'était consacrée corps et âme à son mari. C'est après seulement que Charlotte avait eu du mal à digérer le besoin apparemment insatiable de sa mère d'être au centre.

Les années étaient passées et elle avait rangé son ressentiment. Sa vie était trop remplie pour qu'elle ait la force de continuer de l'alimenter. Elle n'avait pas eu beaucoup de temps pour penser à son père et à son souvenir. Mais maintenant la vie l'avait rattrapée, l'avait renversée et abandonnée meurtrie au bord de la route. A présent, elle disposait de tout le temps qu'elle voulait pour penser à celui qui aurait dû être là en ce moment. Celui qui aurait su les paroles à employer, qui lui aurait caressé les cheveux en disant que tout allait s'arranger. Lilian, comme d'habitude, était trop occupée par ses propres soucis pour prendre le temps de l'écouter, et Niclas, eh bien, il était Niclas. Le bref espoir qu'elle avait nourri que le deuil les rapproche s'était envolé. Niclas s'était enfermé dans son propre cocon. Certes, il ne l'avait jamais laissée entrer dans ses espaces intimes, mais à présent il n'était plus qu'une ombre recroquevillée qui allait et venait dans sa vie. Il posait sa tête sur l'oreiller à côté d'elle chaque soir, mais ils restaient côte à côte, prenant bien soin de ne pas se toucher. Terrorisés sans doute qu'un contact soudain et inattendu de leurs peaux rouvre des plaies qui devaient rester fermées. Ils avaient traversé tant d'épreuves ensemble. Contre toutes les probabilités ils avaient su conserver au moins une unité de façade, mais maintenant elle se demandait s'ils n'étaient pas arrivés au bout du chemin.

Des pas dans l'escalier la tirèrent de ses sombres ruminations. Elle leva les yeux et vit Niclas. Un coup d'œil sur la montre lui apprit qu'il n'aurait pas dû être de retour du travail avant plusieurs heures.

— Tiens, tu es déjà rentré ? dit-elle toute surprise en commençant à se lever.

— Reste assise, il faut qu'on parle, dit-il.

Le cœur de Charlotte tressaillit. Quoi qu'il ait à dire, ce ne serait rien d'agréable.

FJÄLLBACKA 1928

La vie en ville n'avait pas apporté les changements espérés. Celle qu'elle était devenue lui pesait de plus en plus. D'année en année, son amertume grandissait et son existence antérieure lui paraissait de plus en plus comme un rêve lointain. Avait-elle réellement porté de belles robes, s'était-elle installée devant le piano à queue lors de grandes fêtes, y avait-il eu des hommes qui se disputaient pour une danse avec elle et, surtout, avait-elle vraiment pu manger autant qu'elle voulait, aux repas comme aux goûters ?

Elle s'était renseignée sur son père et à sa grande satisfaction elle avait appris que c'était un homme brisé. Il vivait seul dans la grande villa et ne sortait que pour se rendre au travail. Agnes s'en réjouissait et nourrissait aussi un tout petit espoir de retour en grâce si la vie de son père devenait trop misérable. Mais le temps passait et elle ne voyait rien arriver, et son espoir semblait de plus en plus illusoire.

Les garçons avaient quatre ans maintenant, et c'étaient de vraies terreurs. Ils couraient partout dans le quartier, aussi petits qu'ils soient, et Agnes n'avait ni l'envie ni la force de les éduquer. Les journées de travail d'Anders étaient plus longues à présent qu'il avait tout le chemin à parcourir du centre-ville jusqu'à la carrière. Il partait avant que les garçons ne se réveillent et il rentrait quand ils étaient endormis. Il n'avait que le dimanche pour passer un peu de temps avec eux et alors ils étaient tellement heureux de l'avoir à la maison qu'ils se conduisaient comme de petits anges. Ils n'avaient pas eu de frère ou de sœur, Agnes avait veillé au grain. Anders avait bien fait quelques démarches maladroites pour entamer le sujet et tenter de venir dans son lit, mais elle n'avait eu aucune difficulté à dire non. Le désir qu'elle avait ressenti pour lui un jour lui était totalement étranger maintenant. Elle avait des frissons de dégoût dès qu'elle sentait ses doigts sales et rugueux sur sa peau. Le fait qu'il ne proteste pas contre ce long célibat forcé ajoutait aussi à son mépris pour lui. Ce que d'autres qualifieraient de gentillesse était pour elle un manque de caractère et le fait qu'il continuait à s'occuper de presque tout à la maison renforçait cette image. Aucun homme digne de ce nom ne lavait les vêtements de ses enfants ni ne préparait lui-même son casse-croûte et elle choisissait habilement d'oublier que la raison qui le poussait à cela était son propre refus de le faire.

— Mère, Johan m'a tapé !

Karl arriva en courant alors qu'elle était assise sur le perron en train de fumer une cigarette, une mauvaise habitude qu'elle avait contractée ces dernières années, et pour laquelle elle n'arrêtait pas de demander de l'argent à Anders, presque dans l'espoir qu'il se rebiffe.

Elle contempla froidement l'enfant en pleurs devant elle, puis elle lui souffla lentement un nuage de fumée à la figure. Il se mit à tousser et se frotta les yeux. Il vint se serrer contre elle à la recherche d'une consolation mais, comme tant de fois auparavant, elle refusa de répondre à ses demandes de tendresse. C'était le domaine d'Anders. Il gâtait suffisamment les enfants pour qu'elle n'en fasse pas de petits chouchous accrochés aux jupes de leur mère aussi. Elle le repoussa avec humeur et lui donna une petite tape sur les fesses.

— Ne pleure pas, tu n'as qu'à te défendre, dit-elle calmement en soufflant une autre bouffée de fumée dans l'air printanier.

Karl lui lança un regard qui contenait tout le chagrin qu'il ressentait d'être éconduit, puis il inclina la tête et partit d'un pas triste rejoindre son frère.

L'année d'avant, la voisine avait eu le toupet de venir lui dire qu'elle devrait mieux surveiller ses mômes. Elle les avait vus jouer tout au bout du quai de chargement.

Agnes s'était contentée de lancer un regard vide sur la petite femme laide et de lui dire de s'occuper de ses oignons. Sachant que sa fille aînée s'était enfuie à la ville et que d'après la rumeur elle gagnait son pain en se montrant en costume d'Eve, elle n'avait pas à venir dire à Agnes comment éduquer ses enfants. La bonne femme avait manifestement été atteinte, parce qu'elle était partie en murmurant : "Pauvres garçons", mais elle n'avait pas osé revenir, et c'était exactement ce qu'Agnes avait cherché.

Elle se pencha en arrière face au soleil. Il ne fallait pas qu'elle reste trop longtemps à profiter des rayons du soleil qui chauffait son visage, si elle voulait conserver la peau blanche d'une femme de classe supérieure. C'était la seule chose qui lui restait de sa vie antérieure, son physique, et elle ne se privait pas d'en tirer profit pour redorer un peu son existence autrement si morne. C'était surprenant combien de marchandises on pouvait obtenir chez l'épicier en se prêtant à une étreinte, voire plus à condition que le gain soit en rapport. De cette manière elle avait pu se procurer des friandises et de la nourriture, qu'elle ne partageait pas avec la famille. Elle avait même obtenu un bout de tissu qu'elle avait soigneusement dissimulé à Anders. Pour l'instant elle se contentait d'aller le tâter de temps en temps, et de le passer sur sa joue pour sentir la douceur de la soie. Le boucher aussi avait glissé quelques petites insinuations, mais il y avait des limites à ce qu'elle était prête à payer pour quelques morceaux de viande supplémentaires. L'épicier était un homme relativement jeune et bien de sa personne, avec qui ce n'était pas du tout désagréable d'échanger des baisers dans l'arrière-boutique, tandis que le boucher était un homme gros et gras dans la soixantaine et il faudrait bien plus à Agnes qu'un rôti de bœuf pour permettre à ses doigts boudinés aux ongles incrustés de sang séché de se faufiler sous ses jupes.

Qu'on chuchote derrière son dos, elle l'avait perçu. Mais, depuis qu'elle avait compris qu'elle ne retrouverait jamais son ancien statut, cela lui était égal. Qu'ils parlent. Ce n'était pas l'opinion d'une bande d'ouvriers bornés qui allait l'empêcher de s'offrir un peu de bon temps quand l'occasion se présentait. Et si de plus Anders devait de temps à autre endurer les racontars sur sa femme, tant mieux. Aux yeux d'Agnes, c'était la faute d'Anders si elle se trouvait ici aujourd'hui, et elle était contente de la moindre peine qu'elle pouvait lui causer.

Mais, ces dernières semaines, elle était tracassée. Il lui semblait qu'il se tramait quelque chose, dont elle était exclue. Plusieurs fois elle avait surpris Anders en train de réfléchir, le regard dans le vide, comme s'il pesait le pour et le contre. A plusieurs reprises, elle lui avait demandé s'il était préoccupé, mais il avait répondu par la négative, même si c'était de manière pas très convaincante. Il manigançait quelque chose, elle en était sûre. Quelque chose qui la concernait, mais que pour une raison ou une autre elle ne devait pas connaître. Ça l'énervait au plus haut point, mais à ce stade elle savait que ça ne servait à rien d'essayer de lui faire révéler quoi que ce soit avant qu'il soit prêt. Il pouvait être têtu comme une mule quand il voulait.

Soucieuse, elle ramassa le paquet de cigarettes et se leva pour rentrer. Elle se demanda vaguement où étaient passés les garçons puis elle haussa les épaules en se disant qu'ils étaient bien assez grands pour se débrouiller tout seuls. Pour sa part, elle avait l'intention de faire une petite sieste.

L'après-midi se traîna à une vitesse d'escargot. Patrik avait consacré beaucoup trop de temps à parcourir plusieurs fois les dossiers médicaux d'Albin. Il se demanda s'il avait bien fait d'attendre pour contacter les services sociaux. Il savait que la police comme le corps médical avaient toujours des réticences à signaler les soupçons de maltraitance d'enfant car, une fois que les moulins de l'administration avaient commencé à tourner, il était difficile d'arrêter le processus. Quelque chose lui disait qu'il avait raison de remettre une telle décision à plus tard. Il pourrait y avoir une explication naturelle, mais personne ne serait disposé à écouter de cette oreille-là une fois la machine lancée. De plus, il n'y avait eu aucun incident depuis que la famille Klinga était venue s'installer à Fjällbacka. Tout indiquait que la situation s'était stabilisée. Mais il n'en avait pas la certitude et, si Albin devait subir d'autres sévices, il savait qu'il serait tenu pour responsable.

La sonnerie du téléphone vint interrompre ses réflexions.

— Patrik Hedström.

— Bonjour, ici Lars Karlfors de la police à Göteborg.

— Oui ? dit Patrik.

Le ton de l'homme laissa entendre que Patrik était supposé savoir qui il était, mais il n'arrivait pas à se rappeler avoir déjà entendu ce nom. Et il savait encore moins de quoi il pouvait s'agir.

— Bon, c'est au sujet de cette affaire en cours, on avait appelé il y a quelque temps, quelqu'un devait te transmettre l'info, si j'ai bien compris.

— Ah bon ? dit Patrik, de plus en plus perplexe. Juste là, je ne me souviens pas d'avoir reçu une demande en provenance de Göteborg. Ça devait être quand, et à propos de quoi ?

— Je vous ai contactés il y a plus de trois semaines. Je suis aux Mœurs, je m'occupe d'abus sexuels sur mineurs et on est en train de démanteler un réseau de pédopornographie. On a été en contact avec une personne chez vous à ce sujet et c'est pour ça que je rappelle.

Patrik se sentit comme un imbécile, il n'avait aucune idée de quoi parlait cet homme.

— Tu as eu qui, ici chez nous ?

— Eh bien, toi, tu étais en congé parental ce jour-là, et on m'a mis en relation avec un... attends. Il sembla chercher dans ses papiers. Ah, voilà. J'ai parlé avec un Ernst Lundgren.

Patrik sentit la rage réduire son champ de vision. Il se vit déjà en train d'étrangler Ernst. Avec un calme apparent il dit :

— On a dû louper quelque chose dans notre communication interne. Mais tu peux peut-être m'informer maintenant, et je m'occuperai de voir ce qui a cloché ici ensuite.

Lars Karlfors dressa un portrait général de leur travail, comment ils étaient sur les traces d'un réseau de pédopornographie qui les préoccupait au plus haut degré. Ils avaient l'impression que le commissariat de Tanumshede pouvait les aider, et Patrik retint sa respiration. Il se força à continuer d'écouter jusqu'au bout, promit qu'ils allaient donner la priorité absolue à cette affaire et termina avec les phrases de politesse d'usage. Mais, dès qu'il eut raccroché, il fut debout. En deux enjambées il eut rejoint la porte et il hurla le nom d'Ernst dans le couloir.

Erica était en train de se creuser les méninges lorsqu'on frappa à la porte. Elle se doutait bien de qui c'était et se leva pour aller ouvrir à Charlotte. Elle n'avait pas de manteau et elle semblait avoir fait tout le trajet en courant. La sueur coulait sur son front et elle tremblait de façon incontrôlable.

— Dans quel état tu es ! dit Erica sans réfléchir en regrettant aussitôt ses mots, et elle fit entrer Charlotte au chaud.

— Je te dérange ? Charlotte avait une toute petite voix. Erica secoua vigoureusement la tête.

— Bien sûr que non. Tu viens ici quand tu veux, tu le sais très bien.

Charlotte hocha la tête, grelottant toujours des pieds à la tête, les bras serrés autour de son corps. La sueur et l'air humide lui avaient collé les cheveux sur la tête et une mèche lui barrait le visage. Elle ressemblait à un chiot abandonné, négligé et trempé.

— Tu veux du thé ?

Charlotte avait quelque chose de sauvage dans le regard, mêlé au désespoir qui était apparu depuis la mort de Sara, et elle se contenta de hocher la tête.

— Assieds-toi, j'arrive, dit Erica en jetant d'abord un regard sur Maja dans le salon.

Celle-ci semblait satisfaite de l'existence et regarda Charlotte avec grand intérêt.

— Je vais mouiller le canapé si je m'assieds là, dit Charlotte et on aurait dit qu'elle parlait de la fin du monde.

— On s'en fout. Ça séchera. Dis, je n'ai que du thé à la framboise, ça te va ou tu trouves que c'est trop parfumé ?

— Ça me va.

Charlotte aurait répondu pareil si elle lui avait proposé du thé au fumier de cheval, pensa Erica. Elle revint dans le salon avec deux grandes tasses de thé, un pot de miel et deux cuillères sur un plateau qu'elle posa sur la table basse, puis elle s'assit. Elle ne dit rien, ne voulant pas forcer les confidences de Charlotte. Son amie avait manifestement très envie de se confier, mais sans savoir par quel bout commencer. Erica se demanda si Niclas avait mentionné qu'il était déjà venu la voir. Après encore un long moment de silence, seulement ponctué des petits gazouillis de Maja, Charlotte répondit à sa question muette.

— Je sais qu'il est venu te voir. Il me l'a dit. Tu es donc déjà au courant. Qu'il en a eu une autre. Encore une autre, devrais-je sans doute dire. Elle laissa échapper un petit rire amer et les larmes se mirent enfin à couler.

— Oui, je suis au courant, dit Erica.

Elle savait aussi ce que Charlotte voulait dire avec "encore une autre", puisqu'elle lui avait déjà parlé des aventures incessantes de Niclas. Elle avait pensé que c'était fini depuis qu'ils avaient décidé de reprendre à zéro à Fjällbacka. Il avait promis que ce serait un nouveau départ sur ce plan-là aussi.

— Ça fait plusieurs mois qu'il la voit. Tu te rends compte ? Plusieurs mois. Ici à Fjällbacka. Sans que personne les ait vus. Tu te rends compte, le bol !

Le rire frisait l'hystérie, et Erica posa sa main sur la jambe de Charlotte pour la calmer.

— C'est qui ?

— Niclas ne te l'a pas dit ?

Erica secoua la tête.

— Une pétasse de vingt-cinq ans. Je ne la connais pas. Jeanette quelque chose.

Charlotte agita une main pour indiquer qu'elle était rodée. Savoir qui était la nana n'avait pas grande importance pour elle. Ce qui comptait, c'était la trahison de Niclas.

— Ça fait tant d'années que j'accepte toute cette merde. J'ai pardonné tant de fois et espéré, j'ai dit que je tirerais un trait dessus et promis qu'on passerait à autre chose. Et cette fois-ci ça allait vraiment changer. On allait quitter tout ce qui s'était passé, on allait changer de cadre, devenir des gens nouveaux, je suppose.

Il y eut encore ce rire funeste, alors que les larmes coulaient toujours.

— Je suis désolée, Charlotte, vraiment désolée.

— On est ensemble depuis si longtemps. On a eu deux enfants, on a traversé plus d'épreuves que personne ne peut imaginer, on a perdu un enfant, et maintenant ceci.

— Pourquoi il te l'a avoué maintenant ?

— Il ne t'a pas dit ? Charlotte ouvrit de grands yeux. Tu vas avoir du mal à le croire. Il me l'a avoué parce que la police l'a embarqué pour l'interroger aujourd'hui.

— Ah bon ? Pourquoi ?

Erica fut surprise. Certes, Patrik ne lui racontait pas tout ce qu'il faisait, mais elle n'avait rien perçu indiquant que Niclas les intéressait plus particulièrement.

— Il ne savait pas trop. Ils avaient eu vent de son aventure avec cette nana et ils voulaient peut-être vérifier de plus près. Mais il a dit que c'était réglé maintenant. Ils savent qu'il n'aurait jamais fait de mal à sa propre fille, ils voulaient sans doute seulement éclaircir quelques points.

— Tu es sûre que c'est la seule raison ?

Erica connaissait trop bien le travail de Patrik pour accepter une explication aussi mince. Surtout que c'était le père de la victime qui avait été interrogé. En même temps elle commençait à se poser des questions sur ce qui avait poussé Niclas à venir la voir. Après tout, elle n'était pas seulement l'amie de sa femme, elle était également la compagne de l'inspecteur en charge de l'enquête.

— En tout cas, c'est ce qu'il a dit. Mais il y avait un truc qui... Charlotte eut l'air de chercher : Bof, je ne sais pas, mais je crois que j'ai eu l'impression qu'il ne m'avait pas tout raconté, maintenant que tu le dis. Mais, à l'écouter se confesser, j'étais tellement focalisée sur ce qu'il avouait à propos de sa maîtresse que je n'ai pas dû entendre grand-chose d'autre.

Charlotte semblait si amère qu'Erica eut envie de la prendre dans ses bras et de la bercer comme un bébé. Mais elle n'était pas du genre très physique, et le contact trop poussé avec d'autres personnes la mettait mal à l'aise, si bien qu'elle se contenta de passer sa main sur le dos de Charlotte.

— Tu as une idée de ce qu'il pourrait y avoir comme autres raisons ?

Erica eut l'impression de voir un voile sombre passer sur le visage de Charlotte. Mais il disparut aussi vite qu'il était apparu. La réponse de Charlotte fut rapide et assurée :

— Non, pas la moindre.

Puis elle se tut et but une gorgée de thé. Elle était plus calme maintenant qu'en arrivant, elle ne pleurait plus. Mais son expression était grave. Toute sa personne indiquait très clairement qu'elle avait le cœur brisé.

— Vous vous êtes rencontrés comment, Niclas et toi ? demanda Erica, plus par curiosité personnelle que dans un quelconque but thérapeutique.

— Oh, ça, c'est un vrai sac de nœuds, je peux te le dire. Pour la première fois depuis son arrivée, le rire de Charlotte sonnait vrai. Il était dans une classe au-dessus de moi au lycée. En fait, je ne l'avais pas spécialement remarqué, j'étais amoureuse d'un de ses potes, mais pour une raison ou une autre Niclas s'est intéressé à moi. Il me l'a fait comprendre et petit à petit mon intérêt s'est éveillé aussi. On est sortis ensemble pendant un mois ou deux, ensuite je me suis lassée.

— Tu as rompu ?

— Ça t'étonne ? Attention, je pourrais mal le prendre, rit Charlotte. Malheureusement, je n'ai tenu que deux mois, ensuite je suis retombée dans le piège, et le cirque a repris. Cette fois-ci ça a duré tout un été, puis il est parti en virée avec ses potes. En rentrant, il a d'abord raconté des bobards comme quoi les autres allaient peut-être me dire qu'il avait un peu trop bu et s'était endormi derrière un bar. C'est une explication qui n'a pas résisté très longtemps et, quand la vérité a éclaté, ça a été fini entre nous pour la deuxième fois. A vrai dire, après ça j'étais assez soulagée d'être tirée d'affaire avec juste ma frayeur et quelques larmes. Niclas a commencé à sévir parmi les nanas comme si chaque jour était le dernier, et tu ne croirais pas la moitié des histoires qu'on m'a racontées. Bon, je ne suis pas de bois, il m'est arrivé à moi aussi de m'envoyer en l'air, mais ce sont des histoires qui m'ont plutôt laissé un mauvais arrière-goût. Maintenant, avec le recul, je me dis qu'il aurait mieux valu que tout s'arrête là et que Niclas reste une simple erreur d'adolescence. Mais j'ai eu beau le mépriser pour ce qu'il faisait et pour ce qu'il était devenu, il restait quand même tapi quelque part dans ma tête. Et, quelques années plus tard, on s'est croisés par hasard et, bon, le reste tu le connais. On dirait que j'aurais dû savoir dans quoi je me lançais, pas vrai ?

— Les gens n'arrêtent pas de changer. Qu'il se soit comporté de cette manière quand il était jeune ne signifie pas qu'il va automatiquement te tromper une fois adulte. La plupart deviennent plus matures avec l'âge.

— Pas Niclas, apparemment. Mais je ne peux pas le haïr pour autant. On a traversé tant de choses ensemble et parfois j'aperçois quelques petites lueurs de sa vraie personnalité. Il m'est arrivé de le voir vulnérable et ouvert, et c'est pour ça que je l'aime. Je sais aussi tout sur son enfance, et ce qui est arrivé entre lui et son père quand il avait dix-sept ans, je pense que j'ai vu ça comme une sorte de circonstance atténuante. En même temps c'est difficile d'admettre qu'il puisse me faire aussi mal.

— Qu'est-ce que tu vas faire maintenant ? demanda Erica.

Elle jeta un regard sur Maja et eut du mal à en croire ses yeux. Sa fille s'était endormie toute seule dans le baby-relax, pour la première fois.

— Je ne sais pas. Je n'ai pas le courage de m'y attaquer maintenant. Et, d'une certaine manière, j'ai l'impression que ça m'est égal. Sara est morte et rien de ce que Niclas peut dire ou faire ne sera aussi douloureux. Il veut qu'on reparte à zéro, qu'on se trouve une maison et qu'on déménage de chez maman et Stig dès que possible. Mais moi, je nage en pleine confusion en ce moment… Charlotte baissa la tête, puis elle se leva subitement : Il faut que je rentre. Maman garde Albin depuis pratiquement ce matin. Merci de m'avoir écoutée, ça m'a fait du bien.

— Je suis toujours là pour toi, tu le sais.

— Merci. Elle serra rapidement Erica dans ses bras, puis elle disparut aussi vite qu'elle était venue.

D'un pas traînant, Erica retourna dans le salon. Emerveillée, elle s'arrêta devant le baby-relax et regarda sa fille endormie. Après tout, on aurait tort de perdre espoir. Mais elle ne savait pas si Charlotte dirait la même chose.

Il était arrivé à sa partie préférée du jeu vidéo sur lequel il travaillait. Celle où tombait le premier coup d'épée. Les têtes roulaient et d'après le manuscrit il fallait être généreux avec les effets spéciaux. Ses doigts survolaient le clavier à toute allure et, sur l'écran, la scène prit très rapidement forme. Morgan admirait et jalousait ceux qui savaient inventer les histoires qu'il avait pour tâche de transformer en réalité virtuelle. S'il était en manque de quelque chose dans sa vie, c'était bien de cette fameuse imagination qui faisait éclater toutes les frontières quand on lui lâchait la bride. Bien sûr qu'il avait essayé. Parfois on l'y avait obligé aussi. Les rédactions à l'école, par exemple. Ça avait été cauchemardesque. Parfois on leur fournissait un sujet, parfois seulement une image, et à partir de ça ils étaient supposés tisser une toile d'événements et de personnages. Il n'était jamais arrivé plus loin que la première phrase. Ensuite il y avait un vide. La page blanche devant lui criait pratiquement pour qu'il la remplisse de mots, mais rien ne venait. Les professeurs l'avaient engueulé. Du moins jusqu'à ce que maman aille leur parler, une fois le diagnostic posé. Ensuite ils s'étaient contentés de regarder ses tentatives avec des yeux curieux, en le scrutant comme s'il était une créature étrange. Et ils ne savaient pas combien ils avaient raison. C'est comme ça qu'il se sentait, assis dans la classe avec le papier sur la table devant lui et le raclement des stylos de ses camarades tout autour. Une créature étrange.

Lorsqu'il avait trouvé le chemin du monde informatique, il s'était senti chez lui pour la première fois. Ça lui venait facilement, c'était quelque chose qu'il maîtrisait. Comme si le morceau de puzzle isolé qui s'appelait Morgan avait enfin trouvé un autre morceau de puzzle avec lequel il collait.

Plus jeune, il s'était attelé avec autant d'obsession à l'apprentissage des langages codés. Il avait lu tout ce qu'il pouvait trouver sur ce sujet et il pouvait réciter ses connaissances pendant des heures. Les chiffres et les lettres utilisés dans des combinaisons ingénieuses avaient quelque chose qui le subjuguait. Quand l'intérêt pour les ordinateurs s'était réveillé, il avait perdu la fascination pour les codes du jour au lendemain. Mais les connaissances étaient toujours là et il pouvait à tout moment réciter tout ce qu'il avait appris. Simplement, ça ne l'intéressait plus.

Le sang qui coulait le long du tranchant de l'épée le fit penser à la petite voisine de nouveau. Il se demanda si le sang s'était coagulé en elle maintenant qu'elle était morte. S'il formait une masse compacte dans ses veines. Il était peut-être devenu brun aussi, comme toujours le vieux sang, il l'avait constaté les nombreuses fois où il s'était tailladé les poignets pour voir. Envoûté, il avait fixé le sang qui suintait en ralentissant petit à petit son débit, puis qui s'était coagulé et avait commencé à changer de couleur.

Sa mère était arrivée une fois et elle avait eu la frayeur de sa vie. Il avait expliqué qu'il voulait seulement se rendre compte comment c'est de mourir. Sans un mot, elle l'avait obligé à monter dans la voiture et l'avait emmené au centre médical. Mais ce n'était pas vraiment nécessaire. Se taillader faisait mal, alors il n'avait pas coupé très profond et ça ne saignait déjà plus. Elle avait quand même été hystérique.

Morgan ne comprenait pas pourquoi la mort semblait être une notion si révoltante pour les gens normaux. Ce n'était qu'un état, exactement comme la vie. Et de temps en temps la mort lui paraissait infiniment plus attirante que la vie. Si bien que parfois il enviait la fille. Elle, elle savait maintenant. Elle avait la solution de l'énigme.

Il se força à se concentrer sur le jeu. Parfois, des pensées de mort l'occupaient des heures sans qu'il s'en rende compte. Ça ruinait son emploi du temps.

Ernst était assis en face de lui, l'air buté. Il refusa de croiser le regard de Patrik et se contenta d'étudier ses chaussures qui avaient besoin d'un coup de cirage.

— Réponds ! cria Patrik. As-tu reçu un appel de Göteborg au sujet d'un réseau de pédopornographie ?

— Oui, répondit Ernst, maussade.

— Et pourquoi est-ce qu'on n'a pas été mis au courant ?

Un long silence s'ensuivit.

— Je répète, dit Patrik d'une voix basse qui n'augurait rien de bon, pourquoi ne nous as-tu pas fait un rapport ?

— Je ne pensais pas que c'était très important, esquiva Ernst.

— Tu ne pensais pas que c'était très important !

La voix de Patrik était glaciale. Il abattit son poing sur la table, envoyant bondir le clavier.

— Non.

— Et pourquoi ?

— Ben, il y avait tant d'autres choses à ce moment-là... Et ça ne semblait pas très vraisemblable, je veux dire, ces trucs-là c'est surtout dans les grandes villes.

— Ne dis pas de conneries, dit Patrik sans réussir à dissimuler son mépris.

Il ne s'était pas assis, il se dressait de toute sa hauteur derrière le bureau. La colère lui donnait dix bons centimètres de plus.

— Tu sais très bien que la pornographie qui implique des enfants ne dépend pas de la géographie. Ça existe tout autant dans de petites localités. Alors arrête de dire n'importe quoi et raconte-moi la véritable raison. Et, si c'est ce que je soupçonne, ça va chier des bulles, tu peux me croire sur parole !

Ernst leva les yeux de ses chaussures et défia Patrik du regard, mais il savait quand l'heure était venue de jouer cartes sur table.

— Je ne trouvais pas que c'était vraisemblable, c'est tout. Je veux dire, je connais le gars et ça ne semble pas être son truc. Alors je me suis dit que les flics de Göteborg avaient dû se tromper et qu'un innocent allait payer si je donnais suite avec un rapport et tout. Tu sais toi-même comment ça se passe. Ils pourraient rappeler tant qu'ils voulaient ensuite pour dire : "Euh, excusez-nous, mais il y a eu une erreur et vous pouvez l'oublier, le nom qu'on vous a filé", il serait quand même foutu dans ce patelin. Alors je me suis dit que j'allais attendre un peu et voir ce qui allait se passer.

— Attendre un peu et voir ce qui allait se passer !

Patrik était tellement furieux qu'il dut s'obliger à bien articuler pour ne pas bégayer.

— Ben, je veux dire, tu dois quand même admettre que ça paraît impossible. Il est connu partout pour tout le boulot qu'il fait avec les jeunes. Et il fait un tas de trucs vraiment bien, je te le dis.

— J'en ai rien à foutre ! Si nos collègues de Göteborg appellent pour dire que son nom figure dans une enquête de pédophilie, nous, on le vérifie. C'est notre boulot, merde ! Et que vous soyez copains comme cochons…

— On n'est pas copains comme cochons, murmura Ernst.

— Ou amis ou tout ce que tu veux, ça n'a aucune espèce d'importance, mets-le-toi dans le crâne ! Ce n'est pas à toi de juger de ce qui mérite enquête ou pas selon que tu connais la personne ou non !

— Après tant d'années dans ce métier j'ai… Ernst n'eut pas le temps de continuer sa phrase.

— Après tant d'années dans ce métier, tu devrais être plus avisé, bordel de merde ! Et tu n'as pas pensé à nous le signaler quand son nom a surgi dans une enquête pour meurtre ? C'était pourtant la bonne occasion de nous tenir informés. Hein ?

Ernst était retourné à l'observation de ses chaussures et ne se donna pas la peine d'essayer de répondre. Patrik soupira et se rassit. Il croisa les mains et examina Ernst, la mine sérieuse.

— Bon, il n'y a plus grand-chose qu'on puisse faire maintenant. Göteborg nous a transmis toutes les données, et on va l'embarquer ici pour l'interroger, on a aussi reçu les mandats de perquisition. Tu devrais te mettre à genoux et prier pour qu'il n'ait pas eu vent de tout ça et fait un grand nettoyage. Mellberg est au courant, il aura sûrement un mot ou deux à te dire.

Ernst ne pipa pas en se levant. Il savait qu'il avait probablement commis la plus grosse bourde de toute sa carrière. Et, s'agissant de lui, ce n'était pas peu dire…

— Maman, si on a promis de garder un secret, combien de temps est-ce qu'on doit le garder alors ?

— Je ne sais pas, dit Veronika. En fait, on ne devrait pas raconter de secret du tout, tu ne trouves pas ?

— Hmmm, dit Frida et elle dessina des cercles dans le yogourt avec la cuillère.

— Ne joue pas avec la nourriture, dit Veronika en essuyant le plan de travail d'un geste irrité. Puis elle s'arrêta au milieu d'un mouvement et se tourna vers sa fille : Pourquoi tu demandes ça ?

— Chais pas, dit Frida en haussant les épaules.

— Bien sûr que tu sais. Raconte-moi, pourquoi tu demandes ça ? Veronika se laissa tomber sur une chaise à côté de Frida et la contempla, l'air songeuse.

— Si on ne peut pas du tout raconter le secret, alors je ne peux rien dire non plus, pas vrai ? Mais…

— Mais quoi ? Veronika avançait sur des œufs.

— Mais, si quelqu'un à qui on a fait une promesse est morte, est-ce qu'on doit toujours tenir sa promesse ? Tu imagines, si on dit quelque chose et puis celle qui est morte revient et elle est super en colère.

— Dis-moi, ma puce, c'est Sara qui t'a fait promettre de garder un secret ?

Frida continua à dessiner des cercles dans son yogourt.

— On a déjà parlé de ça et tu dois me croire quand je te le dis. Je suis vraiment désolée, mais Sara ne reviendra jamais. Sara est au ciel et elle y restera, toujours.

— Eternellement, pour toujours ? Des millions de milliards d'années ?

— Oui. Des millions de milliards d'années. Et, pour ce qui est du secret, je suis sûre que Sara ne se fâcherait pas si tu me le disais, rien qu'à moi.

— Tu es sûre ? Frida jeta un regard inquiet au ciel gris par la fenêtre de la cuisine.

— Je suis totalement sûre.

Au bout d'un moment d'intense réflexion, Frida dit en hésitant :

— Sara avait super peur. Il y avait un vilain monsieur qui lui a fait peur.

— Un vilain monsieur ? Quand ça ?

— Le jour avant qu'elle monte au ciel.

— Tu es certaine que c'était ce jour-là ?

— Oui, je suis certaine. Je sais les jours de la semaine, quand même. Je ne suis pas un bébé. Frida fronça les sourcils, offusquée que sa mère mette en question ce qu'elle disait.

— Non, non, je sais, tu es une grande fille, évidemment que tu sais quel jour c'était.

Doucement, Veronika essaya de tirer d'autres informations de sa fille. Frida était toujours vexée d'avoir rencontré de la méfiance, mais la tentation de partager le secret était plus forte.

— Sara a dit que le monsieur était vraiment dégueu. Il est venu lui parler quand elle jouait en bas près de l'eau et il était méchant.

— Sara a dit qu'il était méchant ?

— Mmm, dit Frida, estimant que ça suffisait comme réponse.

Avec beaucoup de patience, Veronika continua.

— Et qu'est-ce qu'elle a dit ? Pourquoi était-il méchant ?

— Il lui a fait mal au bras. Comme ça, elle m'a dit. Frida fit la démonstration en serrant son bras gauche avec la main droite. Et puis il a dit des trucs bêtes aussi.

— Quelle sorte de trucs bêtes ?

— Sara n'a pas tout compris. Elle m'a seulement dit qu'elle n'y comprenait rien. Un truc qui parlait de l'agence du diable ou quelque chose comme ça.

— L'agence du diable ? Veronika devait ressembler à un point d'interrogation.

— Oui, c'est ce que je te dis, c'était bizarre et elle n'a rien compris. Mais il était méchant, elle l'a dit. Et il ne lui parlait pas normalement, il criait. Super fort. Ça lui faisait mal aux oreilles. Frida fit la démonstration en se bouchant les oreilles.

Doucement, Veronika ôta ses mains et dit :

— Tu sais, je pense que ce secret, il faudra que tu le racontes à d'autres personnes aussi.

— Mais tu as dit que... La voix de Frida se troubla et son regard alla de nouveau chercher le ciel gris dehors.

— Oui, je l'ai dit, mais tu sais quoi ? Je pense que Sara aimerait que tu racontes ce secret à la police.

— Pourquoi ?

— Parce que, quand quelqu'un meurt et monte au ciel, la police veut savoir tous les secrets de cette personne. Et ces personnes veulent en général que la police apprenne tous leurs secrets. C'est le travail de la police de se renseigner sur tout.

— Il faut qu'ils apprennent tous les secrets ? demanda Frida, méfiante. Il faut que je raconte aussi la fois où j'ai caché ma tartine dans le canapé parce que je ne voulais pas la manger ?

Veronika ne put s'empêcher de sourire un peu.

— Non, je pense que la police n'a pas besoin de connaître ce secret.

— Non, pas maintenant puisque je suis vivante mais, si je mourais, tu serais obligée de leur dire alors ?

Le sourire disparut des lèvres de Veronika. Elle secoua vigoureusement la tête. La conversation avait pris une tournure beaucoup trop désagréable. A voix basse, tout en caressant les cheveux blonds de sa fille, elle dit :

— Tu n'as pas besoin de réfléchir à ça, parce que tu ne vas pas mourir.

— Comment tu le sais, maman ?

— Je le sais, c'est tout.

Veronika se leva brutalement et se rendit dans le vestibule, le cœur tellement serré qu'elle eut du mal à respirer.

Sans se retourner pour que sa fille ne voie pas ses larmes, elle lança d'une voix inutilement rêche :

— Viens mettre ton manteau. On va aller voir la police tout de suite.

Frida obéit. Mais, en allant à la voiture, elle courba malgré elle la nuque sous le ciel gris et lourd. Elle espérait que maman avait raison. Elle espérait que Sara n'allait pas se fâcher.

FJÄLLBACKA 1928

Avec amour, il habilla les garçons et les coiffa. On était dimanche, et il allait les emmener faire une promenade au soleil. C'était difficile de leur faire enfiler leurs vêtements, ils n'arrêtaient pas de sauter de joie de partir en balade avec leur père, mais pour finir ils furent couverts et prêts pour la sortie. Agnes ne répondit pas lorsque ses fils lui dirent au revoir. Anders eut le cœur gros en voyant leurs regards déçus. Leur mère ne le comprenait pas, mais ils étaient en manque de son amour. En manque de son odeur dans les narines et de la sensation de ses bras autour d'eux. Qu'elle puisse le savoir et qu'elle le leur refuse sciemment était une possibilité qu'il ne voulait même pas imaginer, mais cette pensée faisait irruption de plus en plus souvent dans sa tête. Maintenant que les garçons avaient quatre ans, il ne pouvait que constater qu'il y avait quelque chose d'anormal dans l'attitude de leur mère. Au début il avait cru que cela découlait de la difficile expérience qu'avait été l'accouchement mais, les années passant, elle ne semblait toujours pas s'être attachée à eux.

Pour sa part, il se sentit l'homme le plus riche au monde quand il descendit la rue, une petite menotte solidement serrée dans chaque main. A leur jeune âge, ils préféraient gambader plutôt que marcher, et parfois il devait presque courir pour suivre leur rythme, bien que ses jambes soient tellement plus longues que les leurs. Les gens souriaient et soulevaient leur chapeau en les voyant sautiller le long de la rue principale. Il savait qu'ils marquaient les esprits – lui, grand et fort dans ses habits du dimanche, et ses fils, aussi bien habillés que pouvaient l'être des fils d'un tailleur de pierre et avec leurs tignasses blondes identiques qui avaient exactement la même nuance que ses propres cheveux. Ils avaient aussi ses yeux bruns. Anders entendait souvent qu'ils se ressemblaient comme deux gouttes d'eau et chaque fois il débordait de fierté. Parfois il s'autorisait un soupir de gratitude en constatant qu'ils semblaient ne rien avoir hérité d'Agnes, ni le physique ni les manières. Avec le temps, il avait remarqué une dureté en elle et il espérait de tout son cœur que ses enfants ne l'auraient pas.

En passant devant l'épicerie, il hâta le pas et évita soigneusement de la regarder. Certes, il était obligé d'y aller de temps en temps pour acheter la nourriture dont ils avaient besoin mais, comme il était au courant de ce qui se disait, il essayait de limiter ses visites au strict minimum. S'il avait pensé qu'il n'y avait pas une once de vérité dans les ragots, il aurait sans doute pu y entrer tête haute, mais le pire était qu'il n'en doutait pas une seconde. Et, s'il avait eu la moindre hésitation là-dessus, le sourire arrogant et le ton insolent de l'épicier auraient suffi à le convaincre. Par moments, il se demandait où passait la limite de ce qu'il allait devoir supporter et, s'il n'y avait pas eu les garçons, il aurait pris ses cliques et ses claques depuis belle lurette. Mais pour eux il était obligé de trouver une autre issue que celle de quitter sa femme, et il pensait l'avoir trouvée. Anders avait un plan et il avait fallu un an de dur labeur pour le mettre en œuvre, mais il était près du but à présent. Il suffisait que quelques derniers morceaux tombent à leur place pour qu'il puisse offrir à sa famille un nouveau départ, une chance de tout remettre à l'endroit. Il allait pouvoir offrir à Agnes tout ce qui lui manquait tant, et faire disparaître cette énorme noirceur qui s'était accumulée en elle. Il avait l'impression de voir déjà comment elle serait, cette nouvelle existence. Lui, Agnes et les garçons, ensemble dans une vie qui offrirait bien davantage que celle-ci.

Il serra plus fort les mains de ses fils et leur sourit quand ils inclinèrent la nuque en arrière pour le regarder.

— Père, est-ce qu'on pourrait avoir un bonbon ? demanda Johan, se disant que la bonne humeur de son père le rendrait bien disposé à sa demande. Il eut raison. Anders hocha la tête après avoir réfléchi un instant, et les garçons se mirent à bondir et sauter de joie. Acheter des bonbons signifierait une visite chez l'épicier, certes, mais ça le valait. Bientôt il serait débarrassé de tout ça.

Gösta s'était réfugié dans son bureau. L'ambiance au poste était pour le moins plombée depuis que la bourde d'Ernst avait été révélée. Il secoua la tête. Il savait que son collègue avait accumulé les erreurs au fil des ans, mais cette fois-ci il avait dépassé les bornes. Un policier ne pouvait pas se comporter ainsi. Et, pour la première fois, Gösta pensait qu'Ernst risquait d'être renvoyé pour sa boulette. Même Mellberg ne pourrait pas le couvrir après ceci.

Découragé, il regarda par la fenêtre. L'automne était la saison qu'il détestait par-dessus tout, plus que l'hiver, même. Car il avait encore l'été en tête et il pouvait encore réciter les scores de pratiquement tous les parcours de golf qu'il avait joués. Avec l'hiver, une amnésie charitable s'installait, et il se demandait parfois s'il avait réellement réalisé tous ces coups formidables, ou s'ils n'étaient qu'un rêve magnifique.

Le téléphone le tira de ses rêveries.

— Gösta Flygare.

— Salut Gösta, c'est Annika. J'ai Pedersen au bout du fil, il cherche à joindre Patrik, mais je n'arrive pas à le trouver. Tu peux le prendre ?

— Bien sûr, passe-le-moi.

Il attendit quelques secondes et entendit la connexion se faire, puis il eut le médecin légiste en ligne.

— Allô ?

— Je suis là. C'est Gösta Flygare.

— Oui, on m'a dit que Patrik est en intervention. Mais toi aussi, tu travailles sur le meurtre de la petite fille, c'est ça ?

— Oui, on y travaille tous, plus ou moins.

— Bien, alors tu pourras sans doute prendre les informations qu'on vient de recevoir, mais il est important que tout ça soit transmis à Hedström.

Une seconde, Gösta se demanda si Pedersen avait entendu parler de la gaffe d'Ernst, puis il réalisa que c'était impossible. Il voulait sans doute juste souligner l'importance de faire remonter toutes les données au meneur de l'enquête. Et Gösta n'avait certainement pas l'intention de refaire l'erreur de Lundgren, ça c'était sûr. Hedström allait prendre connaissance de tout, jusqu'au moindre raclement de gorge.

— Je vais prendre des notes, mais je suppose que vous enverrez un fax aussi, comme d'habitude ?

— Oui, bien entendu. Donc, nous avons terminé l'analyse de la cendre. Je parle de la cendre que la petite présentait dans l'estomac et dans les poumons.

— Oui, je suis au courant des détails, dit Gösta qui ne sut empêcher une certaine irritation de se glisser dans sa voix. Pedersen le prenait pour un simple larbin ou quoi ?

S'il avait entendu l'agacement, Pedersen l'ignora en tout cas et poursuivit calmement :

— On vient d'avoir quelques révélations intéressantes. Premièrement, il ne s'agit pas de cendre fraîche. Le contenu ou au moins certaines parties peuvent être qualifiées de… assez anciennes.

— Assez anciennes, répéta Gösta, toujours un peu revêche. Mais il était obligé d'admettre qu'il commençait à être curieux. Ça signifie quoi, ça, "assez anciennes" ? On parle du Paléolithique là, ou des sixties ?

— Ben, c'est ça, justement, le hic. D'après le labo central, c'est extrêmement difficile de l'établir. La meilleure estimation que j'ai pu obtenir parle de cinquante à cent ans.

— De la cendre de cent ans ? Gösta était sidéré.

— Oui. Ou de cinquante. Ou quelque part entre les deux. Et ce n'est pas la seule chose étonnante qu'ils ont trouvée. Il y avait aussi de fines particules de pierre dans la cendre. Plus précisément du granit.

— Du granit ? D'où elle vient alors, cette putain de cendre ? Ça ne peut tout de même pas être un bout de granit qui a brûlé, si ?

— Non, la pierre ne brûle pas, tout le monde sait ça. La pierre a dû se présenter dès le départ sous forme de particules. Ils sont encore en train d'analyser la matière pour obtenir d'autres éléments. Mais…

Gösta comprit qu'ils étaient tombés sur quelque chose d'énorme.

— Ce qu'ils peuvent affirmer pour l'instant, c'est que c'est apparemment un mélange. Ils ont trouvé des restes de bois mêlés à… Il fit une pause avant de reprendre : Mêlés à des restes biologiques.

— Des restes biologiques. Tu es vraiment en train de dire ce que je pense que tu dis ? Il s'agirait de cendre provenant d'un humain ?

— Mouais, c'est justement ça que la poursuite des analyses va démontrer. Il est trop tôt encore pour dire si c'est humain ou animal. Et il sera peut-être même impossible de le déterminer, mais le labo fait ce qu'il peut. Et, quoi qu'il en soit, le fait demeure qu'il y a ces autres substances dans la cendre : du bois et du granit.

— Eh ben, ça alors ! Quelqu'un se serait donc donné la peine de conserver cette vieille cendre ?

— Oui, ou quelqu'un a mis la main dessus quelque part.

— C'est vrai, c'est une autre possibilité.

— Voilà, vous avez de quoi vous creuser la cervelle, dit Pedersen, lapidaire. On peut espérer en savoir plus dans les jours à venir, par exemple s'il s'agit de restes humains. Mais j'imagine qu'en attendant ça devrait vous suffire.

— Très certainement, dit Gösta en s'imaginant la tête que feraient ses collègues. Cette information était de la dynamite. La question était juste de savoir ce qu'ils allaient en faire.

Il termina la conversation, raccrocha et alla vérifier le fax. Ce qui le turlupinait le plus était les particules de granit dont avait parlé Pedersen. Elles auraient dû le mettre sur une piste.

Mais la pensée resta au stade d'embryon.

Asta souffla en se relevant. Le vieux parquet en bois qui avait été posé lors de la construction de la maison ne supportait que le savon noir pour l'entretien. Et, avec l'âge, elle avait de plus en plus de mal à se mettre à quatre pattes pour le récurer. Mais elle avait bon espoir que son vieux corps tienne le coup encore quelques années.

Elle regarda son intérieur. Cela faisait quarante ans qu'elle habitait ici avec son mari. Auparavant, Arne y avait vécu avec ses parents et, pendant les premières années de leur mariage, ils vivaient encore là, avant de disparaître subitement, à seulement quelques mois d'intervalle. Elle avait honte d'une telle pensée, mais ces années avaient été difficiles. Le père d'Arne avait les manières rudes d'un général et sa mère n'était pas en reste. Arne n'en avait jamais parlé, mais des commentaires qu'il laissait échapper lui avaient fait comprendre qu'il avait été battu dans son enfance. C'était peut-être pour ça qu'il avait été si dur avec Niclas. Celui qui se croit aimé avec le bâton a toutes les chances d'aimer avec le bâton à son tour. Quoique Arne se soit surtout servi de la ceinture. La grande ceinture marron qui était toujours suspendue à l'intérieur de la porte du garde-manger. Il s'en était servi chaque fois que son fils avait fait quelque chose qui ne lui plaisait pas. Mais qui était-elle pour remettre en question la façon dont Arne avait élevé leur fils ? Bien sûr qu'elle avait eu le cœur meurtri d'entendre les cris de douleur étouffés de son fils, et bien sûr qu'elle avait séché ses larmes d'une main tendre après le supplice, mais son mari savait mieux qu'elle ce qu'il fallait faire.

Elle grimpa péniblement sur une chaise pour défaire les rideaux. Ils ne paraissaient pas sales mais, comme disait toujours Arne, quand la crasse devenait visible, c'est qu'il aurait fallu laver depuis longtemps. Elle s'arrêta au milieu du mouvement, les mains levées au-dessus de la tête juste au moment d'enlever la tringle. N'avait-elle pas été occupée à faire la même chose, cette fois-là ? Oui, elle en était pratiquement sûre. Ce jour de malheur, elle était en train de changer les rideaux quand elle avait entendu des voix s'élever dans le jardin. Certes, elle était habituée à entendre la voix enragée de son mari, mais cette fois-ci Niclas aussi s'était emporté. L'inconcevable de son geste et ses conséquences probables la firent descendre de la chaise et se précipiter dans le jardin. Ils se faisaient face.

Comme deux combattants. Les voix qui avaient paru fortes dans la maison résonnaient maintenant douloureusement contre ses tympans. Incapable de se retenir, elle s'était précipitée et avait pris Arne par le bras.

— Qu'est-ce qu'il se passe ?

Elle avait perçu le désespoir dans sa propre voix. Et, dès l'instant où elle avait saisi le bras de son mari, elle avait su que c'était une erreur. Il s'était tu et retourné vers elle, la fixant avec des yeux totalement vides d'expression. Puis il avait levé la main et l'avait giflée. Le silence qui s'était ensuivi était de mauvais augure. Personne n'avait bougé. Ils formaient une sorte de statue de pierre à trois têtes. Puis elle avait vu comme au ralenti la main de Niclas se serrer, son bras partir en arrière, et fuser en direction du visage de son père. Le bruit du poing fermé qui s'abattait sur la figure d'Arne avait mis une fin abrupte à l'étrange silence et tout remis en mouvement. Incrédule, Arne s'était touché la figure en dévisageant son fils avec stupeur. Puis elle avait vu le bras de Niclas partir en arrière encore une fois et fuser de nouveau. Ensuite, c'était comme s'il ne pouvait pas s'arrêter. On aurait dit un robot, bras en arrière, poing en avant, bras en arrière, poing en avant. Arne avait accusé les coups sans sembler comprendre ce qui se passait. Pour finir, ses jambes s'étaient dérobées et il était tombé à genoux. Niclas avait respiré lourdement et avec difficulté. Il avait contemplé son père, à genoux devant lui, le sang coulant des narines. Puis il avait tourné les talons et était parti en courant.

Depuis ce jour-là, elle n'avait plus eu le droit de prononcer le nom de son fils. Il avait dix-sept ans.

Asta descendit prudemment de la chaise, les rideaux dans les bras. Ces derniers temps, de nombreuses pensées étaient venues la perturber, et ce n'était sans doute pas un hasard si les souvenirs de ce jour-là s'imposaient maintenant précisément. La mort de la petite avait remué tant de sentiments, tant de choses qu'elle s'était efforcée d'oublier tout au long de ces années. Petit à petit, elle avait réalisé combien elle avait perdu à cause de l'intransigeance obstinée d'Arne, et ce savoir éveilla des choses qui allaient lui compliquer la vie. Dès l'instant où elle était allée voir son fils au centre médical, elle avait commencé à remettre en question ce qu'elle avait tenu pour évident toute sa vie. Peut-être qu'après tout son mari n'était pas omniscient. Ce n'était peut-être pas nécessairement lui qui devait décider de tout, même en ce qui la concernait personnellement. Peut-être pourrait-elle prendre ses propres décisions. Ces pensées l'inquiétèrent et elle les repoussa à plus tard. Pour le moment, elle avait des rideaux à laver.

Patrik frappa un coup autoritaire à la porte. Il dut faire un effort pour garder une expression neutre. Mais en lui il sentait le dégoût monter et lui donner un sale arrière-goût. La pédophilie, c'était la chose la plus abjecte de toutes. La plus ignoble qu'il pouvait imaginer. La seule consolation, mais il ne le dirait jamais à voix haute, était de savoir qu'une fois que ces gens-là se trouvaient derrière les barreaux, leurs codétenus ne leur rendaient pas la vie facile.

Il entendit quelqu'un venir et il fit un pas en arrière. Il sentit Martin tendu à l'extrême à côté de lui, et derrière eux se tenaient quelques collègues d'Uddevalla, dont deux experts en informatique.

La porte s'ouvrit et révéla la silhouette maigre de Kaj. Comme toujours, il était habillé avec soin, et Patrik se dit qu'il ne devait pas avoir de vêtements plus décontractés. Pour sa part, il enfilait toujours un vieux pantalon de jogging et un pull confortable dès qu'il avait franchi la porte de chez lui.

— Et de quoi il s'agit, cette fois ? Kaj montra la tête par l'interstice de la porte et fronça les sourcils en voyant deux voitures de police garées devant sa maison. Vous ne pouvez pas être un peu plus discrets quand vous venez ? J'ai l'autre dragon là, en face, elle doit être en train de boire du petit-lait. Si vous avez des questions, vous auriez pu tout simplement prendre le téléphone, et vous abstenir d'envoyer toute une escouade d'intervention ! Une personne aurait suffi, non ?

Patrik le contempla pensivement et se demanda s'il était vraiment aussi sûr de lui qu'il paraissait. Tous ces policiers en uniforme devant sa porte auraient dû lui mettre la puce à l'oreille. A moins qu'il ne fût tout simplement un excellent acteur. Bon, on n'allait pas tarder à le savoir.

— Nous avons un mandat de perquisition. Et il vous faudra nous suivre au commissariat pour un interrogatoire. La voix de Patrik était extrêmement formelle et ne révéla rien de ce qu'il ressentait.

— Perquisition, non mais je rêve ! Qu'est-ce qu'elle a encore inventé, cette putain de virago ? Merde, je vais pas me…

Kaj sortit sur le perron dans la ferme intention de se rendre chez les Florin. D'un geste de la main, Patrik l'arrêta et Martin se posta de manière à lui bloquer le chemin.

— Ça n'a rien à voir avec Lilian Florin. Nous détenons des éléments qui vous associent à de la pornographie avec des enfants.

Kaj se figea. A présent, Patrik voyait bien qu'il n'avait pas joué la comédie. Il n'avait réellement pas envisagé cette possibilité. En bégayant, il essaya de retrouver ses esprits.

— Quoi, quoi, qu'est-ce que vous me racontez là ? Mais son exclamation manquait de force et ses épaules s'étaient affaissées sous le choc.

— Je dis que nous avons un mandat de perquisition et, si vous voulez bien nous suivre dans une des voitures, on pourra continuer cette conversation tranquillement au commissariat.

Le goût de bile dans sa bouche obligeait Patrik à avaler sans arrêt. Il avait envie de se jeter sur Kaj et de le secouer, lui demander comment, pourquoi, ce qui l'attirait tant dans les enfants, dans les petits garçons, qu'il ne trouvait pas dans une relation entre adultes. Mais il y aurait un temps pour ces questions. Pour l'instant, le plus important était d'assurer les preuves.

Kaj sembla totalement paralysé et, sans répondre et sans enfiler de veste, il les suivit en bas de l'escalier et s'assit docilement à l'arrière de la voiture.

Patrik se tourna vers ses collègues d'Uddevalla.

— On s'occupe de l'interrogatoire. Vous, vous faites ce que vous avez à faire ici et vous m'appelez si vous trouvez quoi que ce soit d'utile pour nous. Je sais que je n'ai pas besoin de le souligner, mais je le dis quand même, confisquez tous les ordinateurs et n'oubliez pas que le mandat est valable aussi pour la cabane au fond du jardin. Je sais qu'il y a au moins un ordinateur dans la cabane.

Ses collègues hochèrent la tête et entrèrent dans la villa d'un pas décidé.

Lilian était passée devant les voitures de police, lentement et avec délices, en rentrant chez elle. Elle avait eu l'impression de voir ses rêves réalisés. Un déploiement d'agents de police et de voitures de police devant la villa de son voisin et, pour couronner le tout, Kaj obligé de s'engouffrer dans une des voitures, la mine déconfite. Après toutes ces années de soucis avec lui et sa famille, son karma avait fini par le rattraper. Pour sa part, elle avait toujours été correcte, que ça soit clair. Etait-ce sa faute si elle tenait à ce que les choses se passent dans les règles ? Etait-ce sa faute si Kaj agissait sans le moindre souci de bon voisinage, et qu'ensuite elle devait l'affronter ? Et les gens avaient le toupet de dire qu'elle cherchait querelle, elle ! Oh oui, elle savait ce qui se racontait. Mais elle refusait toute responsabilité des bisbilles passées. S'il n'avait pas continué à les importuner et à leur chercher des noises, elle n'aurait rien fait. Autrement, elle était tout ce qu'il y a de doux et d'agréable à côtoyer. Et d'avoir signalé leur fils bizarre à la police ne lui pesait certainement pas sur la conscience. C'était bien connu, ces gens-là, qui n'avaient pas toute leur tête, tôt ou tard ils finissaient par poser des problèmes. Elle avait peut-être exagéré un peu le voyeurisme de Morgan, mais c'était seulement pour prévenir des histoires à venir, rien d'autre. Ceux-là, ils étaient capables de n'importe quoi si on les laissait faire. Et c'était de notoriété publique qu'ils avaient une libido débridée.

Mais maintenant tout le monde allait voir ce qu'il en était réellement. Ce n'était pas devant sa maison à elle que ça grouillait de flics. Elle s'arrêta devant sa porte d'entrée et contempla le spectacle, les bras croisés et un sourire méchant sur les lèvres.

Une fois la voiture de police avec Kaj partie, elle entra à regret. Elle envisagea un instant de faire un saut, en citoyenne inquiète, pour demander ce qui se passait, mais les agents entrèrent tout de suite dans la maison et elle ne voulut pas paraître empressée au point d'aller frapper à la porte.

Elle enleva ses chaussures et suspendit sa veste tout en se demandant si Monica était au courant de ce qui se passait. Elle pourrait peut-être lui passer un petit coup de fil à la bibliothèque pour l'en informer. Mais la voix de Stig en haut l'interrompit avant qu'elle se soit décidée.

— Lilian, c'est toi ?

Elle monta le voir. Il paraissait faible aujourd'hui.

— Oui, mon chéri, c'est moi.

— Tu étais où ?

Il la regardait d'un air pitoyable quand elle entra dans sa chambre. Quelle pauvre petite chose il était devenu. Un sentiment de tendresse la saisit quand elle réalisa à quel point il dépendait de ses soins. C'était réconfortant de se savoir aussi indispensable. Comme quand Charlotte était petite. C'était une véritable sensation de pouvoir que d'avoir la responsabilité d'un petit être sans défense. En fait, elle avait préféré cette période-là. Au fur et à mesure que Charlotte avait grandi, elle lui avait échappé de plus en plus. Si elle avait pu, elle aurait gelé le temps et empêché sa fille de grandir. Mais plus elle essayait de l'attacher à elle, plus Charlotte s'était retirée et c'était son père qui avait profité de l'amour et du respect qui en réalité étaient dus à Lilian. Après tout, elle était la mère de Charlotte, et un père devrait quand même être moins coté qu'une mère. C'était elle qui l'avait mise au monde et, durant les premières années, c'était elle qui avait satisfait à tous ses besoins. Ensuite Lennart avait tout pris en main. Cueilli le fruit de son travail à elle. Fait de Charlotte la fille de son papa. Après, quand Charlotte les avait quittés pour vivre sa vie et qu'ils se retrouvaient tous les deux, il avait commencé à évoquer une séparation, comme si seule sa fille avait compté pendant toutes ces années. Le souvenir fit naître la colère et elle dut se forcer à sourire à Stig. Lui au moins avait besoin d'elle. Et, dans une certaine mesure, Niclas aussi, même s'il ne le comprenait pas. Charlotte ignorait totalement la chance qu'elle avait. Elle ne faisait que se plaindre qu'il n'aide pas à la maison, qu'il ne s'occupe pas des enfants. Ingrate, voilà ce qu'elle était. Mais Niclas avait commencé à la décevoir sérieusement, quand il était arrivé avec ses histoires de trouver une maison à eux, et il lui avait parlé méchamment aussi. Elle savait très bien d'où il tenait ces idées. Seulement elle n'avait pas cru qu'il se laisserait influencer si facilement.

— Tu as l'air en rogne, dit Stig en tendant la main vers elle.

Elle fit comme si elle ne la voyait pas, se contentant de lisser soigneusement le couvre-lit. Stig prenait toujours le parti de Charlotte, si bien qu'elle ne pouvait pas lui faire part de ses pensées. Au lieu de ça, elle dit :

— Il y a une de ces mobilisations chez le voisin. Ça grouille de voitures de police. Ça ne me plaît pas du tout. Avoir des gens comme ça à deux pas de chez nous. Stig se redressa violemment. Le mouvement lui arracha une grimace et il se toucha le ventre, mais son visage exprima de l'espoir.

— C'est sûrement pour Sara. Tu crois qu'ils ont appris quelque chose ?

— Oui, ça ne m'étonnerait pas. Lilian hocha énergiquement la tête. Pourquoi sinon enverraient-ils tant de voitures ?

— Ce serait une bénédiction pour Charlotte et Niclas si tout ça pouvait s'arrêter.

— Oui, tu sais combien ça me fait souffrir, Stig, maintenant je vais peut-être pouvoir retrouver la sérénité.

Stig caressa sa main et elle le laissa faire. Sa voix était aussi aimante que toujours quand il dit :

— Oui, bien sûr, ma chérie. Avec ton cœur en or, ça a dû être une période vraiment éprouvante pour toi. Il retourna sa main et posa un baiser dans la paume.

Au bout d'une petite seconde, elle retira sa main et dit sur un ton guindé :

— Ça fait du bien que quelqu'un se soucie de moi, ça me change. Il ne nous reste plus maintenant qu'à espérer qu'on a raison et que c'est pour Sara qu'ils sont venus arrêter Kaj.

— Qu'est-ce que tu crois que ça pourrait être d'autre ?

— Ben, je n'en sais rien. Je crois que je n'ai pas pensé en fait. Mais, si quelqu'un sait de quoi il est capable, c'est bien moi…

— C'est quand, l'enterrement ? Stig la coupa brutalement.
— On attend toujours de savoir quand on va pouvoir récupérer le corps. Probablement la semaine prochaine.
— Je n'aime pas quand tu emploies ce mot, "le corps". Après tout, c'est de notre Sara qu'on parle.
— Il se trouve que c'est ma petite-fille, pas la tienne, siffla Lilian.
— Je l'aimais aussi, tu le sais très bien.
— Oui, je sais, je suis désolée. Simplement, je trouve tout ça très pénible, on dirait qu'il n'y a personne qui le comprend. Elle essuya une larme et lut des regrets sur la figure de Stig.
— Non, non, c'est moi qui suis désolé. Je n'aurais pas dû dire ça. Tu me pardonnes, ma chérie ?
— Bien sûr, dit Lilian grand seigneur. Je trouve que tu devrais te reposer maintenant et arrêter de penser à tout ça. Je descends préparer du thé, je vais te monter une tasse et ensuite tu pourras dormir.
— Qu'est-ce que j'ai fait pour te mériter ? dit Stig et il sourit à sa femme.

Ce n'était pas facile de se concentrer sur le travail. Il n'avait jamais donné la priorité à cette partie de sa vie, c'est vrai, mais en général il réussissait à faire avancer quelques petites choses quand même. Et la situation qu'Ernst avait provoquée aurait dû accaparer toutes ses pensées. Mais, depuis samedi, rien n'était comme avant. Chez lui dans l'appartement, le fiston était en train de jouer à un jeu vidéo. Le nouveau qu'il lui avait acheté la veille. Lui qui n'était pas facile à la détente avait subitement ressenti un impérieux besoin de donner. Les jeux vidéo étant apparemment ce qui se trouvait en haut de la liste, ce furent donc des jeux vidéo. Il avait acheté une Xbox et trois jeux, et, même s'il était tombé des nues en voyant le prix, il n'avait pas hésité.

Car le môme était bel et bien le sien. Simon, son fils. S'il avait eu des doutes avant, ils avaient été balayés dès qu'il l'avait vu descendre du train. C'était une copie de lui-même jeune. La même constitution ronde et sympa, le même visage robuste. L'émotion qui avait surgi en lui l'avait surpris. Mellberg était encore tout ébahi d'être capable d'une telle profondeur sentimentale. Lui, qui d'ordinaire mettait un point d'honneur à n'avoir besoin de personne. Oui, bon, peut-être à part sa mère.

Elle lui avait toujours dit que c'était une honte que d'aussi excellents gènes que les siens ne soient pas transmis. Et elle avait indéniablement marqué un point, là. Rien que pour cela, il aurait voulu qu'elle ait eu le temps de rencontrer son fils. Pour lui montrer qu'elle avait eu raison. Il suffisait d'un coup d'œil sur le fils pour voir qu'il avait hérité de la plupart des qualités de son père. Les chiens ne font pas des chats, c'est connu. Ce que la mère de Simon lui avait écrit dans sa lettre, qu'il était paresseux, pas motivé, récalcitrant et que ses résultats scolaires étaient désastreux, eh bien, ça en disait probablement long sur sa capacité à l'élever. Si elle le laissait un peu chez son père pour avoir un modèle masculin, en quelque temps il deviendrait quelqu'un.

Certes, il trouvait que Simon aurait au moins pu le remercier de lui avoir acheté la console de jeux, mais le pauvre garçon était sans doute tellement bouleversé de recevoir un cadeau qu'il ne savait pas quoi dire. Heureusement que lui-même était fin psychologue. Ce serait totalement improductif d'essayer d'obtenir quoi que ce soit à ce stade, il savait au moins ça en matière d'éducation. Il manquait d'expérience pratique, d'accord, mais ça ne pouvait pas être si compliqué que ça. Un peu de bon sens, et le tour serait joué. Les ados étaient souvent difficiles à gérer, disait-on, mais d'après lui il suffirait d'utiliser le bon langage. Et, s'il y en avait un qui savait parler de tout et avec tout le monde, c'était bien lui. Il était convaincu qu'il n'y aurait pas le moindre problème.

Des voix dans le couloir lui révélèrent que Patrik et Martin étaient de retour. Avec un peu de chance ils amenaient cette ordure de pédophile. Ça, c'était un interrogatoire auquel il avait l'intention de participer, pour une fois. Avec ce genre d'individus, il ne fallait pas y aller avec le dos de la cuillère.

FJÄLLBACKA 1928

Ça avait commencé comme un jour ordinaire. Les garçons étaient allés chez la voisine dès le matin et elle avait eu de la chance, ils y étaient restés jusqu'au soir. La bonne femme les avait même pris en pitié et les avait nourris, comme ça elle n'avait pas eu besoin de se déranger pour leur préparer quelque chose à manger, même si en général elle se limitait à leur faire quelques tartines. Cela l'avait mise de si bonne humeur qu'elle avait daigné passer la serpillière. Le soir venu, elle était assez certaine de recevoir les louanges bien méritées de son mari. Encore qu'elle se fiche comme d'une guigne de son opinion, mais ça ne faisait jamais de mal de se sentir appréciée.

Lorsque Anders arriva, Karl et Johan étaient déjà endormis, et elle-même feuilletait un magazine féminin à la table de la cuisine. Elle leva distraitement les yeux et hocha la tête, puis elle tressaillit. Il n'avait pas l'air aussi fatigué et découragé que d'habitude, et il y avait un éclat dans ses yeux qu'elle n'avait pas vu depuis des lustres. Une inquiétude diffuse monta en elle.

Il s'assit lourdement en face d'elle, croisa les mains et les posa sur la table usée.

— Agnes, commença-t-il, puis il se tut suffisamment longtemps pour que la sensation désagréable dans son ventre enfle en une grosse boule.

Il avait manifestement quelque chose à lui dire et, si le destin lui avait appris une chose, c'est que les surprises étaient rarement favorables.

— Agnes, dit-il encore une fois, j'ai beaucoup réfléchi à notre avenir, et à notre famille, et je suis arrivé à la conclusion qu'il faut changer les choses.

Oui, jusque-là elle était d'accord avec lui. Elle avait simplement du mal à voir ce qu'il pourrait faire pour améliorer sa vie à elle. Mais il était manifestement fier de ce qu'il s'apprêtait à annoncer.

— C'est pourquoi j'ai pris toutes les heures supplémentaires que j'ai pu cette année. J'ai économisé l'argent pour pouvoir nous acheter un billet simple.

— Un billet ? Pour aller où ? demanda Agnes de plus en plus alarmée et avec une irritation naissante en apprenant qu'il lui avait dissimulé de l'argent.

— Pour l'Amérique, répondit Anders et il semblait attendre une réaction positive de sa part.

A la place, Agnes sentit son visage se raidir sous le choc. Qu'est-ce qu'il était allé fabriquer encore, ce crétin ?

— L'Amérique ? Elle ne fut capable d'articuler que ce seul mot.

Il hocha la tête, tout guilleret.

— Oui, on part dans une semaine, et je peux te dire que je me suis démené comme un fou. Je suis entré en contact avec des Suédois de Fjällbacka qui sont allés là-bas, ils m'ont dit qu'il y a plein de travail pour des gens comme moi. Tous ceux qui sont habiles de leurs mains peuvent très facilement se créer un avenir *"over there"*, dit-il avec son fort accent du Blekinge, manifestement fier de connaître déjà deux mots dans sa nouvelle langue.

Agnes eut envie de se pencher en avant et de lui coller une baffe en travers de son visage joyeux et souriant. A quoi pensait-il donc ? Croyait-il vraiment qu'elle allait monter à bord d'un bateau pour aller dans un pays étranger avec lui et ses mômes ? Etait-il aussi bête ? Pour se retrouver encore plus dépendante de lui, dans un pays qu'elle ne connaissait pas, avec une langue inconnue et des gens inconnus. Bien sûr qu'elle haïssait son existence ici, mais au moins elle aurait la possibilité un jour de se sortir de ce trou d'enfer. Pour dire la vérité, elle avait aussi taquiné l'idée de partir en Amérique, mais toute seule, sans lui et les enfants comme boulet au pied.

Mais Anders ne vit pas l'horreur sur sa figure. Fou de joie, il sortit les billets et les posa sur la table. Agnes contempla les quatre bouts de papier, étalés en éventail, elle était au désespoir et tout ce qu'elle voulait, c'était s'effondrer en larmes.

Il lui restait une semaine. Une malheureuse semaine pour trouver un moyen de se sortir de ce pétrin. Elle adressa un sourire figé à Anders.

Monica faisait des courses à la Coop lorsque soudain elle posa son panier par terre et sortit sans rien acheter. Quelque chose lui disait qu'elle devait rentrer chez elle. Elle était sujette aux prémonitions, comme l'avaient été sa mère et sa grand-mère, et elle avait appris à écouter sa voix intérieure.

Elle partit pied au plancher dans sa petite Fiat, dépassa le quartier de Kullen et contourna le mont Vedde. En tournant vers Sälvik et en s'engageant dans sa rue, elle aperçut la voiture de police garée devant chez elle, et elle sut qu'elle avait bien fait d'obéir à son instinct. Elle se rangea et descendit lentement, terrorisée à l'idée de ce qu'elle allait trouver. Chaque nuit depuis une semaine elle avait fait exactement ce rêve. Des inspecteurs de police qui venaient chez eux, qui l'obligeaient à révéler ce qu'elle s'efforçait tant de refouler. Maintenant c'était la réalité, pas un rêve, et elle s'approcha de la villa à pas de Lilliputien. Tout pour repousser l'instant fatidique. Puis elle entendit Morgan hurler et elle se mit à courir. Elle prit l'allée du jardin, vers sa cahute. Il était sur le pas de la porte, en train de crier face à deux officiers de police. Les bras écartés, il essayait de leur bloquer l'entrée.

— Personne n'a le droit d'entrer dans ma maison ! Elle est à moi !

— On a un mandat, dit l'un des policiers, tentant de le raisonner. Il faut qu'on fasse notre travail, allez, laisse-nous entrer maintenant.

— Non, vous allez tout chambouler ! Morgan écarta encore plus les bras.

— C'est promis, on fera attention et on dérangera le moins possible. En revanche, on sera peut-être obligés d'emporter certains objets, par exemple, si tu as un ordinateur.

Morgan interrompit le policer par un hurlement sauvage. Ses yeux errèrent en tous sens et son corps était parcouru de tressaillements incontrôlés.

— Non, non, non, non, non, psalmodia-t-il et il sembla prêt à donner sa vie pour défendre ses ordinateurs. Ce qui n'était sans doute pas loin de la vérité.

Monica se dépêcha de rejoindre le petit groupe.

— Qu'est-ce qu'il se passe ?

— Vous êtes qui ? demanda le policier le plus proche d'elle sans quitter Morgan du regard.

— Je suis la maman de Morgan. J'habite là. Elle montra la grande villa.

— Vous pourriez peut-être expliquer à votre fils que nous avons un mandat pour entrer chez lui jeter un coup d'œil et même emporter avec nous l'équipement informatique qui s'y trouve.

A la mention des ordinateurs, Morgan se mit de nouveau à secouer violemment la tête et il répéta :

— Non, non, non, non…

Monica s'approcha calmement de lui et, tout en regardant le policier, elle mit son bras autour de son fils et lui passa une main dans le dos.

— Pouvez-vous d'abord dire pourquoi vous êtes ici, et je vous aiderai ensuite.

Le plus jeune des deux policiers eut l'air mal à l'aise et il fixa le sol, tandis que l'autre, plus âgé et probablement plus aguerri, lui répondit.

— Nous avons embarqué votre mari pour un interrogatoire et nous avons un mandat de perquisition, donc.

— Et pourquoi, c'est la question que je pose. Si elle n'est pas suffisamment claire, je suis toute disposée à la reformuler. Monica était inutilement cassante, mais elle n'acceptait pas de les voir essayer de forcer le passage pour entrer chez Morgan sans donner une explication acceptable.

— Le nom de votre mari est apparu dans une enquête pour détention de pédopornographie.

La main qui caressait le dos de Morgan s'arrêta net. Elle essaya de dire quelque chose, mais ne réussit qu'à proférer un son rauque.

— De la pornographie ? Avec des enfants ? Elle se racla la gorge pour retrouver le contrôle de sa voix. Ça doit être une erreur, mon mari ne peut pas être mêlé à ce genre de choses.

Des pensées commencèrent à tournoyer dans sa tête. Des faits qui l'avaient surprise, des questions qu'elle s'était posées, depuis toujours, mais le sentiment prédominant fut le soulagement. Ils n'avaient pas trouvé ce qu'elle craignait par-dessus tout.

Elle s'accorda quelques secondes pour retrouver ses esprits, puis elle se tourna vers Morgan.

— Ecoute-moi bien. Tu dois les laisser entrer dans ta maison. Et tu dois les laisser emporter tes ordinateurs. Tu n'as pas le choix, ils sont de la police, ils ont le droit de le faire.

— Mais s'ils chamboulent tout ? Et mon emploi du temps ?

Le ton criard n'était pas aussi inexpressif que d'habitude, on pouvait y déceler une émotion inhabituelle.

— Je suis sûre qu'ils feront attention, ils l'ont dit. Et tu n'as pas le choix.

Elle appuya sur cette dernière phrase et sentit qu'il commençait à se calmer. Effectivement, Morgan gérait plus facilement les situations où il n'avait pas de choix.

— Vous promettez de ne pas mettre la pagaille ?

Ils hochèrent de nouveau la tête et Morgan s'écarta lentement de la porte.

— Et vous devez faire très attention aux fichiers. Ça représente beaucoup de boulot.

Encore une fois, ils hochèrent la tête et cette fois Morgan s'écarta entièrement de la porte et les laissa entrer.

— Pourquoi ils font ça, maman ?

— Je ne sais pas, mentit Monica.

Le soulagement était encore le sentiment prédominant en elle. Mais ce que les policiers avaient dit faisait aussi lentement son chemin. Une sensation de dégoût surgit et monta tout doucement à travers son corps. Elle prit Morgan par le bras et l'emmena vers la villa. Il n'arrêtait pas de se retourner et de regarder sa cahute d'un œil inquiet.

— Ne t'inquiète pas, ils ont promis de faire attention.

— On entre dans la grande maison ? dit Morgan. D'habitude, je n'entre jamais dans la grande maison à cette heure-ci.

— Non, je sais. Mais aujourd'hui on va faire quelque chose de différent. Je pense qu'il vaut mieux laisser la police travailler en paix. Tu pourras venir avec moi chez tante Gudrun.

— J'y vais seulement pour Noël. Ou quand c'est un anniversaire. Morgan eut l'air déconcerté.

— Je sais. Mais on fera une exception aujourd'hui.

Il réfléchit un instant à ses paroles puis il décida qu'il y avait une certaine logique dans ce qu'elle disait.

Alors qu'ils se dirigeaient vers la voiture, Monica vit du coin de l'œil le rideau de la cuisine bouger chez les Florin. Lilian se tenait là, elle les observait. En souriant.

— Eh bien, Kaj. Tu t'es embarqué dans une sale histoire, on dirait !

Patrik était assis en face de lui, avec Martin à ses côtés et Mellberg discrètement assis dans un coin. Au grand soulagement de Patrik, ce dernier avait spontanément proposé de rester spectateur pendant l'interrogatoire. Patrik aurait préféré qu'il ne soit pas là, mais après tout il était le patron.

Kaj ne répondit pas. Il restait tête baissée et offrait à Patrik et Martin une vue imprenable sur son crâne déplumé, dévoilant un scalp rose sous de rares cheveux noirs.

— Est-ce que tu peux nous expliquer pourquoi ton nom apparaît sur une liste de commande de pédopornographie ? Inutile de jouer la carte du nom erroné. Tu figures avec ton nom et ton adresse, il n'y a donc aucun doute que tu as passé cette commande.

— Ça doit être quelqu'un qui cherche à me compromettre, murmura Kaj en direction de ses genoux.

— Ah oui ? fit Patrik sur un ton d'émerveillement. Alors tu vas nous expliquer pourquoi quelqu'un se donnerait la peine d'essayer de te piéger. Quels sont ces ennemis jurés ?

Kaj ne répondit pas. Martin laissa tomber sa main sur la table pour le sortir de son silence, et ça le fit sursauter.

— Tu n'as pas entendu la question ? Qui aurait intérêt à te piéger ?

Silence encore et Martin poursuivit :

— Pas facile, la réponse, hein ? Parce qu'il n'y a personne !

Des papiers étaient posés sur la table. Patrik les feuilleta un petit moment, en tira un par-ci, un autre par-là, puis il les réunit en une liasse à part.

— On a des tonnes de documents sur toi, tu comprends. On a les noms des autres aussi qui ont le même… le même intérêt, et avec qui tu as eu des contacts. On sait à quel moment tu leur as commandé de la marchandise, on sait que tu en as expédié à ton tour. On possède aussi les transcriptions d'un certain forum que nos collègues de Göteborg ont été assez futés pour dénicher. Ils ont quelques gars très calés en informatique. Qui ne se sont pas laissé arrêter par toutes les mesures de sécurité que vous avez instaurées pour empêcher qu'on entre dans votre petit cercle écouter toutes les joyeusetés que vous évoquez. Le risque zéro n'existe pas, c'est pourtant bien connu.

Kaj leva les yeux et son regard erra entre Patrik et les papiers sur la table. Son monde était en train de s'effondrer tandis que l'horloge sur le mur derrière lui égrenait les secondes. Patrik vit qu'il était secoué d'apprendre que quelqu'un s'était introduit dans les fichiers que ses comparses et lui avaient crus totalement protégés, et il se demandait ce qu'ils savaient réellement. C'était le moment idéal pour lui mettre la pression.

— En cet instant même, nous sommes en train de passer ta maison au peigne fin. Et ces collègues-là non plus ne sont pas des amateurs. Il n'existe pas de cachette qu'ils n'aient déjà vue. Pas de planque géniale qu'ils ne sauraient trouver. Ton ordinateur sera transféré à Uddevalla pour être examiné par quelques types qui sont de vrais hackers. Tu sais, des mecs qui pourraient facilement entrer dans les comptes bancaires des gens sur Internet et opérer quelques virements, s'ils avaient envie et s'ils n'étaient pas du côté des gentils.

Patrik n'était pas sûr de ne pas exagérer légèrement la compétence en informatique de ses collègues, mais Kaj ne pouvait pas le savoir. Et il vit que sa tactique était payante. Kaj commençait à transpirer et ses jambes furent prises d'un tremblement incontrôlé. Martin prit le relais en suivant la même ligne que Patrik.

— Tu as beau ne pas être un crack en informatique, Morgan a quand même dû t'informer qu'il ne suffit pas de supprimer un fichier pour le faire disparaître. Nos informaticiens savent retrouver pratiquement tout, tant que le disque dur n'est pas endommagé.

— Dès qu'ils auront récupéré toutes les données sur le disque, ils vont nous appeler. Et nous saurons exactement ce que tu as fabriqué. Tout les agents, ici et à Göteborg, bosse comme des fous pour identifier ceux qui figurent sur le matériel saisi. D'après les informations dont on dispose, il paraît que tes victimes préférées sont de jeunes garçons. C'est exact ? Hein, c'est ça, Kaj ? Tu préfères des garçons sans poils sur la poitrine, jeunes et purs ?

La lèvre inférieure de Kaj trembla, mais il ne dit toujours rien.

Patrik se pencha en avant et baissa le ton. Il était arrivé à l'instant crucial de l'interrogatoire, celui qu'il attendait depuis le début.

— Et qu'en est-il des petites filles ? Est-ce qu'elles font l'affaire aussi ? Tentant, hein, d'en avoir une si près, juste dans la maison voisine. Ça a dû être quasiment irrésistible. Surtout que ça fournissait une occasion d'atteindre Lilian aussi. De quoi être euphorique, non ? Pouvoir venger toutes ces années de préjudices droit devant son nez. Mais ça a dérapé, n'est-ce pas ? Ça s'est passé comment ? Elle s'est défendue, elle a dit qu'elle allait le dire à sa maman, tu as été obligé de la noyer pour la faire taire ?

Kaj était bouche bée et ses yeux écarquillés et brillants allaient de Patrik à Martin. Il secoua vigoureusement la tête.

— Non, je n'ai rien à voir avec ça. Je ne l'ai pas touchée, je vous jure !

Il cria presque et semblait près de l'infarctus. Patrik se demanda s'il ne valait pas mieux interrompre l'interrogatoire, mais il décida d'aller un peu plus loin.

— Et pourquoi on te croirait ? On a des preuves que tu t'intéresses sexuellement aux enfants, et on saura sous peu s'il y a aussi des preuves que tu en as abusé personnellement. Et une fillette de sept ans dans la maison voisine est retrouvée noyée. C'est une drôle de coïncidence, tu ne trouves pas ?

Il se garda bien de mentionner qu'il n'y avait aucune trace d'abus sexuels sur Sara. Mais, comme l'avait dit Pedersen, cela ne signifiait pas forcément qu'elle n'avait pas été violentée.

— Je le jure. Je n'ai rien à voir avec la mort de Sara ! Elle n'a jamais franchi notre porte, je vous le jure !

— On verra bien, dit Martin entre les dents en pestant intérieurement d'avoir pu négliger un tel truc.

Il jeta un regard sur Patrik et lut la même chose dans ses yeux. Patrik lui fit un signe de la tête et Martin se leva pour aller passer un coup de fil. Ils avaient omis de faire venir des techniciens pour vérifier la salle de bains. Une fois cette erreur corrigée et qu'on lui eut promis d'envoyer une équipe sur-le-champ, il revint dans la salle d'interrogatoire. Patrik était toujours en train de poser des questions sur Sara.

— Tu t'attends vraiment à ce qu'on croie ça, que tu n'as jamais été tenté de… l'approcher ? C'était une jolie petite gamine, pourtant.

— Je ne l'ai pas touchée, je vous l'ai déjà dit. Et jolie, j'en sais rien. Une peste, oui. L'été dernier, elle est venue arracher toutes les fleurs dans notre jardin. Je parie que c'est sa foutue grand-mère qui lui a dit de faire ça.

Patrik s'étonna de voir la nervosité de Kaj disparaître aussi vite et être remplacée par la haine à l'égard de Lilian Florin. Même dans ces circonstances, son antipathie était tellement enracinée qu'elle lui faisait oublier pourquoi il se trouvait ici. Ensuite Patrik vit que la réalité reprenait le dessus et les épaules de Kaj s'affaissèrent de nouveau.

— Je n'ai pas tué la petite, dit Kaj silencieusement. Et je ne l'ai pas touchée, je le jure.

Patrik échangea un nouveau regard avec Martin, puis il se décida. Ils n'iraient pas beaucoup plus loin. Avec un peu de chance, la perquisition et l'examen de l'ordinateur de Kaj leur fourniraient plus de données. Et, s'ils étaient vraiment chanceux, les techniciens trouveraient quelque chose en passant la salle de bains à la loupe.

Martin ramena Kaj dans sa cellule, et Mellberg partit peu après. Patrik resta, seul. Il regarda l'heure. Il avait eu sa dose, lui aussi. Maintenant il avait l'intention de rentrer, d'embrasser Erica, d'enfouir son nez dans le cou de Maja pour inhaler son odeur. C'était la seule chose qui pourrait éloigner la sensation gluante qu'il avait après être resté enfermé avec Kaj dans une toute petite pièce. Le sentiment de ne pas être à la hauteur aussi lui faisait regretter l'atmosphère paisible de la maison. Simplement, il ne fallait pas qu'il gâche cette affaire. Des gens comme Kaj ne devaient pas être en liberté. Surtout pas s'ils avaient la mort d'une petite fille sur la conscience.

Il sortait juste de son bureau lorsque Annika l'arrêta.

— Tu as de la visite, ça fait un moment qu'elles attendent. Gösta aussi voulait te voir dès que possible. Et j'ai reçu une déposition que tu devrais regarder de plus près. Tout de suite.

Patrik soupira et lâcha la porte. Apparemment il devait abandonner l'idée de rentrer chez lui. Tout indiquait qu'il serait obligé d'annoncer à Erica qu'il aurait du retard. Et ce n'était pas un appel qu'il ferait de gaieté de cœur.

Charlotte hésita, le doigt sur la sonnette. Puis elle se décida, inspira à fond et appuya. Une seconde elle envisagea de faire demi-tour et de se sauver, puis elle entendit des pas derrière la porte et s'obligea à rester.

Elle la reconnut vaguement quand elle ouvrit. La ville était suffisamment petite pour qu'elles se soient certainement croisées, et elle vit que Jeanette savait parfaitement qui elle était. Après une brève hésitation, elle ouvrit grande la porte et la fit entrer.

Charlotte fut surprise qu'elle soit si jeune. Vingt-cinq ans, avait dit Niclas quand elle l'avait pressé de questions. Elle ne savait pas pourquoi elle tenait à apprendre ces détails. C'était comme un besoin impérieux, un instinct qui la poussait à en savoir le plus possible. Elle espérait peut-être comprendre d'une façon ou d'une autre ce qu'il cherchait et qu'elle ne pouvait pas lui donner. C'était peut-être pour cela qu'elle avait été attirée ici comme par une force irrésistible. Jamais auparavant elle ne s'était confrontée à un de ses "faux pas". Elle avait voulu les voir, mais sans oser. Cependant, après la mort de Sara, tout avait tellement changé. Elle se sentait invulnérable. Toutes les peurs avaient disparu. Elle avait déjà été frappée par le pire qui puisse arriver, et tout ce qui auparavant l'avait paralysée lui paraissait à présent de petits obstacles insignifiants. Ça n'avait pas été facile pour autant de venir ici, au contraire. Mais elle l'avait fait. Sara était morte, alors elle le faisait.

— Qu'est-ce que tu veux ? Jeanette la contempla, sur le qui-vive.

Charlotte se sentit grande en comparaison d'elle. Jeanette ne devait mesurer qu'un mètre soixante, et avec son mètre soixante-quinze Charlotte avait l'impression d'être une géante. L'autre n'avait pas non plus eu le corps déformé par deux grossesses. Charlotte nota malgré elle que les seins dans le haut moulant n'avaient pas besoin de soutien-gorge pour rester en place. Une image se présenta à son esprit. Jeanette nue, au lit avec Niclas, qui caressait sa poitrine parfaite. Elle secoua la tête pour chasser la vision. Elle avait déjà consacré trop de temps dans sa vie à ce genre d'autoflagellation. Et puis ces images ne la dérangeaient plus autant, elle en avait de bien pires en tête. Des images de Sara, flottant dans l'eau. Elle se força à revenir à la réalité, et elle dit d'une voix calme :

— Je voudrais simplement qu'on parle un peu. Tu m'offres un café ?

Elle ne savait pas si Jeanette s'était attendue à sa visite, ou si la situation lui paraissait si absurde qu'elle n'arrivait pas vraiment à l'intégrer. En tout cas, son visage ne révéla aucune surprise, elle lui fit simplement signe de la suivre dans la cuisine. Charlotte jeta un regard curieux sur l'appartement. Il était à peu près comme elle s'y était attendue. Un petit deux-pièces, avec beaucoup de meubles en pin, des rideaux à volants et des souvenirs de voyages à l'étranger comme principale décoration. Il était probable qu'elle économisait chaque *öre* en trop pour se payer des charters destination soleil, et ces voyages constituaient probablement les sommets de sa vie. A part quand elle couchait avec des hommes mariés, évidemment, se dit Charlotte tristement en s'installant devant la table. Elle n'était pas aussi sûre d'elle qu'elle espérait en avoir l'air. Dans sa poitrine, son cœur battait la chamade. Mais ça avait été plus fort qu'elle, il fallait qu'elle regarde l'autre dans les yeux. Qu'elle voie une fois pour toutes quel type de femme arrivait à faire tourner la tête d'un homme au point qu'un moment de batifolage au lit pèse plus lourd que vœux matrimoniaux, enfants et décence.

A sa surprise, Charlotte fut déçue. Elle s'était toujours imaginé les maîtresses de Niclas d'une tout autre classe. Bien sûr que Jeanette était canon, elle ne pouvait pas le nier, mais elle semblait tellement… tellement creuse. Elle ne dégageait aucune chaleur, aucune énergie et, pour autant que Charlotte puisse en juger, elle semblait n'avoir ni la capacité, ni les ambitions d'autre chose que de se laisser entraîner par le courant de la vie.

— Tiens, dit Jeanette peu aimablement en posant un café devant Charlotte.

Puis elle s'assit de l'autre côté de la table et commença à siroter le sien, manifestement mal à l'aise. Charlotte nota qu'elle avait les ongles manucurés, longs et parfaits. Encore un concept qui n'existait pas dans le monde des mères d'enfants en bas âge.

— Ça te surprend que je sois venue ? dit Charlotte et elle contempla la femme en face d'elle avec un calme trompeur.

— J'en sais rien. Jeanette haussa les épaules. Peut-être. Je n'ai jamais trop pensé à toi.

Au moins, elle est sincère, pensa Charlotte. Par honnêteté ou par pure bêtise, il était trop tôt encore pour le dire.

— Tu es au courant que Niclas m'a tout raconté ?

— Je suppose que je savais qu'un jour ou un autre, ça se saurait. De nouveau le même haussement d'épaules nonchalant.

— Comment tu pouvais le savoir ?

— Bof, ici les nouvelles vont vite. Il y a toujours quelqu'un qui a vu quelque chose et qui se sent obligé de bavarder.

— On dirait que ce n'est pas la première fois que tu participes à ce jeu.

Un petit sourire apparut aux coins des lèvres de Jeanette.

— C'est pas de ma faute si les meilleurs sont déjà pris. Et ça ne semble pas leur poser trop de problèmes.

— Tu veux dire que ça n'a pas posé de problèmes à Niclas ? Les yeux de Charlotte s'étrécirent en deux fentes. Qu'il soit marié, qu'il ait deux enfants ?

En disant "deux enfants", elle sentit l'émotion menacer de l'envahir et prendre le dessus. Elle s'obligea, avec peine, à rester calme. Son trouble rappela apparemment à Jeanette que la simple bienséance impliquait certains devoirs. D'un ton neutre, elle dit :

— Je suis vraiment désolée pour ce qui est arrivé à votre fille. A Sara.

— Ne prononce pas le nom de ma fille, s'il te plaît, dit Charlotte avec une froideur qui frappa Jeanette de plein fouet. Elle baissa les yeux et remua le café dans sa tasse. Réponds plutôt à ma question : Est-ce que ça a jamais posé un problème à Niclas de coucher avec toi alors qu'il avait une famille à la maison ?

— Il ne parlait jamais de vous. Jeanette éluda la question.

— Jamais ?

— On avait autre chose à faire que parler de vous, lâcha Jeanette, avant de réaliser de nouveau qu'elle ferait mieux d'adopter un profil bas, ne serait-ce que par correction.

Charlotte la regarda avec dégoût. Mais elle éprouvait encore plus de dégoût et de mépris pour Niclas qui apparemment avait été prêt à sacrifier tout ce qu'ils avaient pour ça – une pétasse bornée qui croyait que le monde était à ses pieds uniquement parce qu'une fois elle avait été élue Miss Lycée. Charlotte connaissait le genre. Trop d'attention pendant les années où l'ego est le plus influençable l'avait gonflé et rendu énorme. Blesser autrui, prendre ce qui ne lui appartenait pas, ça n'avait aucune importance pour des femmes comme Jeanette.

Charlotte se leva. Elle regrettait d'être venue. Elle aurait préféré garder l'image de la maîtresse de Niclas comme une femme belle, intelligente et passionnée. Une concurrente pour laquelle elle aurait pu avoir une certaine compréhension. Alors que cette fille était d'une banalité affligeante. L'idée que Niclas ait été avec elle lui donna un haut-le-cœur et elle sentit s'évaporer le peu de respect qu'elle avait conservé pour lui.

— Je trouverai le chemin, dit-elle.

En sortant, elle heurta "par mégarde" un âne en céramique avec l'inscription *Lanzarote 1998*, qui était posé sur la commode dans l'entrée. Il alla s'écraser en mille morceaux par terre. Un âne pour un âne, se dit-elle en marchant voluptueusement sur les éclats avant de refermer la porte derrière elle.

FJÄLLBACKA 1928

La catastrophe frappa un dimanche. Le bateau pour l'Amérique devait appareiller le vendredi de Göteborg, et le plus gros de leurs bagages était déjà fait. Anders avait envoyé Agnes acheter les dernières choses dont il pensait qu'ils auraient besoin *"over there"*, et pour une fois il lui avait confié le porte-monnaie.

Son panier était rempli d'achats quand elle tourna au coin de la rue et commença à grimper le raidillon. Entendant des gens crier, elle hâta le pas et, à quelques maisons de la leur, elle sentit la fumée, épaisse et âcre. Agnes lâcha le panier et se mit à courir. La première chose qu'elle vit fut le feu, de grosses flammes qui jaillissaient des fenêtres de sa maison et des gens qui couraient partout, complètement déboussolés. Les hommes et quelques femmes portaient des seaux d'eau, les autres femmes se contentaient de se tenir la tête et de hurler de panique. L'incendie avait gagné les maisons voisines et semblait s'emparer de tout le quartier. Il se propagea avec une vitesse incroyable. Agnes contempla la scène, bouche bée et les yeux écarquillés, en état de choc. Rien ne l'avait préparée à une telle scène.

Une épaisse fumée gris-noir était en train de se poser comme un couvercle sur les maisons et l'air au niveau du sol devenait gris et trouble, comme un léger brouillard. Agnes était toujours comme pétrifiée quand une des voisines s'approcha et la prit par le bras.

— Agnes, viens avec moi, tu ne peux pas rester là.

Elle essaya de l'emmener, mais Agnes ne se laissa pas faire. La fumée remplit ses yeux de larmes quand elle fixa sa maison dévorée par les flammes. On aurait dit qu'elle brûlait avec plus d'intensité que les autres.

— Anders... les garçons..., dit-elle d'une voix éteinte et la voisine tira désespérément sur son chemisier pour la faire bouger.

— On ne sait rien encore. Les gens sont invités à se rassembler en bas sur la place. Peut-être qu'ils y sont déjà, dit la femme.

Mais Agnes entendit bien le peu de conviction qu'elle mettait dans ses paroles. Cette femme savait tout aussi bien qu'Agnes qu'elle ne trouverait aucun d'eux sur la place.

Lentement elle fit demi-tour et sentit la chaleur de l'incendie lui chauffer le dos. Comme une automate, elle suivit cette Britt ou Britta, elle ne savait pas trop comment elle s'appelait, et se laissa conduire jusqu'à la place où les pleurs des femmes montaient vers le ciel. Le silence se fit à l'arrivée d'Agnes. La rumeur s'était déjà répandue. Tandis qu'elles pleuraient leurs maisons et leurs possessions perdues, Agnes avait à pleurer son mari et ses deux petits enfants. Toutes les mères la regardaient, le cœur lourd. Quoi qu'elles aient pu dire et penser à son sujet, en ce moment elle n'était qu'une mère qui avait perdu ses enfants, et elles serrèrent plus fort leurs propres enfants contre elles.

Agnes garda les yeux solidement rivés au sol. Elle ne pleurait pas.

Elles se levèrent en voyant Patrik arriver. Veronika tenait sa fille par la main et ne la lâcha pas lorsque Patrik leur montra le chemin de son bureau. Il indiqua les deux chaises et elles s'assirent.

— En quoi est-ce que je peux vous aider ? demanda Patrik gentiment en adressant un sourire à Frida qui avait l'air effrayée. Des yeux, elle chercha l'approbation de sa mère, qui hocha la tête.

— Frida a quelque chose à raconter, dit Veronika.

— En fait c'est un secret, dit Frida d'un mince filet de voix.

— Un secret, ouah ! dit Patrik. J'adore les secrets.

Il comprit que la fillette n'était pas absolument sûre de vouloir raconter, si bien qu'il poursuivit :

— Tu sais, c'est le travail de la police d'entendre tous les secrets, et ça ne compte presque pas quand on raconte un secret à la police.

Le visage de Frida s'éclaira.

— Alors vous apprenez tous les secrets du monde ?

— Ben, peut-être pas tous. Mais presque. Alors, c'est quoi, ton secret à toi ?

— Il y avait un méchant monsieur qui faisait peur à Sara, dit-elle et elle parlait vite maintenant pour se libérer de tout. Il était super vilain et il disait qu'elle était l'agence du diable et ça faisait super peur à Sara, mais elle m'a fait promettre de le raconter à personne parce qu'elle avait peur que le monsieur revienne.

Elle chercha sa respiration et Patrik se demanda ce que ça pouvait bien signifier, l'agence du diable.

— Il était comment, ce monsieur, Frida ? Tu t'en souviens ?

— Il était super vieux. Cent ans au moins. Comme papi.

— Papi a soixante ans, précisa Veronika sans réussir à retenir un sourire.

— Ses cheveux étaient tout blancs et il n'avait que des vêtements noirs.

Elle paraissait vouloir continuer puis elle se tassa sur sa chaise.

— Ensuite je me souviens plus, dit-elle, découragée, et Patrik se dépêcha de lui faire un clin d'œil.

— C'est très bien comme ça. Et c'était un super secret à raconter à la police.

— Alors tu crois pas que Sara, elle va se fâcher contre moi quand elle reviendra du ciel, parce que je l'ai raconté ?

Veronika prit une profonde inspiration pour expliquer de nouveau les réalités de la mort à sa fille, mais Patrik la devança.

— Non, tu sais, je pense que Sara s'amuse beaucoup trop au ciel pour vouloir revenir, et tout ça lui est sûrement égal.

— Sûr ?

— Sûr, dit Patrik.

Veronika se leva.

— Bon, vous savez où nous trouver si vous avez d'autres questions à poser. Mais je pense sincèrement que Frida ne sait rien de plus. Pensez-vous qu'il peut s'agir de…

Patrik se contenta de secouer la tête et de dire :

— Impossible à dire, mais c'était en tout cas une très bonne initiative de venir nous raconter tout ça. La moindre information a son importance.

— Est-ce que je peux monter dans une voiture de police ? Frida exhorta Patrik du regard.

— Pas aujourd'hui, mais je verrai si on peut organiser quelque chose pour bientôt.

Elle fut satisfaite de cette réponse et sortit avec sa mère dans le couloir.

— Merci d'être venues, dit Patrik en serrant la main de Veronika.

— J'espère vraiment que vous coincerez bientôt celui qui a fait ça. C'est à peine si j'ose la lâcher du regard, dit-elle en caressant doucement les cheveux de sa fille.

— On fait le maximum, dit Patrik avec davantage de confiance qu'il n'en ressentait, puis il les raccompagna.

Une fois la porte refermée derrière elles, il passa en revue ce qu'avait raconté Frida. Un vilain monsieur ? La description qu'elle avait fournie ne correspondait pas à Kaj. De qui pouvait-il s'agir ?

Il alla voir Annika derrière son guichet vitré et, après un coup d'œil à sa montre, il dit, fatigué :

— Tu voulais que je regarde une déposition ?

— Oui, tiens. Elle lui glissa un papier. Et n'oublie pas que Gösta voulait te parler aussi. Je pense qu'il ne va pas tarder à partir, tu ferais peut-être mieux d'essayer de le choper tout de suite.

— Eh oui, il y en a qui peuvent se permettre de rentrer chez eux, soupira-t-il. Il avait très bien perçu l'agacement d'Erica quand il lui avait annoncé qu'il serait en retard, et la mauvaise conscience le travaillait.

— Mais il ne rentre chez lui que quand tu donnes le feu vert, non ? dit Annika en regardant Patrik par-dessus ses lunettes.

— Oui, bien sûr, et c'est sûrement mieux si Gösta peut rentrer prendre un peu de repos. Il ne nous apporte pas grand-chose à rester ici à râler.

Sa réponse était plus vacharde que voulu, mais parfois il en avait vraiment marre d'être obligé de traîner si souvent ses collègues derrière lui. Deux d'entre eux en tout cas. Bon, il était reconnaissant à Gösta de prendre rarement des initiatives qui les mettaient dans la panade, à l'exemple d'Ernst.

— Bon, je ferais mieux alors d'aller voir ce qu'il veut.

Patrik prit la feuille de déposition et se dirigea vers le bureau de Gösta. Il marqua un arrêt à la porte, mais il eut le temps de voir Gösta fermer précipitamment une réussite sur l'ordinateur. Voir son collègue gaspiller ainsi son temps alors que lui bossait comme un fou l'énerva au plus haut point et il dut serrer les dents pour se calmer. Il n'eut pas la force d'entamer ce sujet avec Gösta à ce moment-là, mais son collègue ne perdait rien pour attendre.

— Ah, te voilà, constata Gösta sur un ton tellement maussade que Patrik envisagea d'avoir la fameuse discussion tout de suite.

— Oui, j'avais un truc important en cours, répondit-il en s'efforçant de ne pas paraître aussi grincheux qu'il l'était.

— Moi aussi, j'ai pas mal de trucs importants, tu comprends. Patrik fut surpris du ton enthousiaste de Gösta.

— Vas-y, *come to the fact*, dit Patrik, mais en voyant la perplexité de son collègue il se dit que l'anglais ne devait pas être son point fort. A moins qu'il ne s'agisse de golf, bien entendu...

Gösta rendit compte de l'appel de Pedersen et Patrik écouta avec un intérêt grandissant. Il prit les fax que Gösta lui tendit et s'assit le temps de les parcourir.

— Oui, c'est indéniablement intéressant. La question est juste de savoir comment ça va nous faire progresser.

— J'y ai réfléchi aussi. Tout ce que je vois, c'est que ça peut nous aider à rattacher quelqu'un au meurtre, si seulement on trouve la bonne personne. Mais, en attendant, ça ne nous sert pas à grand-chose.

— Et ils n'ont pas pu confirmer si c'était animal ou humain, ces fameux restes biologiques ?

— Non. Mais on aura une réponse d'ici quelques jours.

— Raconte-moi encore ce qu'il a dit, Pedersen, à propos de la pierre.

— Que c'est du granit.

— Et va donc essayer de dégoter du granit ici dans le Bohuslän..., ironisa Patrik en se passant une main découragée dans la tignasse. Si seulement on arrivait à trouver quel rôle a joué la cendre, je parie qu'on saurait aussi qui est le meurtrier de Sara, poursuivit-il.

Gösta acquiesça de la tête.

— Je pense qu'on n'ira pas plus loin maintenant, dit Patrik en se levant. Mais ce sont des nouvelles sacrément intéressantes. T'as qu'à rentrer chez toi maintenant, Gösta, comme ça, demain tu seras en pleine forme. Il réussit même la prouesse de sourire.

Gösta ne se fit pas prier. En deux minutes, il avait éteint son ordinateur, pris ses affaires et franchi la porte. Patrik n'était pas aussi bien loti. Alors qu'il était déjà sept heures moins le quart, il entra dans son bureau, s'installa à sa table de travail et commença à lire la note qu'Annika lui avait donnée. Puis il se jeta sur le téléphone.

Parfois, c'était comme si elle était hors du monde réel, enfermée dans une toute petite bulle qui n'arrêtait pas de rétrécir. Elle était devenue tellement petite qu'Erica avait l'impression de pouvoir toucher les parois intérieures si elle tendait la main.

Maja dormait sur son sein. Elle avait essayé de la coucher pour qu'elle s'endorme toute seule mais, comme chaque fois, elle s'était réveillée au bout de quelques minutes, en protestant bruyamment contre l'énorme culot de vouloir poser sa petite personne dans un *lit de bébé*. Alors qu'on pouvait dormir si bien contre le sein de sa maman. Le projet d'essayer d'appliquer les conseils de *Barnaboken* était resté au stade de projet. Et, comme d'habitude, Erica s'était résignée et avait calmé les pleurs de Maja en lui donnant le sein et en la laissant s'endormir tranquillement avec sa maman. Elle était capable de rester à dormir ainsi pendant une heure ou deux, à condition qu'Erica ne bouge presque pas ou qu'elle ne soit pas dérangée par la sonnerie du téléphone ou la télé. Erica était donc assise dans le fauteuil depuis une demi-heure telle une statue de pierre, le téléphone débranché et le son de la télé coupé. Sans oublier que les émissions étaient lamentables à cette heure de la journée et qu'elle était réduite à regarder une série américaine débile dont TV4 semblait avoir acheté mille épisodes. Elle détestait sa vie.

Prise de remords, elle contempla la petite tête duveteuse qui reposait tranquillement sur le coussin d'allaitement, la bouche à demi ouverte et les paupières qui tressaillaient de temps à autre. L'état dans lequel se trouvait Erica n'avait rien à voir avec une défaillance d'amour maternel. Elle aimait Maja, profondément et passionnément, mais parfois elle avait l'impression d'être envahie par un parasite hostile qui la vidait de toute sa joie de vivre et la plongeait dans une existence d'ombre à dix mille lieues de sa vie précédente.

Parfois elle en voulait à Patrik aussi. Pour ces petites apparitions amicales qu'il faisait dans son monde à elle, avant de repartir joyeusement dans la vie réelle comme un être normal. Parce qu'il ne comprenait rien à ce qu'elle vivait réellement. Dans certains moments de grande lucidité, pourtant, elle réalisait qu'elle était injuste. Comment pourrait-il comprendre ? Il n'était pas lié à Maja comme elle l'était, ni physiquement, ni sentimentalement non plus, d'ailleurs. A tout point de vue, le lien entre mère et fille était si fort ces premiers temps qu'il représentait à la fois un boulet et une bouée de sauvetage.

Sa jambe s'était engourdie et Erica essaya de changer de position. C'était un risque à prendre, elle le savait, mais la douleur avait fini par devenir insupportable. Pari perdu. Maja commença à bouger, ouvrit les yeux et se mit immédiatement à la recherche de nourriture, la bouche grande ouverte. En soupirant, Erica lui remit le téton dans la bouche. Elle n'avait dormi qu'une demi-heure et Erica savait qu'elle allait très vite se rendormir. Et elle-même continuerait à faire du lard. Puis elle redressa le menton. Terminées ces conneries, il y a des limites, se dit-elle. A la sieste suivante, Maja s'endormirait toute seule !

Ce fut une lutte entre deux volontés. Dans un coin du ring, Erica, soixante-douze kilos. Dans l'autre, Maja, six kilos. Sans fléchir, Erica faisait avancer et reculer le landau entre le salon et le vestibule, passant sur le petit seuil en bois entre les deux pièces. Le bras en avant, le bras en arrière. En son for intérieur elle se demandait comment Maja pourrait s'endormir dans un landau qui était secoué comme un prunier mais, d'après *Barnaboken*, c'était censé marcher. Des instructions claires et nettes données au bébé, "tu vas dormir maintenant, maman a la situation en main". Mais, au bout d'un quart d'heure, Erica n'aurait pas exactement dit qu'elle avait la situation en main. Alors que, d'après tous ses calculs, Maja aurait dû être épuisée, elle hurlait à pleins poumons, outrée à l'extrême qu'on lui refuse l'accès à sa tétine géante. Un instant, Erica fut tentée d'abandonner et de lui donner le sein pour qu'elle s'endorme, mais elle se reprit. Maja avait beau être en colère, et ses cris avaient beau déchirer le cœur d'Erica, l'une comme l'autre avait tout à gagner à ce que Maja ait une maman en forme pour s'occuper d'elle comme il faut. Si bien qu'elle persista. Chaque fois que Maja poussait un cri de protestation, elle secouait le landau avec autorité. Si elle se calmait et semblait s'endormir, elle cessait doucement ses va-et-vient. D'après Anna Wahlgren, il était important de ne pas se laisser tenter de bercer jusqu'à ce que le bébé s'endorme, il fallait s'arrêter juste avant pour qu'il s'endorme de lui-même. Et, alléluia ! une demi-heure plus tard, Maja s'endormit toute seule. Tout doucement Erica tira le landau dans la pièce de travail, ferma la porte et s'assit dans le canapé, un sourire béat aux lèvres.

Sa bonne humeur persista, bien que huit heures du soir aient sonné sans que Patrik soit de retour. Elle ne s'était pas donné la peine d'allumer les lumières quand le crépuscule était tombé et, petit à petit, l'obscurité avait envahi la maison. Seule la lueur de la télé éclairait le salon, et elle était collée devant une des nombreuses émissions de téléréalité qui passaient le soir, tandis qu'elle nourrissait Maja de nouveau. Elle avait honte de le dire, mais elle était devenue accro à plusieurs de ces programmes. Patrik se plaignait de plus en plus d'être en permanence submergé d'intrigues et d'individus assoiffés de gloire médiatique. Sa passion pour le sport s'était trouvée sérieusement rognée mais, tant que c'était elle qui passait ses soirées à allaiter Maja, elle entendait rester maître de la télécommande. Elle augmenta le son, effarée de voir que de si jolies filles puissent se pavaner devant un célibataire présomptueux et ridicule. Il essayait de leur faire croire qu'il était prêt pour le mariage alors que de toute évidence il participait à l'émission pour augmenter son potentiel de drague dans les boîtes branchées de Stockholm. Bien sûr qu'elle était d'accord avec le jugement de Patrik. Ces émissions étaient d'une débilité profonde mais, une fois qu'on avait commencé à les regarder, c'était difficile de s'arrêter.

Il y eut un bruit du côté de la porte d'entrée et elle baissa le son. Un bref instant, sa vieille peur du noir reprit le dessus, puis elle réalisa que c'était Patrik qui rentrait enfin.

— Tu es dans le noir, dit-il et il alluma quelques lampes avant de venir lui faire une bise.

Il passa doucement la main sur la tête de Maja et se laissa ensuite tomber dans le canapé.

— Je suis vraiment désolé de rentrer si tard, dit-il et, malgré tout le ressentiment puéril qu'Erica avait pu avoir auparavant, l'irritation la quitta instantanément.

— Ça ne fait rien, dit-elle. On n'a manqué de rien, la choupette et moi. Elle était encore dans l'euphorie d'avoir eu enfin quelques instants à elle.

— Aucune chance de pouvoir regarder un peu de hockey, je suppose ? Patrik jeta un regard envieux sur l'écran télé, sans même avoir noté l'inhabituelle bonne humeur d'Erica.

Cette dernière ne fit que renifler de mépris. A-t-on idée de poser des questions aussi stupides !

— C'est bien ce que je m'étais dit. Je vais me faire quelques tartines, tu en veux aussi ?

Elle secoua la tête.

— J'ai déjà mangé. Mais je vais prendre une tasse de thé avec toi. Je pense qu'elle a presque fini de téter.

Comme si elle avait compris les paroles d'Erica, Maja lâcha le téton et regarda sa maman, toute contente. Erica l'installa dans le baby-relax, puis alla rejoindre Patrik dans la cuisine. Il était devant la cuisinière en train de mélanger du chocolat instantané avec du lait, elle se planta derrière lui et l'entoura de ses bras. C'était tellement bon et elle réalisa qu'ils n'avaient pas eu beaucoup de contacts physiques depuis la naissance de Maja. Surtout à cause d'elle, elle fut obligée de le reconnaître.

— Comment a été ta journée ? demanda-t-elle, se rendant compte que ça aussi faisait partie des choses qu'elle n'avait pas dites depuis longtemps.

— Une journée de merde.

Il ouvrit le réfrigérateur et sortit du beurre, du fromage et un tube de *kaviar**.

— J'ai entendu dire que vous avez arrêté Kaj, tenta-t-elle, n'étant pas sûre de ce que Patrik voudrait bien raconter.

* Pâte d'œufs de cabillaud salés, une des garnitures les plus répandues sur les tartines suédoises.

Pour sa part, elle avait décidé de ne rien dire des visites qu'elle avait reçues au cours de la journée.

— Les racontars sont partis au galop, j'imagine ?

— Je pense qu'on peut dire ça, oui.

— Et qu'est-ce qu'ils disent, les gens ?

— Qu'il a forcément quelque chose à voir avec la mort de Sara. C'est vrai ?

— Je ne sais pas.

Patrik versa le chocolat chaud dans une tasse, il avait l'air vanné. Il s'assit en face d'Erica et commença à tremper ses tartines de fromage et de *kaviar* dans le chocolat. Au bout d'un moment il ajouta :

— Ce n'est pas pour le meurtre de Sara qu'on l'a arrêté, il y a une autre raison.

Il se tut de nouveau. Erica savait qu'elle ne devait pas continuer, pourtant elle ne put s'empêcher de poser la question. Elle pouvait encore voir le regard éteint de Charlotte.

— Mais c'est quelque chose qui pourrait le lier à la mort de Sara ?

Patrik trempa une autre tartine dans la tasse et Erica essaya de regarder ailleurs. Cette habitude barbare lui avait toujours soulevé le cœur.

— Je suppose que oui. Mais on verra. Il ne faut pas qu'on se bloque là-dessus. On a d'autres pistes aussi à suivre, précisa-t-il en évitant son regard.

Elle ne demanda plus rien. Quelques petits cris dans le salon signalèrent que Maja en avait assez d'être toute seule et Patrik se leva pour aller chercher sa fille. Elle gargouilla de bonheur et agita les mains et les pieds quand Patrik posa le baby-relax sur la table. La fatigue quitta son visage et l'éclat particulier qu'il réservait à Maja rayonna dans ses yeux.

— Ça, c'est la petite chérie préférée de papa, non ? Et la petite chouchou de papa, est-ce qu'elle a passé une bonne journée ? Oh, mais c'est la plus belle du monde, babilla-t-il avec sa fille.

Puis le visage de Maja se tordit, elle devint écarlate et, après avoir poussé un peu, une odeur bien tassée se répandit autour de la table. Machinalement, Erica se leva pour remédier au problème.

— Reste assise, toi, je m'en occupe, dit Patrik et Erica retomba avec reconnaissance sur sa chaise.

Quand Patrik revint avec une Maja propre en pyjama, Erica raconta avec beaucoup d'enthousiasme que, grâce à la "technique du landau", elle avait fini par avoir raison de la résistance de Maja.

— Elle a vraiment pleuré pendant trois quarts d'heure avant de s'endormir ? Tu crois que c'est bien pour elle ? Patrik eut l'air sceptique. Ils ont bien dit à la maternité de lui proposer une tétée quand elle pleure. Ça ne me paraît pas génial de la laisser pleurer aussi longtemps.

Son manque d'emballement et de compréhension mit Erica en pétard.

— Evidemment qu'elle ne va pas continuer comme ça, à pleurer pendant trois quarts d'heure. Ça va diminuer progressivement et d'ailleurs, si tu trouves que ce n'est pas une bonne idée, tu n'as qu'à rester à la maison et t'occuper d'elle ! Ce n'est pas toi qui allaites vingt-quatre heures sur vingt-quatre ! Sinon tu aurais tout fait pour trouver une solution, toi aussi !

Puis elle éclata en sanglots et se réfugia dans la chambre à l'étage. Patrik resta assis dans la cuisine, comme un imbécile. Si seulement il pouvait réfléchir un peu avant de l'ouvrir !

FJÄLLBACKA 1928

Deux jours plus tard, son père arriva à Fjällbacka. Elle l'attendait dans la petite pièce où elle était provisoirement hébergée, assise les mains croisées sur ses genoux. Quand il entra, elle se dit que les potins avaient dit vrai. Il avait une tête épouvantable. Son crâne s'était dégarni encore davantage et, s'il avait été d'une rondeur joviale quelques années auparavant, il était maintenant à la limite de l'obésité et il avait du mal à respirer normalement. Son visage était rubicond et luisant après l'effort, mais on devinait sous les rougeurs un teint grisâtre bien enraciné. Il n'avait pas l'air en bonne santé.

Il franchit le seuil d'un pas hésitant, une expression d'incrédulité à la vue de cette petite pièce sombre, mais lorsqu'il aperçut Agnes il traversa la pièce en courant pour la serrer fort dans ses bras. Elle le laissa faire, mais elle ne lui rendit pas son étreinte, gardant ses mains sur ses genoux. Il l'avait trahie et rien ne pouvait changer cela.

August chercha une réponse à sa tendresse, puis il abandonna et la lâcha. Pourtant il ne put s'empêcher de caresser sa joue. Elle sursauta comme s'il l'avait frappée.

— Agnes, Agnes, ma pauvre Agnes.

Il s'assit à côté d'elle tout en prenant garde de la toucher. La compassion sur sa figure la dégoûtait. C'était bien la peine de venir maintenant, comme les carabiniers. Quatre ans plus tôt, elle avait eu besoin de lui et de son soutien paternel. Maintenant, il était trop tard.

Elle évita soigneusement de le regarder, pendant qu'il lui parlait d'une voix pressante nouée par l'émotion.

— Agnes, je comprends que j'ai mal agi et rien de ce que je pourrais dire ne peut changer cela. Mais laisse-moi t'aider aujourd'hui dans ta détresse. Rentre à la maison, et laisse-moi m'occuper de toi. Tout peut redevenir comme avant. C'est une tragédie, ce qui vient de se passer, mais ensemble nous arriverons à te la faire oublier.

Sa voix montait et descendait par vagues suppliantes mais elles venaient se briser sur la dure carapace d'Agnes. Ses paroles la heurtèrent comme une raillerie.

— Je t'en prie, Agnes, rentre. Tu auras tout ce que tu veux.

Du coin de l'œil, elle vit ses mains trembler. Le ton implorant de sa voix lui procura plus de satisfaction qu'elle n'aurait jamais pu se le figurer. Et Dieu sait qu'elle se l'était figurée, cette scène, elle l'avait rêvée maintes fois au cours de ces années sombres.

Lentement elle tourna son visage vers lui. August le prit comme un signe qu'elle avait entendu ses prières et, tout excité, il chercha à prendre les mains de sa fille. Elle les retira vivement tout en restant de marbre.

— Vendredi, je pars pour l'Amérique, dit-elle et elle jouit de l'expression consternée que provoquèrent ses paroles.

— L'A... Aaa... mérique, bégaya August. Il ne s'attendait certainement pas à ça.

— Anders avait acheté des billets pour nous tous. Il rêvait d'un avenir là-bas. J'ai l'intention d'honorer son souhait et j'irai toute seule, déclama-t-elle de façon très théâtrale et elle quitta son père du regard pour se concentrer sur la rue au-dehors. Elle savait que son profil était joli dans le contre-jour de la fenêtre et que ses vêtements noirs soulignaient la pâleur qu'elle avait toujours pris tant de soin d'entretenir.

Depuis deux jours, les gens s'étaient démenés pour elle. On avait mis cette petite pièce à sa disposition pendant tout le temps qu'elle voudrait. La médisance à peine voilée, le mépris qu'on lui avait déversé, tout était parti, envolé. Les femmes lui apportaient de quoi manger et des vêtements. Tout ce qu'elle avait sur le dos était soit prêté, soit donné. Ses propres affaires avaient disparu dans les flammes.

Les collègues d'Anders à la carrière étaient passés aussi. Endimanchés et récurés du mieux qu'ils avaient pu, ils lui avaient présenté leurs condoléances, la casquette à la main et le regard rivé au sol, en murmurant quelques mots au sujet d'Anders.

Agnes avait hâte d'être débarrassée de cette bande rapiécée et usée. Elle brûlait de monter à bord du bateau qui allait la conduire sur un autre continent. Elle était pressée de sentir l'air marin balayer la pellicule de saleté et de déchéance qui couvrait sa peau. Pendant encore quelques jours elle serait obligée de supporter leur compassion et leurs tentatives pathétiques de bienveillance, ensuite elle prendrait le large et elle ne regarderait plus jamais en arrière. Mais d'abord elle avait un compte à régler avec l'homme gros et rubicond à côté d'elle, qui l'avait si cruellement laissée tomber quatre ans auparavant. Elle allait veiller à ce qu'il paie. Cher, même, pour chacune des années qui avaient passé.

Il bégayait, toujours bouleversé par le choc qu'avait causé son annonce.

— Mais, mais, comment tu feras pour vivre là-bas ? s'inquiéta-t-il en épongeant la sueur de son front avec un petit mouchoir qu'il avait tiré de sa poche.

— Je ne sais pas. Elle poussa un profond soupir théâtral avec un air soucieux vite effacé, mais qui fut suffisamment long pour que son père le voie.

— Mais tu ne peux pas changer d'avis, mon cœur ? Reste plutôt avec ton vieux père.

Elle secoua vigoureusement la tête et attendit qu'il lui propose autre chose. Pour ça, il ne la décevait jamais. Les hommes sont si faciles à percer à jour.

— Mais laisse-moi t'aider alors. Un pécule pour démarrer, et une aide financière régulière ensuite ? Laisse-moi au moins faire ça. Sinon, je vais mourir d'inquiétude pour toi, seule, si loin de la maison.

Agnes sembla réfléchir un moment, et August se dépêcha d'ajouter :

— Et je peux sans doute faire en sorte que tu aies un autre billet pour la traversée aussi. Une cabine de première classe, ça serait mieux, non ?

Elle daigna hocher la tête et après un court silence elle dit :

— Bon d'accord, je veux bien. Tu me donneras l'argent demain. Après l'enterrement, ajouta-t-elle et August sursauta comme si quelque chose l'avait brûlé.

Il chercha ses mots, et sa voix trembla.

— Les garçons, ils ressemblaient à notre lignée ?

Ils ressemblaient à Anders, mais Agnes déclara sans pitié :

— Ils étaient exactement comme toi quand tu étais petit, sur les photos que j'ai vues. De petites copies de toi. Et ils demandaient souvent pourquoi ils n'avaient pas de grand-père, comme les autres enfants, ajouta-t-elle en tournant le couteau dans la plaie. Des mensonges et encore des mensonges, mais plus la culpabilité lui pèserait et plus il remplirait sa bourse.

Les larmes aux yeux, il se leva pour prendre congé. A la porte, quand il se retourna pour la regarder une dernière fois, elle se décida à lui octroyer au moins une petite obole et elle lui adressa un signe de la tête. Comme prévu, ce petit geste de sa part le remplit manifestement de joie et il sourit, les yeux humides.

Agnes le regarda disparaître, tout son être rempli de haine. Elle, on ne la trahissait qu'une fois, pas deux. Point à la ligne.

Tout en conduisant, Patrik essaya de se concentrer sur la première tâche de la journée. Il paraissait important de très rapidement donner suite à l'appel qu'il avait passé juste avant de partir du boulot hier. Mais il avait du mal à ne pas penser aux propos débiles qu'il avait adressés à Erica. Bon Dieu, que c'était compliqué. Il avait toujours cru qu'avoir des enfants, c'était facile. Crevant, à la rigueur, mais pas aussi oppressant que durant ces deux derniers mois. Il poussa un soupir découragé.

Ce ne fut qu'une fois garé devant les bâtiments blanc et brun à l'entrée sud de Fjällbacka qu'il réussit à se focaliser sur le présent et à oublier ses problèmes familiaux. L'appartement était situé dans le premier immeuble, escalier 2, et il grimpa au premier étage. Svensson/Kallin, annonçait une des portes, et il frappa doucement. Il y avait un bébé dans la famille et il savait bien, et pour cause, que personne n'aimait voir son bout de chou réveillé par des enquiquineurs. Un gars d'une bonne vingtaine d'années ouvrit et, bien qu'il soit huit heures et demie du matin, il afficha l'air mécontent de celui qui a été tiré du lit.

— Mia, c'est pour toi.

Il s'écarta sans dire bonjour et traîna la patte dans une pièce contiguë au vestibule. Patrik y jeta un coup d'œil, ça avait dû être une chambre d'amis au départ, on l'avait aménagée en salle de jeu, avec un ordinateur, plusieurs joysticks et un tas de DVD jonchant un bureau. Un de ces jeux "tuer-le-maximum-d'ennemis" démarra sur l'écran et le bonhomme, qui devait donc être soit Svensson, soit Kallin, commença à jouer, et plongea dans un autre monde.

La cuisine était à gauche dans le vestibule et Patrik y entra après avoir laissé ses chaussures près de la porte d'entrée.

— Venez, je suis en train de donner à manger à Liam.

Le petit était perché dans une chaise haute pour bébé et sa maman lui donnait du porridge et une sorte de compote de fruits. Patrik lui fit un petit coucou, et se vit gratifier d'un sourire barbouillé en retour.

— Asseyez-vous, dit Mia en indiquant la chaise en face.

Patrik obéit et sortit son calepin.

— Alors, racontez-moi ce qui s'est passé hier.

Un léger tremblement de la main qui tenait la cuillère témoigna combien la veille avait été traumatisante pour elle. Elle rendit brièvement compte de l'incident. Patrik nota, mais il s'agissait des mêmes informations qu'Annika avait eues hier quand Mia avait appelé.

— Et vous n'avez vu personne à proximité ?

Mia secoua la tête et Liam, qui trouvait apparemment cela rigolo, se mit à secouer frénétiquement la tête, lui aussi, ce qui compliqua considérablement la becquée.

— Non, je n'ai vu personne. Ni avant, ni après.

— Vous avez donc laissé le landau à l'arrière du magasin, c'est ça ?

— Oui, c'est un peu plus isolé, et je me sentais plus en sécurité de le laisser là. Je ne voulais pas réveiller Liam pour l'emmener avec moi dans le magasin. Et ça me paraissait trop compliqué d'entrer avec le landau. Je n'en avais que pour quelques minutes.

— Et ensuite, quand vous êtes ressortie, vous avez vu une substance gris-noir dans le landau et sur Liam.

— Il hurlait comme un fou. Il a dû en avoir plein la bouche, mais il avait réussi à cracher le plus gros. Tout l'intérieur de sa bouche était noir.

— Vous l'avez emmené chez un médecin ?

De nouveau elle secoua la tête et il vit qu'il avait mis le doigt sur un point douloureux.

— Non. Je suppose que j'aurais dû, mais j'étais pressée de rentrer et il paraissait aller bien, à part qu'il était affolé et en colère, alors je…

Sa voix s'éteignit et Patrik se dépêcha de la rassurer.

— Je suis sûr qu'il n'y a pas de mal. Vous avez bien fait. Il a l'air d'aller très bien, le petit.

Entièrement d'accord, Liam agita les mains, et ouvrit la bouche pour la cuillerée suivante. Apparemment, son appétit n'avait pas souffert, dodu comme il était.

— Par rapport au pull dont on parlait hier au téléphone, vous avez...

— Oui, je ne l'ai pas lavé, comme vous me l'avez demandé. Il est plein de cette espèce de cambouis noir. On dirait de la cendre, je trouve.

Elle se leva pour aller chercher le pull et Liam suivit des yeux la cuillère qu'elle avait posée à côté de son bol. Patrik n'hésita qu'une seconde, il prit la place de Mia et reprit là où elle s'était interrompue. Ça marcha comme sur des roulettes pour les deux premières cuillerées, puis Liam décida de faire la démonstration de son bruit de voiture. Il exécuta son vroum-vroum avec les lèvres et Patrik se retrouva avec du porridge plein les cheveux et la figure juste au moment où Mia revenait avec le pull. Elle ne put retenir un éclat de rire.

— Ah, vous êtes propre comme ça. J'aurais dû vous prévenir ou du moins vous prêter un ciré. Je suis vraiment désolée.

— Ça ne fait rien, dit Patrik avec un sourire, en essuyant un peu de porridge des cils. La mienne n'a encore que deux mois, ça me fait du bien d'expérimenter dès maintenant ce qui m'attend.

— Je vous en prie, continuez vos expérimentations, dit Mia et elle s'installa sur la chaise que Patrik avait libérée. En tout cas, voilà le pull.

Patrik le regarda. Tout le devant était souillé par une substance noirâtre.

— J'aimerais l'emporter, est-ce que c'est possible ?

— Oh oui, prenez-le. De toute façon, je l'aurais jeté. Je vais vous le mettre dans un sac plastique.

Patrik prit le sac qu'elle lui tendit et se leva.

— Si vous vous rappelez autre chose, vous me passez un coup de fil, dit-il en lui tendant sa carte.

— D'accord. Mais j'ai du mal à comprendre pourquoi quelqu'un fait une chose pareille. Et à quoi il va vous servir, le pull.

Patrik ne fit que secouer la tête pour toute réponse. Il ne pouvait rien dire quant à la raison de son intérêt. Pour l'instant il n'y avait pas eu de fuite au sujet de la cendre liée au meurtre de Sara. Il lorgna vers Liam. Dieu soit loué, l'issue avait été plus heureuse pour lui. La question était de savoir si telle avait été l'intention dès le départ, ou si la personne qui avait fait ça avait été dérangée dans son entreprise. Et, avant de faire analyser la cendre du pull, ils ne pouvaient rien affirmer quant à un rapport éventuel avec la mort de Sara. Mais il était d'ores et déjà prêt à parier une petite somme qu'ils trouveraient un lien. Ceci n'était pas une simple coïncidence.

En s'installant derrière le volant, il tâta la poche de son blouson à la recherche de son portable. Il n'avait pas eu de nouvelles de l'équipe qui avait opéré la perquisition chez Kaj hier, et cela l'étonnait. Hier, il avait eu trop de choses en tête pour y penser, mais à présent il se demandait pourquoi ils ne lui avaient pas fait de rapport. En pestant, il comprit qu'il avait éteint le portable avant de questionner Kaj et ensuite il avait oublié de le rallumer. L'icône des messages clignota, il avait un message sur son répondeur. Il fit le 133 et écouta avec chaque fibre de son corps ce que disait la voix. Avec un léger triomphe dans le regard, il referma le clapet du téléphone et le glissa dans sa poche.

Encore une fois, Patrik avait choisi la cuisine du poste pour la réunion. C'était la pièce la plus spacieuse et il avait aussi l'impression que la proximité de l'appareil à café leur ferait du bien dans la situation actuelle. Annika avait fait un saut à la pâtisserie plus bas dans la rue acheter une bonne provision de gâteaux en tous genres. Personne ne se fit prier et, quand Patrik alla se placer à côté du chevalet, tout le monde était en train de s'enrichir en calories. Il s'éclaircit la voix.

— Comme vous le savez, la journée d'hier a été riche en événements.

Gösta hocha la tête et prit un deuxième congolais. Mellberg en était déjà à son troisième et il semblait partant pour un quatrième. Ernst se tenait un peu à l'écart et tout le monde évitait soigneusement de le regarder. Depuis sa gaffe monumentale, une sorte d'épée de Damoclès était suspendue au-dessus de sa tête et personne ne savait quand elle allait s'abattre. Tant qu'ils se trouvaient à ce stade intense de l'investigation, ces choses-là devaient attendre. Mais tous savaient que ce n'était qu'une question de temps. Ernst y compris.

Tous les regards étaient fixés sur Patrik. Il poursuivit :

— Je vais résumer ce que nous savons pour l'instant. Vous êtes probablement déjà au courant de pratiquement tout, mais ça peut être utile d'avoir une vue d'ensemble de la situation.

Il se racla la gorge encore une fois, prit un feutre et commença à écrire sur le tableau blanc tout en parlant.

— Pour commencer, on a questionné le père, Niclas, au sujet de son alibi. On ne sait toujours pas où il se trouvait dans la matinée du lundi et la question est : pourquoi a-t-il essayé de se fabriquer un faux alibi ? Il y a aussi le soupçon de mauvais traitements à enfant, basé sur les informations concernant les blessures de son fils Albin qui a été admis aux urgences plusieurs fois. On se demande si Sara aussi a été victime de mauvais traitements et si cela a pu dégénérer en meurtre.

Il dessina un point, écrivit "Niclas" à côté, puis tira deux traits vers les mots "alibi" et "soupçon de mauvais traitements à enfant". Ensuite il se retourna vers ses collègues.

— Hier, la copine de Sara, Frida, est venue nous voir avec sa maman, et elle a raconté qu'une personne qu'elle appelait un "méchant monsieur" avait fait une grosse frayeur à Sara la veille de sa mort. Il avait eu un comportement menaçant, entre autres en l'appelant "agence du diable". Quelqu'un saurait-il expliquer ce que ça peut vouloir dire ?

D'abord personne ne répondit, tout le monde se tut et sembla faire un effort pour interpréter une si étrange notion.

Annika les regarda, secoua la tête devant leur lenteur, puis elle dit :

— Il a peut-être dit "engeance du diable".

Ils eurent tous l'air complètement médusés.

— Aha, “engeance du diable”, oui, ça peut être ça, dit Patrik et il se maudit de ne pas avoir été plus perspicace. Dans ce cas, il s'agirait d'un fanatique religieux. Et Frida a décrit le monsieur comme un homme âgé aux cheveux blancs. Martin, peux-tu vérifier avec la maman de Sara s'ils connaissent quelqu'un qui corresponde à ce signalement ?

Martin acquiesça.

— Ensuite on a eu aussi une déposition intéressante hier. Une jeune femme a laissé un landau avec son enfant endormi derrière la Quincaillerie pendant qu'elle faisait quelques achats dans le magasin. En revenant, elle a trouvé l'enfant en train de hurler, et l'intérieur du landau était couvert d'une substance noire, tout comme la bouche de l'enfant. Tout indiquait qu'on avait essayé de la lui faire avaler. Je suis allé voir la maman de ce petit garçon ce matin, et elle m'a donné le pull qu'il portait. Le devant est tout maculé d'une substance qui pourrait très bien être de la cendre.

Le silence se fit autour de la table. Personne ne mâchait, personne ne touchait à son café. Patrik continua :

— Je l'ai déjà envoyé au labo, et quelque chose me dit que c'est la même cendre que celle qu'ils ont trouvée dans l'estomac de Sara. On a une indication très précise de l'heure où ce… cet acte a eu lieu, ça peut donc valoir la peine de vérifier quelques alibis. Gösta, tu t'occuperas de ça avec moi.

Gösta hocha la tête et ramassa avec l'index les dernières miettes de noix de coco sur l'assiette.

Le tableau était maintenant couvert de notes et de tirets et Patrik s'arrêta un instant, le feutre en l'air. Puis il traça un autre tiret et écrivit “Kaj” à côté. Il fut évident pour tout le monde qu'il était maintenant arrivé à la partie de son exposé qu'il jugeait la plus importante.

— Après avoir reçu un appel téléphonique de nos collègues à Göteborg, on a appris que Kaj Wiberg figure dans une enquête pour pédophilie.

Tout le monde fit un gros effort pour ne pas regarder Ernst qui se tortillait sur sa chaise.

— On l'a arrêté hier, et on a également perquisitionné chez lui, avec le soutien de collègues d'Uddevalla. L'interrogatoire n'a rien donné de concret, mais on voit ça comme un premier pas et on va continuer à l'interroger. A partir des documents que Göteborg va nous envoyer, on verra aussi si on peut identifier d'éventuelles victimes d'ici. Kaj a été bénévole pendant de nombreuses années dans les activités pour les jeunes à Fjällbacka, et il n'est pas totalement aberrant de penser qu'il y a eu des abus ici aussi.

— Est-ce que quelque chose nous permet de l'associer au meurtre de Sara ? demanda Gösta.

— Je vais y arriver, esquiva Patrik.

Martin lui lança un regard perplexe. Il savait bien que l'interrogatoire n'avait rien donné.

— La perquisition nous a peut-être fourni notre première grande percée dans l'enquête.

L'excitation monta d'un cran et Patrik ne put s'empêcher de les laisser mariner pour plus d'effet. Puis il dit :

— Lors de la perquisition chez Kaj hier, on a trouvé le blouson de Sara.

Tout le monde retint son souffle.

— Ils l'ont trouvé où ? demanda Martin, l'air un peu vexé que Patrik ne lui ait pas fait part de cette nouvelle.

— C'est ça, le hic, répondit Patrik. Il n'était pas dans la villa, il se trouvait dans la cabane qu'ils ont sur leur terrain, là où loge leur fils, Morgan.

— Punaise alors, dit Gösta. C'est bien ce que je disais, que ce foutu numéro était mêlé à l'affaire. Les gens de son…

— Je veux bien que ça soit un fait aggravant, mais il est hors de question qu'on s'arrête à ça dès maintenant. D'une part, on ne sait pas qui des deux, le père ou le fils, y a mis le blouson, ça peut tout aussi bien être Kaj qui a essayé de le cacher. D'autre part il y a trop de zones d'ombre, et je parle de la tentative de Niclas de se procurer un alibi. Raison pour laquelle on va continuer à suivre toutes les pistes, je dis bien toutes, que j'ai notées ici. Des questions ?

Mellberg fit entendre sa voix.

— Ça m'a l'air très bien, Hedström. Du bon boulot. Et, oui, vérifie tous les autres trucs que tu as marqués là – il agita une main molle en direction du tableau – mais je pencherais plutôt dans le sens de Gösta. Il n'a pas l'air d'être vraiment sain d'esprit, ce Morgan, et si j'étais toi – Mellberg plaqua théâtralement sa main sur sa poitrine – je mettrais vraiment le paquet pour le coincer. Mais évidemment c'est toi qui mènes l'enquête, et c'est toi qui décides.

Mellberg le dit de façon que tout le monde comprenne qu'il valait mieux pour Patrik qu'il suive son conseil. Patrik ne répondit rien, et Mellberg interpréta son silence comme un acquiescement. Satisfait, il hocha la tête. A présent, ce n'était qu'une question de temps avant que le cas soit élucidé.

Les dents serrées, Patrik retourna à son bureau et s'attaqua aux tâches de la journée. Ce vieux con pouvait penser ce qu'il voulait, il n'avait certainement pas l'intention de commencer à se laisser mener par le bout du nez. Certes, le fait qu'ils avaient trouvé le blouson dans la cahute de Morgan l'avait poussé à tirer des conclusions, lui aussi, mais quelque chose, appelez ça de l'instinct, de l'expérience ou simplement de la méfiance, lui disait que tout n'était pas aussi limpide.

FJÄLLBACKA 1928

Tournant le dos à la côte suédoise, elle ferma les yeux et sentit le vent sur son visage. Ça, c'était la sensation de la liberté.

Le transatlantique avait appareillé de Göteborg pile à l'heure et le quai grouillait de gens qui faisaient leurs adieux à des proches, à la fois confiants et en larmes. On ne savait si on allait se revoir un jour. L'Amérique était tellement loin que la plupart des émigrants ne revenaient jamais et n'existaient plus que par leurs lettres à la famille.

Personne n'était venu dire au revoir à Agnes. Exactement comme elle l'avait voulu. Elle laissait son ancienne vie derrière elle et partait vers une nouvelle existence, et, avec le chèque de son père en poche et une jolie cabine en première classe, elle avait enfin de nouveau l'impression d'être sur la bonne voie.

Un instant, ses pensées allèrent vers Anders et les garçons. L'église était bondée à l'enterrement et un chœur éploré de sanglots sonores s'était élevé dans la nef. Elle n'avait pas pleuré. A l'abri de la voilette de son chapeau, elle avait contemplé les trois cercueils devant l'autel. Un grand et deux petits. Blancs, couverts de fleurs et entourés de couronnes. La plus grande était de son père. Elle lui avait interdit de venir.

Les cercueils ne contenaient que quelques petits restes. L'incendie avait été d'une température si élevée qu'il ne restait pratiquement rien. Le pasteur avait proposé des urnes, étant donné l'état de ces restes, mais Agnes avait voulu les choses ainsi. Trois cercueils qui seraient mis en terre.

Des collègues d'Anders avaient taillé la pierre tombale. Une pierre pour tous les trois, avec les noms finement gravés.

C'étaient les seules victimes de l'incendie. Il n'y avait eu par ailleurs que des dégâts matériels, mais les ravages avaient été considérables. Toute la partie basse de Fjällbacka, la partie donnant sur la mer, était à présent noire et calcinée. Des maisons entières avaient disparu et des pilotis carbonisés pointaient hors de l'eau aux emplacements des pontons partis en fumée. Rares pourtant étaient ceux qui se plaignaient. Chaque fois qu'ils ressentaient l'envie de pleurer, ils pensaient à Agnes et à ce qu'elle avait perdu. Tous étaient venus à la cérémonie et leur cœur saignait à la pensée des deux petits blondinets tenant la main de leur père.

Mais leur mère n'avait pas versé de larmes. Une fois les obsèques terminées, elle était retournée dans son logement provisoire et avait fourré dans une valise les quelques affaires qu'on lui avait données. Avoir été obligée d'accepter l'aumône lui était parfaitement insupportable. Mais cela ne lui arriverait plus jamais.

La voyant là, sur le pont supérieur du navire, personne ne pouvait deviner que peu de temps auparavant elle avait vécu une vie de misère. A Göteborg, elle s'était empressée de s'acheter de nouveaux vêtements et ses bagages étaient des plus élégants. Elle passa une main jouissive sur le tissu. Quelle différence avec les effets usés et décolorés qui avaient été son lot quatre années durant.

La seule chose qui restait à présent de son ancienne vie était une boîte en bois bleue qu'elle avait placée au fond d'une valise. Ce n'était pas la boîte en soi qui était importante, c'était son contenu. Celui-ci allait lui rappeler de ne jamais laisser quoi que ce soit l'empêcher de vivre une vie digne d'elle. Elle avait commis l'erreur de se fier à un homme, et cela lui avait coûté quatre ans de sa vie. Jamais plus elle ne laisserait un homme la trahir comme son père l'avait trahie. Et elle allait veiller à ce qu'il le paie cher. La solitude était le prix le plus élevé, mais elle allait aussi faire en sorte que l'argent afflue vers elle. Elle l'avait bien mérité. Et elle savait exactement sur quels ressorts jouer pour garder vivante la mauvaise conscience de son père. Les hommes étaient si faciles à manipuler.

Un toussotement la tira de ses pensées et la fit sursauter.

— Oh pardon, madame, j'espère que je ne vous ai pas fait peur.

Un homme élégamment vêtu souriait obligeamment et lui tendit la main.

Agnes l'examina rapidement d'un œil expert avant de lui rendre son sourire et de poser sa main gantée dans la sienne. Costume coûteux sur mesure et des mains qui n'avaient jamais connu le travail manuel. La trentaine et un physique agréable, oui, très agréable même. Pas d'alliance. Cette traversée serait peut-être bien plus sympathique qu'elle n'avait cru.

— Agnes. Mlle Agnes Stjernkvist. Pas madame.

Dan était venu la voir. Ils s'étaient parlé au téléphone plusieurs fois, mais il n'avait pas encore fait la connaissance de Maja. A présent son grand corps remplissait le vestibule et, en habitué, il prit le bébé des bras d'Erica.

— Saluuuut, pitchounette. Mais c'est une véritable beauté que nous avons là !

Il babilla et hissa Maja en l'air. Erica dut réfréner l'impulsion de reprendre sa fille, mais Maja ne semblait aucunement se plaindre de la situation. Dan avait trois filles, il savait donc probablement ce qu'il faisait.

— Et la petite maman, comment va-t-elle ? dit-il et il prit Erica dans ses grands bras d'ours.

Autrefois, dans une autre vie, ils étaient sortis ensemble, mais dans celle-ci ils n'étaient que des amis très proches. Leur amitié avait certes pris un coup dans l'aile deux ans auparavant lorsqu'ils avaient eu le malheur d'être mêlés à un meurtre, mais le temps avait fini par guérir pratiquement tout. Depuis que Dan avait divorcé de Pernilla, ils avaient cependant eu un peu moins de contacts. Il s'était lancé tête baissée dans la vie de célibataire, avec tout ce que cela signifiait, alors qu'Erica avait pris la direction totalement opposée. Il avait enchaîné une succession de petites amies insolites, mais pour l'instant il était libre de tout engagement, et Erica lui trouvait une tête plus heureuse que depuis longtemps. Le divorce l'avait beaucoup affecté. Il souffrait de ne voir ses filles qu'une semaine sur deux, mais il finirait par s'adapter et par reprendre le dessus.

— Je me disais qu'on pourrait aller faire un tour, dit Erica. Maja commence à fatiguer et, si on se promène, elle s'endormira dans le landau.

— Un petit tour, alors, marmonna Dan. Il fait un sale temps et moi je me réjouissais d'entrer au chaud.

— Seulement pour qu'elle s'endorme, biaisa Erica, et Dan remit ses chaussures en maugréant un peu.

Elle tint sa promesse. Dix minutes plus tard, ils furent de retour dans le vestibule et Maja dormait tranquillement, bien couverte dans son landau qu'Erica avait laissé dehors devant la porte.

— Tu as un écoute-bébé ? demanda Dan.

— Non, j'irai jeter un coup d'œil de temps en temps.

— Si tu m'en avais parlé, j'aurais pu regarder si on n'a pas gardé le nôtre dans un coin quelque part.

— Je suppose que tu vas passer plus souvent à partir de maintenant, tu pourras l'apporter la prochaine fois.

— C'est vrai, je suis désolé d'avoir tant tardé à venir, s'excusa Dan. D'un autre côté, je sais à quoi ressemblent les premiers mois, alors je…

— Ne t'excuse pas, tu as entièrement raison. Je commence tout juste à me sentir prête à reprendre une vie sociale.

Ils s'installèrent dans le canapé, Erica servit du café et des muffins chauds, et Dan ne se fit pas prier.

— Mmmm. C'est toi qui les as faits ? dit-il avec un soupçon d'admiration. Erica le foudroya du regard.

— Même si c'était le cas, tu n'as pas besoin d'être si surpris. Et non, ce n'est pas moi, c'est ma belle-mère qui les a faits, fut-elle obligée d'avouer.

— Oui, c'est bien ce que je me disais. Les tiens sont un peu plus brûlés, la taquina Dan.

Erica ne trouva aucune réplique assassine, et de fait il avait raison. La pâtisserie et elle n'avaient jamais fait bon ménage.

Ils continuèrent à passer en revue les dernières nouvelles, puis Erica se leva pour aller jeter un coup d'œil à Maja.

Elle entrouvrit la porte d'entrée et regarda dans le landau. Bizarre, Maja avait dû glisser vraiment loin sous la couverture. Sans faire de bruit, elle défit la protection pour la pluie et enleva la couverture. La panique la frappa de plein fouet. Maja n'était plus dans le landau !

Il sentit son dos craquer quand il s'assit et il s'étira pour remettre les vertèbres en place. Ce déménagement, avec tous les cartons et meubles qu'il avait trimballés, lui avait fait prendre dix ans. Subitement, il réalisa que quelques heures à la salle de sport n'auraient pas été une mauvaise idée, mais c'était trop tard maintenant. Et, comme Pia disait adorer son corps dégingandé, il ne voyait aucune raison de changer quoi que ce soit. Mais il avait un putain de mal de dos, ça c'était vrai.

En tout cas, c'était vraiment réussi, Martin dut le reconnaître. Il avait laissé Pia décider de l'emplacement des meubles, et le résultat était bien meilleur que tout ce qu'il avait su faire dans ses logements de célibataire. Il aurait seulement souhaité pouvoir conserver davantage d'objets. Seules sa chaîne stéréo, sa télé et une bibliothèque Ikea avaient trouvé grâce aux yeux critiques de Pia. Le reste était impitoyablement parti à la déchetterie. Le plus dur avait été de se séparer du vieux canapé de son ancien salon. Il voulait bien admettre que le truc avait vu de meilleurs jours, mais tous ces souvenirs… Ah, quels souvenirs !

Mais, à y réfléchir de plus près, c'était peut-être justement la raison qui avait poussé Pia à le mettre au rebut aussi résolument et à soutenir qu'il fallait en acheter un neuf. En fait elle avait accepté de garder aussi sa vieille table de cuisine en pin, mais en s'empressant d'acheter une nappe qui la couvrait entièrement.

Bon, ce n'était que de tout petits grains de sable. Jusque-là, il n'avait détecté aucun point négatif à la vie à deux. Il adorait retrouver Pia à la maison en rentrant le soir, se blottir dans le canapé et regarder un navet à la télé, la tête de Pia sur ses genoux, se coucher avec elle dans le nouveau lit à deux places et s'endormir ensemble. Tout était exactement aussi merveilleux que dans ses rêves. Il savait qu'il aurait dû regretter sa vie de célibataire et la bringue qui allait avec, c'était en tout cas ce que disait un de ses potes, mais ces jours-là ne lui manquaient pas plus qu'une bonne gueule de bois. Quant à Pia, eh bien, elle était parfaite.

Martin s'obligea à sortir de sa béatitude d'amoureux transi et chercha le numéro de téléphone des Florin. Il le composa en espérant que ce ne serait pas l'autre harpie qui répondrait. La mère de Charlotte lui faisait penser à l'archétype de la belle-mère infernale.

Il eut de la chance, Charlotte répondit. Il sentit un élan de compassion en entendant sa voix éteinte.

— Bonjour, c'est Martin Molin du commissariat de Tanumshede.

— Il y a du nouveau ?

Martin comprit parfaitement qu'un appel de la police réveille à la fois crainte et espoir, et il poursuivit rapidement.

— C'est juste une chose qu'on voudrait vérifier avec toi. On vient d'apprendre que quelqu'un avait menacé Sara la veille de... de sa mort.

— Menacé ? dit Charlotte et Martin arriva très bien à visualiser son expression déconcertée. Qui a dit ça ? Sara ne m'en a jamais parlé.

— Sa copine Frida.

— Mais pourquoi Frida n'en a-t-elle pas parlé avant ?

— Sara lui avait fait promettre de ne rien dire. Frida nous a dit que c'était un secret.

Charlotte sembla se réveiller et elle posa la seule question pertinente à poser.

— Mais qui ?

— Frida ne sait pas qui c'est. Mais elle a décrit l'homme, oui, il s'agissait d'un homme. Assez âgé avec des cheveux blancs et des vêtements noirs. Et il semblerait qu'il ait traité Sara d'"engeance du diable". Connais-tu quelqu'un qui correspondrait à cette description ?

— Très certainement, dit Charlotte entre les dents. Absolument.

La douleur s'était intensifiée ces derniers jours. C'était comme un fauve affamé qui lui labourait le ventre avec ses griffes.

Stig se retourna doucement sur le côté. Aucune position n'était vraiment confortable, il avait toujours mal à un endroit ou un autre. Mais là où il souffrait le plus, c'était dans son cœur. Il n'arrêtait pas de penser à Sara. A leurs longues conversations sérieuses sur toutes sortes de sujets.

L'école, ses amis, ses réflexions très mûres sur tout ce qui l'entourait. Il ne pensait pas que les autres avaient eu le temps de découvrir cette facette d'elle. Ils avaient focalisé sur son côté brusque, pénible et bruyant. Et Sara avait réagi à cette image en se rendant encore plus pénible. Elle avait fait encore plus d'histoires, cassé encore plus d'objets, créé un cercle vicieux de vexations dont personne n'avait su sortir.

Mais, pendant leurs tête-à-tête, elle avait trouvé la paix. Et elle lui manquait cruellement. Il avait décelé tant de Lilian en elle. La force et la résolution de Lilian. Sa brusquerie qui dissimulait des ressources inouïes de sollicitude affectueuse.

Comme si elle avait lu ses pensées, Lilian entra dans sa chambre. Stig était tellement plongé dans ses souvenirs qu'il n'avait même pas entendu ses pas dans l'escalier.

— Voici le petit-déjeuner, je suis allée acheter du pain frais, annonça-t-elle gaiement et il sentit son ventre se retourner rien qu'à voir ce qui était servi sur le plateau.

— Je n'ai pas très faim, tenta-t-il tout en sachant que ça ne servait à rien.

— Il faut que tu manges si tu veux guérir, dit Lilian de sa voix autoritaire d'infirmière. Tiens, je vais t'aider.

Elle s'assit sur le bord du lit et prit le bol de fromage blanc sur le plateau. Elle en approcha une cuillerée de ses lèvres, et à contrecœur il ouvrit la bouche et se laissa nourrir. La sensation du fromage blanc qui coulait dans sa gorge lui donna des haut-le-cœur, mais il la laissa faire. Elle ne voulait que son bien et, en principe, il savait qu'elle avait raison. S'il ne mangeait pas, il ne guérirait jamais.

— Comment tu te sens à présent ? demanda Lilian en approchant de sa bouche un petit pain frais beurré et garni de fromage pour qu'il en croque un bout. Il avala et répondit en se forçant à sourire.

— Je pense que ça va un peu mieux. J'ai très bien dormi cette nuit.

— Je préfère entendre ça. Il ne faut pas jouer avec sa santé et tu dois promettre de me dire si ça empire. Lennart était comme toi, têtu comme une mule, il a refusé de se laisser examiner avant que ça ne soit trop tard. Parfois je me demande s'il aurait encore été en vie aujourd'hui si j'avais insisté plus…

Le regard chagriné perdu dans le lointain, elle arrêta son geste, la main tenant la cuillère suspendue en l'air.

— Tu n'as rien à te reprocher, Lilian. Je sais que tu as tout fait pour Lennart pendant sa maladie, parce que c'est dans ta nature de le faire. Tu n'es pas coupable de sa mort. Et moi, je vais mieux, je t'assure. Les autres fois, j'ai bien guéri tout seul, et avec un peu de repos je suis sûr que ça passera. A tous les coups, ce n'est qu'un de ces passages de surmenage dont on parle tant. Ne t'inquiète pas, tu as des choses bien plus graves à gérer en ce moment.

— Oui, je suppose que tu as raison. C'est assez lourd, effectivement.

— Je te plains. Je voudrais être guéri, là sur-le-champ, pour ne pas te laisser seule avec tout ce chagrin. Moi aussi je la pleure, la petite, elle me manque à en crever, et je ne veux même pas imaginer ce que tu dois ressentir. Et Charlotte, comment elle va ? Ça fait plusieurs jours qu'elle n'est pas montée me voir.

— Charlotte ? dit Lilian.

Stig eut l'impression de voir un éclat fugace de mécontentement dans ses yeux. Mais il disparut dès lors qu'il se dit qu'il devait se tromper. Charlotte était la prunelle de ses yeux, à Lilian, elle n'arrêtait pas de dire qu'elle vivait pour sa fille et sa famille.

— Elle va mieux en tout cas que les premiers jours. Mais je trouve qu'elle aurait dû continuer les calmants. Je ne comprends pas pourquoi on essaie toujours de tout assumer soi-même, alors qu'il existe des médicaments très efficaces. Et Niclas a bien voulu lui prescrire des anxiolytiques, à elle, alors qu'il a refusé de m'en donner. Tu as déjà entendu un truc aussi stupide ? Je pleure autant que Charlotte, je suis tout aussi bouleversée qu'elle. Sara était ma petite-fille après tout, pas vrai ?

La voix de Lilian eut un éclat d'énervement mais, quand Stig montra de l'irritation, elle changea de registre et redevint l'épouse aimante et affectueuse qu'il avait appris à apprécier durant sa maladie. Evidemment, il ne pouvait pas s'attendre à ce qu'elle soit comme d'habitude, après tout ce qui s'était passé. Le stress et le deuil l'influençaient, elle comme tout le monde.

— Bon, maintenant que tu as si bien mangé, tu vas pouvoir te reposer, dit Lilian en se levant.

Stig lui fit signe d'arrêter.

— Vous en savez plus maintenant sur Kaj, pourquoi la police est venue l'arrêter ? Ça a quelque chose à voir avec Sara ?

— Non, on n'a rien entendu pour l'instant. Et je suppose qu'on sera les derniers à l'apprendre. Mais j'espère qu'ils ne lui feront pas de cadeaux.

Avant qu'elle lui tourne le dos et sorte de la pièce, il eut le temps de voir le petit sourire sur ses lèvres.

NEW YORK 1946

La vie *"over there"* n'avait pas été à la hauteur de ses attentes. Le pourtour de sa bouche et de ses yeux s'était creusé des sillons amers de la déception, mais à quarante-deux ans Agnes était toujours une belle femme.

Les premières années avaient été magnifiques. L'argent de son père lui avait assuré un train de vie confortable et les contributions de ses admirateurs mâles étaient venues compléter le tableau. Elle n'avait manqué de rien à New York. Son élégant appartement retentissait perpétuellement de joyeuses fêtes et la fine fleur new-yorkaise en avait rapidement trouvé le chemin. Elle avait reçu de nombreuses propositions de mariage, mais avait attendu dans l'espoir de trouver un homme encore plus riche, plus beau, plus mondain, et entre-temps elle ne s'était refusé aucune forme de divertissement. C'était comme si elle était obligée de compenser les années perdues et de vivre deux fois plus vite que tout le monde. Cette façon d'aimer, de faire la fête et de dépenser son argent en vêtements, bijoux et décorations pour son appartement avait quelque chose de fébrile. A présent, ces années-là paraissaient si lointaines.

Son père avait tout perdu dans le krach de l'empire Kreuger en 1932. Quelques investissements déraisonnables et la fortune qu'il avait construite s'était évanouie. Lorsqu'elle avait appris la nouvelle de ses placements imprudents, elle était devenue folle de rage, et elle avait déchiré le télégramme en mille morceaux. Comment osait-il perdre tout ce qui était destiné à lui revenir ? tout ce qui était sa sécurité, sa vie ?

Elle lui avait renvoyé un long télégramme dans lequel elle racontait avec force détails ce qu'elle pensait de lui et comment il avait détruit sa vie.

Une semaine plus tard, un autre télégramme l'avertit que son père avait mis un pistolet sur sa tempe et tiré, mais Agnes s'était contentée de froisser le papier et de le jeter à la poubelle. Elle n'était ni surprise ni bouleversée. Il n'avait eu que ce qu'il méritait.

Les années suivantes furent difficiles. Pas aussi difficiles qu'avec Anders, mais malgré tout une lutte. Pour subsister, elle n'avait que le bon vouloir des hommes et, dès lors qu'elle n'avait plus de fortune, les prétendants riches et policés avaient été remplacés par une version nettement moins avantageuse. Les offres de mariage avaient totalement cessé, les propositions étaient d'un tout autre genre mais, tant que les hommes réglaient la note, elle n'avait rien contre.

Elle dut abandonner le bel appartement, et son nouveau logement était bien plus petit et plus sombre, et il était situé loin du centre. Finies les fêtes, et la plupart de ses objets de valeur furent mis au clou ou vendus.

Avec la guerre, tout ce qui avait été difficile le devint encore davantage. Pour la première fois depuis qu'elle était montée à bord du transatlantique à Göteborg, Agnes avait eu le mal du pays. Sa nostalgie avait grandi petit à petit et s'était muée en résolution, et, lorsque la guerre fut enfin terminée, elle décida de retourner en Suède. A New York elle ne possédait rien, alors qu'à Fjällbacka il y avait encore quelque chose qui lui appartenait. Après le grand incendie, son père avait acheté le terrain où était située la maison, et il en avait fait construire une autre au même emplacement. Peut-être dans l'espoir qu'un jour elle reviendrait. Cette maison était au nom d'Agnes, c'est la raison pour laquelle elle existait encore, alors que ses autres possessions étaient parties dans le krach financier. Elle avait été mise en location pendant toutes ces années et les recettes avaient été versées sur un compte en attendant son retour. Au fil des ans, elle avait essayé à plusieurs reprises d'y avoir accès, mais chaque fois elle s'était vu répondre par l'administrateur que son père avait stipulé qu'elle toucherait l'argent uniquement à son retour au pays. A l'époque elle avait pesté contre ce qu'elle estimait être une injustice, mais à présent elle devait reconnaître malgré elle qu'il n'avait pas été si bête que ça. Elle avait calculé qu'elle pourrait vivre avec cet argent pendant au moins un an, temps qu'elle emploierait à trouver quelqu'un qui la ferait vivre ensuite.

Pour mener à bien cette entreprise, elle était obligée de s'en tenir à l'histoire qu'elle avait tissée autour de sa vie en Amérique. Elle avait vendu ses maigres possessions et s'était payé un tailleur de la meilleure qualité et des bagages de tout premier choix. Les valises étaient vides, elle n'avait pas eu assez d'argent pour les remplir, mais personne ne le verrait quand elle débarquerait. Elle avait tout d'une femme qui avait réussi, et elle s'était autoproclamée veuve d'un homme fortuné, ayant mené des affaires obscures. "Quelque chose dans la finance", avait-elle l'intention de dire, avec un haussement nonchalant des épaules. Elle était certaine que ça fonctionnerait. Les Suédois étaient tellement naïfs et impressionnés par ceux qui s'étaient rendus sur la terre promise de l'Amérique ! Personne ne trouverait quoi que ce soit de bizarre à son retour triomphal. Personne ne se douterait de rien.

Le quai était bondé. Agnes fut bousculée dans tous les sens quand elle essaya de se frayer un passage, une valise à chaque main. L'argent n'avait pas suffi pour un billet en première classe, ni même en deuxième, et elle allait détonner comme un paon parmi les masses grises de la troisième classe. Autrement dit, elle ne leurrerait personne à bord avec son déguisement de dame distinguée mais, une fois qu'elle aurait débarqué à Göteborg, il n'y aurait personne pour savoir comment elle avait fait la traversée.

Elle sentit quelque chose de doux effleurer sa main. Agnes baissa les yeux et vit une petite fille en robe blanche à volants qui la regardait, les larmes ruisselant sur les joues. Tout autour, la foule grouillante ondoyait tel un ressac gigantesque, et personne ne prêta attention à la petite fille qui avait perdu ses parents.

— *Where is your mummy ?* dit Agnes dans la langue qu'elle maîtrisait à présent quasiment à la perfection.

La fillette pleura de plus belle et Agnes se dit que de si petits enfants ne parlaient peut-être pas encore. Elle semblait avoir juste appris à marcher, et elle était en grand danger d'être piétinée par les gens qui couraient en tous sens autour d'elle.

Agnes la prit par la main et regarda alentour. Personne ne semblait chercher la petite. Où qu'elle pose les yeux, il n'y avait que des habits grossiers d'ouvrier et cette enfant avait définitivement l'air d'appartenir à une autre catégorie sociale. Agnes fut sur le point d'attirer l'attention de quelqu'un lorsqu'une idée lui vint. Une idée audacieuse, incroyablement audacieuse, mais géniale. Son histoire de mari fortuné qui était mort, la laissant veuve pour la deuxième fois, ne serait-elle pas plus crédible si elle avait un petit enfant avec elle ? Certes, elle se rappelait combien les garçons avaient été difficiles, mais une petite fille, c'était autre chose. Elle était mignonne à croquer. Ce serait un régal de l'habiller de belles robes, et ses magnifiques boucles étaient comme faites pour accueillir de jolis rubans. Une vraie petite *"darling"*. L'idée plut à Agnes, et en une fraction de seconde elle se décida. D'une main elle empoigna les deux valises et de l'autre elle prit celle de la fillette, puis elle se dirigea résolument vers le paquebot. Personne ne réagit quand elle monta à bord et elle résista à l'envie de se retourner. La feinte était de faire comme si l'enfant était à elle, d'évidence, et la petite s'était même arrêtée de pleurer, de surprise, et elle la suivit docilement. Agnes prit cela comme le signe qu'elle agissait comme il fallait. Les parents ne devaient pas bien la traiter, puisqu'elle suivait aussi facilement une inconnue. Avec un peu de temps, Agnes serait en mesure de donner à la petite tout ce qu'elle voulait, et elle savait qu'elle serait une excellente mère. Ses fils n'avaient pas été commodes, mais cette gamine était différente. Elle le sentait. Tout serait totalement différent.

Niclas rentra dès qu'il eut reçu l'appel de Charlotte. Comme elle n'avait pas voulu dire de quoi il s'agissait, il se précipita à la maison, hors d'haleine. Il vit Lilian descendre l'escalier avec un plateau, elle eut l'air déconcertée.

— Qu'est-ce que tu fais à la maison ?

— Charlotte m'a appelé. Tu ne sais pas ce qui se passe ?

— Non, elle ne me raconte jamais rien, à moi, le rabroua Lilian. Puis elle lui adressa un sourire cajoleur. Je suis allée acheter des petits pains frais, va voir dans la cuisine !

Il l'ignora et dévala l'escalier du sous-sol quatre à quatre. Il ne serait pas étonné si Lilian restait l'oreille plaquée contre la porte pour essayer d'entendre ce qu'ils se disaient.

— Charlotte ?

— Je suis là, je suis en train de changer Albin.

Il alla à la salle de bains et la vit devant la table à langer, lui tournant le dos. Tout son maintien lui indiquait qu'elle était en colère et il se demanda ce qu'elle avait bien pu apprendre.

— Qu'est-ce qui est si important, j'ai des rendez-vous qui m'attendent. – L'attaque était la meilleure des défenses.

— Martin Molin a appelé.

Il chercha dans son souvenir.

— La police de Tanumshede, précisa-t-elle.

Ça lui revint. Le roux avec les taches de rousseur.

— Qu'est-ce qu'il voulait ?

Charlotte, qui avait maintenant fini de changer et de rhabiller Albin, se tourna vers Niclas avec son fils dans les bras.

— Ils ont appris que quelqu'un a menacé Sara. La veille de sa mort.

La voix de Charlotte était glaciale et Niclas attendit la suite, tendu à l'extrême.

— La personne qui l'a menacée est décrite comme un homme âgé aux cheveux blancs et vêtements noirs. Il l'a appelée "engeance du diable". Tu as l'impression de le reconnaître ?

La rage l'inonda en une fraction de seconde.

— Putain de merde, s'écria-t-il.

Il se précipita en haut de l'escalier. En arrachant la porte du rez-de-chaussée, il fit presque tomber Lilian. Il avait deviné juste. Elle avait écouté derrière la porte. Mais il n'avait pas le temps de s'attarder à cela maintenant. Il glissa ses pieds dans ses chaussures sans se donner la peine de les lacer, attrapa sa veste et courut à la voiture.

Dix minutes plus tard il freinait brutalement devant sa maison natale après avoir traversé la ville en roulant comme un fou. La maison était située sur les hauteurs, juste au-dessus du minigolf, elle était exactement comme quand il était petit. Il ouvrit la portière d'un coup sec et se rua sur la porte d'entrée. Il marqua une seconde d'arrêt, respira à fond puis il frappa un coup sonore à la porte. Niclas espéra que son père était à la maison et non pas à l'église. Il avait beau être terriblement impie, ce qu'il s'apprêtait à faire n'avait pas sa place dans la maison de Dieu.

— C'est qui ?

La dure voix familière résonna dans la maison. Niclas vérifia la poignée. Comme d'habitude, la porte n'était pas fermée à clé. Sans hésiter, il entra et lança :

— Tu es où, espèce de sale pourriture de lâche !

— Allons, qu'est-ce qu'il se passe ?

Sa mère sortit de la cuisine, un torchon et une assiette à la main, puis il vit la silhouette rigide de son père arriver de la salle de séjour.

— Demande-lui ! Niclas pointa un index tremblant sur son père, qu'il n'avait aperçu que de loin depuis ses dix-sept ans.

— Je ne comprends pas de quoi il parle, dit le père, refusant de s'adresser directement à Niclas. Mais je ne tolérerai pas qu'on entre comme ça chez moi et qu'on se mette à hurler. Ça suffit maintenant, allez ouste, dehors !

— Tu sais très bien de quoi je veux parler, espèce d'ordure ! Niclas eut la satisfaction de voir son père sursauter en entendant son vocabulaire. S'en prendre à une enfant, je n'en reviens pas ! Si c'est toi qui lui as fait ça, je veillerai à ce que tu ne puisses plus jamais te tenir debout sur tes jambes, espèce de salopard d'enfoiré...

La mère les regarda, effarée, puis elle éleva aussi la voix. Cela était si inhabituel que Niclas s'arrêta net, et même son père la boucla au moment de répondre.

— Maintenant vous êtes gentils de me dire ce que c'est, ce cirque. Niclas, tu ne peux pas simplement te ruer comme ça chez nous et te mettre à hurler et, si c'est quelque chose qui concerne Sara, moi aussi j'ai le droit de le savoir.

Après avoir pris quelques profondes inspirations, Niclas dit entre ses dents :

— La police le sait, que lui, là, il a menacé Sara, il lui a fait peur avec ses conneries. La veille de sa mort. La rage reprit le dessus et il hurla : Qu'est-ce qui ne va donc pas dans ta foutue tête ? Aller terroriser une gamine de sept ans, et la qualifier d'engeance du diable et je ne sais pas quoi encore. Elle avait sept ans, tu peux piger ça, sept ans ! Et tu vas me faire croire que c'est un hasard si tu t'en prends à elle la veille du jour où elle est retrouvée assassinée ! Hein ?

Il fit un pas en direction de son père, qui recula vivement.

— C'est vrai, ce qu'il dit ? Asta fixait son mari, incrédule.

— Je n'ai de comptes à rendre à personne. Je ne réponds que devant Notre-Seigneur, dit Arne cérémonieusement et il tourna le dos à son fils et à sa femme.

— N'essaie pas ce genre de choses, maintenant c'est devant moi que tu vas répondre.

Surpris, Niclas regarda sa mère qui suivait son mari dans le séjour, les mains sur les hanches dans une attitude belliqueuse. Arne aussi parut étonné que sa femme ose le braver, et il ouvrit et ferma la bouche sans qu'aucun son en sorte.

— J'attends ta réponse, continua Asta et à son approche Arne recula encore davantage dans la pièce. Est-ce que tu as vu Sara, oui ou non ?

— Oui, je l'ai vue.

Arne la défia dans une dernière tentative de défendre l'autorité qu'il avait considérée comme allant de soi pendant quarante ans.

— Et qu'est-ce que tu lui as dit ?

Asta semblait grandir devant leurs yeux. Niclas lui-même la trouva terrifiante, et à l'expression dans les yeux de son père il pouvait voir que celui-ci ressentait la même chose.

— Ben, il fallait que je vérifie si elle était d'une autre trempe que son père. Si elle tenait plus de moi.

— De toi ! Asta renifla de mépris. Comme si ça valait quelque chose. Des hypocrites prétentieux et des bonnes femmes bouffies d'orgueil, il n'y a que ça dans ta famille. Ce serait quelque chose à revendiquer, ça ? Et tu as trouvé quoi ?

— Silence, femme, je viens d'une famille qui craint Dieu. Il ne m'a pas fallu longtemps pour me rendre compte que cette fille-là ne promettait rien qui vaille. Impertinente et effrontée et revendicative comme les filles ne doivent pas l'être. J'ai essayé de lui inculquer la parole de Dieu, et elle m'a tiré la langue. Alors je lui ai dit quelques vérités. J'estime encore être en droit de le faire. Apparemment personne ne s'était donné la peine d'éduquer cette enfant, il était grand temps que quelqu'un lui tire l'oreille.

— Si bien que tu l'as terrorisée, dit Niclas en serrant les poings.

— J'ai vu le diable en elle se retirer, dit Arne fièrement.

— Salopard !

Niclas fit un pas en avant, mais il s'arrêta lorsqu'on frappa à la porte. Le temps s'immobilisa un instant, puis le moment fut passé. Niclas savait qu'il s'était tenu au bord du gouffre. S'il s'était attaqué à son père, il n'aurait pas su s'arrêter. Pas cette fois-ci.

Il quitta la pièce, sans regarder ni son père ni sa mère, et ouvrit la porte. L'homme sur le perron parut étonné de le voir là.

— Euh, bonjour. Martin Molin. On s'est déjà rencontrés. Je suis de la police. Je suis venu pour un petit entretien avec ton père.

Sans un mot, Niclas s'écarta. Il sentit les regards de l'inspecteur de police dans son dos quand il se dirigea vers sa voiture.

— Où est Martin ? dit Patrik.

— Il est parti à Fjällbacka, répondit Annika. Charlotte a identifié le méchant monsieur sans le moindre problème. C'est le grand-père paternel de Sara, Arne Antonsson. Une sorte d'original, d'après Charlotte. Lui et son fils ne se sont apparemment pas parlé depuis des lustres.

— J'espère qu'il pensera à vérifier son alibi, aussi bien pour le matin du meurtre que pour l'incident avec l'autre petit dans son landau.

— La dernière chose qu'il a faite avant de partir, c'est de vérifier l'heure exacte de l'incident d'hier. Entre treize heures et treize heures trente, c'est ça, non ?

— C'est ça. C'est bon de savoir qu'il y en a en qui on peut avoir confiance.

Les yeux d'Annika s'étrécirent.

— Est-ce que Mellberg s'est occupé de donner une leçon à Ernst ? Je veux dire, ça m'a étonnée de le voir arriver ce matin. Je pensais que, s'il ne se faisait pas virer sur-le-champ, il allait au moins être suspendu.

— Oui, je sais, j'ai cru que c'était ça, quand il a été renvoyé chez lui hier. J'ai été aussi surpris que toi ce matin quand je l'ai vu assis là comme si de rien n'était. Il faut que j'en discute avec Mellberg. Il ne peut pas fermer les yeux sur une chose pareille. Sinon, je démissionne ! Une ride de contrariété s'était formée entre ses sourcils.

— Ne dis pas ce genre de choses ! Va voir Mellberg, je suis sûre qu'il a un plan pour gérer Ernst.

— Tu n'y crois pas toi-même, dit Patrik.

Annika détourna les yeux. Il avait raison. Elle n'y croyait pas du tout. Elle changea de sujet.

— Quand est-ce que vous reprenez les interrogatoires avec Kaj ?

— Je pensais le faire maintenant. Mais j'aurais préféré que Martin soit là.

— Ben, il vient de partir, et il en a pour un moment. Il a essayé de te le dire, mais tu étais au téléphone.

— Oui, j'étais en train de vérifier l'alibi de Niclas pour hier. Qui d'ailleurs est en béton. Visites à domicile sans interruption entre midi et trois heures. Et ce n'est pas seulement d'après l'agenda, chacun des patients qu'il a vus l'a confirmé.

— Alors, ça veut dire quoi ?

— Si je le savais, dit Patrik en se massant la racine du nez avec le bout des doigts. Mais ça ne change rien au fait qu'il n'a toujours pas présenté d'alibi pour le lundi matin, et on doit garder en tête qu'il a essayé de s'en fabriquer un. Mais hier ce n'était en tout cas pas lui.

— Je suppose que Kaj aussi aura à rendre compte en détail de ce qu'il faisait ?

— Oui, je peux te le garantir. Et sa femme. Et son fils. J'avais l'intention de les voir après l'interrogatoire de Kaj.

— Et, malgré tout, ça peut toujours être quelqu'un de totalement différent, qu'on n'a pas encore croisé, dit Annika.

— Oui, c'est ça, le pire. Pendant qu'on tourne en rond à se mordre la queue comme des imbéciles, le meurtrier peut très bien être tranquillement chez lui en train de se foutre de nous. Mais, après l'incident d'hier, je suis au moins sûr qu'il, ou elle, est toujours dans les parages, et que c'est probablement quelqu'un qui habite ici.

— Ou alors on l'a déjà derrière les barreaux, dit Annika et elle leva le menton en direction des cellules de détention.

— Ou alors on l'a déjà derrière les barreaux. Bon, je n'ai plus le temps de traîner par là, je dois aller questionner quelqu'un au sujet d'un blouson…

— Bonne chance, lui lança Annika.

— Dan ! Dan ! hurla Erica.

Elle entendit la panique dans sa voix et ça ne fit que l'affoler encore plus. Frénétiquement, elle brassait le drap et la couverture dans le landau comme si sa fille avait pu de façon miraculeuse se cacher dans un pli. Mais le landau était désespérément vide.

— Qu'est-ce qu'il y a ?

Alerté par les hurlements d'Erica, Dan accourut en regardant à droite et à gauche.

— Qu'est-ce qu'il se passe ?

Erica essaya de parler, mais sa langue était devenue si épaisse qu'elle n'arriva pas à proférer le moindre mot. Elle pointa un doigt tremblant sur le landau et Dan le suivit des yeux. Eberlué, il regarda la nacelle vide et Erica vit que lui aussi était atteint comme par un coup de marteau.

— Où elle est ? Elle a disparu ? Où est... ?

Il ne termina pas la phrase et il jeta des regards sauvages tout autour. Erica s'agrippa à lui, totalement paniquée, et un torrent de paroles finit par jaillir.

— Il faut qu'on la trouve ! Où elle est ? Ma fille ! Où est Maja ? Où est-elle ?

— Chuuut, allons, on va la retrouver. Ne t'inquiète pas, on va la retrouver. Dan dissimula son propre sentiment de panique pour pouvoir calmer Erica, et il mit ses mains sur ses épaules et la regarda droit dans les yeux : Il faut qu'on garde notre calme. Je pars à sa recherche. Toi, tu vas appeler la police. Allez, ça va s'arranger.

Erica sentit sa cage thoracique se gonfler et se dégonfler, une sorte de respiration factice alors que son cœur s'était arrêté, mais elle fit ce qu'il avait dit. Dan laissa la porte d'entrée ouverte et un vent froid s'engouffra dans la maison. Elle ne s'en rendit pas compte. Tout ce qu'elle sentait était la panique paralysante qui la déchirait et qui court-circuitait son cerveau. Elle fut incapable de se rappeler où elle avait posé le téléphone et elle ne fit que tourner en rond dans le salon à soulever des coussins et à renverser des objets. Finalement, elle réalisa qu'il était bien en vue sur la table et elle se jeta dessus et commença à composer le numéro du poste en tremblant. Puis la voix de Dan fusa du dehors :

— Erica, Erica, je l'ai trouvée !

Elle balança le téléphone et se rua sur la porte d'entrée, en direction de sa voix. En chaussettes elle dévala les marches et se précipita sur l'allée d'accès. La pluie et le froid la pénétraient jusqu'à l'os, mais c'était le cadet de ses soucis. Elle vit Dan arriver en courant, avec quelque chose de rouge dans les bras. Un hurlement monta vers le ciel et Erica sentit le soulagement la submerger comme un raz-de-marée. Maja pleurait, mais elle était vivante.

Elle courut les derniers mètres qui la séparaient de Dan et arracha Maja de ses bras. En sanglotant, elle serra sa fille sur sa poitrine, avant de se mettre à genoux. Elle posa le bébé par terre, ouvrit sa combinaison et l'examina partout. Maja semblait être intacte, elle criait à pleins poumons maintenant en agitant les bras et les jambes. Toujours à genoux, Erica la souleva et la serra de nouveau contre elle, tout en laissant les larmes de soulagement se mêler à la pluie battante.

— Allez, on rentre. Vous allez être trempées, dit Dan doucement en aidant Erica à se remettre debout.

Sans relâcher ses mains autour du bébé, elle le suivit en haut des marches et dans la maison. Elle ressentit un soulagement physique dont elle avait ignoré jusqu'à l'existence. C'était comme si elle avait perdu un membre qui venait maintenant d'être réajusté à son corps. Elle laissa encore échapper des sanglots incontrôlés et Dan essaya de la calmer en lui tapotant l'épaule.

— Tu l'as trouvée où ? réussit-elle péniblement à articuler.

— Par terre de l'autre côté de la maison.

C'était comme s'ils réalisaient seulement maintenant que quelqu'un avait forcément déplacé Maja. Pour une raison ou une autre, quelqu'un l'avait sortie du landau, s'était faufilé de l'autre côté de la maison et avait posé le bébé endormi par terre. Cette réalité réveilla la panique en Erica et elle se remit à sangloter.

— Chuuut… C'est fini maintenant, dit Dan. On l'a trouvée et elle n'a apparemment rien. Mais je pense qu'on devrait appeler la police immédiatement. Je suppose que tu n'as pas eu le temps de le faire ?

Erica fit non de la tête.

— Il faut qu'on appelle Patrik, dit-elle. Est-ce que tu peux le faire ? Moi, je ne pourrai plus jamais la lâcher.

Elle serra fort Maja contre elle. Puis elle nota une chose qu'elle n'avait pas vue avant. Elle observa le devant du pull de Dan, et elle éloigna un peu Maja pour pouvoir l'examiner aussi.

— Mais c'est quoi ? C'est quoi tout ce noir ?

Dan regarda la combinaison tachée du bébé, mais se contenta de dire :

— Tu as le numéro de Patrik ?

D'une voix tremblante, Erica récita le numéro de son mobile. Une boule de terreur lourde et dense s'était installée dans son ventre.

Les journées s'imbriquaient les unes dans les autres. La sensation d'impuissance était paralysante. Rien de ce qu'elle disait ou faisait n'échappait à Lucas. Il surveillait son moindre pas, sa moindre parole.

La violence aussi avait redoublé. Maintenant il jouissait ouvertement de voir sa douleur et son humiliation. Il prenait ce qu'il voulait, quand il le voulait, et gare à elle si elle protestait ou résistait. Certes, cela ne lui viendrait plus à l'esprit. Quelque chose avait dérapé dans la tête de Lucas, c'était l'évidence même. Toutes les barrières avaient volé en éclats et il y avait une lueur mauvaise dans ses yeux qui éveillait l'instinct de conservation d'Anna et lui commandait d'accepter tous ses désirs. Pour qu'il la laisse vivre.

Pour sa part, elle était déconnectée. Ce qui lui faisait le plus mal, c'était de voir les enfants dans cet état. Ils n'avaient plus le droit d'aller au jardin d'enfants et passaient leurs journées comme elle, comme des ombres. Apathiques et collants, ils la regardaient avec des yeux éteints et elle le ressentait comme une accusation. Mais elle assumait pleinement la culpabilité. Elle aurait dû les protéger. Elle aurait dû les tenir hors d'atteinte de Lucas, comme elle en avait eu l'intention. Mais un seul instant de panique, et elle s'était inclinée. S'était persuadée qu'elle le faisait pour eux, pour leur sécurité. Alors qu'elle avait cédé à sa propre lâcheté. Selon son habitude de toujours choisir le chemin qui, à première vue du moins, offrait le moins d'obstacles. Mais cette fois-ci elle s'était sérieusement trompée dans son choix. Elle avait pris la voie la plus étroite, la plus embroussaillée et la plus inabordable qui soit, et elle avait forcé ses enfants à l'accompagner.

Parfois elle rêvait de le tuer. Le devancer dans ce qui serait forcément la fin inévitable. Il lui arrivait de le contempler la nuit, endormi à côté d'elle, durant les longues heures où elle restait éveillée, incapable de se détendre suffisamment pour pouvoir se réfugier dans le sommeil. Avec jouissance, elle imaginait un des couteaux de cuisine s'enfoncer dans la chair de Lucas et trancher le mince fil qui le maintenait en vie. Ou alors elle sentait la corde lui entamer la peau des mains lorsqu'elle la glissait doucement autour de son cou et serrait.

Mais cela restait un rêve. Quelque chose en elle, peut-être sa lâcheté innée, l'obligeait à rester dans le lit, l'esprit agité de pensées sombres.

Parfois, elle imaginait l'enfant d'Erica. La fille qu'elle n'avait pas encore vue. Elle enviait sa nièce. Elle allait recevoir la même chaleur, les mêmes soins qu'Erica avait prodigués à Anna quand elles avaient grandi, plus comme mère et fille que comme deux sœurs. A l'époque, elle n'avait pas apprécié. Elle s'était sentie étouffée et asservie. L'amertume engendrée par le manque d'amour de leur mère avait probablement endurci son cœur au point de le rendre hermétique à ce qu'Erica essayait de lui donner. Anna espérait de tout son être que Maja saurait accueillir l'océan d'amour qu'Erica était capable de donner. Malgré la distance entre elles, en années et en kilomètres, Anna connaissait très bien sa sœur, et elle savait que, si quelqu'un avait un besoin désespéré d'être aimé, c'était Erica. Anna l'avait toujours considérée comme quelqu'un de fort, et sa propre amertume avait été alimentée par ce sentiment. A présent qu'elle était plus faible que jamais, elle découvrait sa sœur telle qu'elle était réellement, craignant par-dessus tout que les gens voient ce que leur mère avait manifestement vu, pour ne pas les trouver dignes de son amour. Si on donnait à Anna une seule chance encore, elle prendrait Erica dans ses bras pour la remercier de toutes les années où elle l'avait inconditionnellement aimée. La remercier de sa préoccupation, de ses gronderies, de l'éclat soucieux dans ses yeux quand elle estimait qu'Anna se fourvoyait. La remercier de tout ce qu'Anna avait jugé étouffant et contraignant. Quelle ironie ! Elle avait totalement ignoré ce que ça signifiait réellement d'être étouffée et contrainte. Jusqu'à maintenant.

Le bruit de la clé dans la serrure la fit sursauter. Assis par terre à jouer sans véritable entrain, les enfants aussi se figèrent.

Anna se leva et alla à sa rencontre.

Arnold le contemplait d'un œil soucieux derrière ses lunettes de soleil. Schwarzenegger. Terminator. S'il avait pu être comme lui. Un mec cool. Dur. Une machine dépourvue de sensations.

Allongé sur le lit, Sebastian regarda l'affiche sur le mur. Il pouvait encore entendre la voix hypocrite de Rune, ce faux jeton. Son attention simulée et gluante. La seule chose dont il se souciait vraiment était le qu'en-dira-t-on. Qu'est-ce qu'il avait raconté déjà ?

— Je viens d'entendre des accusations terribles contre Kaj. J'ai du mal à croire que ce soit autre chose que de la pure calomnie, mais je dois quand même te le demander : est-ce qu'il s'est jamais comporté de façon douteuse envers toi ou tes copains ? Est-ce qu'il est venu vous mater dans la douche, ou des trucs comme ça ?

Sebastian avait ri intérieurement de la naïveté de Rune. "Vous mater dans la douche..." Si ça n'avait été que ça. Mais non, c'était tout le reste qu'il n'arrivait plus à accepter. Et maintenant ça allait être révélé. Il savait très bien comment ces gens-là fonctionnaient. Ils prenaient leurs photos qu'ils échangeaient ensuite entre eux, et ils avaient beau les mettre dans des cachettes béton, ça allait quand même être mis sur la place publique.

Ça ne prendrait pas plus d'une matinée, et tout le lycée serait au courant. Les meufs allaient le pointer du doigt et se marrer, et les mecs sortiraient des vannes sur les pédés et singeraient les folles sur son passage. Il n'y aurait aucune pitié pour lui. Personne ne verrait sa souffrance.

Il tourna un peu la tête sur la gauche et regarda l'affiche avec Clint en Inspecteur Harry. Il aurait aimé avoir un flingue comme ça. Ou, mieux encore, une mitraillette. Alors il aurait pu faire comme ces mecs aux Etats-Unis. S'introduire dans le lycée dans un long manteau noir et faucher tous ceux qu'il pouvait. Surtout les mecs branchés. Les frimeurs. Mais il savait que cela n'était qu'une idée en l'air. Ce n'était pas dans sa nature de faire mal à autrui. En fait, ce n'était pas leur faute. C'était lui le responsable et, s'il voulait faire du mal à quelqu'un, c'était à lui-même. Parce qu'il aurait pu y mettre un terme. Est-ce qu'il avait dit non une seule fois ? clairement non ? Il avait sans doute toujours espéré que Kaj s'apercevrait de son tourment. Qu'il verrait combien il lui faisait mal et qu'il arrêterait de sa propre initiative.

Ça avait été si compliqué. Parce qu'une partie de lui aimait bien Kaj. Il avait été réglo et au début il lui avait donné ce fameux sentiment père-fils. Celui que Rune n'arrivait pas à lui donner. Il avait pu parler avec Kaj. Du bahut, des filles, de sa mère et de Rune, et Kaj l'avait entouré de son bras et avait écouté. Ce n'était qu'au bout d'un certain temps que ça avait déraillé.

La maison était silencieuse. Rune était parti au boulot, satisfait d'avoir obtenu la confirmation de ce qu'il pensait savoir déjà, que toutes les accusations contre Kaj étaient totalement infondées. Pendant la pause café, devant tout le monde, à tous les coups il allait gueuler contre la police qui avait osé faire ça.

Sebastian se leva et sortit de sa chambre. Il s'arrêta un instant dans l'ouverture de la porte et se retourna. Il les contempla, l'un après l'autre, et les salua d'un petit signe de la tête. Clint, Sylvester, Arnold, Jean-Claude et Dolph. Ceux qui étaient tout ce qu'il n'était pas.

Un bref instant il eut l'impression qu'ils lui rendaient son hochement de la tête.

Il débordait encore d'adrénaline après le face-à-face avec son père et il se sentit d'humeur suffisamment belliqueuse pour s'attaquer à la personne suivante avec qui il avait des comptes à régler.

Il descendit Galärbacken et pila en voyant que Jeanette était dans sa boutique, en train de préparer l'ouverture pour la Toussaint. Il se gara et entra dans le magasin. Pour la première fois depuis qu'ils se connaissaient, il ne ressentit pas de picotement dans le bas-ventre en la voyant, seulement un dégoût aigre et métallique, pour lui-même et pour elle.

— Qu'est-ce que tu crois que tu es en train de foutre ?

Jeanette se retourna et regarda froidement Niclas lorsqu'il claqua la porte en faisant valdinguer le panneau "Ouvert".

— Je ne vois pas de quoi tu parles.

Elle lui tourna le dos et continua à déballer un carton avec des bibelots qui attendaient de recevoir leurs étiquettes et d'être rangés sur les rayonnages.

— Bien sûr que si. Tu vois très bien de quoi je parle. Tu es allée voir les flics et tu as raconté je ne sais pas quels bobards comme quoi je t'aurais forcée à mentir pour me procurer un alibi. Jusqu'où on peut tomber ?

C'est une vengeance que tu cherches, ou ça te fait jouir de créer des problèmes ? Et qu'est-ce que tu imagines, d'ailleurs ? J'ai perdu ma fille il y a une semaine, et toi, tu n'arrives pas à comprendre que je ne veux plus continuer à agir dans le dos de ma femme.

— Tu as promis, dit Jeanette, les yeux étincelants. Tu as promis que ce serait nous deux, que tu demanderais le divorce, qu'on ferait des enfants ensemble. Tu as promis un putain de tas de choses, Niclas.

— Et pourquoi tu crois que j'ai fait ça, hein ? Parce que tu adorais l'entendre. Parce que tu écartais illico les jambes dès que tu entendais des promesses de mariage et d'avenir. Parce que je voulais un peu de distraction avec toi au lit de temps en temps. Tu n'as quand même pas pu me croire, tu n'es pas con à ce point. Tu connais ce jeu aussi bien que moi. Je veux dire, les hommes mariés, tu les as déjà pratiqués, dit-il cruellement.

Il vit que chaque mot la faisait sursauter, comme s'il l'avait frappée. Mais il s'en fichait éperdument. Il avait déjà dépassé les limites et ne souhaitait nullement faire preuve de tact ou épargner les sentiments de Jeanette. Seule la vérité crue et non falsifiée fonctionnait et, après ce qu'elle avait fait, elle méritait de l'entendre.

— Salaud, espèce de sale porc, dit Jeanette.

Elle s'empara d'une des babioles qu'elle était en train de déballer. La seconde d'après, un phare en porcelaine frôla de près la tête de Niclas, mais il rata sa cible et alla heurter la vitrine. Dans un fracas assourdissant, le verre se brisa et des pans entiers de la vitre se répandirent à l'intérieur de la boutique. Dans le silence profond qui résonna entre les murs, ils se fixèrent tels deux combattants, la poitrine violemment soulevée par une rage réciproque. Puis Niclas tourna les talons et sortit calmement du magasin, dans un bruit de verre brisé sous ses semelles.

Il la regarda faire ses bagages, complètement désemparé. Si elle n'avait pas été si résolue, la surprise de le voir ainsi l'aurait arrêtée. Jamais auparavant elle n'avait vu Arne désemparé. Mais la fureur obligea ses mains à continuer à plier des vêtements et à les poser dans la plus grande valise qu'ils possédaient. Elle ne savait pas encore comment elle ferait pour la sortir de la maison, ni où elle irait. Ça n'avait aucune importance. Elle n'avait pas l'intention de rester une minute de plus sous le même toit que lui. Enfin ses yeux s'étaient dessillés. Cette sensation qu'elle avait toujours eue avait finalement pris le dessus, la sensation qu'après tout les choses n'étaient peut-être pas comme il le disait. Il n'était pas tout-puissant. Il n'était pas parfait. Il n'était qu'un homme faible et pathétique qui aimait humilier les autres. Et sa foi en Dieu, parlons-en ! Elle ne devait pas être si profonde que ça. Asta voyait maintenant qu'il utilisait la parole de Dieu d'une façon qui s'accordait toujours étrangement avec ses propres opinions. Si Dieu était comme le Dieu d'Arne, alors elle n'était pas intéressée.

— Mais, Asta, je ne comprends pas. Pourquoi tu fais ça ?

La voix était geignarde comme celle d'un petit garçon et elle ne se donna même pas la peine de lui répondre. Il resta planté à la porte à se tourner les mains en voyant les vêtements disparaître les uns après les autres des tiroirs et du placard. Elle n'avait pas l'intention de revenir, alors autant tout emporter d'un coup.

— Et où tu iras ? Tu n'as nulle part où aller !

Il se fit suppliant, mais l'extravagance de son attitude la fit frissonner. Elle essaya de ne pas penser à toutes les années qu'elle avait gaspillées. Heureusement, elle était pragmatique. Ce qui était fait était fait. Et maintenant elle avait l'intention de ne plus perdre un seul jour de sa vie.

Une conscience aiguë que la situation était en train de lui échapper incita Arne à avoir recours à un concept qui avait déjà fait ses preuves : reprendre le contrôle en élevant la voix.

— Asta, maintenant tu arrêtes ces enfantillages ! Sors-moi ces vêtements de la valise !

Un instant, elle s'arrêta et lui lança un regard qui résuma quarante ans d'oppression. Elle mobilisa toute sa rage, toute sa haine et les lui balança. A sa grande satisfaction, elle le vit reculer et se recroqueviller devant ses yeux, et, quand il se remit à parler, ce fut d'une toute petite voix pitoyable. La voix d'un homme qui réalisait qu'il avait perdu le contrôle pour toujours.

— Je ne voulais pas... Je veux dire, je n'aurais évidemment pas dû lui parler comme ça, à la petite, je le comprends maintenant avec le recul. Mais elle manquait à ce point de respect et, quand elle s'est montrée si impertinente avec moi, j'ai entendu la voix de Dieu qui m'a dit que je devais intervenir et...

Asta l'interrompit brutalement.

— Arne Antonsson. Dieu ne t'a jamais parlé, et il ne te parlera jamais. Tu es trop bête et sourd pour ça. Et pour ce qui est de la rengaine que j'écoute depuis quarante ans, comme quoi tu n'as pas pu devenir pasteur parce que ton ivrogne de père avait dépensé tout l'argent en alcool, sache que ce n'était pas l'argent qui manquait. Ta mère tenait la bourse d'une main solide et ne laissait pas ton père boire plus que nécessaire. Mais elle m'a raconté avant de mourir qu'elle n'avait pas voulu jeter leur argent par la fenêtre en t'envoyant au séminaire. Elle avait beau être une femme méchante, elle était quand même lucide, et elle avait bien compris que tu ne ferais jamais un bon pasteur.

Arne chercha son souffle et la dévisagea, de plus en plus blême. Un instant, elle crut qu'il allait avoir un infarctus et sentit qu'elle allait se laisser fléchir. Mais alors il tourna les talons et quitta la maison. Elle expira lentement. Elle n'avait éprouvé aucun plaisir à le briser, mais il avait fini par ne pas lui laisser le choix.

GÖTEBORG 1954

Elle ne comprenait pas comment elle arrivait à faire toujours tant de bêtises. Encore une fois elle avait été reléguée dans la cave, et dans le noir les plaies sur ses fesses faisaient encore plus mal. C'était la boucle de la ceinture qui entamait la peau, mère ne se servait de ce côté-là que quand elle avait été très méchante. Si seulement elle avait pu comprendre ce qu'il y avait de si mal à prendre un tout petit gâteau. Ils avaient l'air si bons et la cuisinière en avait fait tant que ça ne se verrait même pas si un seul disparaissait. Parfois elle se demandait si sa mère pouvait le sentir, intuitivement, quand elle était sur le point de mettre quelque friandise dans la bouche. Sans un bruit, elle arrivait par-derrière, juste quand sa main allait se refermer sur la sucrerie, et alors il ne restait plus qu'à serrer les dents et à espérer que c'était un des bons jours de mère pour que la punition ne soit pas trop sévère.

Au début, elle avait essayé de supplier père du regard, mais il détournait toujours les yeux, prenait son journal et allait s'asseoir sur la véranda pendant que mère distribuait le châtiment qu'elle avait choisi. Maintenant elle n'essayait plus d'obtenir son aide.

Elle tremblait de froid. De petits bruits se transformèrent dans sa tête en rats gigantesques et en araignées tout aussi énormes, elle pouvait les entendre s'approcher d'elle. C'était difficile de garder la notion du temps. Elle ne savait pas depuis quand elle se trouvait là, dans le noir, mais, à en juger par son ventre qui criait famine, il devait s'agir d'heures. En vérité, elle avait toujours faim et c'était la raison qui poussait mère à être si stricte avec elle. Quelque chose en elle avait tout le temps envie de manger, des gâteaux et des bonbons, quelque chose appelait les sucreries. A présent, au lieu de sucre elle sentait le goût âcre, sec et renfermé de ce que mère fourrait toujours dans sa bouche, une cuillerée pleine, quand les coups avaient cessé de pleuvoir et qu'il était temps de descendre à la cave. Mère disait que ce qu'elle lui faisait avaler, c'était de l'Humilité. Mère disait aussi qu'elle la punissait pour son bien. Qu'une fille ne pouvait pas se permettre d'être grosse, car aucun homme ne voudrait d'elle et elle resterait seule toute sa vie.

En fait, elle ne comprenait pas ce que cela aurait de si terrible. Mère ne regardait jamais père avec une quelconque joie dans les yeux, et aucun des hommes qui papillonnaient toujours autour de sa maigre silhouette et la complimentaient et lui faisaient la cour ne paraissait lui plaire. Non, plutôt rester seule que vivre dans une froideur comme celle qui régnait entre ses parents. C'était peut-être pour cela que la nourriture et les sucreries l'attiraient tant. Ça procurait peut-être une couverture épaisse et protectrice à sa peau qui était si sensible, tant aux perpétuelles remontrances de mère qu'aux punitions. Elle savait depuis longtemps, malgré son jeune âge, qu'elle ne correspondrait jamais aux espérances de sa mère. Mère s'était empressée de le lui dire. Elle avait essayé pourtant. Elle avait fait tout ce que mère lui avait dit de faire, elle avait surtout essayé de ne plus manger pour éliminer la graisse qui inexorablement s'accumulait sous sa peau, mais rien ne semblait y faire.

Elle avait cependant commencé à apprendre à qui incombait la faute. Mère avait expliqué que père était terriblement exigeant, c'est pour ça qu'elle était obligée d'être sévère. Au début, cela lui avait paru un peu étrange. Père n'élevait jamais la voix et semblait beaucoup trop effacé pour formuler des exigences, mais plus elle l'entendait, plus cette explication prenait des allures de vérité.

Elle s'était mise à haïr père. Si seulement il arrêtait d'être si méchant et inflexible, mère serait plus gentille, les punitions cesseraient et tout s'arrangerait. Elle pourrait manger moins et devenir aussi mince et belle que mère, et père serait fier d'elle. Au lieu de cela, par sa faute, mère venait dans sa chambre le soir, en pleurant, et lui racontait tous les tourments qu'il lui infligeait. Elle disait aussi combien elle souffrait d'être celle qui distribuait les châtiments. Elle l'appelait *"darling"*, comme quand elle était toute petite, et promettait que tout allait changer. Chacun faisait ce qu'il avait à faire, disait mère en la serrant dans ses bras, ce qui était si inhabituel qu'au début elle était restée raide comme un bâton, incapable de rendre la tendresse. Peu à peu elle avait commencé à les souhaiter ardemment, ces instants où les bras fins de mère s'enroulaient autour de ses épaules et où elle sentait ses joues baignées de larmes contre les siennes. Dans ces moments, elle sentait que quelqu'un avait besoin d'elle.

Blottie là dans le noir, elle sentit la haine contre père grandir jusqu'à devenir un monstre en elle. Le jour, à la lumière, elle devait faire semblant devant lui, sourire et s'incliner. Mais, dans l'obscurité de la cave, elle pouvait faire sortir le monstre et le laisser grandir en toute tranquillité. C'était même assez agréable. Le monstre était devenu comme un bon vieux copain, le seul ami qu'elle avait.

— Tu peux monter maintenant.

La voix venue d'en haut était cristalline et froide. Elle ouvrit son cœur et fit rentrer le monstre en elle. Il y resterait bien à l'abri jusqu'à la prochaine fois où elle se retrouverait dans la cave. Alors elle le laisserait ressortir pour qu'il grandisse encore

Patrik prit la communication au moment où il s'apprêtait à commencer l'interrogatoire de Kaj. Il écouta en silence, puis il alla chercher Martin. Au moment de frapper à sa porte, il se rappela que Martin était parti à Fjällbacka, et il poussa un juron silencieux en réalisant qu'il serait obligé d'emmener Gösta à la place. Ernst était de toute façon exclu d'office. Rien que d'y penser, il devenait furieux et, si cet homme tenait à sa peau, il ferait mieux de rester bien à l'écart de Patrik, aussi loin que possible.

Mais il eut de la chance. A peine s'était-il dirigé vers le bureau de Gösta qu'il entendit la voix de Martin dans le hall d'accueil et il s'y précipita.

— Ah, te voilà. Quel pot ! Je ne pensais pas que tu serais déjà de retour. Tu vas venir avec moi là, tout de suite.

— Qu'est-ce qu'il se passe ? dit Martin en suivant Patrik par la porte d'entrée.

— Un jeune qui s'est pendu. Il a laissé une lettre où le nom de Kaj est mentionné.

— Oh merde !

Patrik prit le volant et brancha le gyrophare. Martin avait l'impression d'être une petite vieille lorsqu'il agrippa la poignée au-dessus de sa portière, mais avec Patrik au volant il s'agissait à vrai dire d'un simple instinct de survie.

Quinze minutes plus tard seulement, ils arrivèrent devant la maison de la famille Rydén dans le quartier résidentiel de Fjällbacka qui pour une étrange raison était connu sous le nom de Sumpan, "le Bourbier". Une ambulance était garée devant la villa en briques et les ambulanciers étaient en train de sortir un brancard par le hayon arrière. Un petit homme aux cheveux clairsemés arpentait l'accès au garage, apparemment en état de choc. Un des ambulanciers mettait une couverture jaune sur ses épaules et semblait essayer de le persuader de s'asseoir. L'homme finit par obéir et, la couverture serrée autour de lui, il se laissa lentement tomber sur une bordure basse en pierre qui marquait la limite entre l'allée du garage et la platebande.

— Qu'est-ce qui s'est passé ? demanda Patrik.

— Il est rentré et a trouvé son beau-fils dans le garage. Il s'est pendu.

L'ambulancier fit un signe du menton vers la porte du garage que quelqu'un avait baissée pour qu'on ne puisse rien voir de la rue. Patrik regarda l'homme à quelques mètres de lui et se dit que personne ne devrait avoir à vivre une telle chose. Il avait commencé à frissonner et montrait les signes manifestes d'un état de choc. Mais ça, c'était aux ambulanciers de le gérer.

— On peut entrer ?

— Oui, on voulait attendre votre arrivée avant de le dépendre. Ça fait une paire d'heures que ça s'est passé, et il n'y avait aucune raison de se précipiter. On a baissé la porte du garage aussi. Pas la peine de le laisser exposé à la vue de tout le monde.

Patrik lui tapota l'épaule.

— Tu as bien fait. Il y a un lien avec l'enquête pour meurtre qui est en cours et j'ai appelé les techniciens. Ils seront là d'une minute à l'autre. Ils voudront avoir le moins de monde possible là-dedans, alors je propose que Martin et moi, on entre et que vous, vous attendiez dehors. Et la situation, là, vous contrôlez ? Il fit un signe de la tête en direction du beau-père.

— Johnny s'en occupe. Le gars est en état de choc. Mais je pense que vous pourrez lui parler dans un petit moment. Il a dit qu'il avait trouvé une lettre dans la chambre de son fils, mais je ne pense pas qu'il l'ait prise, elle doit toujours y être.

— Bien, fit Patrik en se dirigeant d'un pas lent vers le garage. Il fit une grimace, se blinda et attrapa la poignée pour remonter la porte.

La vision était exactement aussi épouvantable qu'il avait pensé. Il entendit derrière lui Martin chercher sa respiration.

Un instant, Patrik eut l'impression que le garçon les dévisageait, et il dut se maîtriser pour ne pas faire demi-tour et partir en courant. Un bruit de déglutition lui fit comprendre qu'il aurait sans doute dû prévenir Martin, encore que ce ne soit pas évident de trouver les mots pour le faire. En tout cas, il était trop tard maintenant. En se retournant, il vit Martin se précipiter dehors et aller se vider l'estomac à l'abri d'un buisson.

Une autre voiture vint s'arrêter à côté de la voiture de police et de l'ambulance, ça devait être l'équipe scientifique qui arrivait. Il fit très attention de bouger en douceur, pour ne pas se faire engueuler par les techniciens et surtout pour ne pas détruire de preuves au cas où ce ne serait pas un suicide. Mais rien de ce qu'il voyait ne contredisait cette thèse. Une corde épaisse était suspendue à un crochet au plafond. Le nœud était placé autour du cou du garçon et par terre se trouvait une chaise renversée. Une chaise de cuisine. Le coussin du siège était un imprimé avec des airelles, dont la touche de gaieté opposait un contraste violent à la scène macabre.

Patrik entendit une voix familière derrière lui.

— Pauvre gamin, il n'était pas bien âgé. Torbjörn Ruud, le chef de l'équipe technique d'Uddevalla, entra dans le garage et leva les yeux sur Sebastian.

— Quatorze ans, dit Patrik et ils méditèrent en silence le fait inconcevable qu'un garçon de quatorze ans puisse trouver la vie si insupportable que la mort soit la seule issue.

— Y a-t-il quelque chose qui indique que ce n'est pas un suicide ? demanda Torbjörn tout en préparant l'appareil photo qu'il tenait dans ses mains.

— Non, en fait non. Il a même laissé une lettre que je n'ai pas encore vue. Mais la lettre mentionne le nom d'une personne qui figure dans une enquête pour meurtre, et je ne veux rien laisser au hasard.

— La petite fille ? dit Torbjörn, et Patrik hocha la tête. OK, autrement dit, c'est à traiter comme une mort suspecte. Demande à quelqu'un d'aller chercher cette lettre tout de suite, je ne veux pas qu'il y ait trop de mains qui la manipulent avant qu'on puisse l'examiner.

— Je m'en occupe immédiatement.

Patrik fut soulagé d'avoir une excuse pour sortir du garage. Il s'approcha de Martin qui était en train de s'essuyer la bouche, l'air embarrassé.

— Excuse-moi, dit-il et il contempla tristement ses chaussures qui avaient pris quelques éclaboussures.

— T'en fais pas. Ça arrive à tout le monde, dit Patrik. Les techniciens prennent le relais maintenant, et ensuite c'est aux ambulanciers. Je vais aller vérifier cette lettre, tu pourras peut-être voir s'il est possible de parler avec le père.

Martin acquiesça et se pencha pour nettoyer sommairement ses chaussures. Patrik fit signe à un des techniciens, une femme. Elle prit son sac de matériel et le suivit sans un mot.

Un silence lugubre régnait dans la maison.

— Je dirais que c'est à l'étage, dit la technicienne, une certaine Eva qui faisait partie de l'équipe ayant procédé à l'examen de la salle de bains des Florin.

— Oui, tu as raison, il n'y a rien ici au rez-de-chaussée qui ressemble à une chambre d'ado.

Ils montèrent l'escalier et Patrik eut en tête l'image de sa maison natale. Celle-ci semblait dater de la même époque et il reconnaissait bien le style, avec un revêtement textile sur les murs et un escalier en bois clair avec une large main courante.

Eva ne s'était pas trompée. En haut de l'escalier, une porte ouverte donnait sur une chambre qui était incontestablement celle d'un adolescent. La porte, les murs et même le plafond étaient couverts d'affiches, et il ne fallait pas être un génie pour deviner le thème général. Le garçon avait adoré les héros de films d'action. Tous ceux qui cognaient avant de causer étaient là. Des hommes, évidemment. Une seule femme avait l'honneur de figurer dans la collection – Angelina Jolie, en Lara Croft. Mais Patrik soupçonnait que Sebastian l'avait collée au mur pour d'autres raisons que sa seule bravoure. Pour deux raisons plus précisément, et il ne pouvait pas le blâmer…

Une feuille blanche posée sur le bureau le rappela à la dure réalité, et ils s'en approchèrent ensemble. Eva enfila une paire de gants en latex et sortit une pochette plastique de son grand sac. Doucement, en saisissant un coin entre le pouce et l'index, elle glissa la lettre dans la pochette, puis elle la tendit à Patrik. Maintenant il pouvait lire sans risquer de détruire d'éventuelles empreintes digitales.

Patrik parcourut la lettre en silence. La douleur qui montait des lignes le déstabilisa totalement. Mais il se racla la gorge pour garder une contenance et, une fois sa lecture terminée, il tendit la lettre à Eva. Pas une seconde il ne douta de l'authenticité du mot.

Il se sentit furieux et résolu à la fois. Il ne pouvait pas proposer à Sebastian un Schwarzenegger relax qui rendrait justice affublé de lunettes de soleil, en revanche il pouvait définitivement proposer un Patrik Hedström. En espérant que cela suffirait.

Son portable sonna et il répondit distraitement, toujours pris par sa rage face à cette mort absurde. Il fut légèrement surpris d'entendre la voix de Dan. Le copain d'Erica n'avait pas pour habitude de l'appeler. Son étonnement laissa rapidement place à de la consternation.

Comme l'adrénaline continuait à circuler en lui, Niclas se dit qu'il pouvait en profiter pour régler tous les problèmes en même temps, avant que son instinct de fuite habituel ne prenne le dessus. Tant de choses qui avaient dérapé dans sa vie découlaient directement de ça : sa peur des conflits, sa faiblesse dans les moments cruciaux. Il commençait tout doucement à comprendre qu'il lui fallait remercier Charlotte pour tout ce qui était encore acceptable dans sa vie.

En s'arrêtant devant la maison, il se força à respirer calmement une minute. Il avait besoin de bien réfléchir à ce qu'il allait dire à Charlotte. Trouver les mots exacts. Depuis qu'il avait été obligé de lui avouer sa liaison avec Jeanette, il avait senti le gouffre entre eux se creuser à chaque minute qu'ils passaient ensemble. Les fissures étaient déjà là avant, avant sa révélation et avant la mort de Sara, et elles pouvaient encore s'agrandir. Bientôt il serait trop tard. Et le secret qu'ils partageaient ne les rapprochait pas, bien au contraire, il hâtait le processus qui les éloignait l'un de l'autre. Il se dit que c'était un bon point de départ. S'ils n'étaient pas totalement sincères à tout point de vue à partir de maintenant, rien ne pourrait les sauver. Et pour la première fois depuis très longtemps, peut-être même pour la première fois tout court, il était certain que c'était ça qu'il voulait.

Il descendit de la voiture d'un pas lent. Quelque chose lui recommandait toujours de fuir, de retourner au centre médical et de s'enterrer dans le travail, de trouver une nouvelle femme à étreindre, de revenir sur un terrain connu. Mais il força la pulsion à reculer, hâta le pas et entra dans la maison.

Il entendit des murmures à l'étage et comprit que Lilian était avec Stig. Dieu soit loué. Il ne voulait pas se retrouver encore une fois devant son avalanche de questions, et il referma la porte derrière lui aussi silencieusement que possible.

En le voyant arriver, Charlotte le regarda, toute surprise.

— T'es déjà là !

— Oui, je pense qu'il faut qu'on parle.

— Tu ne trouves pas qu'on a déjà assez parlé ? dit-elle avec indifférence en continuant à plier le linge. Albin jouait par terre à côté d'elle. Charlotte avait l'air fatiguée, presque léthargique. Il savait qu'elle dormait très mal la nuit, se tournant et se retournant dans le lit pour quelques rares heures de sommeil. Mais il avait fait comme s'il ne s'en rendait pas compte. Il ne lui avait pas parlé, n'avait pas caressé sa joue, ne l'avait pas prise dans ses bras. Les cernes sous ses yeux étaient sombres et elle avait manifestement maigri. Tant de fois il avait eu la pensée mesquine qu'elle devait se ressaisir et suivre un régime. A présent il aurait donné n'importe quoi pour qu'elle retrouve ses rondeurs.

Niclas s'assit à côté d'elle sur le lit et prit sa main. Il vit à son expression de surprise que c'était une chose qu'il faisait trop rarement. Il se sentit gauche et maladroit, et il éprouva de nouveau l'impulsion de fuir. Mais il garda la main de Charlotte dans la sienne et dit :

— Je suis si terriblement désolé, Charlotte. Pour tout. Pour toutes les années où je n'ai pas été là, physiquement et mentalement, pour tout ce dont je t'ai accusée dans ma tête alors qu'en réalité ça a toujours été ma propre faute, pour tous mes faux pas, pour la tendresse que j'ai donnée à d'autres que toi, pour ne pas avoir trouvé un moyen pour nous de quitter cette maison, pour ne pas t'avoir écoutée, pour ne pas t'aimer suffisamment. Je suis désolé pour tout ça, et pour bien d'autres choses encore. Je ne peux pas modifier le passé, seulement promettre qu'à partir de maintenant tout ça va changer. Tu me crois ? Je t'en prie, Charlotte, il faut que tu me croies !

Elle leva les yeux et le regarda en face. Elle sentit les larmes monter et déborder, et elle le regarda droit dans les yeux.

— Oui, je te crois. Pour Sara, je te crois.

Il hocha la tête, incapable de poursuivre. Puis il se racla la gorge et dit :

— Alors il y a une chose que nous devons faire. J'y ai pensé et repensé, nous ne pouvons pas vivre avec un secret. Ce sont les monstres qui vivent dans l'obscurité.

Après une brève hésitation, elle hocha la tête. Avec un soupir, elle appuya la tête contre son épaule et il eut l'impression qu'elle se laissait tomber en lui.

Ils restèrent longtemps ainsi.

Il fut à la maison en cinq minutes. Il prit Erica et Maja dans ses bras et les garda longuement, puis il serra la main de Dan.

— Quelle chance que tu aies été là, dit-il et il inscrivit Dan sur la liste des gens qui méritaient sa gratitude éternelle.

— Oui, mais je ne comprends toujours pas pourquoi quelqu'un se met en tête de faire une chose pareille. Qui peut agir ainsi ?

Patrik était assis à côté d'Erica dans le canapé et lui tenait la main. Il hésita un peu en la regardant, puis il dit :

— Ça a sûrement un rapport avec le meurtre de Sara.

Erica sursauta.

— Pourquoi ? Pourquoi tu crois ça ? Qu'est-ce qui… ?

Patrik montra la combinaison de Maja par terre.

— Ça ressemble à de la cendre. Sa voix se brisa et il dut se racler la gorge pour pouvoir continuer. Sara avait de la cendre dans les poumons et il y a aussi eu une… une agression sur un autre petit enfant. La même cendre était dans l'histoire.

— Mais… ? Erica était un point d'interrogation vivant. Rien de tout cela n'était rationnel.

— Oui, je sais, dit Patrik, fatigué, en se passant la main sur les yeux. Nous aussi, on a du mal à comprendre. On a prélevé la cendre sur les vêtements de cet autre enfant et on l'a envoyée au labo pour analyse, mais on n'a pas encore reçu de réponse. J'aimerais leur envoyer les vêtements de Maja aussi.

Erica était muette. La panique s'était transformée en une sorte de torpeur choquée et Patrik la serra fort contre lui.

— Je vais prévenir le poste que je ne viens pas pour le reste de la journée. Il faut simplement que je fasse partir les vêtements de Maja pour qu'ils commencent l'analyse au plus vite. On va le choper, celui qui a fait ça, dit-il et ce fut une promesse autant à lui-même qu'à Erica.

Sa fille n'avait rien, certes, mais la cruauté psychique de l'acte l'inquiétait, la personne qu'ils cherchaient était manifestement très, très dérangée.

— Tu peux rester jusqu'à mon retour ? demanda-t-il à Dan qui fit oui de la tête.

— Absolument. Je peux rester aussi longtemps qu'il le faut.

Patrik posa une bise sur la joue d'Erica et donna une petite caresse au bébé. Puis il prit la combinaison de Maja, enfila son blouson et se dépêcha de partir. Il avait envie d'être très rapidement de retour.

GÖTEBORG 1954

Agnes soupira. Cette fille était définitivement exaspérante. Tant d'espoirs qu'elle avait mis en elle, tant de rêves. Petite, elle était si mignonne et, avec ses cheveux châtains, on la prenait sans problème pour sa fille. Agnes avait décidé de l'appeler Mary. D'une part, cela rappellerait à tout le monde ses années aux States et le statut qui allait forcément avec un tel séjour, d'autre part c'était un beau prénom pour une enfant adorable.

Pourtant, rapidement les choses avaient commencé à mal tourner. Mary s'était mise à gonfler dans tous les sens, et la graisse s'était posée comme un filtre sur ses jolis traits. Agnes en était dégoûtée. Dès l'âge de quatre ans, les cuisses de la petite étaient toutes flasques et tremblotantes et les joues pendaient comme celles d'un saint-bernard, mais il semblait impossible de l'empêcher de manger. Et Dieu sait qu'Agnes avait réellement essayé. Mais rien ne marchait. Ils avaient caché la nourriture et installé des serrures aux placards mais, tel un rat, Mary dénichait toujours quelque chose à grignoter. A présent, à dix ans, c'était une véritable montagne de graisse. Les heures passées dans la cave ne semblaient pas avoir le moindre effet dissuasif, au contraire, elle en revenait toujours plus affamée que jamais.

Agnes ne le comprenait tout simplement pas. Elle avait toujours attaché une énorme importance à l'apparence, surtout parce que son physique l'aidait à obtenir ce qu'elle désirait dans la vie. Qu'on puisse sciemment vouloir se détruire ainsi dépassait son entendement.

Parfois elle regrettait son caprice, d'avoir emmené la fillette sur le quai à New York. Mais seulement en partie.

Car ça avait effectivement fonctionné comme elle l'avait imaginé. Personne n'avait résisté à la riche veuve avec son adorable petite fille, et il ne lui avait fallu que trois mois pour trouver l'homme qui lui donnerait un niveau de vie digne d'elle. Åke était venu passer une semaine de juillet à Fjällbacka pour se détendre un peu et il avait été si efficacement pris dans les filets d'Agnes qu'il l'avait demandée en mariage après seulement deux mois de fréquentation. Avec la timidité qui s'imposait, elle avait accepté et, après une cérémonie dans l'intimité, elle avait pris sa fille et était venue vivre avec lui à Göteborg où il possédait un grand appartement dans Vasagatan. La maison à Fjällbacka avait été mise en location à nouveau et avec soulagement elle avait quitté son isolement dans la petite localité. Elle n'avait pas aimé non plus qu'on s'entête à vouloir évoquer son passé. Beaucoup d'eau avait coulé sous les ponts, pourtant Anders et les garçons semblaient toujours présents dans toutes les mémoires. Elle n'arrivait pas à comprendre ce besoin qu'ils avaient de rabâcher ce qui était arrivé. Une dame avait même eu le toupet de demander comment elle supportait de vivre à l'endroit même où sa famille avait péri. Elle avait déjà solidement ferré Åke, et elle s'était offert de simplement ignorer le commentaire et de tourner les talons. Les gens allaient jaser, mais ça n'avait plus d'importance. Elle avait atteint son but. Åke occupait un poste élevé dans une compagnie d'assurances et lui donnerait une vie très confortable. Certes, il ne semblait pas très porté sur la vie sociale, mais elle n'allait pas tarder à changer ça. Agnes avait hâte de se retrouver au centre d'une fête pétillante, pour la première fois depuis tant de temps. On danserait, il y aurait du champagne et de belles robes et des bijoux, et personne ne lui enlèverait plus jamais cela. Elle avait efficacement gommé les souvenirs de son passé, au point que la plupart du temps ça ne semblait plus qu'un rêve désagréable et lointain.

Mais, encore une fois, la vie lui avait joué un vilain tour. Les fêtes pétillantes avaient été rares et elle n'était pas spécialement couverte de bijoux. Åke s'était révélé un homme notoirement radin et elle avait dû se battre pour le moindre *öre*. Il avait aussi affiché une déception peu flatteuse lorsque le télégramme était arrivé six mois après le mariage. Toute la fortune de son mari défunt avait malheureusement été perdue dans de mauvais placements faits par l'homme qui était censé la gérer. Elle avait évidemment envoyé ce télégramme elle-même, mais elle était assez fière de sa prestation quand il arriva, y compris l'évanouissement dramatique. Elle n'avait pas pensé qu'Åke allait réagir aussi violemment, ce qui avait éveillé ses soupçons. Sa fortune supposée avait sans doute joué un plus grand rôle qu'elle n'avait cru lorsqu'il l'avait demandée en mariage. Mais ils étaient pris au piège, l'un comme l'autre, et ils avaient essayé de se supporter mutuellement.

Au début, elle avait seulement ressenti une vague irritation de le voir aussi avare et dépourvu de toute initiative. La plupart du temps, il préférait rester à la maison, soir après soir, manger les plats qui lui étaient servis, lire le journal et peut-être quelques chapitres d'un livre, puis enfiler son pyjama de vieux et aller se coucher un peu avant neuf heures. Pendant les premiers temps de leur mariage, il l'avait beaucoup sollicitée au lit, presque tous les soirs, mais maintenant il s'était restreint à deux fois par mois, à son grand soulagement, toujours la lumière éteinte et sans même enlever sa veste de pyjama. Agnes avait cependant remarqué que, les lendemains de ces soirs, elle pouvait très facilement lui extorquer une somme d'argent à dépenser comme elle voulait, et elle ne laissait jamais filer une telle occasion.

Mais, au fil des ans, son irritation s'était transformée en haine et elle avait commencé à chercher un outil adapté à utiliser contre lui. Quand elle s'était rendu compte qu'il s'attachait de plus en plus à la fillette, elle avait compris qu'elle l'avait trouvé. Elle savait qu'il réprouvait fortement ses punitions, mais aussi qu'il craignait les conflits et qu'il était trop faible pour oser prendre le parti de Mary. Avec jouissance, elle avait retourné la petite contre lui, lentement mais sûrement.

Elle était tout à fait consciente du besoin de tendresse et d'attention de Mary. Elle avait calmé sa soif tout en lui instillant ses mensonges sur Åke, et elle avait littéralement vu le poison se répandre et s'accrocher. Ensuite elle n'avait eu qu'à attendre tranquillement que le poison agisse.

Le pauvre Åke ne savait pas ce qu'il faisait de mal. Il constatait seulement que la fillette se repliait de plus en plus, et il ne pouvait éviter de voir le mépris dans ses yeux. Il soupçonnait évidemment Agnes d'en être l'instigatrice, mais il n'arrivait pas à mettre le doigt sur ce qui n'allait pas et qui amenait Mary à le détester à ce point. Il lui parlait aussi souvent qu'il le pouvait, il essayait même d'acheter son affection en lui glissant les sucreries dont il savait qu'elle était en manque. Mais rien ne semblait y faire. Inexorablement, elle s'éloignait de lui et cette distance ne faisait qu'augmenter son ressentiment envers sa femme. Après huit ans de mariage, Åke savait qu'il avait commis une grosse erreur. Mais il n'avait pas la force de se sortir de la situation. Même si Mary ne voulait pas de lui, il savait qu'il était sa dernière chance d'avoir un peu de sécurité. S'il devait disparaître de sa vie, Agnes serait capable de n'importe quoi. Il n'avait plus d'illusions à son égard.

Agnes était consciente de tout ceci. Parfois, son intuition avait quelque chose d'inquiétant, elle savait lire les êtres comme à livre ouvert.

Elle était en train de se préparer devant sa coiffeuse. A l'insu d'Åke, elle avait depuis six mois une aventure passionnée avec l'un de ses plus proches amis. Elle arrangea ses cheveux noirs en un chignon et tamponna un peu de parfum derrière les oreilles, aux poignets et dans le sillon entre ses seins. Elle portait la lingerie en soie noire avec des dentelles qui révélait qu'elle avait encore une silhouette qui ferait pâlir de jalousie plus d'une jeune fille.

Elle se réjouissait du rendez-vous, comme les autres fois à l'hôtel Eggers. Per-Erik était un vrai homme, contrairement à Åke. A la grande satisfaction d'Agnes, il parlait de plus en plus de se séparer de sa femme. Elle n'était pas naïve au point de croire inconditionnellement à ce genre d'affirmations venant d'hommes mariés, mais elle savait qu'il appréciait énormément ce qu'elle lui offrait au lit, et sa petite femme boulotte ne valait pas grand-chose à côté d'elle.

Restait le problème Åke. Le cerveau d'Agnes travaillait sous pression. Dans le miroir elle voyait le visage dodu de sa fille et ses grands yeux affamés qui la fixaient.

Bien qu'il eût pris une longue douche et changé de vêtements depuis la veille, Martin avait l'impression de sentir encore l'odeur de vomi dans ses narines. Le suicide et ensuite l'appel de Patrik pour dire que quelqu'un s'en était pris à Maja l'avaient ébranlé et il se sentait totalement impuissant. Il y avait tant de fils à dénouer, tant de bizarreries qui arrivaient en même temps et il avait le plus grand mal à imaginer comment ils allaient mettre de l'ordre dans tout ce bazar.

Devant le bureau de Patrik, il hésita. Après ce qui s'était passé, il n'était pas certain que Patrik travaille aujourd'hui. Mais des bruits à l'intérieur lui firent comprendre que son collègue était malgré tout venu au boulot. Il frappa doucement.

— Entrez, lança Patrik.

— Je n'étais pas sûr de te trouver là aujourd'hui. Je me disais que tu voulais sans doute rester avec Erica et Maja.

— J'aurais eu envie, oui, dit Patrik. Mais j'ai encore plus envie de coincer le détraqué qui se cache derrière tout ça.

— Mais Erica accepte vraiment de rester seule à la maison ? osa Martin, pas très sûr que ce soit la bonne chose à dire.

— Je sais, je sais, moi aussi j'aurais aimé qu'il y ait quelqu'un avec elles, mais elle a dit que ça allait. J'ai quand même appelé son copain Dan, qui était là hier quand ça s'est passé, et il a promis de passer les voir.

— Tu as trouvé des traces autour de la maison ?

— Malheureusement, non. Il pleuvait et toutes les empreintes de pas avaient été effacées par la pluie. Mais j'ai envoyé la combinaison de Maja au labo, et on verra bien ce qu'il en ressortira. Pour moi, c'est plus une formalité, ce serait vraiment une trop grande coïncidence si ce n'était pas lié au reste.

— Mais pourquoi Maja ?

— Va savoir, dit Patrik. C'est probablement un avertissement qui m'est destiné. Quelque chose que j'ai fait, ou pas fait, au cours de l'enquête. A vrai dire, je n'en sais rien. Mais ce qu'on a de mieux à faire maintenant, c'est de continuer à bosser plein pot, pour résoudre cette affaire au plus vite. Avant ça, je pense qu'aucun de nous ne pourra vraiment se détendre.

— On commence par quoi, on interroge Kaj, ou… ?

— Oui. On interroge Kaj, dit Patrik sur un ton implacable.

— J'espère que tu réalises que Kaj était déjà sous les verrous hier quand…

— Bien sûr que je le sais, dit Patrik, irrité. Ça ne veut pas dire qu'il est automatiquement mis hors de cause. Ou qu'il n'a pas d'autres trucs sur la conscience.

— Ça va, je voulais juste m'en assurer, dit Martin en levant les mains en un geste défensif. Laisse-moi me débarrasser de mon blouson, on se retrouve pour l'interrogatoire.

Patrik était en train de ramasser ses affaires en vue de l'interrogatoire lorsque le téléphone sonna. L'écran lui indiqua que c'était Annika et il répondit en espérant que ce ne serait rien d'important. Il avait vraiment hâte de s'attaquer à ce salopard qu'ils avaient en détention. Maintenant plus que jamais.

— Oui ? Il entendit que son ton était cassant, mais Annika avait la peau dure et ne s'en offusquerait pas. Espérait-il.

Il écouta avec un intérêt grandissant et finit par dire :

— OK, envoie-les-moi.

Il se précipita dans le bureau de Martin.

— Charlotte et Niclas sont ici, ils veulent me parler. Il faut d'abord que j'entende ce qu'ils ont à dire.

Sans attendre la réponse, il retourna à son bureau. Quelques secondes plus tard, les parents de Sara entrèrent et Patrik fut effaré de voir l'air ravagé de Charlotte.

Depuis la dernière fois qu'il l'avait vue, elle avait pris plusieurs années et ses vêtements trop larges pendaient sur son corps amaigri. Niclas aussi avait l'air épuisé, mais pas autant que sa femme. Ils s'installèrent sur les chaises des visiteurs et, durant le silence qui s'ensuivit, Patrik eut le temps de se demander ce qu'ils pouvaient bien avoir de si important à dire pour venir sans avoir prévenu.

Ce fut Niclas qui prit la parole.

— On... on vous a menti. Ou, plus exactement, on n'a pas tout dit, et c'est sans doute aussi mal que de mentir.

Patrik sentit son intérêt s'éveiller, mais il attendit que Niclas continue.

— Les blessures d'Albin. Vous pensiez, oui, vous pensez sans doute encore que c'est moi qui les lui ai infligées. Mais c'était, c'était...

Il sembla chercher ses mots et Charlotte prit la relève.

— C'était Sara.

Le ton était mécanique et vide de sentiments. Patrik sursauta. Il ne s'était pas attendu à entendre ça.

— Sara ? dit-il sans comprendre.

— Oui, dit Charlotte. Tu es au courant que Sara avait des problèmes. Elle avait du mal à contrôler ses impulsions et il lui arrivait d'avoir des crises de rage épouvantables. Avant la naissance d'Albin, elle tournait sa fureur contre nous, mais nous étions assez grands pour nous défendre et veiller à ce qu'elle ne se blesse pas elle-même aussi. Mais quand Albin est né... Sa voix se brisa et Charlotte regarda ses mains qui tremblaient sur ses genoux.

— Sa violence a été exacerbée par la naissance d'Albin, dit Niclas. Dans notre candeur nous avions cru qu'un petit frère pourrait avoir une influence positive sur elle. Qu'elle pourrait se sentir responsable de lui et vouloir le protéger. Mais, avec le recul, je me rends compte qu'on a été très naïfs. Sara le haïssait, lui et l'attention qu'il exigeait de nous. Elle saisissait toutes les occasions qu'elle pouvait de lui faire mal et on a eu beau essayer d'être tout le temps là pour les surveiller, ce n'était pas toujours possible. Elle était si rapide...

Niclas regarda Charlotte qui signifia qu'elle était d'accord, puis il continua.

— On a tout essayé. Des psychologues, des thérapeutes, des techniques pour gérer son agressivité, des médicaments. Tout, on a tout tenté. On a essayé de changer son régime alimentaire, on a supprimé tous les sucres rapides, il paraît que ça peut avoir une action favorable, mais rien, absolument rien ne semblait fonctionner. On était un peu perdus à la fin, on ne savait plus quoi faire. Tôt ou tard, elle finirait par le blesser grièvement. On voulait éviter d'avoir à la mettre en institution. Si bien que, lorsque le poste au centre médical de Fjällbacka s'est libéré, on s'est dit que c'était peut-être la solution. Un changement de milieu radical, et la maman de Charlotte et Stig tout près pour nous donner un coup de main. Ça paraissait la solution idéale.

La voix de Niclas se brisa à son tour et Charlotte posa sa main sur la sienne et serra doucement. Ensemble ils étaient allés faire un tour en enfer, et dans un certain sens ils n'en étaient pas encore sortis.

— Je suis vraiment désolé, dit Patrik. Mais je suis obligé de vous demander : Avez-vous des preuves de ce que vous avancez ?

— Je comprends que tu sois obligé de demander ça. On a apporté une liste de ceux que nous avons vus pour Sara. On les a aussi contactés pour leur dire que la police va peut-être les appeler et poser des questions, et qu'ils ne sont pas obligés d'invoquer le secret professionnel, au contraire ils doivent vous donner toutes les informations utiles.

Niclas tendit la liste à Patrik qui la prit sans un mot. Il ne doutait pas un instant de la véracité des propos qu'il venait d'entendre, mais il faudrait quand même pouvoir les étayer.

— Vous avez obtenu quelque chose ? Avec Kaj ? Charlotte avança sur des œufs.

— On est en train de l'interroger. Mais je ne peux rien dire, je suis désolé.

Elle hocha la tête. Patrik vit que Niclas voulait dire autre chose, mais qu'il avait du mal à prononcer les mots. Il attendit calmement qu'il soit prêt.

— En ce qui concerne l'alibi… Il regarda Charlotte qui hocha encore la tête, presque imperceptiblement. Je te recommanderais d'avoir un autre entretien avec Jeanette.

Elle a menti en disant que je n'étais pas là, pour se venger quand j'ai mis un terme à notre relation. Je suis sûr que, si tu la cuisines un peu, la vérité sortira.

Patrik ne fut pas surpris. Il avait trouvé que l'histoire de Jeanette sonnait faux. Bon, ils s'occuperaient d'elle plus tard. Si nécessaire. Avec un peu de chance, la question de savoir si Niclas avait un alibi ou pas n'aurait plus d'importance après l'interrogatoire de Kaj.

Ils se levèrent et se serrèrent la main. Soudain le portable de Niclas se mit à sonner. Il sortit dans le couloir pour répondre, et son visage prit rapidement une expression alarmée.

— L'hôpital ? Maintenant ? Calme-toi, on arrive tout de suite !

Il se tourna vers Charlotte qui était restée à la porte avec Patrik.

— Stig va très mal. Il est en route pour l'hôpital.

Patrik les regarda partir précipitamment dans le couloir. N'y aurait-il pas bientôt une fin à leurs souffrances ?

Il s'était réfugié dans l'église. Les paroles d'Asta tournoyaient encore en lui comme un essaim de guêpes furieuses. Tout son monde était en train de s'effondrer et les réponses qu'il avait espéré trouver dans l'église ne s'étaient pas encore présentées. Au lieu de cela, assis là au premier rang, c'était comme si les murs de pierre se refermaient lentement sur lui. Et Jésus sur sa croix, n'avait-il pas un ricanement moqueur sur les lèvres qu'il n'avait jamais remarqué auparavant ?

Il se retourna vivement en entendant du bruit. Quelques touristes allemands entraient en discutant bruyamment et se mirent à prendre des photos tous azimuts. Depuis toujours, il était énervé par les touristes, et ceux-là furent la goutte qui fit déborder le vase.

Arne se dressa et les interpella avec tant de hargne qu'il en postillonna.

— Sortez d'ici ! Tout de suite ! Allez-vous-en !

Bien qu'ils ne comprennent pas un traître mot de ce qu'il disait, le ton ne laissait aucune place à l'hésitation et ils déguerpirent aussitôt.

Satisfait d'avoir enfin mis les points sur les *i*, il se rassit, mais le sourire railleur de Jésus le ramena vite vers ses sombres pensées.

Un regard sur la chaire lui redonna courage. L'heure était venue de faire ce qu'il aurait dû faire depuis très longtemps déjà.

La vie était vraiment injuste. Depuis sa naissance, il n'avait fait qu'essayer de remonter la pente. Rien ne lui avait été donné gratuitement. Personne ne voyait ses qualités. Ernst ne comprenait tout simplement pas comment les gens fonctionnaient. Quel était le problème ? Pourquoi est-ce qu'on le regardait toujours de travers, pourquoi est-ce qu'on chuchotait derrière son dos et le privait de toute occasion de se faire valoir ? C'était toujours la même histoire. Dès le primaire, ils s'étaient ligués contre lui. Les filles avaient pouffé et les garçons lui avaient cassé la gueule sur le chemin du retour de l'école. Même quand son père avait fait une chute et atterri sur une fourche, il n'avait eu la sympathie de personne. Au contraire, il s'était bien rendu compte de ce que disaient les mauvaises langues. Que sa pauvre mère n'y aurait pas été pour rien. Oser dire ça, quelle honte !

Il avait toujours cru que ça irait mieux une fois sa scolarité terminée. Quand il partirait dans le vrai monde. Il avait choisi le métier de policier pour pouvoir enfin montrer qu'il était un homme à poigne, mais après vingt-cinq ans dans le métier il devait reconnaître que les choses n'avaient pas exactement tourné comme il avait pensé. Cependant, jamais auparavant il n'avait été autant dans la merde que maintenant. Simplement il n'avait jamais pu imaginer que Kaj puisse être mêlé à ça. Ils jouaient aux cartes ensemble tous les deux, Kaj était un pote réglo et de plus un des rares qui veuillent bien le fréquenter. C'était arrivé plus d'une fois déjà que des accusations sans fondement viennent détruire la vie d'hommes innocents. Lorsque Ernst avait eu la possibilité de rendre service à un pote, il l'avait évidemment fait. Pourquoi le blâmer pour ça ? En omettant de rapporter ce fameux appel de Göteborg, il avait eu les meilleures intentions du monde mais personne ne semblait le comprendre. Et voilà que tout ça lui explosait à la gueule. Un putain de manque de pot, voilà ce que c'était ! Et il n'était pas assez bête pour ne pas comprendre que le suicide du garçon allait ajouter du poids à son fardeau.

Mais assis là dans son bureau, relégué à la solitude tel un prisonnier en Sibérie, il eut l'idée du siècle. Il sut exactement ce qu'il allait faire pour tourner la situation à son avantage. Il serait le héros de la journée et il montrerait une fois pour toutes à ce morveux de Hedström qui des deux avait le plus de bouteille dans ce métier. Il avait bien vu son air goguenard pendant la réunion, quand Mellberg disait qu'ils feraient sans doute mieux d'examiner un peu plus l'idiot du village. Le bonheur des uns fait le malheur des autres. Si Hedström refusait de prendre l'autoroute à quatre voies pour élucider le meurtre, à Ernst de se sacrifier et d'emprunter la voie d'urgence. Ça sautait aux yeux que ce Morgan était le coupable et qu'on ait retrouvé le blouson de la fille chez lui éliminait le dernier doute.

Ce qui lui plaisait par-dessus tout, c'était la simplicité géniale de son plan. Il allait embarquer Morgan pour l'interroger, le faire avouer en un temps record et ainsi arrêter le meurtrier. En même temps il pourrait montrer à Mellberg que lui, Ernst, écoutait ce que disait son supérieur, tandis que l'autre, là, Hedström, non seulement il était incompétent mais il remettait aussi en question le jugement du chef. Et ensuite il rentrerait en grâce de nouveau.

Il se leva et se dirigea vers la porte d'un pas déterminé. Il était temps maintenant de faire un peu de travail policier de haut niveau. Dans le couloir, il vérifia soigneusement que personne ne le voyait sortir. Mais le champ était libre.

GÖTEBORG 1957

Mary ne ressentit rien, debout sous la pluie battante. Ni haine, ni joie. Seulement une froideur vide qui remplissait tout son corps, de l'épiderme jusqu'à la moelle des os.

A côté d'elle, sa mère était en larmes, plus élégante que jamais. Le noir des vêtements de deuil lui allait très bien. Sa beauté tragique n'échappait à personne. D'une main tremblante elle laissa tomber une rose rouge solitaire sur le cercueil de son mari, avant de se jeter dans les bras de Per-Erik, secouée de sanglots. L'épouse de celui-ci se tenait derrière eux, la compassion peinte sur son visage banal et dans l'ignorance totale du nombre de fois où son mari avait couché avec cette femme dont les larmes mouillaient à présent le revers de son manteau.

Le cœur lourd, Mary contemplait le dos de sa mère. Elle aurait tant voulu que mère choisisse plutôt de trouver une consolation auprès d'elle. De nouveau elle avait été éliminée. Disqualifiée encore une fois. Le doute l'assaillit de toute sa force, mais elle s'obligea à l'écarter. Si elle commençait à tout remettre en question maintenant, elle sombrerait.

La pluie était froide sur ses joues et son visage ne trahissait aucune émotion. Les jambes raides, elle fit les quelques pas qui la séparaient du trou creusé dans le sol et commanda à ses doigts de tendre la rose qu'elle tenait dans sa main. Le monstre remua un peu en elle, la poussa, l'encouragea à lever le bras et à tenir la rose au-dessus du cercueil qui brillait, noir dans la tombe. Elle vit au ralenti ses doigts lâcher la tige pleine d'épines et la rose tomber avec une lenteur insupportable vers la surface dure. Il lui sembla qu'elle résonnait bruyamment en heurtant le bois, mais personne ne réagit, le bruit devait exister seulement dans sa tête.

Elle se tint là pendant ce qui lui parut une éternité, avant de sentir que quelqu'un lui touchait le coude. La femme de Per-Erik lui sourit gentiment et lui fit signe que la cérémonie était finie et qu'il fallait partir. Devant elles, Agnes et Per-Erik marchaient en tête du cortège funèbre. Per-Erik tenait mère par les épaules et elle s'appuyait contre lui.

Mary lorgna la femme à côté d'elle et se demanda comment elle pouvait être aussi bête et naïve pour ne pas voir l'aura de tension sexuelle qui entourait le couple. Elle n'avait que treize ans, mais elle le voyait aussi nettement que la pluie qui tombait sur eux. Bon, cette femme stupide n'allait pas tarder à faire connaissance avec la réalité.

Parfois elle se sentait beaucoup plus âgée que ses treize ans. Elle regardait la niaiserie humaine avec un mépris qui dépassait largement son âge, mais il faut dire qu'elle avait eu un maître de premier ordre. Mère lui avait appris que tout le monde cherchait à tirer la couverture à soi et qu'il ne fallait compter que sur soi-même pour obtenir ce qu'on voulait. Il fallait braver les obstacles, avait-elle seriné, et Mary avait été une très bonne élève. Pleine de sagesse et d'expérience à présent, elle était prête à recevoir le respect bien mérité de mère. Après tout, elle avait prouvé jusqu'où s'étendait son amour. N'avait-elle pas fait le sacrifice extrême pour elle ? Maintenant cet amour allait lui être rendu décuplé, elle en était sûre. Jamais plus elle n'aurait à rester dans la cave et à voir le monstre grossir.

Du coin de l'œil, elle vit la femme de Per-Erik l'observer avec une expression soucieuse. Elle se rendit compte qu'elle avait un grand sourire aux lèvres et se dépêcha de l'effacer. Il était important de maintenir les apparences. Mère le disait toujours. Et mère avait toujours raison.

Il entendit le bruit de sirènes dans le lointain. Il voulut se redresser et protester, exiger que l'ambulance fasse demi-tour et le ramène chez lui. Mais ses membres refusèrent d'obéir et, quand il essaya de parler, seul un croassement franchit ses lèvres. Le visage inquiet de Lilian planait au-dessus de lui.

— Chuuut, n'essaie pas de parler. Garde tes forces. On est bientôt arrivés à Uddevalla.

A contrecœur, il abandonna ses tentatives de résistance. Il n'en avait plus la force. La douleur était toujours là, pire que jamais à présent.

C'était allé si vite. Au matin, il s'était senti relativement bien, il avait même pu manger un peu. Puis il avait senti la douleur augmenter de plus en plus pour finir par être insupportable. Quand Lilian était arrivée avec un thé dans la matinée, il ne pouvait plus parler, et d'effroi elle avait laissé tomber le plateau. Puis le cirque avait démarré. Les sirènes au-dehors, des pas dans l'escalier, des mains qui le déplaçaient doucement sur un brancard et le déposaient dans une ambulance. Un trajet à tombeau ouvert dont il n'avait qu'une vague conscience.

La terreur de se retrouver à l'hôpital était pire que la douleur. Il pouvait encore voir son père dans son lit d'hôpital, si menu et misérable, tellement différent du diable joyeux et bruyant qui l'avait hissé en l'air quand il était petit et qui avait joué à la bagarre avec lui quand il était devenu plus grand. Maintenant Stig savait qu'il allait mourir. S'il se retrouvait à l'hôpital, ce ne serait qu'une question de temps.

Il aurait voulu lever le bras et caresser la joue de Lilian. Ils avaient eu si peu de temps ensemble. Bien sûr qu'ils avaient connu des moments difficiles et même carrément une période creuse, où il avait cru qu'ils feraient mieux de prendre des chemins séparés, mais ils avaient réussi à se retrouver. Maintenant elle serait obligée de trouver quelqu'un d'autre avec qui vieillir.

Charlotte et les enfants allaient lui manquer aussi. L'enfant, se corrigea-t-il et il sentit un coup dans la région du cœur, mais ce n'était pas une douleur physique. C'était d'ailleurs le seul point positif qu'il trouvait dans ce qui se déroulait. Il croyait fermement qu'il existait une vie après la mort, un endroit meilleur, et il allait peut-être y retrouver la petite et savoir ce qui s'était réellement passé ce matin-là.

Il sentit la main de Lilian sur sa joue. L'inconscience était en train de brouiller la réalité et il ferma les yeux avec gratitude. Du moins, ce serait bon d'être débarrassé de la douleur.

Le vent le fouetta alors qu'il se dirigeait vers la cahute de Morgan. L'enthousiasme d'Ernst, qui s'était un peu atténué en chemin, se réveilla pleinement. Sa proie était à portée de main.

Des coups autoritaires frappés à la porte servirent d'introduction à sa marche triomphale et ils furent récompensés au bout de quelques secondes par des pas à l'intérieur. Le visage maigre de Morgan apparut à la porte et il dit de sa voix bizarrement atone :

— Qu'est-ce que tu veux ?

Cette question directe prit Ernst de court, et il lui fallut un instant de regroupement mental pour pouvoir continuer :

— Tu dois me suivre au poste.

— Pourquoi ? demanda Morgan et Ernst sentit l'irritation poindre. Quel être étrange, tout de même !

— Parce qu'on a besoin de vérifier quelques petites choses avec toi.

— Vous avez pris mes ordinateurs. Je n'ai plus mes ordinateurs. Vous les avez pris, psalmodia Morgan, et Ernst vit une ouverture.

— C'est ça, c'est pour ça que tu dois venir avec moi. Pour qu'on te rende tes ordinateurs. On en a terminé, tu comprends. Ernst était plus que satisfait de son trait de génie.

— Pourquoi vous ne pouvez pas les rapporter alors ? Puisque vous les avez pris.

La patience d'Ernst fut à bout et il explosa.

— Tu veux les récupérer, oui ou non, tes ordinateurs ?

Après quelques hésitations et délibérations mentales, la perspective de récupérer les ordinateurs sembla vaincre la réticence de Morgan à se rendre en terrain inconnu.

— Je viens. Pour récupérer mes ordinateurs.

— C'est bien, dit Ernst et il sourit intérieurement tandis que Morgan allait chercher sa veste.

Ils gardèrent le silence tout au long du trajet, Morgan regardant fixement par la fenêtre de son côté. Ernst non plus ne voyait pas la nécessité de causer, il gardait ses munitions pour l'interrogatoire. Alors il saurait bien rendre ce crétin d'autant plus bavard.

Une fois arrivés au commissariat, restait un petit dilemme. Comment faire entrer le suspect sans que les autres découvrent le pot aux roses ? Cela réduirait son plan génial à néant et il n'en était pas question. Il finit par trouver une idée en béton. Avec son portable, il appela l'accueil et, en travestissant sa voix, il fit savoir qu'il avait une livraison à faire à la porte de service. Il attendit quelques secondes en tenant Morgan d'une main ferme, puis il se faufila jusqu'à la porte principale, en croisant les doigts pour qu'Annika soit partie à l'autre bout du commissariat. Ça avait marché. Elle n'était pas à son poste. Il passa rapidement devant l'accueil avec Morgan et entra dans la première salle d'interrogatoire. Il referma la porte à clé et se permit un petit sourire victorieux avant d'inviter Morgan à s'asseoir. Quelqu'un avait laissé une fenêtre entrouverte pour aérer, elle battait doucement au vent. Ernst l'ignora. Il voulut démarrer au plus vite, avant que quelqu'un n'ait l'idée de jeter un coup d'œil ici.

— Alors, mon ami, nous voici. Ernst s'empara du magnétophone et le mit ostensiblement en route.

Le regard de Morgan avait commencé à errer. Quelque chose lui signalait que tout n'était pas en ordre.

— Tu n'es pas mon ami, constata-t-il. On ne se connaît pas, alors comment peux-tu être mon ami ? Les amis se connaissent. Après un petit silence, il poursuivit : J'étais censé récupérer mes ordinateurs. C'est pour ça que je suis venu. Tu as dit que mes ordinateurs étaient prêts.

— J'ai dit ça, oui, ricana Ernst. Mais tu comprends – j'ai menti. Et tu as raison sur un point : je ne suis pas ton ami. En ce moment je suis ton pire ennemi.

C'était peut-être un chouïa théâtral, mais Ernst était super fier de sa réplique. Il lui semblait l'avoir entendue dans un film.

— Je ne veux plus rester ici, dit Morgan et il commença à lorgner vers la porte. Je veux prendre mes ordinateurs et rentrer chez moi.

— Ça, tu peux l'oublier. Ce n'est pas demain la veille que tu reverras ta maison.

Putain, ce qu'il était bon. Comme fait pour écrire des scénarios de films d'action américains. Il poursuivit :

— Tu comprends, on sait que c'est toi qui as tué la petite fille. On a trouvé son blouson dans ta cabane et on dispose d'un tas de preuves scientifiques qui démontrent que c'est toi qui l'as tuée.

De la pure invention, cette dernière affirmation, mais Morgan ne pouvait pas le savoir. Et ceci était un jeu où il n'y avait pas de règles.

— Mais je ne l'ai pas tuée. Même si parfois j'en avais envie, ajouta Morgan d'une voix éteinte.

Ernst sentit un frétillement dans la poitrine. Génial, ça marchait au-delà de toutes ses espérances.

— Ne te fatigue pas avec ce genre de bobards, je te dis qu'on a d'autres preuves techniques aussi, et avec le blouson c'est amplement suffisant. Mais évidemment ce serait mieux pour toi si tu racontais comment ça s'est passé. Alors tu ne prendras peut-être pas perpète. Et il faut savoir que tu n'auras pas le droit d'emporter tes putains d'ordinateurs en taule.

Il vit pour la première fois un véritable sentiment chez l'idiot. Super, on aurait dit que la panique commençait à s'installer. Il serait bientôt à point. Mais, pour améliorer encore son avantage, il allait se servir d'un petit truc qu'il avait appris dans *New York Police Blues* et les autres séries de flics américaines qu'il suivait assidûment. Il allait le laisser mariner tout seul un petit moment. S'il avait l'occasion de réfléchir à sa situation, il passerait sans doute aux aveux avant qu'Ernst n'ait le temps de dire "Andy Sipowicz".

— Il faut que j'aille pisser. On reprendra à mon retour.

Il tourna le dos à Morgan et se dirigea vers la porte.

Morgan débitait maintenant les mots sur un ton suppliant.

— Ce n'est pas moi. Je ne veux pas aller en prison pour le reste de ma vie. Je ne l'ai pas tuée. Je ne sais pas comment le blouson s'est retrouvé chez moi. Elle le portait quand elle est retournée chez elle. S'il te plaît, ne me laisse pas ici. Va chercher maman, je veux parler avec maman. Maman peut tout arranger, s'il te…

Ernst referma rapidement la porte derrière lui pour que le babillage de l'idiot ne s'entende pas dans le couloir. Annika l'aperçut quand il surgit du couloir et lui lança un regard méfiant.

— Qu'est-ce que tu es allé faire là-bas ?

— J'ai juste été vérifier un truc. Je pensais avoir oublié mon portefeuille.

Elle n'eut pas l'air de le croire, mais elle n'insista pas. Puis elle jeta un coup d'œil par la fenêtre et s'exclama :

— Non mais, c'est quoi, ça ?

— Quoi donc ? dit Ernst.

— Il y a un homme qui vient de sortir par la fenêtre, il part en courant là, vers la route.

— Bordel de merde !

Ernst faillit se déboîter l'épaule quand il se propulsa contre la première des portes en oubliant qu'elle restait toujours fermée à clé.

— Ouvre les portes, merde ! cria-t-il à Annika qui obéit par pur réflexe.

Il se précipita dehors à la poursuite de Morgan. Ce dernier jeta un regard derrière lui et accéléra, alors qu'un minibus noir s'approchait à une vitesse qui dépassait définitivement celle autorisée, et Ernst se figea.

— Noooon, hurla-t-il, paniqué.

Puis vint le choc sourd qui précéda le silence.

Martin se demandait ce que Charlotte et Niclas avaient de si urgent à raconter à Patrik. Il espérait que cela leur permettrait d'éliminer Niclas de la liste des suspects. L'idée que le coupable soit le papa de la petite était insupportable.

Il n'arrivait pas à cerner Niclas. Les dossiers médicaux d'Albin étaient suffisamment graves et Niclas n'avait pas réussi à le convaincre que ce n'était pas lui qui lui avait infligé les blessures. Pourtant quelque chose n'allait pas. Niclas était pour le moins un homme complexe. En tête-à-tête, il donnait l'impression d'être stable et rassurant, alors qu'il avait apparemment totalement bousillé sa vie privée. Même si Martin n'avait pas été un ange dans sa joyeuse vie de célibataire, il avait du mal à comprendre, maintenant qu'il vivait en couple, qu'on puisse trahir sa femme aussi cruellement. Que disait-il à Charlotte quand il revenait de ses rendez-vous avec Jeanette ? Comment faisait-il pour prendre un ton désinvolte, comment pouvait-il la regarder dans les yeux seulement quelques heures après s'être vautré au lit avec sa maîtresse ? Cela dépassait son entendement.

Niclas avait aussi montré qu'il pouvait devenir violent. Martin avait vu son regard la veille quand il l'avait croisé chez son père. On aurait dit qu'il avait envie de le massacrer, et Dieu sait ce qui serait arrivé si Martin n'avait pas fait irruption.

Et pourtant. Malgré sa nature contradictoire, Martin ne pensait pas que Niclas ait pu noyer sa fille. Quel motif aurait-il eu de commettre un acte pareil ?

Des pas dans le couloir vinrent interrompre ses réflexions et il vit Charlotte et Niclas passer au pas de charge. Curieux, il se demanda ce qui pouvait bien être si urgent.

Patrik se matérialisa à la porte et Martin l'interrogea du regard.

— C'est Sara qui s'en prenait à Albin.

Quelle que soit la réponse que Martin avait attendue, ce n'était pas celle-là.

— Comment on peut en être sûrs ? demanda-t-il. Niclas essaie peut-être d'éloigner les soupçons de lui-même ?

— Oui, bien sûr. Mais je les crois. Ceci dit, il faut évidemment qu'on ait des preuves. J'ai les coordonnées de quelques personnes qu'on peut contacter. Puis l'alibi de Niclas semble tenir, après tout. Il affirme que Jeanette a menti en disant qu'il n'était pas chez elle, que c'était une façon de se venger après qu'il a mis un terme à leur relation. Et là aussi je serais enclin à le prendre au mot, même si naturellement il faut qu'on ait une entrevue sérieuse avec Jeanette.

— Quelle foutue..., dit Martin, et il n'eut pas besoin de terminer la phrase que Patrik hocha la tête, d'accord avec lui.

— Oui, la race humaine n'a pas montré son côté le plus noble dans cette enquête. Et tiens, à ce propos, si on s'attelait à cet interrogatoire ?

Martin prit son calepin et se leva pour suivre Patrik qui avait déjà franchi la porte. Il s'adressa à son dos :

— Au fait, tu as eu des nouvelles de Pedersen ? Pour la cendre sur le pull du bébé ?

— Non, dit Patrik sans se retourner. Mais ils allaient passer à la vitesse supérieure et analyser le pull et aussi la combinaison de Maja dès que possible, et je suis prêt à parier qu'ils vont constater que c'est de la cendre d'une même provenance.

— Mais laquelle, de provenance ? dit Martin.

Ils entrèrent dans la salle d'interrogatoire et s'assirent en face de Kaj. Personne ne parla, Patrik feuilleta calmement ses papiers. A sa grande satisfaction, il vit Kaj se tordre les mains et commencer visiblement à transpirer. Excellent, il était nerveux. Cela faciliterait les choses. Sachant tout ce qu'ils avaient récolté pendant la perquisition, Patrik n'était pas le moins du monde inquiet. Si on avait autant de pièces à conviction dans toutes les enquêtes, la vie serait bien plus facile.

Puis son humeur s'assombrit. Il venait de tomber sur la photocopie de la lettre de Sebastian et ce fut un rappel brutal des causes de cet interrogatoire et de qui ils avaient en face d'eux. Patrik serra les poings. Il observa Kaj, qui laissait son regard errer.

— A vrai dire, nous ne sommes pas obligés de mener cet interrogatoire. La perquisition nous a fourni suffisamment de preuves pour te mettre à l'ombre pendant très longtemps. Mais on veut quand même te donner une chance d'expliquer ta version des faits. Parce qu'on est comme ça, nous. Réglo.

— Je ne sais pas de quoi vous parlez, dit Kaj d'une voix tremblante. C'est une erreur judiciaire, vous ne pouvez pas me retenir ici. Je suis innocent.

Patrik hocha la tête d'une mine compatissante.

— Tu sais, je pourrais presque te croire. Je te croirais presque, s'il n'y avait pas eu ceci.

Il prit quelques photos dans son épais dossier et les poussa devant Kaj. Il eut la satisfaction de le voir devenir d'abord blême, puis écarlate.

— Je t'avais dit que nos gars sont doués en informatique, non ? Et je t'avais bien dit que les fichiers ne disparaissent pas parce qu'on les supprime. Tu as sans doute fait de ton mieux pour nettoyer ton ordinateur régulièrement, mais tu ne fais pas le poids, manifestement. On a pu sortir tous tes téléchargements et tout ce que tu as partagé avec tes pédo-potes. Photos, mails, vidéos. Tout le toutim.

Kaj ouvrit et ferma la bouche. Il essayait manifestement de former des mots qui restèrent obstinément sur sa langue.

— Plus grand-chose à dire maintenant, hein ? Il y a d'ailleurs deux collègues de Göteborg qui vont venir demain, eux aussi ont hâte de te voir. Ils s'intéressent énormément à nos trouvailles.

Kaj se tut, et Patrik poursuivit, fermement décidé à l'ébranler d'une façon ou d'une autre. Il détestait l'homme en face de lui, il détestait tout ce qu'il représentait, tout ce qu'il avait fait. Mais il ne laissa rien paraître. Sur un ton calme et tranquille, il continua à s'adresser à lui, comme s'il parlait de la pluie et du beau temps et pas d'abus d'enfants. Un instant il envisagea d'évoquer le blouson de Sara tout de suite, mais décida de laisser ça pour plus tard. Il se pencha par-dessus la table, regarda Kaj dans les yeux et dit :

— Est-ce qu'il vous arrive, à vous autres, de penser à vos victimes ? Est-ce que vous songez des fois à elles, ou vous êtes trop occupés à satisfaire vos propres besoins ?

Il ne s'était pas attendu à une réponse, et il n'en eut pas non plus. Il continua à s'adresser au visage muet de Kaj.

— Est-ce que tu sais ce qui se passe dans la tête d'un ado quand il se retrouve entre les mains de quelqu'un comme toi ? Est-ce que tu sais ce qui se brise, ce que tu lui prends ?

Seul un léger tressaillement sur sa figure indiqua que Kaj l'avait entendu. Sans le quitter des yeux, Patrik sortit un papier du dossier et le glissa lentement sur la table. D'abord Kaj refusa de le voir, puis il déplaça lentement le regard et commença à lire. Son visage avait une expression ahurie quand il leva les yeux sur Patrik.

— Oui, c'est exactement ce que ça a l'air d'être. Une lettre d'adieux. Sebastian Rydén s'est suicidé hier. Son père l'a trouvé pendu dans le garage. J'étais là pour le décrocher.

— Ce n'est pas vrai.

La main de Kaj tremblait en saisissant la lettre. Mais Patrik vit qu'il savait très bien que ce n'était pas un mensonge.

— Je pense que tu te sentirais mieux si tu arrêtais de mentir, dit Patrik doucement. Tu avais certainement de l'affection pour Sebastian, j'en suis sûr, alors fais-le pour lui. Arrête de mentir. Tu as bien vu ce qu'il écrit. Il veut que ça s'arrête. Et tu peux y mettre un terme.

Le ton était faussement sympathique. Patrik regarda rapidement Martin qui se tenait prêt avec le stylo et le calepin. Le magnétophone était branché comme toujours, mais Martin avait quand même pour habitude de prendre ses propres notes.

Kaj passa ses doigts sur la lettre et ouvrit la bouche pour dire quelque chose. Martin se prépara à écrire. Juste à ce moment, Annika ouvrit la porte d'un coup sec.

— Il y a eu un accident juste là, dehors ! Dépêchez-vous !

Elle disparut dans le couloir et, après une seconde de silence choqué, Patrik et Martin se précipitèrent derrière elle.

Au dernier moment, Patrik se rappela d'enfermer Kaj à clé. Il leur faudrait reprendre plus tard, en espérant que l'instant ne leur aurait pas échappé.

Il ne pouvait pas nier qu'il était ennuyé. Certes, cela ne faisait que quelques jours, mais Mellberg sentait qu'ils n'avaient pas instauré ce fameux contact père-fils. Il fallait peut-être être plus patient, mais il trouvait qu'il n'était pas apprécié à sa juste valeur. Il ne sentait pas le respect dû au père. Cet amour inconditionnel dont parlaient tous les parents, pourquoi pas agrémenté d'un peu de crainte salutaire. Non, le garçon paraissait totalement indifférent. Il traînait toute la journée dans le canapé, mangeait des tonnes de chips et jouait à ses jeux vidéo. Mellberg se demandait d'où il tenait cette fainéantise. De sa mère, certainement. Il lui semblait que, pour sa part, il était une boule d'énergie dans sa jeunesse. Quoique, même avec la meilleure volonté, il n'arrivait pas à se remémorer les prestations sportives qu'il avait forcément réalisées – à vrai dire, il n'arrivait pas à s'imaginer dans le moindre contexte sportif –, mais c'était à mettre sur le compte du temps. L'image qu'il avait de lui-même jeune était définitivement celle d'un mec musclé avec de la rage plein les jambes.

Il regarda l'heure. La matinée n'était pas encore finie. Il tambourina impatiemment sur la table. Il ferait peut-être mieux de rentrer et passer un peu de temps avec Simon. Ça lui ferait sûrement plaisir. A y réfléchir, son fils était sans doute juste un peu intimidé. Il avait probablement hâte que son père, qui avait été absent si longtemps, vienne le sortir de sa carapace. Ça devait être ça. Mellberg poussa un soupir de soulagement. Heureusement qu'il s'y connaissait, en mômes, sinon il aurait déjà abandonné et laissé le gamin à son sort dans le canapé. Mais Simon n'allait pas tarder à comprendre qu'il avait tiré le gros lot dans la tombola de la paternité.

Ragaillardi, Mellberg enfila sa veste tout en réfléchissant à ce qu'il allait proposer comme activité père-fils. Pas de chance, il n'y avait pas grand-chose à faire dans ce trou perdu pour deux grands gaillards. S'ils avaient été à Göteborg, il aurait pu emmener son fils dans un sex-club pour son premier strip-tease, ou l'initier à la roulette, mais ici il était un peu à court d'idées. Bah, il finirait bien par trouver quelque chose.

En passant devant le bureau de Hedström, il se dit que c'était un putain de truc, ce qui était arrivé à son bébé. Encore une preuve qu'on ne pouvait jamais rien prévoir et qu'il valait mieux profiter de ses enfants pendant qu'il était encore temps. Sur ces belles pensées, il se persuada qu'on ne pouvait pas le blâmer s'il partait tôt aujourd'hui.

En sifflotant, il se dirigea vers la sortie lorsqu'il vit ses hommes se ruer dans le couloir et se précipiter dehors. Typique, comme toujours quand un événement se produisait, personne ne se donnait la peine de l'informer.

— Qu'est-ce qu'il se passe ? lança-t-il à Gösta qui n'était pas aussi rapide que les autres et s'était retrouvé à la traîne.

— Quelqu'un s'est fait écraser par une voiture juste là-dehors.

— Oh merde, dit Mellberg et il se mit lui aussi à courir du mieux qu'il put.

Il marqua un arrêt une fois la porte franchie. Un gros combi familial noir bloquait la route et celui qui devait être le conducteur titubait en se tenant la tête. L'airbag s'était déclenché, et l'homme avait l'air sain et sauf mais hébété. Devant la voiture gisait un corps disloqué. Patrik et Annika étaient agenouillés à côté tandis que Martin essayait de tranquilliser le chauffeur. Ernst se tenait un peu à l'écart, ses longs bras ballant le long du corps et le visage aussi blanc qu'une feuille de papier. Gösta alla le rejoindre et Mellberg les vit parler ensemble à voix basse. L'expression ennuyée de Gösta l'inquiéta énormément. Il eut un mauvais pressentiment.

— Est-ce que quelqu'un a appelé une ambulance ? demanda-t-il et Annika confirma.

Maladroit et peu sûr de ce qu'il devait faire, il s'approcha d'Ernst et de Gösta.

— Qu'est-ce qu'il s'est passé ? Vous le savez ?

Le silence lugubre des deux policiers lui annonça qu'il n'allait probablement pas aimer la réponse. Il vit Ernst cligner nerveusement ses paupières, et il le fixa du regard.

— Bon, l'un de vous a l'intention de répondre ou je dois vous arracher les mots de force ?

— C'était un accident, dit Ernst d'une voix geignarde.

— Tu peux peut-être me donner quelques détails concernant cet "accident" ?

— Je voulais juste lui poser quelques questions, et il a pété un plomb. Je n'y peux rien, c'était un foutu schizo, ce mec. Prêt à engager la lutte, Ernst éleva la voix dans une tentative désespérée de reprendre le contrôle de la situation qui lui avait si soudainement échappé.

L'inquiétude de Mellberg grandit encore. Il regarda le corps par terre, mais Patrik cachait le visage et il n'arriva pas à voir si c'était quelqu'un qu'il connaissait.

— Qui c'est ? Qui c'est qui s'est fait écraser ? Ernst, peux-tu me faire le plaisir de le dire tout de suite ?

Il chuchota, siffla presque les mots, et cela, plus que n'importe quoi d'autre, indiqua à Ernst qu'il se trouvait dans un vrai merdier. Il respira à fond avant de dire :

— Morgan. Morgan Wiberg.

— Putain, c'est pas vrai ! hurla Mellberg si violemment qu'Ernst et Gösta durent battre en retraite et que Patrik et Annika se retournèrent. Tu étais au courant de ça, Hedström ?

— Non, je n'ai donné aucune instruction de faire venir Morgan au poste.

— Aha, tu t'étais dit que tu allais faire un coup d'éclat, hein, Ernst ? Mellberg avait de nouveau baissé la voix au niveau d'un calme trompeur.

— Tu disais qu'on aurait dû commencer par l'idiot. Et contrairement à lui, là – Ernst leva le menton en direction de Patrik –, j'ai confiance en toi et j'écoute ce que tu dis.

En temps normal, la flatterie aurait été la voie correcte, mais cette fois Ernst avait tellement dépassé les bornes que même ça ne pouvait amadouer Mellberg.

— Ai-je expressément dit qu'il fallait embarquer Morgan au poste ? Hein, ai-je dit ça ?

Ernst sembla hésiter une seconde, puis il chuchota :

— Non.

— Je préfère, rugit Mellberg. Et où elle est, cette putain d'ambulance ? Ils se sont arrêtés boire un jus en route ou quoi ?

— Je pense qu'ils n'ont pas besoin de se presser. Il ne respire plus. Il a probablement été tué sur le coup, annonça Hedström, ce qui ne fit rien pour calmer la fureur de Mellberg.

Il ferma les yeux. Derrière ses paupières il vit toute sa carrière s'en aller. Les efforts acharnés de toute une vie, peut-être pas au quotidien, mais pour piloter la barque dans la jungle politique, être bien avec celui qui avait de l'influence et tirer sur celui qui pouvait lui faire obstacle. Tout cela perdait maintenant son sens à cause d'un foutu connard de flic abruti.

Lentement il se retourna vers Ernst et dit d'une voix glaciale :

— Tu es suspendu dans l'attente d'une enquête. Et, si j'étais toi, je ne compterais pas trop sur une réintégration.

— Mais, protesta Ernst, et il se tut immédiatement quand Mellberg leva l'index devant sa bouche.

— Chuuut, dit-il seulement, et avec ça Ernst comprit qu'il avait perdu le match. Il n'avait plus qu'à rentrer chez lui.

GÖTEBORG 1957

Paresseusement, Agnes s'étendit sur le grand lit. La sensation qui venait juste après l'amour avait quelque chose qui la faisait vibrer et se sentir vivante. Elle contempla le large dos de Per-Erik, assis au bord du lit en train d'enfiler son pantalon parfaitement repassé.

— Bon alors, quand est-ce que tu parleras à Elisabeth ? dit-elle en examinant ses ongles rouges pour repérer des imperfections. Elle n'en trouva aucune.

L'absence de réponse lui fit lever les yeux.

— Per-Erik ?

— Je trouve que c'est encore un peu trop tôt. Il s'éclaircit la gorge. Ça ne fait qu'un mois qu'Åke est décédé, que dirait-on si… Il laissa la suite de la phrase s'éteindre toute seule dans le vide.

— Je croyais que ce qu'on vit tous les deux était plus important pour toi que le qu'en-dira-t-on, répliqua-t-elle d'une voix beaucoup plus cinglante qu'il ne l'avait jamais entendue.

— Ça l'est, ma chérie, ça l'est. Simplement je trouve qu'on devrait… attendre un peu, dit-il en se retournant pour caresser la peau de ses jambes.

Agnes le regarda avec méfiance. Le visage de Per-Erik était insondable. Ça l'énervait de ne jamais réussir à le lire, comme elle avait toujours su lire tous les hommes de sa vie. Mais c'était peut-être justement pour cela qu'elle sentait qu'elle avait enfin trouvé un homme à la hauteur de ses attentes. Et il était temps. Certes, elle était encore très belle pour ses cinquante-trois ans, mais le temps serait cruel pour elle comme pour tout le monde, et bientôt elle ne pourrait plus se fier à son physique. La perspective l'effrayait, c'est pourquoi il était si important pour elle que Per-Erik tienne les promesses qu'il avait si généreusement distribuées. Tout au long des années qu'avait duré leur relation, c'était elle qui avait eu le contrôle. En tout cas, elle l'avait vécu ainsi. Mais, pour la première fois, Agnes ressentit une pointe de doute. Elle s'était peut-être laissé duper. Elle espérait pour lui que tel n'était pas le cas.

Harald Spjuth aimait sa vie de pasteur. Mais, en privé, il lui arrivait de se sentir un peu seul. Bien qu'il ait dépassé la quarantaine, il n'avait toujours pas trouvé l'âme sœur qui partagerait son existence et il en était profondément affecté. Peut-être le col ecclésiastique avait-il été un obstacle car rien dans sa personnalité n'indiquait qu'il aurait des difficultés pour trouver l'amour. C'était un être foncièrement bon et généreux, même si ce n'était pas les termes qu'il aurait lui-même employés pour se décrire, il était bien trop modeste et timide pour cela. Son physique non plus n'était pas à blâmer. Certes, on ne pouvait prétendre qu'il ferait un parfait héros pour le grand écran, mais il avait un visage agréable, tous ses cheveux et la qualité enviable de ne pas prendre un gramme malgré un penchant pour la nourriture et pour les nombreux goûters proposés au pasteur d'une petite localité. Pourtant, son espoir ne s'était jamais concrétisé.

Mais Harald n'avait pas perdu courage. Il se demandait ce que diraient ses paroissiens s'ils savaient combien de petites annonces il avait écrites ces derniers temps. Après avoir essayé le thé dansant et des stages de cuisine, sans succès, il s'était décidé à écrire sa première petite annonce, et ensuite c'était parti. Il n'avait pas encore rencontré le grand amour, mais il avait eu plusieurs dîners fort sympathiques et s'était trouvé quelques bons amis pour des échanges épistolaires. Trois lettres l'attendaient sur la table de la cuisine, mais les devoirs passaient en premier.

Il était allé rendre visite à des personnes âgées qui appréciaient quelques instants de bavardage pour faire passer le temps, et sur le chemin du retour à l'église il passa devant le presbytère. Certains de ses collègues plus ambitieux auraient sans doute trouvé sa paroisse petite, mais Harald se sentait comme un poisson dans l'eau. Le bâtiment jaune du presbytère constituait un logement magnifique et il était toujours frappé par la majesté de l'église quand il remontait l'allée. En passant devant la vieille école qui faisait face au presbytère, il lui vint à l'esprit le débat malsain qui avait enflammé toute la petite ville. Un promoteur immobilier voulait démolir le bâtiment terriblement délabré pour construire des appartements à la place, mais ce projet avait immédiatement généré une foule d'articles de protestation. Les gens voulaient à tout prix que la maison soit conservée telle quelle. Harald pouvait comprendre les arguments des deux parties, mais il fallait tout de même remarquer que la plupart des opposants au projet n'étaient pas domiciliés à Fjällbacka, ils y avaient seulement des maisons de campagne. Ils voulaient évidemment s'assurer que leurs séjours resteraient pittoresques et authentiques, et qu'ils pourraient continuer à se promener dans les rues le week-end et se féliciter d'avoir un lieu si agréable pour fuir le stress des grandes villes. Mais une société qui stagne finit par mourir, et il fallait prendre garde de se fossiliser. Le problème était que Fjällbacka manquait de logements. On ne pouvait pas déclarer toute la ville patrimoine historique et croire que ça n'aurait pas d'incidence sur le développement de toute la région. Le tourisme avait du bon, certes, mais il y avait une vie après l'été aussi, telles étaient les réflexions de Harald sur son chemin.

Avant de franchir le lourd portail, il avait pris pour habitude de toujours s'arrêter et de lever les yeux sur la tour, en inclinant la nuque aussi loin en arrière qu'il le pouvait. Quand il y avait du vent, comme aujourd'hui, il avait l'illusion que le clocher vacillait, et la vision impressionnante de tonnes de granit en train de dégringoler éveillait en lui le respect pour les hommes qui avaient construit cette église imposante. Parfois il se disait qu'il aurait aimé vivre à cette époque-là, peut-être même être l'un des tailleurs de pierre du Bohuslän, qui avec leurs mains et dans l'anonymat avaient créé tant de choses, depuis les routes les plus modestes jusqu'aux statues magnifiques. Il était cependant suffisamment lucide pour savoir que ce n'était qu'un rêve romantique. Leur vie n'avait pas dû être très drôle, et il appréciait trop le confort moderne pour se leurrer et croire qu'il aurait pu vivre sans.

Après s'être permis de rêver ainsi quelques instants, il ouvrit le portail. Pris en faute, il réalisa qu'il était en train de croiser les doigts pour qu'Arne ne soit pas là. Il n'avait pas grand-chose à reprocher à l'homme, qui faisait bien son travail, mais Harald reconnaissait qu'il avait du mal avec ces vieilles reliques de Schartau et Arne était parmi les pires. Il était difficile de trouver un homme plus lugubre. On aurait dit qu'il se délectait de la misère et cherchait tout le temps le côté négatif des choses. Parfois, quand Arne était à côté de lui, Harald pouvait sentir comme il le vidait littéralement de toute joie. Il ne donnait pas cher non plus de son éternel rabâchage sur les pasteurs femmes. Si Harald avait reçu un billet de cinq chaque fois qu'Arne se lamentait sur son prédécesseur féminin, il aurait été un homme riche aujourd'hui. Personnellement, il ne voyait absolument pas ce que cela avait d'épouvantable qu'une femme répande la parole de Dieu. Quand Arne ressassait le sujet, il devait toujours réprimer l'envie de dire que ce n'était pas avec la quéquette que la parole de Dieu était répandue, mais il se mordait toujours la langue au dernier moment. Le pauvre Arne tomberait sans doute raide mort sur-le-champ s'il entendait un pasteur prononcer de tels mots.

Arrivé dans la sacristie, l'espoir que le bedeau était resté tranquillement chez lui s'évanouit. Harald entendit sa voix et se dit que de pauvres touristes s'étaient fait piéger par le bedeau le plus conservateur du pays. Un instant, il fut tenté de repartir, mais il soupira et décida de faire la seule chose charitable et chrétienne : aller sauver les pauvres diables.

Aucun touriste en vue, cependant. En revanche, Arne perché dans la chaire en train de prêcher d'une voix de stentor au-dessus des bancs vides. Stupéfait, Harald le regarda et se demanda ce qui avait bien pu lui prendre.

Arne gesticulait et se démenait comme s'il refaisait le Sermon sur la montagne, il ne s'arrêta qu'un court instant en voyant Harald entrer. Puis il reprit comme si de rien n'était, et Harald s'aperçut alors qu'il y avait plein de feuillets blancs en bas de la chaire. Arne était en train d'arracher les pages d'un livre de cantiques et les laissait s'envoler doucement par terre.

— Mais qu'est-ce que tu fais ? dit Harald fermement en avançant d'un pas décidé dans l'allée centrale.

— Je fais ce que j'aurais dû faire il y a bien longtemps, répondit Arne d'une voix belliqueuse. J'arrache ces horribles modernités. Ce ne sont pas les mots de Dieu, renifla-t-il en continuant d'arracher page après page. Je ne comprends pas pourquoi il faut soudain changer tout l'ancien. C'était beaucoup mieux avant. Aujourd'hui ils détruisent toute morale et les gens dansent et chantent, qu'on soit jeudi ou dimanche ! Et ils n'hésitent pas à copuler à droite et à gauche, hors du saint mariage !

Ses cheveux étaient dressés sur son crâne et Harald se demanda si le pauvre homme avait totalement perdu la tête. Il ne comprenait pas ce qui avait provoqué cette crise soudaine. Certes, cela faisait des années qu'Arne marmonnait ces mêmes opinions, mais jamais il n'avait eu l'aplomb de se conduire ainsi.

— Tu devrais te calmer maintenant, Arne. Descends donc de la chaire pour qu'on parle un peu tous les deux.

— Parler, parler. C'est tout ce qu'on fait, argumenta Arne de son perchoir. C'est bien ce que je dis, il est temps d'agir maintenant ! Et pourquoi ne pas commencer ici, cet endroit en vaut bien un autre, dit-il pendant que les feuilles tombaient tels de gros flocons de neige.

Mais Harald commença à se fâcher. L'homme était tout de même en train de vandaliser sa belle église ! Il y avait des limites !

— Descends de là, Arne, tout de suite ! rugit-il, ce qui arrêta net le bedeau.

Jamais auparavant le pasteur n'avait élevé ainsi sa voix autrement si douce et l'effet ne se fit pas attendre.

— Je te laisse dix secondes pour descendre, après je monte te chercher, tu peux me croire sur parole ! poursuivit Harald, écarlate de colère, et son regard ne laissa aucun doute sur le sérieux de sa menace.

La volonté belliqueuse quitta Arne comme on perce un ballon et il obéit au pasteur.

— Voilà, voilà, dit Harald d'une voix plus douce en s'approchant d'Arne pour lui mettre le bras sur l'épaule. Maintenant on va au presbytère, on se boira un café avec un bout de gâteau, je sais que ma gentille Signe en a préparé aujourd'hui, et on parlera de tout ça, toi et moi.

Puis ils partirent ensemble dans l'allée centrale. Le petit homme le bras sur les épaules du grand. Comme des mariés dépareillés.

Elle sentit un léger vertige en sortant de la voiture. Cette nuit, elle n'avait pas beaucoup dormi. Les ruminations sur l'épouvantable accusation lancée contre Kaj l'avaient empêchée de trouver le sommeil avant le petit matin.

Le pire, en fait, était l'absence de doute. En entendant l'inspecteur de police prononcer les charges contre lui, elle avait su immédiatement que c'était la vérité. Tant de morceaux du puzzle trouvaient leur place. Tant de malaises de leur vie commune trouvaient tout à coup leur explication.

Un profond dégoût lui souleva le cœur, et elle s'appuya contre la voiture et cracha un peu de bile sur le bitume. Elle avait lutté contre l'envie de vomir toute la matinée. Quand elle était arrivée à son lieu de travail, son chef était venu lui dire que, si elle voulait prendre sa journée, il n'y avait pas de problème, vu les circonstances. L'idée de passer la journée à la maison la rebutait. Elle préférait supporter les regards des gens plutôt que se trouver dans la maison de Kaj, s'asseoir dans son canapé, faire à manger dans sa cuisine. Savoir qu'il l'avait touchée, fût-ce juste un peu, lui donnait envie de s'arracher la peau.

Mais elle finit par ne plus avoir le choix. Au bout d'une heure de vaillantes tentatives pour tenir debout, son chef lui avait dit de rentrer chez elle et il avait refusé toute protestation de sa part. Avec une grosse boule dans le ventre, elle était rentrée à la maison en roulant tout doucement. En bas de Galärbacken, le conducteur dans la voiture derrière avait même klaxonné, mais elle n'y avait prêté aucune attention.

S'il n'y avait pas eu Morgan, elle aurait fait ses valises et serait allée chez sa sœur. Mais elle ne pouvait pas l'abandonner. Il serait mal à tout autre endroit que dans sa petite bicoque et le fait qu'ils aient embarqué ses ordinateurs lui suffisait comme bouleversement. Hier, elle l'avait trouvé errant entre ses piles de magazines, perdu sans ce qui lui servait d'ancrage dans le monde réel. Elle espérait vraiment qu'ils allaient bientôt les lui rendre.

Monica sortit la clé de la porte d'entrée et elle s'apprêtait à ouvrir lorsqu'elle s'arrêta soudain. Elle n'était pas encore prête à entrer. Prise d'une envie soudaine de voir son fils, elle remit la clé dans sa poche, descendit les marches et s'engagea dans l'allée de jardin. Morgan serait sûrement irrité de la voir venir rompre sa routine, mais pour une fois elle s'en fichait. Elle se souvint de lui bébé, comment son odeur l'avait rendue capable de déplacer des montagnes pour lui. Aujourd'hui, elle ressentait le besoin d'enfouir son nez dans sa nuque, de le prendre dans ses bras et de s'en remettre à lui, au lieu du contraire, comme ça avait été le cas depuis toujours.

Elle frappa doucement à la porte et attendit la réponse. Aucun mouvement à l'intérieur et elle sentit l'angoisse monter. Monica frappa encore une fois, un peu plus fort, et guetta le bruit des pas. Rien.

Elle vérifia la poignée, et constata que la porte était fermée à clé. Avec des doigts gauches elle tâta au-dessus du chambranle où était caché le double de la clé et elle réussit finalement à la sortir.

Où pouvait-il être ? Morgan n'allait nulle part de son propre chef. Il n'était jamais arrivé qu'il parte en balade tout seul sans lui demander de venir ou du moins lui expliquer dans le détail où il allait. L'inquiétude lui griffa la gorge comme un petit animal, et elle s'attendait presque à le trouver mort à l'intérieur. C'était sa hantise. Qu'un jour il cesse de parler de la mort et décide d'aller à sa rencontre. Peut-être que la perte de ses ordinateurs et l'intrusion dans son monde l'avaient finalement poussé à partir pour l'endroit d'où on ne revient jamais.

Mais la maison était vide. Elle parcourut la pièce du regard et ses yeux tombèrent aussitôt sur un mot posé sur une des piles de magazines près de la porte. Elle reconnut l'écriture de Morgan avant de lire le message, et son cœur s'emballa. Il se calma cependant rapidement après l'avoir lu, et elle sentit ses épaules s'abaisser. Elle ne s'était pas rendu compte qu'elle les avait remontées autant.

“Les ordis sont prêts. Suis parti les chercher avec la police”, disait le mot et l’angoisse revint. Ce n’était certes pas une lettre d’adieux, mais quelque chose clochait quand même. Pourquoi les flics seraient-ils venus le chercher pour qu’il récupère ses ordinateurs ? Pourquoi ne les avaient-ils pas rapportés directement ?

Monica se décida en un clin d’œil. Elle partit au petit trot vers la voiture et démarra sur les chapeaux de roues. Elle fit tout le trajet pour Tanumshede pied au plancher et ses mains serraient si fort le volant qu’il fut trempé de sueur. En passant devant *Tanums Gestgifveri*, le célèbre restaurant, elle entendit des sirènes derrière elle et elle fut doublée par une ambulance qui roulait à toute allure. Sans s’en rendre compte elle accéléra légèrement elle-même et passa en trombe devant Hedemyrs. A la boutique de M. Li, elle fut obligée de piler et la ceinture de sécurité lui cisailla la cage thoracique. L’ambulance s’était arrêtée devant le poste de police et une queue de voitures s’était formée dans les deux sens, un accident de la route bloquant le passage. Elle tendit la nuque et aperçut un corps recroquevillé par terre, et cela lui suffit pour savoir.

Comme au ralenti, elle défit sa ceinture de sécurité, ouvrit la portière et descendit de la voiture. Avec une sensation de naufrage imminent, elle s’approcha lentement, lentement du lieu de l’accident.

La première chose qu’elle vit fut le sang. Rouge, il avait coulé de sa tête sur le bitume et formait un cercle autour de ses cheveux. La deuxième chose fut les yeux. Grands ouverts, morts.

Un homme vint près d’elle. Les bras écartés pour l’arrêter. Sa bouche remuait, il disait quelque chose. Elle l’ignora et continua droit devant. Lourdement, elle tomba à genoux devant Morgan. Elle prit sa tête sur ses genoux et la serra fort, sans prêter attention au sang qui suintait encore et mouillait son pantalon. Puis elle entendit le hurlement. Elle se demanda qui ça pouvait être, pour exprimer tant de douleur, tant d’angoisse. Puis elle réalisa que c’était elle-même.

Ils avaient fait tout le trajet pour Uddevalla en léger excès de vitesse. Lilian les avait assurés qu’Albin était en bonnes mains chez Veronika et Frida, comme ça ils avaient pu y aller directement en quittant le commissariat. Charlotte espéra de tout son cœur qu'ils n'arriveraient pas trop tard. Sa mère avait laissé entendre que la vie de Stig était suspendue à un mince fil et elle se surprit à joindre les mains comme pour prier, bien qu'elle ne soit pas croyante.

Stig était la personne la plus aimable qu'elle ait jamais rencontrée. Elle réalisa maintenant combien elle en était venue à l'aimer pendant cette période où ils avaient habité chez lui et Lilian. Elle l'avait déjà rencontré auparavant, bien sûr, mais toujours lors de brèves visites, et elle n'avait appris à le connaître que depuis qu'ils vivaient sous le même toit. Une grande partie de cette sympathie venait évidemment du fait que Sara et lui étaient devenus si proches. Il réussissait à faire surgir des côtés de Sara que Charlotte avait toujours soupçonnés mais qu'elle n'avait jamais su atteindre elle-même. Sara n'était jamais insolente avec Stig, elle ne piquait jamais de crises de rage, elle ne sautait pas partout comme une folle, incapable de canaliser son énergie. Avec lui, elle s'asseyait calmement sur le bord du lit, lui tenait la main et racontait sa journée à l'école. Charlotte n'avait pas cessé de s'émerveiller de cette Sara-là, et à présent elle regrettait sincèrement de ne jamais l'avoir dit à Stig. Elle réalisa qu'elle ne lui avait pratiquement pas parlé depuis la mort de Sara. Elle s'était enfoncée si loin dans son propre deuil qu'elle n'avait pas pensé au sien. Il avait dû être au désespoir là-haut dans son lit de malade, avec ses pensées pour seule compagnie. Elle aurait au moins pu monter lui parler un instant.

Dès que la voiture fut immobilisée dans le parking, Charlotte se rua dehors. Elle courut vers l'entrée sans attendre Niclas. Il connaissait mieux l'hôpital qu'elle, et il n'aurait pas de mal à trouver.

— Charlotte !

Lilian vint vers elle, les bras écartés, quand elle arriva dans la salle d'attente. Sa mère pleurait à chaudes larmes et tous les regards étaient tournés vers elle. Les personnes en larmes ont le même effet sur autrui que les accidents de la circulation. Personne ne peut s'empêcher de regarder.

Maladroitement, Charlotte tapota le dos de sa mère. Elle n'était pas habituée à son contact, Lilian n'étant pas une personne très démonstrative.

— Oh Charlotte, c'était horrible ! Je suis montée lui apporter du thé et il était totalement parti ! J'ai essayé de l'appeler, je l'ai secoué, mais je n'ai eu aucune réaction. Et personne ne peut dire ce qu'il a ! Ils le gardent ici aux urgences et je n'ai pas le droit de le voir. Je devrais quand même avoir le droit de rester avec lui ! Et s'il meurt ?

Lilian cria tellement fort que ça résonna dans la pièce et un instant Charlotte fut gênée par tous les regards dirigés sur elles. Puis elle se ressaisit. Sa mère avait toujours eu tendance à la théâtralité, mais ça ne rendait pas son angoisse moins sincère pour autant.

— Assieds-toi, je vais voir si je peux nous dégoter un café. Niclas arrive, il saura sûrement se renseigner, après tout ce sont ses anciens collègues.

— Tu crois ? dit Lilian en s'agrippant au bras de sa fille.

— J'en suis sûre, dit Charlotte et elle dégagea doucement le bras de sa mère.

Elle était surprise elle-même de se comporter avec autant de calme et d'assurance. La perte de Sara avait émoussé ses sentiments, et ça lui permettait de raisonner en termes pratiques, malgré son inquiétude pour Stig.

Elle fut contente de voir Niclas arriver dans la salle d'attente, et elle vint à sa rencontre.

— Maman est assez hystérique. Je vais nous chercher un café. Je lui ai promis que tu essaierais de te renseigner sur l'état de Stig.

Niclas hocha la tête. Il leva la main et caressa la joue de Charlotte. Le geste était inhabituel et elle fut stupéfaite. Elle n'arrivait pas à se rappeler qu'il l'ait déjà touchée avec une telle tendresse.

— Et toi, tu vas comment ? demanda-t-il avec une inquiétude sincère, et malgré la situation dramatique elle sentit une sorte de joie frétiller dans sa poitrine.

— Ça va, répondit-elle en souriant pour lui montrer qu'elle tiendrait le coup.

— Sûre ?

— Sûre. Va parler avec tes collègues maintenant, pour qu'on sache à quoi s'en tenir.

Il s'exécuta et revint un moment plus tard, lorsqu'elles étaient en train de siroter leur café.

— Alors ? Qu'est-ce que tu as appris ? dit Charlotte.

Par la force de la pensée elle essaya de lui faire dire des choses positives. Malheureusement, ça ne marchait pas.

— Je pense qu'on devra se préparer au pire. Ils font ce qu'ils peuvent, mais ce n'est pas sûr que Stig s'en sorte. Tout ce qu'on peut faire, c'est attendre.

Lilian se mit à haleter et elle se jeta au cou de Niclas, qui la consola de façon aussi maladroite que Charlotte en lui passant une main dans le dos. Charlotte eut une sensation de déjà-vu. Lilian avait été dans ce même état lorsque le père de Charlotte était mort, et les médecins avaient été obligés de lui donner des calmants pour qu'elle ne s'effondre pas totalement. C'était si injuste. Perdre un mari était déjà suffisamment éprouvant. Charlotte se tourna vers Niclas.

— Ils n'ont pas pu dire ce qu'il a ?

— Ils font un tas d'examens et ils vont finir par comprendre ce que c'est. Mais, pour l'instant, le plus important c'est de le maintenir en vie suffisamment longtemps pour pouvoir adapter le traitement. Dans l'état actuel des choses, ça peut être n'importe quoi, du cancer au virus. La seule chose précise qu'ils ont dite, c'est qu'il aurait dû être hospitalisé depuis un bon moment.

Charlotte vit la culpabilité obscurcir son visage. Elle appuya sa tête contre son épaule.

— Tu n'es qu'un homme, Niclas. Stig ne voulait pas entendre parler de l'hôpital et ça ne semblait pas si terrible que ça non plus quand tu l'examinais, pas vrai ? Il lui arrivait d'être debout par moments et en pleine forme, et il disait lui-même qu'il n'avait pas si mal que ça.

— Mais je n'aurais pas dû l'écouter. Merde, je suis médecin, j'aurais dû savoir.

— N'oublie pas qu'on a eu pas mal d'autres soucis aussi, dit Charlotte à voix basse, mais pas suffisamment basse pour que Lilian n'entende pas.

— Pourquoi faut-il que tout le malheur du monde s'abatte sur nous ? D'abord Sara, et maintenant Stig !

Elle hulula et se moucha dans le kleenex que Charlotte lui avait tendu. Les gens dans la salle d'attente, qui avaient repris leurs magazines, les fixèrent de nouveau, et Charlotte sentit l'énervement revenir en rampant.

— Allez, il faut te ressaisir maintenant. Ils font tout leur possible, les médecins, dit Charlotte en essayant de prendre une voix à la fois douce et autoritaire.

Lilian lui lança un regard offensé, mais obéit et arrêta de sangloter. Charlotte soupira et signala son exaspération à Niclas avec les yeux. Elle ne doutait pas que l'inquiétude de sa mère pour Stig soit véridique, mais sa tendance à tourner chaque situation en un drame dans lequel elle tenait le rôle principal était extrêmement fatigante. Lilian avait toujours adoré être au centre des événements, et elle employait tous les moyens qui s'offraient à elle pour y arriver, même dans une situation comme celle-ci. Ça, c'était Lilian, et Charlotte lutta pour essayer de ravaler sa contrariété. Cette fois-ci, sa souffrance était réelle.

Six heures plus tard, ils ne savaient toujours rien. Niclas était allé parler avec les médecins plusieurs fois, mais sans rien apprendre de plus. Le pronostic pour Stig était toujours incertain.

— L'un de nous doit rentrer pour s'occuper d'Albin, dit Charlotte, et elle s'adressa autant à Lilian qu'à Niclas. Elle vit sa mère ouvrir la bouche pour protester, peu disposée à laisser partir ni sa fille ni son gendre, mais Niclas la devança.

— Oui, tu as raison. Il sera terrorisé si Veronika essaie de le coucher chez elle. Tu n'as qu'à rester là, j'y vais.

Niclas posa une bise tendre sur la joue de Charlotte et tapota l'épaule de Lilian.

— Ça va s'arranger, tu verras. Appelez-moi s'il y a du nouveau.

Charlotte contempla son large dos qui s'éloignait, puis elle se pencha en arrière sur la chaise inconfortable et ferma les yeux. L'attente s'annonçait longue.

GÖTEBORG 1958

La déception la dévorait de l'intérieur. Rien n'avait tourné comme elle l'avait imaginé. Rien n'avait changé. A part qu'elle n'avait même plus les courts moments de confidence et de tendresse avec sa mère, à présent qu'Åke n'était plus là. Au contraire, elle ne la voyait pratiquement plus. Soit elle partait retrouver Per-Erik, soit elle était de sortie, une énième fête. Mère semblait aussi avoir abandonné toutes ses ambitions de contrôler son poids, Mary pouvait désormais se servir librement de tout ce qu'il y avait à manger à la maison et son poids déjà élevé avait crevé le plafond. Parfois, en se regardant dans le miroir, elle ne voyait que le monstre qui grandissait en elle depuis longtemps. Un monstre vorace, gros et dégoûtant, toujours entouré d'une écœurante odeur de transpiration. Mère ne se donnait plus la peine de dissimuler l'aversion qu'elle lui inspirait, une fois elle s'était même ostensiblement pincé le nez sur son passage. L'humiliation la brûlait encore.

Mère avait promis un changement, mais pas comme ça. Per-Erik serait un bien meilleur père qu'Åke, mère serait heureuse et ils vivraient enfin comme une vraie famille. Le monstre disparaîtrait, elle n'aurait plus jamais à rester enfermée dans la cave et l'immonde goût sec et infect ne remplirait plus jamais sa bouche.

Trompée. C'est comme ça qu'elle se sentait. Trompée. Quand elle avait essayé de demander à sa mère quand les choses tourneraient comme elle l'avait promis, celle-ci l'avait seulement rabrouée. Pour avoir insisté, elle s'était retrouvée enfermée dans la cave après avoir d'abord été nourrie d'Humilité. Elle avait versé des larmes amères qui contenaient plus de déception que ce qu'elle était capable de gérer.

Assise là dans l'obscurité, elle sentit le monstre s'épanouir. Il aimait la substance sèche dans sa bouche. Il la mangeait et se réjouissait.

La porte se referma lourdement derrière lui. D'un pas lent, Patrik se traîna dans le vestibule et enleva son blouson. Il le laissa par terre, trop épuisé pour le mettre sur un cintre.

— Qu'est-ce qui s'est passé ? demanda Erica dans le salon. Tu as appris quelque chose ?

En voyant son expression, Patrik sentit une pointe de mauvaise conscience de n'être pas resté avec elle et Maja. Il devait avoir l'air d'une épave. Il avait passé plusieurs coups de fil à Erica, mais le chaos au poste après l'accident avait rendu ces communications très brèves et agitées. Dès qu'il avait eu la confirmation que tout allait bien, il lui avait plus ou moins raccroché au nez.

Lentement, il alla la rejoindre. Comme d'habitude, elle était dans le noir en train de regarder la télé avec Maja dans les bras.

— Je suis désolé d'avoir été si bref au téléphone, dit-il en se frottant le visage d'un geste las.

— Il s'est passé quelque chose ?

Il se laissa tomber dans le canapé et eut du mal à répondre tout de suite.

— Oui, finit-il par dire. Ernst s'était mis en tête d'embarquer Morgan Wiberg pour le questionner, de sa propre initiative. Il a réussi à affoler le pauvre gars au point qu'il s'est enfui par une fenêtre. Il a couru sur la route et il s'est fait écraser par une voiture.

— Mon Dieu, quelle horreur ! Il va comment ?

— Il est mort.

Erica chercha sa respiration. Maja, qui dormait, gémit puis retomba dans son sommeil.

— Quel cauchemar, c'était pire que tout ce que tu peux imaginer, dit Patrik et il appuya sa tête contre le dossier en fixant le plafond. Il était allongé là dans la rue, puis sa mère est arrivée. Elle s'est précipitée sur lui avant qu'on ait pu l'arrêter, elle a pris sa tête sur ses genoux, et l'a bercé en poussant des hurlements, on aurait dit un animal ! On a été obligés de l'arracher à la fin. Putain, c'était abominable !

— Et Ernst ? Qu'est-ce qu'il est devenu ?

— Pour la première fois je pense que son compte est bon. Je n'ai jamais vu Mellberg aussi furax. Il l'a renvoyé chez lui aussi sec et je ne pense pas qu'il pourra revenir après un truc pareil. Et ça serait un bienfait.

— Kaj est au courant ?

— Oui, il y a ça aussi. On était en train de l'interroger, Martin et moi, quand l'accident a eu lieu, et on a dû le laisser. Si ça s'était passé quelques minutes plus tard, je pense qu'on aurait eu le temps de le faire parler. Maintenant il s'est fermé comme une huître et il refuse de dire quoi que ce soit. Il nous accuse de la mort de Morgan et il n'a pas entièrement tort. Il y a quelques collègues de Göteborg qui devaient venir demain pour l'interroger, mais on a dû remettre ça à plus tard. L'avocat de Kaj a suspendu tous les interrogatoires jusqu'à nouvel ordre, vu les circonstances.

— Alors vous ne savez toujours pas s'il est lié à la mort de Sara. Et à… ce qui s'est passé hier.

— Non. La seule chose qui est sûre, c'est que ça ne peut pas être Kaj qui a sorti Maja du landau. On l'avait sous bonne garde à ce moment-là. A propos, Dan est passé vous voir ? dit Patrik en caressant sa petite fille qu'il avait doucement prise des genoux d'Erica.

— Oh oui, il a été un chien de garde fidèle, sourit Erica, mais son sourire n'atteignit pas les yeux. A la fin j'ai plus ou moins dû le mettre à la porte. Il est parti il y a une demi-heure. Ne t'étonne pas s'il campe dans le jardin cette nuit, avec son sac de couchage.

— Ça ne m'étonnerait effectivement pas. En tout cas, maintenant je lui dois une fière chandelle. Ça me rassure de savoir que vous n'êtes pas restées seules, toutes les deux.

— J'allais monter me coucher, là, avec Maja. Mais on peut rester encore un petit moment, si tu veux de la compagnie.

— Ne le prends pas mal, mais je préférerais rester seul, je crois. J'ai apporté un peu de boulot, et ensuite je me planterai peut-être devant la télé pour décompresser un peu.

— Tu fais comme tu le sens. Erica se leva, embrassa Patrik et prit Maja pour monter se coucher.

— Et vous alors, vous avez passé une bonne journée ? demanda-t-il alors qu'elle avait déjà commencé à monter l'escalier.

— Super, dit Erica et Patrik entendit qu'il y avait un nouveau tonus dans sa voix. Aujourd'hui, elle n'a pas dormi au sein du tout, seulement dans le landau. Et elle n'a rouspété que pendant vingt minutes, la dernière fois cinq seulement, pour tout te dire.

— Tant mieux. On dirait que tu tiens le bon bout.

— Oui, c'est un miracle de voir que ça marche, rit Erica. Puis elle redevint sérieuse. Mais je rentre le landau maintenant, je crois que je n'oserai plus jamais la laisser dormir dehors.

— Excuse-moi d'avoir été si... crétin l'autre soir, dit Patrik en hésitant. Il ne voulait pas risquer de dire quelque chose d'idiot encore, et il cherchait les mots, même pour demander pardon.

— C'est bon, dit-elle. Je suis un peu sur les nerfs aussi. Mais je crois que c'est en train de se tasser maintenant. Je suis tellement reconnaissante pour chaque minute passée avec elle, la panique que j'ai ressentie quand elle avait disparu a au moins eu ça de bon.

— Oui, je vois exactement ce que tu veux dire, dit-il en agitant la main pour lui souhaiter bonne nuit.

Il coupa le son de la télé et sortit le magnétophone, puis il appuya d'abord sur "rewind" puis sur "play". Il les avait déjà écoutées plusieurs fois au poste, les quelques minutes qu'Ernst avait eu le temps d'enregistrer du prétendu interrogatoire de Morgan. Peu de mots étaient dits, pourtant quelque chose le tarabustait, mais il n'arrivait pas à mettre le doigt dessus.

Trois écoutes plus tard, il abandonna, posa le magnétophone sur la table basse et alla dans la cuisine. Après avoir bricolé un peu, il se retrouva avec une tasse de chocolat chaud et trois grosses tartines de fromage et de *kaviar*. Il remit le son à la télé et zappa sur Discovery et *Crime Night*. Regarder des reconstructions de crimes réels était peut-être une manière étrange pour un flic de se détendre, mais il trouvait ça apaisant. Les crimes étaient toujours élucidés.

En regardant l'émission, une pensée d'une nature hautement privée commença à prendre forme. Une pensée extrêmement plaisante et revigorante, qui repoussa efficacement les crimes et la mort. Patrik sourit tout seul. Il serait obligé de faire un achat très spécial.

La lumière dans la cellule était impitoyable. Il avait l'impression qu'elle éclairait la moindre parcelle de lui-même, le moindre recoin. Il essayait de se barricader en se cachant la tête entre les bras, mais il sentait quand même la lumière dans sa nuque.

En quelques jours, son univers s'était effondré. Maintenant, après coup, ça pouvait paraître naïf, mais il s'était senti si sûr, si invulnérable. Il avait fait partie d'une communauté qui semblait être au-dessus du monde ordinaire. Ils n'étaient pas comme les autres. Ils étaient meilleurs, plus intelligents que les autres. Ce que l'entourage ne comprenait pas, c'est qu'il s'agissait d'amour. Seulement d'amour. Le sexe n'en était qu'une toute petite partie. "Sensualité" était le mot qui lui venait spontanément à l'esprit. Une peau jeune était si pure, si intacte. L'esprit d'un enfant était innocent, pas souillé de mauvaises pensées comme l'étaient tôt ou tard ceux des adultes. Ce qu'ils faisaient, c'était aider ces jeunes personnes à se développer et atteindre à leur pleine potentialité. Ils les aidaient à comprendre le sens de l'amour. Le sexe était l'outil, pas la fin en soi. Le but était d'arriver à une harmonie, une union des âmes. Une union entre jeune et vieux, si belle dans sa pureté.

Mais personne ne le comprendrait. Ils en avaient parlé tant de fois sur le chat. Comment la stupidité et l'étroitesse d'esprit des gens les empêchaient de comprendre ce qui était l'évidence même. Au contraire, les gens se hâtaient de stigmatiser ce qu'ils faisaient, même si par là ils stigmatisaient aussi les enfants.

Dans une telle société, Kaj n'était pas surpris que Sebastian ait fait ce qu'il avait fait. Il avait compris qu'il allait désormais être considéré avec aversion et mépris. Ce que Kaj ne saisissait pas, par contre, c'était pourquoi il lançait de telles accusations contre lui dans son dernier message. Cela le blessait. Il avait réellement cru qu'ils avaient atteint une compréhension mutuelle pendant leurs rendez-vous et que, après la première période de répugnance qu'il convenait de surmonter, l'âme de Sebastian était venue à la rencontre de la sienne de son plein gré. Il avait considéré le côté physique comme secondaire. La véritable récompense était de littéralement boire à la source de la jeunesse. Sebastian ne s'en était-il donc pas rendu compte ? Avait-il fait semblant tout le temps, ou étaient-ce les normes de la société qui lui avaient fait renier leur affinité dans son ultime lettre ? Il ne le saurait jamais et il en était peiné.

Le reste, il essayait de ne pas y penser. Depuis qu'ils étaient venus lui annoncer la mort de Morgan, il avait tout essayé pour éviter de penser à son fils. C'était comme si son cerveau refusait d'assimiler la cruelle vérité, mais la lumière impitoyable de la cellule lui envoyait des images qu'il chassait très difficilement. Pourtant, une pensée s'était insidieusement imposée, la pensée que ceci était peut-être le châtiment. Mais il l'écarta rapidement. Il n'avait rien fait de mal. Au fil des ans, il en avait aimé certains et eux l'avaient aimé en retour. C'était ainsi, et c'est ainsi que ça devait être. L'alternative était trop affreuse pour qu'il puisse même l'envisager. C'était forcément de l'amour.

Il savait qu'il avait été un piètre père pour Morgan. Ça avait été si compliqué. Dès le début, son fils avait été difficile à aimer, et il avait souvent admiré Monica d'être capable de le chérir, cet enfant pénible et anguleux qui était le leur. Une autre pensée le frappa. Peut-être allaient-ils maintenant imaginer qu'il avait touché Morgan ? L'idée le révolta. Morgan était son fils, la chair de sa chair. Il savait qu'ils diraient ça. Mais ce n'était qu'une preuve de plus de leur vision étroite et bornée. Ce n'était pas du tout pareil, l'amour entre père et fils et l'amour entre lui et les autres. C'était sur des plans totalement différents.

Il avait néanmoins aimé Morgan. Il savait que Monica pensait que non, mais c'était la vérité. Simplement, il n'avait pas su comment l'aborder. Toutes ses tentatives avaient été repoussées et il lui était même arrivé de se demander si Monica ne le contrecarrait pas subtilement. Elle avait voulu Morgan pour elle seule. Avait voulu être la seule des deux vers qui il se tournait. Kaj était efficacement exclu et, bien qu'elle l'engueule et l'accuse de ne pas s'engager pour son fils, il savait que secrètement c'était exactement ce qu'elle voulait. Et maintenant il était trop tard pour changer quoi que ce soit.

Tandis que la lumière métallique du néon clignait au plafond, il se coucha par terre et se blottit en position fœtale.

Les médecins légistes à la télé avaient élucidé trois affaires en quarante-cinq minutes. Ça semblait si simple, mais Patrik savait très bien qu'il n'en était rien. Il espérait cependant que Pedersen le contacterait le lendemain avec les résultats concernant la cendre sur le pull de Liam et la combinaison de Maja.

Un nouveau cas était présenté. Vautré dans le canapé, Patrik regarda d'un œil distrait et sentit le sommeil arriver à pas de loup. Mais lentement des détails pénétrèrent sa conscience et il se redressa et redoubla d'attention. Le cas s'était déroulé aux Etats-Unis il y avait plusieurs années déjà, mais les circonstances paraissaient étrangement familières. Il se dépêcha d'appuyer sur la touche "record" du magnétoscope en espérant qu'il n'enregistrait pas sur le dernier épisode d'une des séries d'Erica. Dans ce cas, il ne donnait pas cher de ses bijoux de famille. C'était précisément dans ce genre de situation que sa chère compagne menaçait de brandir des cisailles rouillées.

Le médecin légiste qui s'occupait des analyses parlait longuement et en détail. Il montrait des diagrammes et photos censés expliquer le déroulement et Patrik n'eut aucune difficulté à suivre. Un soupçon prenait forme dans son esprit et il contrôla plusieurs fois que le symbole d'enregistrement était bien allumé sur l'écran du magnétoscope. Il aurait besoin de regarder ceci plus d'une fois.

Trois visionnages plus tard, il se sentit parfaitement sûr de lui. Mais sa mémoire avait quand même besoin d'un coup de pouce. Tout excité et conscient de la nature urgente de son idée, il monta voir Erica dans la chambre à coucher. Elle avait Maja à côté d'elle, et il supposa que le bébé avait eu droit à une petite gratification pour s'être si gentiment endormi dans le landau au cours de la journée.

— Erica, chuchota-t-il en secouant doucement son épaule.

Il avait une peur bleue de réveiller Maja, mais il lui fallait absolument parler avec Erica.

— Euhhh…, fut sa seule réponse et elle ne montra aucun signe de réveil.

— Erica, il faut que tu te réveilles.

Cette fois il y eut plus de réaction. Elle sursauta, jeta un regard confus autour d'elle et dit :

— Quoi, quoi, qu'est-ce qu'il y a ? Maja s'est réveillée ? Elle pleure ? Je vais aller la prendre.

Elle se redressa et fut sur le point de sortir du lit, mais Patrik la repoussa doucement.

— Chuut, Maja est là, elle dort à poings fermés.

— Qu'est-ce que tu veux alors ? maugréa-t-elle. Si tu la réveilles, je te tue.

— Il faut que je te demande un truc. Et ça ne peut pas attendre.

Il lui exposa rapidement ce qu'il venait d'apprendre, puis lui posa la question qui le tracassait. Après un instant de silence stupéfait, elle lui répondit. Patrik lui dit de se rendormir, posa une bise sur sa joue et se précipita en bas. Il composa le numéro de téléphone qu'il avait trouvé dans l'annuaire. Chaque minute comptait maintenant.

GÖTEBORG 1958

Quelque chose clochait. Elle avait trop laissé traîner les choses. Un an et demi après la mort d'Åke, les excuses de Per-Erik pour contrer ses exigences étaient de plus en plus vagues. Ces derniers temps, il répondait à peine quand elle lançait le sujet et ses appels téléphoniques pour lui donner rendez-vous à l'hôtel Eggers s'espaçaient toujours plus. Elle en était venue à haïr l'endroit. Les draps d'hôtel souples contre sa peau et l'aménagement impersonnel lui inspiraient désormais une aversion viscérale. Elle voulait autre chose. Elle méritait mieux. Elle méritait d'emménager dans sa grande villa, d'être l'hôtesse de ses réceptions, d'être respectée et citée dans la rubrique société, elle méritait d'avoir une position. Pour qui la prenait-il au juste ?

La colère faisait trembler Agnes derrière le volant. Par la vitre elle vit la grande villa de briques blanches et derrière les rideaux elle aperçut une ombre passer de pièce en pièce. La Volvo de Per-Erik n'était pas là. On était mardi, la matinée était bien avancée et il était certainement déjà parti au travail, si bien qu'Elisabeth était seule à la maison, sûrement en train de jouer son rôle de parfaite femme au foyer. S'occupant du linge à repriser, de l'argenterie à briquer ou d'un autre travail ménager mortel qu'Agnes ne se serait jamais abaissée à faire. Incontestablement, elle était loin de se douter que sa vie était sur le point de voler en éclats.

Agnes ne ressentit pas la moindre hésitation. L'idée ne lui était jamais venue à l'esprit que la tiédeur récente de Per-Erik puisse témoigner d'un enthousiasme défaillant pour elle. Non, c'était forcément la faute d'Elisabeth s'il n'était pas encore venu la rejoindre, en homme libre. Elle jouait probablement la pauvre femme désemparée, misérable et dépendante, pour le garder. Mais, si Per-Erik ne voyait pas clair dans son jeu, Agnes le faisait. Et, s'il n'était pas homme à oser se confronter avec sa femme, Agnes ne s'embarrassait pas de ce genre de scrupules. D'un pas décidé, elle descendit de la voiture, serra le manteau de fourrure plus près autour d'elle dans le froid de novembre et monta rapidement vers la maison.

Elisabeth ouvrit après deux sonneries et l'accueillit avec un grand sourire qui ne lui inspira que du mépris. Il lui tardait de le voir disparaître de sa figure.

— Tiens, Agnes ! Ça me fait plaisir de te voir !

Agnes vit qu'Elisabeth était sincère, tout en exprimant une légère surprise. Certes, Agnes était déjà venue chez eux, mais seulement pour des réceptions et des fêtes. Et elle n'était jamais arrivée à l'improviste.

— Entre ! Et ne regarde pas le désordre ! Si j'avais su que tu viendrais, j'aurais fait un peu de rangement.

Agnes entra dans le vestibule et chercha des yeux le désordre dont parlait Elisabeth. Pour autant qu'elle pouvait en juger, chaque objet était à sa place, comme pour bien confirmer l'image de la ménagère définitive et pathétique.

— Installe-toi, je t'apporte un café, dit Elisabeth en bonne hôtesse et, avant qu'Agnes n'ait le temps de l'arrêter, elle était partie dans la cuisine.

Agnes n'était pas venue pour copiner avec l'épouse de Per-Erik au-dessus d'une tasse de café, au contraire, elle voulait expédier au plus vite ce qu'elle avait à faire. A regret, elle enleva sa fourrure et s'assit dans le canapé du salon. Elisabeth arriva avec le café et d'épaisses tranches de quatre-quarts sur un plateau qu'elle posa sur la table basse en bois sombre et poli. Le café devait être déjà préparé, parce qu'elle ne s'était absentée qu'une minute ou deux.

Elisabeth s'assit dans le fauteuil à côté du canapé.

— Tiens, sers-toi, c'est du quatre-quarts, il sort presque du four.

— Merci, je pense que je me contenterai d'un café. Agnes regarda avec dégoût le gâteau dégoulinant de beurre et de sucre, et prit une des tasses sur le plateau. Elle goûta le café. Il était bon et fort.

— Oui, c'est vrai, tu as une ligne à surveiller, toi, rit Elisabeth, un morceau de gâteau à la main. C'est une lutte que j'ai perdue quand j'ai eu les enfants, dit-elle et elle leva le menton vers une photo des trois enfants, tous adultes maintenant et partis vivre leurs vies.

Agnes se demanda un instant comment ils réagiraient à la nouvelle du divorce de leurs parents et au remariage de leur père, mais elle était certaine qu'avec un peu de temps elle gagnerait leur sympathie. Ils finiraient bien par voir tout ce qu'elle avait à offrir à Per-Erik que n'avait pas Elisabeth.

Elle observa la tranche de gâteau qui disparaissait dans la bouche d'Elisabeth, puis elle vit son hôtesse en prendre une autre. Cette goinfrerie effrénée lui rappela sa fille et elle dut faire un effort pour ne pas se jeter sur Elisabeth et lui arracher le gâteau de la main, comme elle l'avait toujours fait avec Mary. Mais elle sourit aimablement et dit :

— Oui, je comprends que tu trouves étrange de me voir surgir comme ça, à l'improviste, mais il se trouve que j'ai une mauvaise nouvelle à t'annoncer.

— Une mauvaise nouvelle ? Quoi donc ? dit Elisabeth sur un ton qui aurait dû alerter Agnes si elle n'avait pas été si absorbée par ce qu'elle s'apprêtait à dire.

— Eh bien, tu vois, dit Agnes en posant sa tasse de café, il se trouve que Per-Erik et moi, on est… devenus très, très proches. Et ce depuis assez longtemps.

— Et maintenant vous voulez construire une vie ensemble, glissa Elisabeth.

Agnes fut soulagée de constater que tout cela semblait beaucoup plus facile qu'elle n'avait imaginé. Puis, en regardant Elisabeth, elle réalisa que quelque chose n'allait pas. Quelque chose n'allait foutrement pas bien. L'épouse de Per-Erik la contemplait avec un sourire sardonique et son regard avait un éclat froid qu'Agnes n'avait jamais vu chez elle.

— Je comprends que ça vient comme un choc…, reprit Agnes mollement, peu certaine tout à coup que son scénario bien étudié tienne le coup.

— Ma très chère, je suis au courant de votre liaison pratiquement depuis le début. Tu vois, nous avons un accord, Per-Erik et moi, et il fonctionne à merveille pour nous. Tu n'as tout de même pas cru que tu étais la première – ni la dernière ? dit Elisabeth d'une voix méchante qui donna envie à Agnes de lui coller une gifle.

— Je ne comprends pas de quoi tu parles. Agnes était désespérée et elle sentit le sol tanguer sous ses pieds.

— Ne me dis pas que tu n'as pas remarqué que Per-Erik commence à se lasser. Il ne t'appelle plus aussi souvent, tu as du mal à le joindre, il se montre distrait quand vous vous voyez. Merci, je connais suffisamment bien mon mari au bout de quarante ans de mariage pour savoir comment il se comporte dans ces situations. Il se trouve que je sais aussi que le nouvel objet de sa passion est une secrétaire de l'entreprise, une brune de trente-sept ans.

— Tu mens, dit Agnes qui voyait le visage bouffi d'Elisabeth comme dans un brouillard.

— Crois ce que tu veux. Tu n'as qu'à poser la question à Per-Erik. Maintenant je trouve que tu devrais partir.

Elisabeth se leva, alla dans le vestibule et tendit ostensiblement sa fourrure scintillante à Agnes. Toujours incapable d'enregistrer ce qu'Elisabeth venait de dire, Agnes la suivit comme un automate. Sous le choc elle resta sur le perron à vaciller dans le vent. Elle sentit la rage familière monter lentement en elle. D'autant plus forte qu'elle se dit qu'elle aurait dû être plus avisée. Elle n'aurait pas dû penser qu'on pouvait faire confiance à un homme. A nouveau elle était punie, trahie encore une fois.

Comme si elle pataugeait, elle retourna à la voiture, puis elle resta immobile sur le siège avant pendant plusieurs heures. Telles des fourmis, les pensées filaient en tous sens dans sa tête et creusaient de profonds tunnels de haine et d'animosité. Toutes les vieilles histoires qu'elle avait rangées au fond des recoins sombres de sa mémoire se mirent à suinter. Elle serra plus fort le volant. Des images des années pénibles dans le logement ouvrier lui remontèrent à l'esprit et elle put sentir l'odeur de boue et de sueur qui émanait des hommes quand ils rentraient du travail. Elle se rappela les douleurs qui la faisaient sombrer dans l'inconscience lors de la naissance des garçons. L'odeur de fumée lorsque les maisons de Fjällbacka brûlaient, la brise à bord du bateau qui l'emmenait à New York, le brouhaha et les bouchons de champagne qui sautaient, le gémissement jouissif des hommes sans noms avec qui elle avait couché, les pleurs de Mary quand elle avait été abandonnée sur le quai à New York, la respiration d'Åke qui ralentissait puis s'arrêtait complètement, la voix de Per-Erik quand il répétait ses promesses. Des promesses qu'il n'avait jamais eu l'intention de tenir. Tout cela, et bien plus, passa dans un scintillement derrière ses paupières closes, et rien de ce qu'elle voyait ne tempérait sa rage qui allait *crescendo*. Elle avait tout fait pour se construire une vie digne d'elle, recréer l'existence pour laquelle elle était née. Mais sans arrêt la vie, ou le destin plutôt, lui avait mis des bâtons dans les roues. Tout le monde avait été contre elle et avait fait de son mieux pour lui prendre son dû : son père, Anders, les prétendants américains, Åke et maintenant Per-Erik. Une longue suite d'hommes qui avaient en commun de l'avoir exploitée de différentes manières et de l'avoir trahie. A la tombée du jour, toutes ces offenses réelles et imaginaires se rassemblèrent en un seul point brûlant dans le cerveau d'Agnes. D'un regard vide, elle fixa la maison de Per-Erik, et un calme l'envahit peu à peu, assise là dans la voiture. Une fois auparavant elle avait ressenti ce même calme, et elle sut qu'il était engendré par la certitude qu'il ne lui restait plus qu'une seule façon d'agir.

Lorsque les phares de la voiture de Per-Erik fendirent finalement la nuit, Agnes était restée totalement immobile pendant des heures, mais elle n'avait plus aucune notion du temps. Tous ses sens étaient focalisés sur la tâche qui l'attendait, et elle ne ressentait pas l'ombre d'un doute. Toute logique et toute conscience éventuelle des conséquences avaient été effacées au profit de l'instinct et du désir d'agir.

En plissant les yeux, elle le vit garer la voiture, prendre sa serviette qui était toujours posée sur le siège du passager et descendre. Pendant qu'il fermait soigneusement sa voiture à clé, elle démarra le moteur et enclencha la première. Ensuite tout alla très vite. Elle appuya à fond sur l'accélérateur et la voiture se précipita docilement sur sa cible qui ne se doutait de rien. Elle mangea un bout du gazon et ce n'est que lorsque la voiture fut à un mètre de lui que Per-Erik comprit qu'il se passait quelque chose et se retourna. Pendant une fraction de seconde, leurs regards se croisèrent, puis il fut percuté de plein fouet et plaqué contre sa propre voiture. Les bras écartés, il gisait à plat ventre devant Agnes sur le capot et elle vit ses paupières ciller pour ensuite se fermer lentement.

Derrière le volant de sa voiture, Agnes souriait. Personne ne la trahissait impunément.

Anna se réveilla avec le même sentiment de détresse qu'elle éprouvait chaque matin. Elle ne se rappelait pas quand elle avait dormi une nuit d'affilée pour la dernière fois. Elle utilisait les heures dans l'obscurité à réfléchir à la manière dont elle et les enfants allaient pouvoir se sortir du piège dans lequel ils étaient coincés par sa faute.

Lucas dormait tranquillement à côté d'elle. Parfois il se retournait dans son sommeil et posait son bras sur elle, et elle devait serrer les dents sur son dégoût pour ne pas bondir hors du lit. Elle savait ce qui s'ensuivrait, et ça ne le valait pas.

Ces derniers jours, tout s'était accéléré. Les crises de Lucas se faisaient plus fréquentes et elle avait l'impression qu'ils étaient coincés ensemble dans une spirale qui tournait de plus en plus vite, les précipitant dans l'abîme. Seul l'un des deux sortirait du gouffre, mais elle ne savait pas lequel. Ils ne pouvaient pas vivre en même temps. Elle avait lu quelque part qu'il existait une théorie d'un monde parallèle où chaque être vivant avait son jumeau parallèle et, si jamais on rencontrait son jumeau, les deux seraient anéantis. C'était comme pour Lucas et elle, sauf que leur anéantissement était plus lent et plus douloureux.

Cela faisait plusieurs jours maintenant qu'ils n'avaient pas quitté l'appartement.

En entendant la voix d'Adrian sur le matelas dans le coin, elle se leva doucement pour aller le chercher. Il valait mieux qu'il ne réveille pas Lucas.

Elle l'emmena dans la cuisine pour commencer à préparer le petit-déjeuner. Lucas ne mangeait plus grand-chose et il avait tellement maigri qu'il flottait dans ses vêtements, mais il exigeait quand même d'avoir trois repas servis à heure fixe.

Adrian était pénible et rechigna à s'asseoir dans sa chaise. Elle essaya désespérément de le faire taire, mais il était d'humeur exécrable, parce qu'il dormait mal la nuit, lui aussi, sans cesse en proie aux cauchemars. Il devint de plus en plus bruyant et Anna n'arriva pas à le calmer. Elle entendit Lucas commencer à bouger dans la chambre et au même moment Emma l'appela. L'instinct d'Anna lui dit de fuir, mais elle savait que c'était sans espoir. Il ne restait qu'à se blinder et, dans le meilleur des cas, réussir à protéger les enfants.

— *What the fuck is going on here !*

Lucas se dressa dans l'ouverture de la porte et l'expression bizarre dans ses yeux était de retour. Vide, insensée et froide, et elle sut que ça finirait par les anéantir.

— *Can't you get your children to shut the fuck up ?*

Le ton n'était plus élevé ni menaçant, il était presque aimable. Celui qu'elle craignait le plus.

— Je fais ce que je peux, répondit-elle en suédois, se rendant bien compte de sa voix piailleuse.

Dans sa chaise haute, Adrian avait maintenant atteint un stade hystérique et il hurlait et tapait avec la cuillère.

— Pas manger ! Pas manger ! répétait-il sans arrêt.

Anna essaya désespérément de le faire taire, mais il était tellement remonté qu'il n'arrivait pas à s'arrêter.

— Tu n'es pas obligé de manger. C'est fini. Tu n'es pas obligé, le calma-t-elle et elle commença à le sortir de la chaise.

— *He's gonna eat the bloody food*, dit Lucas, toujours aussi calmement.

Anna se figea. Adrian gigota comme un petit diable pour qu'elle le pose par terre comme elle avait promis au lieu d'essayer de le remettre dans la chaise.

— Pas manger, pas manger, hurla-t-il à pleins poumons et il fallut toutes les forces d'Anna pour le maintenir en place.

Avec une froide détermination, Lucas prit une tranche de pain sur la table. Il tint fermement la tête d'Adrian d'une main, et de l'autre il commença à lui fourrer le pain dans la bouche. Le petit gigota et se débattit, d'abord de colère et ensuite de panique, lorsque le gros morceau de pain finit par remplir totalement sa bouche et l'empêcher de respirer.

Tout d'abord, Anna fut comme paralysée, puis le vieil instinct maternel se réveilla en elle et toute la peur qu'elle avait de Lucas disparut. Sa seule pensée était de protéger son enfant et l'adrénaline afflua dans son sang. Avec un grognement primitif, elle arracha la main de Lucas, enleva rapidement le pain de la bouche d'Adrian qui pleurait à chaudes larmes. Puis elle se retourna pour affronter Lucas.

Tournoyant de plus en plus vite, la spirale les tirait vers le fond.

Mellberg aussi se réveilla avec une sensation désagréable, mais pour des raisons bien plus égoïstes. Au cours de la nuit il avait plusieurs fois été tiré du sommeil en sursaut, émergeant d'un mauvais rêve dans lequel il était toujours viré avec perte et fracas. Il ne fallait pas que cela arrive. Il devait à tout prix trouver un moyen de se dédouaner de toute responsabilité du malheureux accident de la veille, et la première mesure serait de dégommer Ernst. Cette fois-ci, c'était le seul choix possible. Mellberg savait qu'il avait probablement été trop laxiste en ce qui concernait Lundgren, mais il avait eu l'impression qu'ils étaient de la même trempe, tous les deux. En tout cas il avait bien plus en commun avec Ernst qu'avec les autres débiles du poste. Mais, à l'inverse de Mellberg, Ernst avait fait preuve d'un manque dramatique de jugeote qui avait effectivement causé sa perte. C'était une erreur de taille, il avait vraiment cru Lundgren plus futé que ça.

Avec un soupir, il bascula les jambes hors du lit. Il dormait toujours avec son slip et sa main se chercha un chemin sous le gros ventre pour se gratter l'entrejambe. Mellberg regarda l'heure. Pas tout à fait neuf heures. Sans doute un peu tard pour arriver au boulot, mais d'un autre côté ils n'avaient pu partir que vers vingt heures hier soir, puisqu'il avait fallu retracer le déroulement des événements. Il avait déjà commencé à fignoler les formulations dans le rapport à ses supérieurs, il ferait bien de surveiller sa langue et de ne pas débiter de conneries.

Il alla dans le salon et se permit d'admirer Simon pendant une seconde. Il ronflait sur le canapé, allongé sur le dos, la bouche ouverte et une jambe par terre. La couverture avait glissé et Mellberg se fit la réflexion qu'il avait transmis son physique à son fils. Simon n'était pas un petit minus fluet, c'était un jeune homme solide qui pourrait facilement suivre la même voie que son père, s'il faisait un tout petit effort.

Il le titilla un peu du pied.

— Hé, Simon, c'est l'heure de se réveiller.

Le fiston l'ignora et se tourna sur le côté, le visage vers le dossier du canapé.

Mellberg continua à le pousser sans la moindre pitié. Il avait beau apprécier lui-même de faire la grasse matinée, ça n'était quand même pas un foutu camp de vacances ici.

— Hé, j'ai dit debout !

Toujours aucune réaction et Mellberg soupira. Bon, il restait toujours l'artillerie lourde.

Il alla dans la cuisine, ouvrit le robinet et laissa l'eau couler jusqu'à ce qu'elle soit glacée, remplit une casserole et retourna calmement au salon. Avec un grand sourire aux lèvres, il versa l'eau froide sur le corps exposé de son fils et il obtint exactement l'effet voulu.

— Putain de merde ! cria Simon qui fut debout en moins de deux.

En grelottant, il attrapa une serviette qui traînait par terre.

— C'est quoi ces conneries ? grommela-t-il et il enfila un tee-shirt avec une tête de mort et le nom d'un groupe de hard rock sur le devant.

— Petit-déjeuner dans cinq minutes !

Mellberg retourna dans la cuisine en sifflotant. Pendant un petit instant, il avait oublié ses soucis de carrière et était extrêmement satisfait du plan qu'il avait élaboré pour les activités père-fils qu'ils allaient avoir désormais. Faute de sex-clubs et de machines à sous, il fallait se rabattre sur ce qu'il y avait, et à Tanumshede il y avait le musée de gravures rupestres. Il ne s'intéressait pas spécialement aux gribouillis sur des rochers, mais c'était au moins une chose qu'ils pouvaient faire ensemble. Car il avait décidé que c'était cela, la nouvelle thématique de leur relation – ensemble. Finis les jeux vidéo en solitaire pendant des heures, terminée la télé jusqu'à pas d'heure, qui tuait efficacement toute communication. Désormais, ils auraient des conversations enrichissantes en mangeant ensemble le soir, puis à la rigueur ils termineraient la soirée par une partie de Monopoly.

Avec beaucoup d'enthousiasme, il présenta son plan à Simon pendant le petit-déjeuner, mais il fut franchement déçu de la réaction. Il avait fait un maximum d'efforts pour qu'ils apprennent à se connaître. Il renonçait à ses propres centres d'intérêt et se sacrifiait pour emmener le fiston au musée, et pour tout remerciement Simon se contenta de regarder fixement son bol de Rice Krispies. Gâté, voilà ce qu'il était. Que sa mère le lui ait envoyé pour un peu d'éducation, ça n'était pas trop tôt. Mellberg soupira. Etre père était une lourde responsabilité.

Dès huit heures du matin, Patrik fut au travail. Il avait mal dormi, dans l'attente de pouvoir entamer ce qu'il avait à faire. La première chose était de vérifier si l'appel téléphonique de cette nuit avait changé quelque chose. Son doigt trembla légèrement lorsqu'il composa le numéro de téléphone, qu'il connaissait désormais par cœur.

— Hôpital d'Uddevalla.

Il demanda à parler à un médecin en particulier et attendit impatiemment que celui-ci soit joint. Après une éternité, la communication fut établie.

— Bonjour, c'est Patrik Hedström. On s'est parlé cette nuit. Je voulais juste savoir si mes indications vous ont été utiles.

Il écouta tous sens en éveil, puis leva le poing en un geste de victoire. Il ne s'était pas trompé !

Après avoir raccroché, il s'attela à la suite en sifflant. Ils auraient du pain sur la planche aujourd'hui.

Le deuxième appel fut pour le procureur. Il l'avait appelé moins d'un an auparavant avec une requête identique et, vu le caractère inhabituel de ce qu'il lui demandait, il espérait que son interlocuteur ne péterait pas un plomb.

— Si, si, vous avez bien entendu. J'ai besoin d'une autorisation d'exhumation. Encore, oui, c'est ça. Non, ce n'est pas la même tombe. L'autre, on l'a déjà ouverte, n'est-ce pas ? Il parlait lentement et distinctement en prenant garde de s'emporter. Oui, c'est urgent cette fois-ci aussi, ça m'arrangerait vraiment si ma requête pouvait être traitée en priorité. Tous les documents nécessaires ont été envoyés par fax, vous devez déjà les avoir reçus d'ailleurs. Et je précise qu'il y a deux requêtes, l'exhumation et une nouvelle perquisition.

Le procureur parut hésiter et Patrik sentit l'irritation poindre. D'une voix un poil tranchante, il dit :

— On parle du meurtre d'un enfant là, plus la vie d'une autre personne qui est en jeu. J'ai soigneusement examiné la situation et je ne fais pas ces demandes pour mon plaisir mais uniquement parce que le bon déroulement de l'enquête l'exige. Je compte sur vous pour tout mettre en œuvre et traiter ma demande au plus vite. J'aimerais avoir votre réponse avant midi. Pour les deux affaires.

Puis il raccrocha en espérant que sa petite algarade n'aurait pas l'effet contraire en se transformant en frein.

Ayant ainsi expédié le plus gros, il passa un troisième coup de fil. Pedersen répondit d'une voix fatiguée.

— Salut, Pedersen. On dirait que tu as passé la nuit à travailler ?

— Oui, on a été un peu chamboulés en fin de soirée. Mais on commence à voir le bout du tunnel, il ne reste qu'un peu de paperasserie à faire et ensuite je me tire chez moi.

— Super, dit Patrik et il eut mauvaise conscience d'appeler pour le presser encore après ce qui apparemment avait été une nuit de folie.

— Je suppose que tu veux les résultats d'analyse de la cendre. C'est vrai, je les ai reçus tard hier après-midi, mais avec tout ce qui nous est tombé dessus… Il soupira. Est-ce que j'ai bien compris ? La combinaison de bébé appartient à ta fille ?

— Oui, tu as bien compris. On a eu un incident assez moche ici avant-hier, mais elle n'a rien, Dieu soit loué.

— Tant mieux. Alors je comprends mieux que tu brûles d'impatience.

— Oui, c'est exactement ça. Mais je n'osais même pas espérer que tu les aurais déjà. Bon, qu'est-ce que ça donne ?

— Voyons voir… Pedersen se racla la gorge. Oui, apparemment il n'y a pas de doute. La composition de la cendre est identique à celle qu'on a retrouvée dans les poumons de Sara Klinga.

Patrik souffla et se rendit compte à quel point il avait été tendu.

— Est-ce que vous avez pu déterminer d'où elle vient, cette cendre ? Si elle provient d'un animal ou d'un être humain ?

— Je suis désolé, mais c'est impossible à dire. Les restes sont en trop mauvais état, c'est beaucoup trop pulvérisé. Avec des échantillons plus gros on aurait été en mesure de trouver, mais là…

— J'attends un mandat de perquisition, justement pour rechercher la cendre. Si on la trouve, je te l'envoie immédiatement. Peut-être qu'il y aura des particules plus grosses, dit Patrik plein d'espoir.

— Oui, mais n'y compte pas trop.

— Je ne compte plus sur grand-chose. Mais j'espère.

Ces formalités expédiées, Patrik trépignait d'impatience. Avant de recevoir la décision du procureur, il ne pouvait pas vraiment avancer sur quoi que ce soit. Mais il sentit qu'il était incapable de rester plusieurs heures à se tourner les pouces.

Il entendit les autres arriver un à un et décida de les appeler pour une réunion. Tout le monde devait être informé de ce qui se jouait, et il s'attendait à voir quelques sourcils se lever quand il raconterait ses exploits de la nuit.

Il eut raison. Les questions furent nombreuses. Patrik répondit du mieux qu'il put, mais il y avait encore beaucoup de zones d'ombre. Beaucoup trop.

Charlotte s'assit dans le lit, s'étira et se frotta les yeux pour se réveiller. Lilian et elle avaient obtenu une petite chambre dans le service, mais ni l'une ni l'autre n'avait beaucoup dormi. Elle se sentait collante et froissée après une nuit tout habillée, mais elle n'avait rien pour se changer.

— Tu as un peigne à me prêter ? demanda-t-elle à sa mère qui s'était réveillée, elle aussi.

— Oui, je crois. Lilian fouilla dans son fourre-tout aux dimensions généreuses et en sortit un du fond du sac.

Devant le miroir de la salle de bains, Charlotte s'observa d'un œil critique. La lumière était impitoyable et accentuait les cernes sombres, et ses cheveux ébouriffés évoquaient une sorte de coiffure psychédélique. Elle les démêla doucement pour obtenir quelque chose qui ressemblait à peu près à sa coiffure habituelle. Pourtant, tout ce qui touchait à son apparence lui paraissait tellement futile en ce moment. Sara était sans arrêt à l'orée de son champ visuel et tenait son cœur d'une main de fer.

Son ventre grondait, mais avant de descendre à la cafétéria elle voulut trouver un médecin qui pourrait lui dire comment allait Stig. Chaque fois qu'elle avait entendu des pas dans le couloir au cours de la nuit, elle s'était préparée à voir un médecin entrer, la mine grave. Mais personne n'était venu, et elle se dit que pas de nouvelles, bonnes nouvelles. Elle voulait une réponse, et elle sortit dans le corridor, un peu perdue, et se demanda par où commencer. Une infirmière lui indiqua la salle du personnel.

Elle envisagea d'allumer son portable et d'appeler Niclas, mais décida d'attendre d'avoir parlé avec le médecin. Albin et lui dormaient peut-être encore, et elle ne voulait pas risquer de les réveiller, sachant qu'Albin serait grognon toute la journée.

Elle passa la tête dans la pièce que l'infirmière lui avait indiquée et se racla la gorge pour se signaler. Un homme élancé était en train de boire un café en feuilletant le journal. D'après ce que Charlotte avait compris, c'était rare qu'un médecin trouve le temps de prendre une pause et elle se sentit presque intimidée de le déranger. Puis elle se rappela pourquoi elle le faisait et toussota un peu plus fort. Cette fois, il l'entendit et se retourna.

— Oui ?

— Eh bien… c'est au sujet de mon beau-père, Stig Florin, qui a été hospitalisé hier. On n'a pas eu de nouvelles depuis hier soir. Vous pourriez me dire comment il va ?

Est-ce qu'elle se faisait des idées, ou bien le médecin eut-il réellement une drôle d'expression ?

— Stig Florin. Oui, son état s'est stabilisé cette nuit, il est réveillé maintenant.

— Ah oui ? exulta Charlotte. On peut le voir alors ? Je suis ici avec ma mère.

De nouveau cette expression bizarre. Malgré les bonnes nouvelles, Charlotte commença à s'alarmer. Il ne lui avait peut-être pas tout dit ? La réponse fut hésitante.

— Je… je pense que le moment n'est pas très bien choisi. Il est toujours faible, il a besoin de se reposer.

— Mais vous pouvez quand même laisser ma mère aller le voir un petit instant ? Ça ne peut pas lui faire de mal, au contraire même. Ils sont très proches, tous les deux.

— Je n'en doute pas, dit le médecin. Mais j'ai bien peur que vous soyez obligées d'attendre. En ce moment, personne n'est autorisé à voir Stig.

— Mais pourquoi… ?

— On vous le dira en temps voulu, répondit le médecin avec rudesse.

Là, Charlotte commença vraiment à le trouver exaspérant. Ils ne suivaient donc pas de formation psychologique au cours de leurs études pour savoir gérer les familles ? Il frôlait l'insolence. Il devait remercier sa bonne étoile que ce soit elle et non Lilian qui soit venue le voir. S'il avait traité sa mère de cette façon, elle aurait poussé une gueulante qu'il n'aurait pas été près d'oublier. Charlotte savait qu'elle-même était beaucoup trop coulante dans ce genre de situation, et elle se contenta de murmurer une réponse et de battre en retraite dans le couloir.

Elle réfléchit à ce qu'elle allait dire à sa mère. Il y avait quelque chose de bizarre. Tout n'était pas comme ça devait être, mais elle n'arrivait pas à comprendre quoi. Niclas saurait peut-être le lui dire. Elle décida de prendre le risque de les réveiller et composa le numéro de la maison sur son portable. Elle espérait qu'il pourrait calmer ses craintes. Si ça se trouvait, elle se faisait juste des idées.

Après la réunion, Patrik prit la voiture et partit pour Uddevalla. Il était incapable de rester là à attendre, il avait besoin d'agir. Tout au long du trajet, il tourna et retourna les alternatives. Toutes étaient aussi désagréables les unes que les autres.

On lui avait décrit où se trouvait le service, mais il réussit quand même à se perdre. Incroyable que ce soit toujours aussi difficile de se repérer dans un hôpital ! Mais bon, ça pouvait aussi être dû à son sens désastreux de l'orientation. Dans leur famille, c'était Erica qui faisait office de copilote. Parfois il avait l'impression qu'elle disposait d'un sixième sens pour trouver son chemin.

Il arrêta une infirmière.

— Je cherche Rolf Wiesel, vous savez où je peux le trouver ?

Elle se retourna et indiqua un homme de grande stature en blouse blanche, qui s'éloignait dans le couloir.

— Docteur Wiesel ? lança-t-il.

L'homme se retourna.

— Oui ?

Patrik le rejoignit et lui tendit la main.

— Patrik Hedström de la police de Tanumshede. On s'est parlé cette nuit au téléphone.

— Oui, en effet, dit le médecin et il secoua frénétiquement la main de Patrik. Votre coup de fil est vraiment tombé à pic, sachez-le. On n'avait plus aucune idée du traitement à lui donner, et sans votre intervention je pense qu'on l'aurait perdu.

— Tant mieux, dit Patrik un peu embarrassé par l'enthousiasme de son interlocuteur. Quoiqu'il se sentît un peu fier aussi. Ce n'est pas tous les jours qu'on sauve une vie.

— Venez avec moi, dit le docteur Wiesel et il entraîna Patrik dans une pièce réservée au personnel. Un café ?

— Oui merci.

Patrik se rendit compte qu'il n'avait pas bu sa tasse rituelle au poste. Il avait eu tant d'autres choses en tête qu'il avait réussi à oublier une habitude aussi enracinée.

Chacun avec sa tasse, ils s'installèrent autour de la table qui n'avait pas été débarrassée. Le café était presque aussi mauvais que celui du commissariat.

— Désolé, je crois qu'il est resté au chaud un peu trop longtemps, dit le médecin, mais Patrik fit un signe de la main qui signifiait qu'il s'en fichait. Donc, c'est bien un empoisonnement à l'arsenic, comment avez-vous fait pour le découvrir ?

Le médecin était sincèrement curieux et Patrik raconta qu'il avait regardé l'émission sur Discovery la veille, puis fait le lien avec certains éléments dont il disposait.

— Oui, ce n'est pas tous les jours qu'on rencontre cela, c'est sans doute pourquoi on a eu tant de mal à identifier de quoi il souffrait, dit le docteur Wiesel en secouant la tête.

— Et quel est le pronostic maintenant ?

— Il survivra. Mais il va traîner des séquelles pour le restant de sa vie. Tout indique qu'on lui administre l'arsenic depuis longtemps, et la dernière dose semble avoir été massive. Mais, tout ça, on pourra le déterminer plus tard.

— En analysant les cheveux et les ongles ? avança Patrik qui avait bien appris la leçon à la télé.

— Exactement. L'arsenic reste présent dans les cheveux et les ongles. En analysant la quantité et en comparant avec la vitesse de croissance des cheveux et des ongles, on peut déterminer très précisément quand il a reçu des doses et même leur importance.

— Et vous avez bien veillé à ce que personne ne soit autorisé à le voir ?

— Oui, dès cette nuit quand on a constaté qu'il s'agissait effectivement d'un empoisonnement. Personne n'entre, à part le personnel médical autorisé. Sa belle-fille est venue me trouver tout à l'heure, elle demandait de ses nouvelles, mais j'ai seulement dit que son état était stable et que personne ne pouvait le voir pour le moment.

— Bien, dit Patrik.

— Vous savez qui c'est ?

Patrik réfléchit un instant avant de répondre.

— Oui, on a quelques petites idées. Je pense que ce sera confirmé dans le courant de la journée.

— Oui, il ne faut pas laisser en liberté une personne capable d'une telle chose. L'arsenic donne des symptômes particulièrement douloureux avant d'entraîner la mort. C'est une très grande souffrance pour la victime.

— Oui, c'est ce que j'ai compris, dit Patrik gravement. Je crois qu'il existe une maladie qu'on peut confondre avec un empoisonnement à l'arsenic ?

— Le syndrome de Guillain-Barré, oui. Le système immunitaire se met à attaquer les nerfs et détruit ce qu'on appelle la myéline. Cela produit des symptômes très semblables. Si vous n'aviez pas appelé, on se serait probablement arrêtés à ce diagnostic.

— Oui, parfois il faut un peu de chance, sourit Patrik. Puis il redevint sérieux. Veillez bien à ce que personne n'entre dans sa chambre, c'est important, et de notre côté on fera de notre mieux pour avancer cet après-midi.

Ils se serrèrent la main et Patrik repartit dans le corridor. Un instant, il eut l'impression d'apercevoir Charlotte au loin. Puis la porte se referma derrière lui.

GÖTEBORG 1958

C'était un mardi, le jour où sa vie atteignit le zéro absolu. Un mardi de novembre froid, gris et brumeux, qui resterait gravé dans sa mémoire pour toujours. En réalité, elle ne se rappelait pas trop les détails, seulement que des amis de son père étaient venus lui dire que mère avait fait quelque chose d'atroce et qu'elle devait suivre la dame des services sociaux. Elle avait vu sur leurs figures qu'ils avaient mauvaise conscience de ne pas la prendre en charge eux-mêmes, du moins pendant quelques jours, mais aucun des amis distingués de père ne voulait d'une grosse comme elle sous son toit. Alors, faute de famille, elle avait dû préparer un sac avec le strict nécessaire et suivre la dame qui était venue la chercher.

Le souvenir des années suivantes ne lui revenait que dans ses rêves. Pas de véritables cauchemars, elle n'avait pas de raison particulière de se plaindre des trois foyers d'accueil qu'elle avait connus avant d'être majeure. Mais ils lui avaient laissé un sentiment dévorant de n'être importante pour personne, autrement que comme curiosité. Car c'est ce qu'on est si on a quatorze ans, qu'on est obèse et fille d'une meurtrière. Ses différents parents d'accueil n'avaient ni l'envie ni la force d'essayer de connaître la fille que leur avaient confiée les services sociaux, mais ils n'hésitaient pas à calomnier la mère quand des amis et connaissances indiscrètes venaient voir le phénomène. Elle les haïssait, tous autant qu'ils étaient.

Par-dessus tout, elle haïssait mère. Elle la haïssait de l'avoir abandonnée. Elle la haïssait de lui avoir accordé moins d'importance qu'à l'homme pour qui elle avait tout sacrifié, ne laissant rien pour elle. L'humiliation était d'autant plus grande quand elle pensait à la dévotion dont elle avait fait preuve. Mère l'avait exploitée, elle le comprit ce jour-là quand la vérité éclata si brutalement, alors qu'elle n'avait que quatorze ans. Mère ne l'avait jamais aimée. Mary avait toujours essayé de se convaincre que tout ce que disait mère était vrai. Qu'elle agissait comme elle le faisait parce qu'elle l'aimait. Les coups, la cave et les cuillerées d'Humilité. Mais c'était faux. Mère avait pris plaisir à lui faire du mal, elle l'avait méprisée et elle avait ri dans son dos.

C'est pourquoi elle ne choisit qu'une seule chose à emporter ce jour de novembre. Ils lui accordèrent une heure pour parcourir l'appartement et sélectionner quelques objets avant que tout ne soit mis en vente. En déambulant de pièce en pièce, des souvenirs défilèrent dans son esprit : père dans son fauteuil, les lunettes au bout du nez, profondément plongé dans son journal, mère devant sa table de toilette en train de se p éparer pour une sortie, elle-même se faufilant dans la cuisine pour mettre la main sur quelque chose à manger. Toutes les images s'abattirent sur elle comme dans un kaléidoscope schizophrène, et elle sentit son ventre se révolter. L'instant d'après, elle se précipita aux toilettes pour vomir une bouillasse puante dont l'odeur âcre fit couler ses larmes. Elle s'essuya la bouche avec le dos de la main, s'assit adossée au mur et pleura, la tête enfouie entre les genoux.

Elle n'emporta qu'un seul objet en quittant l'appartement. La boîte en bois bleue. Remplie d'Humilité.

Personne n'avait rien eu à redire à ce qu'il prenne sa journée. Aina avait même marmonné qu'il était vraiment temps, puis elle avait annulé tous les rendez-vous de la journée.

Niclas était à quatre pattes avec un Albin déchaîné qui faisait la navette entre les jouets, toujours en dors-bien alors qu'il était midi passé. Pour sa part, il portait encore le tee-shirt et le pantalon de jogging qui lui avaient servi de pyjama. Mais ils s'en fichaient, tous les deux, ils étaient heureux de chahuter ensemble.

Avec un coup au cœur, il réalisa qu'il n'avait aucun souvenir d'avoir joué ainsi avec Sara. Il avait été si occupé. Si imbu de sa propre importance et de tout ce qu'il voulait faire et obtenir. Il avait estimé que jouer et faire mumuse, ce n'était pas pour quelqu'un comme lui, Charlotte s'en tirait très bien, mais aujourd'hui il se demanda pour la première fois si ce n'était pas lui qui avait tiré le billet blanc. Se rendant compte qu'il ne savait même pas quel avait été le jeu préféré de Sara, il s'arrêta net et chercha son souffle. Il ne savait pas quelle émission elle avait aimé regarder, ni si elle avait préféré le bleu ou le rouge pour dessiner. Sa matière préférée à l'école, le livre qu'elle voulait que Charlotte lui lise le soir. Il ne savait rien d'essentiel sur sa propre fille. Absolument rien. Elle aurait tout aussi bien pu être la fille du voisin. La seule chose qu'il avait cru savoir, c'est qu'elle était pénible, obstinée et agressive. Qu'elle faisait du mal à son petit frère, cassait des objets à la maison et s'attaquait à ses camarades à l'école. Mais rien de tout ça n'avait été Sara, ce n'était que des choses qu'elle faisait.

Accablé, il se blottit par terre. A présent il était trop tard pour la connaître. Elle était partie.

Albin sembla se rendre compte que ça n'allait pas. Il interrompit ses cris joyeux, vint se pelotonner contre Niclas, comme un petit animal, tout près de son corps. Et ils restèrent étendus là, ensemble.

Quelques minutes plus tard, on sonna à la porte. Niclas sursauta et Albin jeta des regards inquiets autour de lui.

— Ne t'en fais pas, le rassura Niclas. Tout va bien.

Il le prit sur le bras et alla ouvrir. Sur le perron se tenait Patrik avec quelques inconnus.

— C'est quoi encore ? demanda Niclas, fatigué.

— On a un mandat de perquisition, dit Patrik en tendant un document pour étayer son dire.

— Mais vous êtes déjà venus une fois, s'étonna Niclas tout en parcourant le document des yeux. Arrivé à la moitié du texte, il écarquilla les yeux et interrogea Patrik du regard. Non mais, je rêve ! Tentative de meurtre sur la personne de Stig Florin ? C'est une blague ?

— Malheureusement pas. Patrik était loin de plaisanter. En ce moment, on le soigne pour un empoisonnement à l'arsenic. Cela n'a tenu qu'à un fil qu'il survive cette nuit.

— Empoisonnement à l'arsenic ? dit Niclas bêtement. Mais comment... ? Il n'arrivait toujours pas à saisir ce qui se passait et il ne bougeait pas de l'encadrement de la porte.

— C'est pour ça qu'on est là, pour essayer d'en savoir plus. Alors, si tu veux bien nous laisser entrer... ?

Sans un mot, Niclas s'écarta. Les hommes derrière Patrik prirent leurs sacs et leur matériel, et franchirent la porte, le visage grave.

Patrik s'attarda avec Niclas dans le vestibule et sembla hésiter un instant avant d'ouvrir de nouveau la bouche.

— On a aussi l'autorisation d'ouvrir la tombe de Lennart. Ça a déjà commencé.

Niclas était abasourdi. Ce qui avait lieu là était trop irréel pour qu'il puisse y comprendre quoi que ce soit.

— Pourquoi... ? Que... ? Qui... ?

— On ne peut pas entrer dans les détails pour l'instant, mais nous avons de bonnes raisons de croire que lui aussi a été empoisonné à l'arsenic. Sauf qu'il n'a pas eu la même chance que Stig, ajouta Patrik gravement. Mais, pour l'instant, j'apprécierais si tu pouvais te faire discret et laisser les hommes s'occuper de leur boulot.

Peu sûr de l'endroit où il pourrait se réfugier, Niclas alla dans la cuisine et s'assit à la table. Il installa Albin dans sa chaise haute et le soudoya avec un biscuit pour qu'il reste tranquille. Dans sa tête, les questions dansaient la sarabande.

Martin était frigorifié dans l'atmosphère humide. La veste de son uniforme ne le protégeait guère contre les vents froids qui balayaient le cimetière, et peu après leur arrivée une petite bruine fine s'était aussi mise à tomber.

Toute cette entreprise le répugnait. Il n'était pas allé à beaucoup d'enterrements dans sa vie, et se trouver ici à regarder un cercueil être extrait de la tombe, au lieu d'être enterré, lui parut aussi incongru que de passer un film à l'envers. Il comprit pourquoi Patrik lui avait demandé d'y aller cette fois. Patrik avait déjà vécu ça quelques mois plus tôt, et une fois dans sa vie était sans doute amplement suffisant. Comme pour confirmer ses pensées, il entendit l'un des fossoyeurs marmonner dans sa direction :

— On dirait que c'est une sorte de sport chez vous là-bas au poste de voir combien de macchabées vous arriverez à nous faire déterrer en si peu de temps.

Martin ne répondit pas, mais il se dit qu'il valait sans doute mieux ne pas trop inonder le procureur avec ce genre de demandes dans les mois à venir.

Torbjörn Ruud vint le rejoindre. Lui non plus ne put s'empêcher de faire un commentaire.

— Me semble qu'ils devraient mettre des élastiques aux cercueils ici à Fjällbacka. Comme ça il n'y aurait qu'à tirer dessus au besoin, je veux dire.

Martin ne put s'empêcher d'esquisser un sourire malgré la circonstance mal choisie, et ils étaient tous les deux en train de lutter contre le rire lorsque le téléphone de Torbjörn sonna.

— Oui, c'est Ruud. Il écouta, raccrocha et dit à Martin : Ils entrent chez les Florin en ce moment. On a détaché trois hommes là-bas et deux ici, on verra s'il faut revoir la répartition.

— Vous êtes supposés faire quoi ici, là tout de suite, je veux dire ?

— Pas grand-chose en fait. Pour l'instant on se contente de surveiller que tout se déroule avec le moins de contamination possible, puis on prélèvera de la terre aussi. Mais il s'agit essentiellement d'expédier le corps en médecine légale, pour qu'ils commencent les analyses qui s'imposent. Dès que le cercueil sera parti, on lèvera l'ancre et on ira filer un coup de main à la perquisition. Toi aussi, tu y vas, j'imagine ?

— Oui, c'est l'idée générale. Il se tut un instant. Quel foutu merdier, toute cette affaire, hein ?

— Oui, on peut le dire comme ça, acquiesça Torbjörn Ruud.

Puis les sujets de conversation furent épuisés et ils attendirent en silence que les hommes terminent leur travail. Peu après, le couvercle du cercueil devint visible. Lennart Klinga avait rejoint la surface de la terre.

Tout son corps était douloureux. Il vit des ombres floues qui flottaient autour de lui pour disparaître aussitôt. Stig essaya d'ouvrir la bouche pour parler, mais aucune partie de son corps ne semblait lui obéir. C'était comme s'il avait fait un round contre Tyson, largement perdu. Un bref instant, il se demanda s'il était mort. Ce n'était tout simplement pas possible d'être en vie en se sentant aussi mal.

Cette pensée le paniqua et il mobilisa les forces qui lui restaient pour produire un son avec ses cordes vocales, et quelque part au loin il eut l'impression d'entendre un croassement qui pouvait être sa voix.

Effectivement. L'une des ombres s'approcha et prit forme de plus en plus. Un visage de femme amical apparut devant lui et il plissa les yeux pour essayer de le fixer.

— Où ? réussit-il à articuler, en espérant qu'elle comprenne ce qu'il voulait dire.

— Vous êtes à l'hôpital d'Uddevalla, Stig. Vous êtes ici depuis hier.

— Vivant ? croassa-t-il.

— Oui, vous êtes vivant, sourit l'infirmière de tout son visage rond. Il s'en est fallu de peu, sachez-le, mais maintenant vous avez traversé le pire.

S'il avait pu, il aurait ri. "Traversé le pire." Facile à dire, pour elle. Elle ne sentait pas cette brûlure dans chaque fibre du corps, cette douleur jusqu'aux os. Mais il était apparemment vivant. Il forma difficilement un autre mot avec ses lèvres.

— Femme ?

Il n'arriva pas à prononcer son nom. Il eut l'impression de voir une expression étrange parcourir le visage de l'infirmière, mais elle disparut aussitôt. Sans doute la douleur qui lui jouait un tour.

— Maintenant il vous faut vous reposer, vous aurez tout le temps pour les visites après.

Il s'en contenta volontiers. La fatigue l'envahit et il se laissa emporter. Il n'était pas mort, c'était l'essentiel. Il était à l'hôpital, mais il n'était pas mort.

Sans se presser, ils passèrent la maison au peigne fin. Ils ne pouvaient pas prendre le risque de louper quelque chose, dussent-ils y consacrer la journée. Quand ils auraient terminé, la maison aurait l'air d'avoir subi un cyclone, mais Patrik savait ce qu'ils cherchaient et il était certain que ça se trouvait quelque part. Il n'avait pas l'intention de partir avant d'avoir mis la main dessus.

— Ça se passe comment ?

Il se retourna en entendant la voix de Martin à la porte.

— Je dirais qu'on a terminé avec la moitié du rez-de-chaussée à peu près. Rien trouvé. Et vous ?

— Ça va, le cercueil est en route. Quelle putain d'expérience surréaliste !

— Oui, dis-toi bien que tu revivras le spectacle tôt ou tard dans un cauchemar. Ça m'est déjà arrivé, avec des mains de squelette qui sortent par le cercueil et des trucs comme ça.

— Arrête, dit Martin en grimaçant. Alors vous n'avez toujours rien trouvé ? constata-t-il, surtout pour se débarrasser des images que Patrik venait d'implanter dans sa tête.

— Non, rien. Mais c'est là, forcément, je le sens.

— Oui, ça s'appelle de l'intuition féminine, je t'ai toujours trouvé un peu efféminé sur les bords.

— Dégage ! Va donc te rendre un peu utile au lieu de porter offense à ma virilité.

Martin le prit au mot et partit trouver un coin à lui pour fouiner.

Un sourire s'attarda sur les lèvres de Patrik, mais qui disparut vite. Il s'imaginait le petit corps de Maja entre les mains d'un tueur, et sa vue se brouilla de fureur.

Deux heures plus tard, il commença à perdre courage. Tout le rez-de-chaussée et le sous-sol avaient été examinés et ils n'avaient rien trouvé. En revanche, ils avaient pu constater que Lilian était une femme de ménage particulièrement méticuleuse. Les techniciens avaient certes trouvé des récipients dans la cave, mais il faudrait les envoyer au laboratoire pour analyse. Se serait-il trompé ? Puis il se rappela la vidéo qu'il s'était passée et repassée la veille au soir, et il sentit la résolution revenir. Il ne se trompait pas. Ce n'était pas possible. C'était quelque part ici. Mais où ?

— On continue avec l'étage ? demanda Martin en levant le menton vers l'escalier.

— Je suppose que oui. Je ne pense pas qu'on ait pu louper quoi que ce soit ici. On l'a fait millimètre par millimètre.

Tout le monde monta à l'étage. Niclas était parti faire une promenade avec Albin, et ils purent travailler sans être dérangés.

— Je commence par la chambre de Lilian, dit Patrik.

Il entra dans la pièce à droite de l'escalier et jeta un premier regard pour évaluer l'ensemble. La chambre de Lilian avait l'air aussi propre et rangée que le reste de la maison et le lit si bien fait qu'il aurait passé une inspection militaire haut la main. Sinon, c'était une chambre très féminine. Stig n'aurait pas pu se sentir à l'aise là, avant de déménager dans la chambre d'amis. Les rideaux et le couvre-lit étaient garnis de volants et des napperons en dentelle décoraient les tables de chevet et la commode. Partout il y avait de petites figurines en porcelaine, et les murs étaient remplis d'anges en céramique et de tableaux avec des motifs d'anges. La couleur dominante était incontestablement le rose. C'était ravissant à vomir. Patrik trouvait que ça ressemblait à une chambre de maison de poupée. C'était exactement ainsi qu'une petite fille de cinq ans aménagerait la chambre de sa maman si on lui laissait les mains libres.

— Beurk, dit Martin en passant la tête. On dirait qu'un flamant rose est venu gerber ici.

— Oui, ce n'est pas exactement une chambre qu'on verrait dans un magazine de décoration.

— Ou alors comme la photo “avant” dans un reportage de rénovation complète, constata Martin. Tu veux de l'aide ? On dirait qu'il y a pas mal de choses à fouiller.

— Oh oui, n'hésite pas. Je n'ai pas envie de rester là une minute de plus que nécessaire.

Ils commencèrent chacun à un bout de la pièce. Patrik s'assit par terre pour avoir un meilleur accès à la table de chevet et Martin attaqua l'enfilade de placards qui couvraient tout un mur.

Ils travaillèrent en silence. Le dos de Martin craqua quand il se tendit pour attraper quelques boîtes à chaussures sur une étagère tout en haut. Il posa les boîtes sur le lit et marqua une pause pour se masser les reins. Tous les cartons qu'il avait trimballés dans son déménagement avaient laissé leurs traces dans son dos, il ferait sûrement mieux de prendre rendez-vous chez un ostéopathe.

— C'est quoi, ça ? demanda Patrik.

— Des boîtes à chaussures.

Martin ouvrit la première boîte, examina le contenu, puis il remit le couvercle.

— De vieilles photos, c'est tout.

Il souleva le couvercle de la deuxième et en sortit une petite boîte usée en bois, bleue. Le couvercle s'était coincé, il dut forcer pour l'ouvrir. Quand Patrik l'entendit siffler, il leva vivement les yeux.

— Bingo !

— Bingo ! répéta Patrik avec un sourire triomphal.

Cela faisait un petit moment que Charlotte déambulait devant le distributeur de sucreries, quand elle finit par capituler. Si on ne pouvait pas se permettre un bout de chocolat dans une situation comme celle-ci, alors quand est-ce qu'on le pouvait ?

Elle inséra quelques pièces et appuya sur le bouton qui ferait tomber un Snickers dans le réceptacle. Maxi-format, tant qu'à faire.

Elle envisagea de l'engloutir tout de suite, mais elle savait qu'elle aurait mal au cœur si elle le mangeait trop vite. Elle se retint et retourna auprès de Lilian dans la salle d'attente. Ça ne loupa pas. Les yeux de sa mère repérèrent immédiatement la barre de chocolat dans sa main et elle lança un regard chargé de reproches à Charlotte.

— Tu sais combien de calories il y a dans une barre comme ça ? Tu as besoin de perdre du poids, pas d'en prendre, et tu peux être sûre qu'elle va s'installer sur tes fesses aussi sec. Maintenant que tu as enfin réussi à te débarrasser de quelques kilos…

Charlotte soupira. Toute sa vie, ça avait été la même rengaine. Lilian n'avait jamais autorisé de sucreries à la maison et elle-même se restreignait toujours, elle n'avait pas un gramme superflu sur le corps. Mais c'était peut-être pour ça justement que c'était si attirant, et Charlotte avait toujours grignoté en cachette. Elle piquait des pièces dans les poches de ses parents, puis filait au kiosque Relais acheter du chocolat et des bonbons qu'elle savourait sur le chemin du retour. L'excédent de poids s'était installé dès avant le collège et Lilian avait été furieuse. Parfois elle obligeait Charlotte à se déshabiller, la plaçait devant le miroir en pied en lui pinçant impitoyablement les bourrelets.

— Regarde ça. On dirait un cochon de lait ! Tu as vraiment envie de ressembler à un cochon, c'est ça ?

Charlotte l'avait haïe dans ces moments-là. Sa mère n'osait le faire que lorsque Lennart n'était pas à la maison. Papa était le refuge de Charlotte. Il ne l'aurait jamais toléré. Elle était adulte à sa mort, mais sans lui elle se sentait comme une petite fille désemparée.

Elle contempla sa mère, assise en face d'elle. Comme d'habitude, elle était très soignée, formant un contraste aigu avec Charlotte qui n'avait pas pu emporter de vêtements de rechange. Lilian en revanche avait pris soin de préparer un petit baise-en-ville et au matin elle s'était changée et maquillée.

Par provocation, Charlotte mit le dernier bout de chocolat entier dans sa bouche en ignorant le coup d'œil réprobateur de Lilian. Comment pouvait-elle encore se préoccuper des petits péchés mignons de Charlotte alors que Stig était en train de lutter pour sa vie ? Sa mère ne cesserait pas de l'étonner. Mais, vu comment était sa grand-mère, c'était peut-être dans l'ordre des choses.

— Pourquoi on n'a pas le droit d'entrer dans la chambre de Stig ? dit Lilian furieuse. Je ne comprends pas qu'ils puissent juste interdire l'accès comme ça, à la famille.

— Ils ont sûrement leurs raisons, temporisa Charlotte tout en revoyant en un éclair l'étrange expression sur le visage du médecin. J'imagine qu'ils pensent qu'on est de trop.

Lilian renifla de mépris, se leva et commença un va-et-vient ostentatoire.

Charlotte soupira. Elle essayait réellement de conserver la compassion qu'elle avait eue pour sa mère la veille au soir, mais celle-ci ne facilitait pas les choses. Charlotte sortit son portable pour vérifier qu'il était bien allumé. C'était bizarre que Niclas n'ait pas appelé. L'affichage était mort et elle réalisa qu'il était à plat. Merde ! Elle se leva pour aller téléphoner du publiphone dans le couloir, quand elle tomba nez à nez avec deux hommes. Toute surprise, elle constata que c'était Patrik Hedström et son collègue poil de carotte qui jeta un regard sérieux par-dessus son épaule dans la salle d'attente.

— Salut, qu'est-ce que vous faites là ? demanda-t-elle, puis une pensée s'abattit subitement sur elle. Vous avez trouvé quelque chose ? quelque chose qui concerne Sara ? C'est ça ? Hein ? Son regard excité passa de Patrik à Martin, mais elle n'obtint pas de réponse.

Patrik finit par dire :

— Pour l'instant on n'a rien de concret à te dire en ce qui concerne Sara.

— Mais pourquoi alors... ? Charlotte était tellement déconcertée qu'elle ne termina pas la phrase.

— Nous sommes ici pour ta mère.

Ils montrèrent qu'ils voulaient passer et elle fit automatiquement un pas de côté. Comme dans un brouillard, elle vit les autres personnes dans la salle d'attente dévorer les inspecteurs de police du regard lorsqu'ils allèrent se planter solidement sur leurs jambes devant Lilian qui les observait, bras croisés et sourcils levés.

— Nous aimerions que vous veniez avec nous.

— C'est impossible, vous devriez le comprendre, dit Lilian sur un ton belliqueux. Mon mari lutte en ce moment contre la mort et je ne peux pas le laisser. Elle tapa du pied pour marquer son point de vue, mais les policiers ne semblèrent pas impressionnés.

— Stig va survivre et je crains que vous n'ayez pas le choix. Je ne le dirai aimablement qu'une seule fois encore, dit Patrik.

Charlotte n'en crut pas ses oreilles. Il devait s'agir d'une erreur monumentale. Si seulement Niclas avait été là, il aurait pu calmer le jeu et tout mettre à plat en moins de deux. Pour sa part, elle se sentait tombée des nues. Toute la situation était absurde.

— De quoi s'agit-il ? cracha Lilian. Elle répéta à haute voix ce que Charlotte avait pensé l'instant avant : Il doit y avoir une erreur.

— Dans la matinée, nous avons exhumé Lennart Klinga. Les médecins légistes sont en train de faire des prélèvements sur son corps, et des prélèvements de Stig sont en cours d'analyse. De plus, nous avons fait une autre perquisition chez vous, et nous avons... Patrik jeta un regard en arrière vers Charlotte, puis se tourna de nouveau vers Lilian. Nous avons fait d'autres découvertes. Nous pouvons en parler ici, devant votre fille si vous le voulez, sinon allons au poste.

La voix de Patrik était totalement exempte de sentiments, mais ses yeux contenaient une froideur dont elle ne l'avait jamais cru capable.

Lilian croisa le regard de sa fille un instant. Charlotte ne comprenait rien à ce que disait Patrik. Une rapide lueur dans les yeux de Lilian rajouta à sa confusion et envoya un froid glacial le long de sa colonne vertébrale. Quelque chose clochait définitivement.

— Mais papa était atteint d'un Guillain-Barré. Il est mort d'une maladie neurologique. Sa réplique était autant une explication qu'une question.

Patrik ne répondit pas. Charlotte avait tout son temps pour en apprendre bien plus qu'elle n'aurait jamais voulu savoir.

Lilian détourna les yeux de sa fille, sembla prendre une décision et dit calmement à Patrik :

— Je viens.

Désorientée, Charlotte resta là, ne sachant pas si elle devait les suivre. Finalement, son indécision décida pour elle. Elle regarda leurs dos disparaître dans le corridor.

HINSEBERG 1962

C'était la seule visite qu'elle avait l'intention de faire à Agnes. Elle ne pensait plus à elle comme mère. Seulement comme Agnes.

Elle venait d'avoir dix-huit ans, et sans un regard en arrière elle avait quitté sa dernière famille d'accueil. Ils ne lui manquaient pas, et elle ne leur manquait pas.

Au fil des ans, les lettres avaient été nombreuses. De longues lettres qui fleuraient Agnes. Elle n'en avait pas ouvert une seule. Mais elle ne les avait pas jetées non plus. Elles attendaient dans une valise d'être peut-être lues un jour.

Ce fut aussi la première chose qu'Agnes demanda.

— *Darling*, as-tu lu mes lettres ?

Mary contempla Agnes sans répondre. Elle ne l'avait pas vue depuis quatre ans, et elle eut besoin de réapprendre son visage avant d'être capable de dire quoi que ce soit.

Elle fut étonnée du peu de changements que le séjour en prison avait causé sur elle. Pour les vêtements, elle n'avait pas pu faire grand-chose et les robes et les tailleurs élégants n'étaient plus qu'un souvenir, mais pour le reste on voyait qu'elle soignait son apparence avec la même frénésie qu'auparavant. Elle était impeccablement coiffée avec la choucroute qui était encore à la mode, le trait d'eye-liner était épais avec la petite virgule *ad hoc* au coin des yeux et ses ongles aussi longs que dans les souvenirs de Mary. Elle pianotait impatiemment contre la table dans l'attente d'une réponse. Mary prit son temps.

— Non, je ne les ai pas lues. Et ne m'appelle pas *"darling"*. Elle n'avait plus peur de la femme en face d'elle, et elle était curieuse de ce qu'Agnes allait répliquer. Le monstre en elle avait mangé cette peur-là, au fur et à mesure que la haine avait grandi. Avec tant de haine, il n'y avait pas de place pour la peur.

Agnes ne laissa pas échapper une telle occasion de faire preuve de ses talents de comédienne.

— Tu ne les as pas lues ? s'écria-t-elle. Je suis là enfermée entre quatre murs alors que toi tu es libre, tu t'amuses à faire Dieu sait quoi, et ma seule consolation est de savoir que ma fille chérie lit les lettres qui me prennent tant d'heures à écrire. Et je n'en ai pas reçu une seule de toi, pas un seul coup de téléphone en *quatre* ans !

Agnes sanglota violemment, mais sans larmes. Son eyeliner n'y aurait pas résisté.

— Pourquoi tu as fait ça ? dit Mary à voix basse.

Agnes arrêta net ses sanglots et sortit une cigarette qu'elle alluma lentement. Après quelques bouffées profondes, elle répondit avec le même calme lugubre :

— Parce qu'il m'a trahie. Il a cru qu'il pouvait me quitter.

— Et tu ne pouvais pas simplement le laisser partir ?

Mary se pencha en avant pour ne pas louper un seul mot. Elle avait posé ces questions en parlant dans le vide tant de fois qu'elle ne voulait pas risquer de manquer une seule syllabe de la réponse.

— Aucun homme ne me quitte. J'ai fait ce que j'avais à faire, dit-elle. Puis elle déplaça son regard froid sur Mary et ajouta : Tu es bien placée pour comprendre ce que je veux dire, n'est-ce pas ?

Mary détourna les yeux. Le monstre en elle s'agita. Elle dit à brûle-pourpoint :

— Je veux que tu me donnes la maison de Fjällbacka. J'ai l'intention de m'y installer.

Agnes eut l'air de vouloir protester, mais Mary la devança.

— Si tu veux que je garde le contact avec toi, tu fais ce que je te demande. Si tu mets la maison à mon nom, je promets de lire tes lettres dorénavant, et de t'écrire.

Agnes hésita, et Mary dit très rapidement :

— Je suis tout ce qui te reste maintenant. Ce n'est peut-être pas beaucoup, mais je suis tout ce qui te reste.

Pendant quelques secondes interminables, Agnes pesa le pour et le contre, essayant d'évaluer ce qui lui profiterait le plus, et finalement elle se décida.

— Bon, d'accord alors. J'ai du mal à comprendre ce que tu vas faire dans un trou pareil, mais si c'est ça que tu veux… Elle haussa les épaules et Mary sentit la joie monter.

C'était un plan qui s'était imposé au cours de cette dernière année. Elle allait recommencer sa vie. Devenir une autre. Se débarrasser de tout ce qui lui collait à la peau comme une vieille couverture moisie. Sa demande de changement de nom était déjà faite, avoir la jouissance de la maison de Fjällbacka était l'étape numéro deux, elle avait déjà entamé la modification de son apparence. Pas une calorie inutile n'avait franchi ses lèvres depuis un mois et la promenade quotidienne d'une heure y contribuait aussi. Tout serait différent. Tout serait nouveau.

La dernière chose qu'elle entendit en quittant Agnes dans le parloir fut sa voix stupéfaite :

— Tu as perdu du poids ?

Mary ne se retourna pas pour répondre. Elle partait pour devenir une autre.

Le lendemain, la tempête s'était calmée et l'automne s'afficha sous son aspect le plus plaisant. Les feuilles qui avaient survécu aux rafales étaient rouges et dorées, et balançaient doucement dans une légère brise. Les rayons de soleil ne réchauffaient rien, mais ils mettaient de bonne humeur et dégageaient l'humidité de l'air, qui s'infiltrait sous les vêtements et refroidissait le corps.

Patrik soupira. Lilian refusait toujours de parler, malgré toutes les preuves contre elle. Elles avaient cependant été suffisantes pour qu'ils puissent prolonger sa garde à vue, et il leur restait encore du temps pour la travailler au corps.

— Ça avance ? Annika vint le rejoindre dans la cuisine.

— Pas des masses, dit Patrik en soupirant encore une fois. Elle est coriace. Ne dit pas un mot.

— Mais est-ce qu'on a vraiment besoin d'aveux ? Les preuves devraient suffire.

— Oui, je sais. Mais il nous manque le motif. Qu'elle ait tué un mari et failli en tuer un deuxième, mon imagination sait trouver un certain nombre de motifs plausibles à ça, mais Sara ?

— Comment tu as compris que c'est elle qui a tué Sara ?

— Je ne l'avais pas compris. Mais, en écoutant ceci, je me suis dit que quelqu'un avait forcément menti sur le matin où Sara a disparu, et ce quelqu'un ne pouvait être que Lilian.

Patrik mit en route le petit magnétophone posé devant lui sur la table. La voix de Morgan remplit la pièce : “Ce n'est pas moi. Je ne veux pas aller en prison pour le reste de ma vie. Je ne l'ai pas tuée. Je ne sais pas comment le blouson s'est retrouvé chez moi. Elle le portait quand elle est retournée chez elle. S'il te plaît, ne me laisse pas ici."

— Tu as entendu ? demanda Patrik.

— Non, je n'ai rien entendu de particulier.

— Ecoute encore une fois, attentivement. Il rembobina la cassette et appuya de nouveau sur "play". Annika se pencha vers l'appareil.

— "Elle le portait quand elle est *retournée chez elle*", dit-elle à voix basse.

— Exactement. Lilian avait affirmé que Sara était partie et qu'elle n'était pas revenue, alors que Morgan l'a vue retourner chez elle. Et la seule qui pouvait avoir une raison de mentir là-dessus était Lilian. Sinon, pourquoi aurait-elle prétendu que Sara était partie sans revenir ?

— Comment faut-il être foutu pour noyer sa propre petite-fille ? Et pourquoi l'a-t-elle forcée à manger de la cendre ? dit Annika en secouant lentement la tête.

— Ben, c'est justement ce que j'aimerais savoir, dit Patrik frustré. Mais elle ne fait que sourire, elle refuse de parler, que ce soit pour passer aux aveux ou pour se défendre.

— Et l'autre petit, Liam ? Pourquoi s'est-elle attaquée à lui ? Et à Maja ?

— A mon avis, Liam n'était qu'une manœuvre de diversion, répondit Patrik en faisant tourner la tasse entre ses mains. Je pense que c'est le hasard que ce soit tombé sur lui, c'était probablement un moyen de détourner l'attention de sa famille, de Niclas surtout. Et, pour Maja, j'imagine qu'elle voulait se venger parce que j'enquêtais sur elle et sa famille.

— Si j'ai bien compris, tu as eu du pot pour élucider le meurtre de Lennart Klinga et la tentative de meurtre de Stig.

— C'est vrai, je peux difficilement prétendre que c'est grâce à mon intelligence. Si je n'avais pas regardé *Crime Night* sur Discovery, on ne l'aurait sans doute jamais découvert. Mais l'épisode était basé sur ce cas aux Etats-Unis où une femme empoisonnait ses maris, et l'un d'eux avait d'abord reçu le diagnostic d'un Guillain-Barré, et ça a fait tilt dans ma tête. Erica m'avait dit que le papa de Charlotte était mort d'une maladie neurologique, et en ajoutant la maladie de Stig, alors… Deux maris avec les mêmes symptômes rarissimes, ça pose des questions. Alors j'ai réveillé Erica, et elle m'a confirmé que le père de Charlotte était bien mort d'un Guillain-Barré. Mais je n'étais pas entièrement sûr de moi quand j'ai appelé l'hôpital, je l'avoue. J'ai été content quand les résultats sont arrivés et qu'ils montraient des taux astronomiques d'arsenic. J'aimerais juste réussir à lui faire dire pourquoi. Et elle, elle refuse de parler !

— Tu fais déjà de ton mieux, tu ne peux pas faire davantage, dit Annika en se retournant pour partir. Puis elle se ravisa et dit : D'ailleurs, tu as entendu la nouvelle ?

— Non, quoi ? répondit Patrik avec un enthousiasme modéré.

— Ernst a réellement été viré. Et Mellberg a recruté une nana. Il s'est apparemment fait taper sur les doigts vu l'absence de parité ici.

— Oh là là, je la plains, gloussa Patrik. Il faut espérer que c'est une femme qui sait se défendre.

— Je ne sais rien d'elle, on verra bien ce que ça va être. Apparemment elle arrive dans un mois.

— Ça sera sûrement bien. Ça ne peut pas être pire qu'Ernst.

— Alors là, tu as entièrement raison, dit Annika. Et arrête de déprimer. Le principal, c'est que le meurtrier soit démasqué. Quant à savoir le pourquoi, ça restera entre elle et le Créateur.

— Je n'ai pas encore abandonné, marmonna Patrik et il se leva pour aller faire encore une tentative.

Avec Gösta, il conduisit Lilian dans la salle d'interrogatoire. Elle avait l'air un peu ébouriffée après plusieurs jours de détention, mais elle était très calme. A part l'irritation qu'elle avait montrée quand ils l'avaient arrêtée dans la salle d'attente à l'hôpital, elle avait affiché une façade extrêmement maîtrisée. Rien de ce qu'ils avaient avancé ne l'avait ébranlée, et Patrik commençait à avoir des doutes sur l'issue. Mais il était obligé d'essayer une dernière fois. Ensuite le procureur prendrait la relève. Les preuves contre elle étaient amplement suffisantes, mais il voulait lui arracher une réponse au sujet de Maja. Il était impressionné lui-même d'avoir su se maîtriser, mais il avait essayé de se focaliser sur un seul objectif. L'important était de faire condamner Lilian et si possible d'obtenir une explication. Se laisser aller à son propre ressentiment envers elle n'aurait pas servi ce dessein. Il savait aussi que le moindre éclat de colère de sa part le ferait immédiatement exclure des interrogatoires. Il avait déjà le regard des autres sur lui à cause de son implication personnelle.

Il respira à fond et se lança.

— Sara sera enterrée aujourd'hui. Vous le saviez ?

Gösta et lui s'étaient installés d'un côté de la table avec Lilian en face d'eux. Elle secoua la tête.

— Vous auriez aimé y assister ?

Léger haussement des épaules et un étrange sourire de sphinx.

— Qu'est-ce que vous pensez que Charlotte éprouve à votre égard maintenant ?

Il changeait sans arrêt de sujet, dans l'espoir de trouver un terrain vulnérable qui la ferait réagir. Mais jusqu'ici elle avait été d'une indifférence quasiment inhumaine.

— Je suis sa mère, dit Lilian calmement. Elle ne pourra jamais changer ce fait.

— Vous pensez qu'elle le voudrait ?

— Peut-être. Mais ce qu'elle veut n'y change rien.

— Vous pensez qu'elle voudrait savoir pourquoi vous avez fait ça ? glissa Gösta.

Il regarda Lilian intensément, lui aussi à la recherche d'une fissure dans ce qui ressemblait à un blindage impénétrable. Lilian ne répondit pas, se contentant d'examiner ses ongles.

— On a des preuves, Lilian, vous le savez. On en a déjà parlé. On ne doute pas une seconde que vous avez assassiné deux personnes et essayé d'en tuer une troisième. L'empoisonnement de Lennart et de Stig va vous valoir de nombreuses années de prison. Alors ça ne vous coûtera rien de parler du meurtre de Sara. Tuer son mari, ça n'a rien de nouveau, je pourrais vous trouver mille bonnes raisons de le faire, mais pourquoi votre petite-fille, pourquoi Sara ? Elle vous a exaspérée ? Vous vous êtes mise en colère contre elle ? Tellement que vous n'avez pas su vous contrôler ? Elle a eu une crise et vous vous êtes dit que vous alliez la calmer avec un bain, puis ça a dérapé ? Racontez-nous !

Mais, comme lors des autres interrogatoires, elle ne fournit aucune réponse. Seulement un sourire arrogant.

— On a des preuves ! répéta Patrik de plus en plus énervé. Les analyses de Lennart montrent de fortes doses d'arsenic, celles de Stig aussi, et on a même pu démontrer que l'empoisonnement s'est déroulé sur ces six derniers mois, avec des doses de plus en plus fortes. Nous avons retrouvé l'arsenic dans un vieux récipient de mort-aux-rats dans la cave. Dans les poumons de Sara il y avait des traces de la cendre que vous conserviez dans votre chambre. Vous avez barbouillé un autre enfant avec la même cendre pour nous induire en erreur, et vous avez également posé le blouson de Sara dans la cabane de Morgan pour le faire accuser. Le fait que Kaj s'est révélé être un pédophile était une véritable aubaine pour vous. Mais nous avons aussi le témoignage de Morgan sur une cassette, où il dit qu'il a vu Sara retourner chez elle, et sur ce point vous nous avez menti. On sait que c'est vous qui avez tué Sara. Aidez-nous maintenant, aidez votre fille à reprendre sa vie. Dites-nous pourquoi ! Et ma fille, pourquoi est-ce que vous l'avez sortie de son landau ? C'est moi que vous cherchiez à atteindre ? Parlez-moi !

Lilian dessina de petits cercles sur la table avec son index. Elle avait déjà entendu l'appel de Patrik plusieurs fois, et elle persista à ne pas y répondre.

Patrik sentit qu'il commençait à perdre le contrôle de son humeur et se dit qu'il valait mieux arrêter avant de faire une bêtise. Il se leva brusquement, récita les formules habituelles pour terminer l'interrogatoire et se dirigea vers la porte, où il marqua un arrêt. Il se retourna.

— Ce que vous faites est impardonnable. Vous avez le pouvoir de permettre à votre fille d'en terminer, mais vous choisissez de ne rien faire. Ce n'est pas seulement impardonnable, c'est monstrueux.

Il demanda à Gösta de reconduire Lilian dans sa cellule. Il était incapable de la regarder une seconde de plus. Un instant, il avait eu l'impression de contempler le mal incarné.

— Saletés de bonnes femmes qu'il faut se coltiner partout, marmonna Mellberg. Même au boulot on vous les impose maintenant. Je n'arrive pas à comprendre à quoi ça sert, cette foutue parité. J'imaginais dans ma grande naïveté que j'allais pouvoir choisir mon propre personnel, mais non, il leur faut à tout prix m'envoyer un jupon qui ne sait peut-être même pas boutonner son uniforme. Tu trouves ça juste, toi ?

Simon contempla son assiette sans répondre.

Mellberg n'avait pas l'habitude de rentrer déjeuner à la maison, mais cela faisait partie du projet père-fils qu'il avait initié. Il avait même fait l'effort de couper quelques légumes, denrée qui d'ordinaire ne figurait même pas dans son frigo. Mellberg nota cependant avec un certain agacement que Simon n'avait touché ni au concombre ni aux tomates, ayant préféré se concentrer sur les pâtes et les boulettes de viande qu'il avait inondées de tonnes de ketchup. Bon, soyons juste, le ketchup était aussi de la tomate.

Il abandonna le sujet qui fâchait. Penser à sa nouvelle collaboratrice lui filait de l'urticaire et il choisit de se concentrer plutôt sur les projets d'avenir de son fils.

— Alors, tu y as pensé, à cette histoire de te trouver un job ? Je veux dire, si tu penses réellement que le lycée n'a rien à t'offrir, je pourrais probablement t'aider à dégoter quelque chose. Tout le monde n'est pas fait pour les études et, si tu as la moitié des talents manuels de ton père…, gloussa Mellberg.

Un père moins rompu que lui se serait peut-être fait du souci devant le peu d'initiatives pour son propre avenir que manifestait le fiston, mais pas Mellberg. Il se sentait très confiant. Ce n'était sûrement qu'un passage à vide momentané, et il n'y avait pas de quoi se biler. Il se demanda s'il préférait que son fils devienne avocat ou médecin. Avocat, se dit-il. Les médecins ne gagnaient plus autant d'argent qu'avant. Mais, en attendant de l'aiguiller sur ces rails-là, il fallait se faire petit et lâcher la bride au garçon. Si seulement il goûtait la dure réalité de la vie, il finirait par redevenir raisonnable. Certes, la mère de Simon l'avait informé que son fils avait zéro dans pratiquement toutes les matières, et évidemment ça pouvait se révéler un obstacle. Mais Mellberg positivait. Tout ça venait probablement d'un manque de soutien à la maison, puisque l'intelligence était forcément là, sinon Mère Nature leur aurait joué un drôle de tour.

Simon mâchouilla une boulette de viande et ne semblait pas très enclin à répondre à la question de Mellberg.

— Bon, est-ce que ça te dit, un job ? répéta Mellberg, légèrement irrité.

Il faisait tout de même l'effort d'essayer de les rapprocher tous les deux, et Simon ne daignait même pas répondre. Sans cesser de mâcher, Simon finit quand même par parler.

— Nan, je pense pas.

— Comment ça, tu penses pas ? Qu'est-ce que tu imagines ? Que tu vas continuer à tirer au flanc toute la journée en profitant du gîte et du couvert ici ? C'est ce que tu imagines ?

Simon ne cilla même pas.

— Nan, je pense que je vais me casser chez ma vieille.

Cette annonce atteignit Mellberg comme un coup de poing en pleine figure. Ça lui faisait bizarre dans la région du cœur, comme un couteau qu'on remue.

— Te casser chez ta vieille ? dit Mellberg bêtement, comme s'il n'arrivait pas à en croire ses oreilles.

Ce qui était bien le cas. Il n'avait jamais envisagé cette alternative.

— Mais je croyais que tu n'y étais pas bien ? que tu "ne la supportais pas, cette conne", comme tu as dit en arrivant ici.

— Nan, elle est OK, dit Simon et il regarda par la fenêtre.

— Et moi alors ? geignit Mellberg, sans réussir à dissimuler la déception qu'il ressentait.

Il regretta d'avoir été si dur. Ce n'était peut-être pas nécessaire pour le gamin de commencer à bosser immédiatement. Il aurait toute la vie pour le faire et, s'il se la coulait douce un petit moment, ce n'était pas très grave finalement. Il se hâta d'annoncer sa nouvelle façon de voir les choses, mais ça n'eut pas l'effet escompté.

— Ben, c'est pas tellement ça, ma vieille aussi va m'obliger à bosser. Mais c'est les potes, tu vois. J'ai un tas de potes à la maison alors qu'ici je connais pas un rat, tu vois… Il laissa la phrase s'éteindre toute seule.

— Mais tous ces trucs qu'on a faits ensemble, dit Mellberg. Père et fils, tu sais. Je croyais que ça te plaisait de pouvoir enfin voir ton vieux père un peu. Apprendre à me connaître et tout ça.

Mellberg chercha désespérément des arguments. Il n'arrivait pas à comprendre que, seulement deux semaines auparavant, il ait été si paniqué d'apprendre qu'il avait un fils. Bien sûr qu'il s'était énervé contre lui par moments, mais quand même. Pour la première fois de sa vie il avait été ravi de glisser la clé dans la serrure après sa journée de travail. Et voilà que tout ça allait disparaître.

Simon haussa les épaules.

— Ça n'a rien à voir avec toi, t'as été réglo. Mais il n'a jamais été question que je vienne habiter ici. C'est seulement maman qui dit ça quand elle est en pétard, tu vois. Elle m'a déjà envoyé chez grand-mère, mais ensuite elle est tombée malade et maman ne savait pas quoi faire de moi. J'ai parlé avec elle hier, elle s'est calmée et elle veut que je rentre. Je prends le train de neuf heures demain matin, dit-il sans regarder Mellberg. Ensuite il leva les yeux. Mais c'était sympa. Je te jure. Et tu as été vraiment réglo, t'as fait des efforts et tout ça. Je veux bien revenir te voir, si c'est OK pour toi… Il eut l'air d'hésiter un instant, puis il ajouta : … papa.

Une chaleur se répandit dans la poitrine de Mellberg. C'était la première fois que son fils l'appelait papa. Nom d'une pipe, c'était la première fois que quelqu'un l'appelait papa.

Tout à coup, ce fut plus facile d'encaisser la nouvelle qu'il partait, le gamin. Puisqu'il allait revenir le voir. Lui, papa.

C'était la chose la plus difficile qu'ils aient jamais eu à faire, mais cela leur fournit une sorte d'achèvement qui leur permettrait de construire le futur sur une nouvelle base. Ils s'agrippèrent l'un à l'autre lorsque le petit cercueil blanc disparut dans la tombe. Faire leurs adieux à Sara, rien au monde ne pouvait être plus douloureux que cela.

Ils avaient choisi d'être seuls. La cérémonie à l'église avait été brève et simple. Seulement eux et le pasteur. Et à présent ils se tenaient seuls devant la tombe. Le pasteur avait prononcé les paroles de circonstance, puis il s'était retiré. Ils avaient jeté une rose solitaire sur le cercueil, sa couleur vive tranchait sur le fond blanc du bois. Le rose était sa couleur favorite. Peut-être justement parce qu'il formait un contraste si violent avec ses cheveux roux. Sara n'avait jamais choisi les voies de la facilité.

Sa haine contre Lilian était toujours vive et bouillonnante. Charlotte avait honte de se tenir dans le cimetière avec tant de haine suintant de chaque pore de son corps. Le temps allait peut-être l'atténuer mais, en voyant du coin de l'œil le monticule de terre fraîchement remuée sur la tombe de son père après qu'il eut été enterré pour la deuxième fois, elle se demanda si elle allait jamais pouvoir ressentir autre chose que colère et chagrin.

Lilian ne lui avait pas seulement pris sa fille, mais aussi son père, et elle ne pourrait jamais le lui pardonner. Le pasteur avait parlé du pardon comme une manière de faire céder la douleur, mais comment fait-on pour pardonner aux monstres ? Elle ne comprenait même pas pourquoi sa mère avait commis ces abominations, et leur absurdité multiplia sa colère et sa douleur. Etait-elle folle à lier, ou avait-elle agi selon une sorte de logique tordue, bien à elle ? Ils ne le sauraient peut-être jamais et cela rendait la perte d'autant plus difficile à porter. Elle aurait voulu pouvoir arracher les mots de la bouche de sa mère.

Parmi toutes les fleurs envoyées par des gens de la ville qui voulaient montrer leur sympathie, il y avait eu deux petites couronnes. L'une était envoyée par la grand-mère paternelle de Sara. Dans l'église, elle avait été posée à côté du cercueil, puis portée dans le cimetière pour être déposée sur la tombe discrète. Asta les avait contactés pour savoir si elle pouvait assister à la cérémonie. Ils avaient gentiment décliné son offre, ils voulaient garder cet instant pour eux seuls, mais lui avaient demandé si elle voudrait s'occuper d'Albin, et elle avait accepté avec joie.

La deuxième couronne était envoyée par la grand-mère de Charlotte. Sans vraiment savoir pourquoi, Charlotte avait ordonné qu'on la jette, elle ne voulait pas la voir près du cercueil. Elle avait toujours trouvé que Lilian ressemblait énormément à Agnes. Elle sentait instinctivement que tout le mal venait d'elle.

Longuement, ils restèrent en silence devant la tombe, dans les bras l'un de l'autre. Puis ils partirent d'un pas lent. Charlotte marqua un bref arrêt devant la tombe de son père, lui adressant un petit au revoir. Pour la deuxième fois de sa vie.

Dans la petite cellule, elle se sentit étrangement rassurée pour la première fois depuis de nombreuses années. Allongée sur l'étroite couchette, Lilian respirait calmement et profondément. Elle ne comprenait pas la colère de ceux qui lui posaient toutes ces questions. Quelle importance de savoir pourquoi ? Ce n'était que les conséquences qui devaient compter, le résultat. C'était toujours ainsi. Alors que maintenant ils s'intéressaient subitement au chemin qui l'avait menée ici, au raisonnement, à ce qu'ils pensaient trouver dans la logique, dans les explications, dans la vérité.

Elle aurait pu leur parler de la cave. De l'odeur lourde et sucrée du parfum de mère. De la voix qui devenait si séductrice quand elle l'appelait *"darling"*. Elle aurait pu parler du goût âcre et sec dans la bouche, du monstre qui évoluait en elle, toujours aux aguets, toujours prêt à agir. Et elle aurait surtout pu décrire ses mains tremblant de haine et non pas de crainte qui versaient le poison dans le thé de père, remuaient soigneusement, le faisaient se dissoudre et disparaître dans la boisson chaude. Une chance qu'il veuille toujours son thé aussi sucré.

Cela fut sa première leçon. Ne pas croire aux promesses. Mère avait promis que tout allait changer. Si seulement père disparaissait, elles vivraient une tout autre vie. Ensemble, proches. Plus jamais la cave, plus de terreur. Mère la toucherait, la caresserait, l'appellerait *"darling"* et ne laisserait plus jamais quoi que ce soit s'interposer entre elles. Mais les promesses avaient été rompues aussi facilement qu'elles avaient été faites. Elle avait appris cela et ne s'était jamais permis de l'oublier. Parfois son esprit avait frôlé l'idée que ce que mère avait dit au sujet de père était faux. Mais elle enfouit cette possibilité tout au fond de son âme. C'était une éventualité qu'elle ne devait même pas envisager.

Elle avait appris une autre leçon importante aussi. Ne plus jamais se faire abandonner. Père l'avait abandonnée. Mère l'avait abandonnée. Les familles entre lesquelles elle avait été ballottée comme un colis sans âme l'avaient aussi abandonnée, par leur manque d'intérêt.

Quand elle avait rendu visite à sa mère à la prison de Hinseberg, sa décision était déjà prise. Elle allait se créer une nouvelle vie, une vie où elle aurait le contrôle. Le premier pas avait été de changer d'identité. Elle ne voulait plus jamais entendre le prénom qui avait suinté tel un venin sur les lèvres de mère. "Mary. Maaaaryyy." Dans l'obscurité de la cave, ce nom avait résonné entre les murs et elle s'était toujours recroquevillée pour se faire toute petite.

Elle avait choisi de s'appeler Lilian parce que c'était très éloigné de la sonorité de Mary. Et parce que ça faisait penser à une fleur, frêle et éthérée, tout en étant forte et souple.

Elle avait travaillé dur aussi à changer son apparence. Avec une discipline militaire, elle s'était refusé tout ce dont elle s'était bâfrée auparavant et les kilos s'étaient envolés avec une rapidité surprenante, jusqu'à ce que son obésité ne soit plus qu'un mauvais souvenir. Et elle ne s'était plus jamais autorisée à grossir. Elle avait minutieusement veillé à ne pas prendre un gramme, et elle méprisait ceux qui n'avaient pas sa force de caractère, comme sa fille par exemple. Le surpoids de Charlotte la dégoûtait en lui rappelant une époque qu'elle préférait oublier. Tout ce flou, mou et pâteux, éveillait en elle une rage, et parfois elle avait dû combattre l'envie d'arracher toute la chair en trop du corps de Charlotte.

Sarcastiquement, ils lui avaient demandé si elle était déçue que Stig ait survécu. Elle n'avait pas répondu. A vrai dire, elle n'en savait rien. Elle n'avait pas planifié dans le moindre détail ce qu'elle avait fait. C'était venu tout naturellement en quelque sorte. Ça avait commencé quand Lennart s'était mis à parler de séparation. Il avait dit qu'à partir du moment où Charlotte était partie vivre sa vie, il s'était rendu compte qu'ils n'avaient plus grand-chose en commun. Elle ne savait pas si c'était à ce moment-là, quand il l'avait dit la première fois, qu'elle avait décidé qu'il allait mourir. C'était comme si elle accomplissait simplement ce qu'elle était prédestinée à faire. Elle avait trouvé la boîte de mort-aux-rats quand ils avaient emménagé dans la maison. Elle ignorait pourquoi elle ne l'avait pas jetée. Peut-être parce qu'elle savait qu'un jour ça lui servirait.

Lennart n'avait jamais agi de manière précipitée dans la vie, et elle savait qu'il lui faudrait du temps pour la quitter. Elle avait commencé avec de petites doses, suffisamment petites pour qu'il ne meure pas immédiatement, mais suffisamment pour qu'il soit sérieusement malade. Il avait été détruit graduellement. Elle avait bien aimé s'occuper de lui. Il n'avait plus évoqué la séparation, au contraire. Il l'avait regardée avec gratitude quand elle le faisait manger, le changeait et épongeait son front.

Parfois elle avait senti le monstre bouger. Il était impatient.

L'idée d'être démasquée ne lui était jamais venue à l'esprit, bizarrement. Tout se faisait si naturellement, les événements s'enchaînaient tout seuls. Quand il avait reçu le diagnostic d'un Guillain-Barré, elle l'avait pris comme une preuve que tout suivait son cours. Elle ne faisait que ce qu'elle était prédestinée à faire.

Pour finir, il l'avait quand même quittée. Mais à ses conditions à elle. La promesse qu'elle s'était faite, de ne plus jamais laisser quelqu'un l'abandonner, avait été respectée.

Puis elle avait rencontré Stig. Il était si fidèle, si naturellement confiant qu'elle était certaine qu'il n'aurait jamais l'idée de la quitter. Il était à ses ordres, il acceptait même de vivre dans la maison où elle avait vécu avec Lennart. C'était important pour elle, avait-elle expliqué. C'était sa maison. Achetée avec l'argent issu de la vente de l'autre maison, celle qu'elle avait persuadé sa mère de mettre à son nom et où elle avait vécu pendant cinq ans jusqu'à ce qu'elle épouse Lennart. Alors elle avait été obligée de vendre, à son grand regret. La maison était trop petite. Mais elle l'avait toujours regretté, la villa de Sälvik lui avait toujours paru un mauvais ersatz. Mais au moins c'était quelque chose qui lui appartenait. Et Stig l'avait bien compris.

Au fil des ans, elle avait remarqué un mécontentement naissant chez lui. Comme si elle ne faisait jamais assez. Sans cesse, ils étaient tous à la recherche d'autre chose, d'un mieux. Même Stig. Quand il avait commencé à dire qu'ils s'étaient éloignés l'un de l'autre, qu'il avait envie de recommencer tout seul, elle n'avait pas eu besoin de prendre de décision. L'acte avait suivi ses paroles de façon aussi évidente que mardi suit lundi. Et, avec la même évidence que Lennart, il s'était reposé sur elle en toute confiance, quand elle était devenue celle qui soignait, qui s'occupait de tout, celle qui aimait. Lui aussi avait été si reconnaissant pour tout ce qu'elle faisait. Cette fois-ci aussi, elle savait que la séparation était inévitable, mais peu importait puisque c'était elle qui décidait du tempo, qui décidait de l'heure.

Lilian se tourna de l'autre côté et reposa sa tête sur ses mains. Elle fixa le mur d'un regard vide, perdue dans le passé. Il n'y avait plus de présent. Plus de futur. La seule chose qui comptait était le temps passé.

Elle avait vu leur dégoût quand ils lui avaient posé des questions sur la petite. Mais ils ne comprendraient jamais. La gamine avait été insupportable, déchaînée, tellement irrespectueuse. Ce n'était qu'une fois qu'ils étaient venus habiter chez elle et Stig qu'elle avait compris la gravité de son état. Cette fille était mauvaise. Au début, elle avait été choquée, puis elle y avait vu la main du destin. Sara ressemblait tant à sa propre mère. Peut-être pas physiquement, mais Lilian avait vu la même corruption dans ses yeux. Car, avec le temps, c'est ce qu'elle avait fini par comprendre. Que mère était une personne corrompue. C'était avec plaisir qu'elle voyait le temps faire ses ravages sur elle. Lilian l'avait installée à proximité à sa sortie de prison. Pas pour lui rendre visite, mais pour la sensation de contrôle que ça lui procurait quand elle refusait à sa mère les visites que celle-ci aurait tant aimé recevoir pour tromper l'ennui. Rien ne pouvait lui faire plus plaisir que de savoir mère si près, et pourtant si loin, en train de pourrir de l'intérieur.

Mère était mauvaise, et Sara aussi. Lilian avait bien vu comment Sara détruisait lentement la famille, comment elle réduisait en miettes le ciment fragile qui scellait le mariage de Niclas et Charlotte. Ses crises perpétuelles et ses demandes d'attention les avaient lentement usés, et bientôt ils ne verraient pas d'autre issue que de prendre des chemins séparés. Elle ne pouvait pas laisser cela arriver. Sans Niclas, Charlotte ne serait rien. Elle serait une mère célibataire corpulente et sans métier, privée du respect qui allait de pair avec un homme qui réussit dans la vie. La génération de Charlotte dirait sans doute qu'elle était vieux jeu, aujourd'hui plus personne ne se mariait pour la promotion sociale. Mais Lilian n'était pas dupe. Dans la société où elle vivait, le statut social avait encore son importance et c'est ainsi qu'elle aimait que ce soit. Elle savait que, lorsque les gens parlaient d'elle, ils ne manquaient pas d'ajouter : "Lilian Florin, tu vois, oui, son gendre est médecin." Cela lui procurait un certain respect. Et la petite était en train de tout fiche en l'air.

Alors elle avait agi comme elle le devait. Elle avait saisi l'occasion lorsque Sara était revenue à la maison chercher son bonnet. En fait, elle ne savait pas pourquoi ce moment-là précisément. Mais subitement l'occasion s'était présentée. Stig dormait profondément sous l'effet des somnifères, il ne se réveillerait pas même si une bombe s'abattait sur la maison. Charlotte était épuisée et se reposait au sous-sol, et Lilian savait que peu de bruit descendait jusque-là. Albin dormait et Niclas était au travail.

Cela avait été plus facile qu'elle n'avait cru. Sara avait trouvé que c'était un jeu marrant, de se baigner tout habillée. Elle avait résisté un peu lorsqu'elle l'avait nourrie avec l'Humilité, mais elle n'était pas très forte. Et maintenir sa tête sous l'eau n'avait représenté aucune difficulté. La seule difficulté avait été de la transporter au bord de la mer sans se faire voir. Mais Lilian savait qu'elle ne pouvait pas échouer, car la Providence était avec elle. Elle avait enveloppé le corps dans une couverture, l'avait porté dans ses bras, jeté dans l'eau et l'avait regardé couler. Cela ne lui avait pris que quelques minutes et, comme prévu, la chance avait été de son côté et personne n'avait rien vu.

Le reste n'avait été que l'inspiration du moment. Quand la police avait commencé à tourner autour de Niclas, elle savait qu'elle était la seule à pouvoir le sauver. Elle devait lui trouver un alibi, et elle avait tout à fait opportunément trouvé l'enfant endormi dans son landau derrière la Quincaillerie. Quel manque de responsabilité de laisser un enfant sans surveillance ! Sa mère méritait parfaitement une leçon. Et Niclas était à son travail à ce moment-là, elle avait vérifié, si bien que la police serait obligée de l'écarter de l'enquête.

S'en prendre à la fille d'Erica était plus voulu comme une leçon. Erica avait apparemment suggéré à Niclas qu'il était temps qu'ils s'installent dans une maison à eux, et cela l'avait fait sortir de ses gonds. De quel droit Erica donnait-elle son avis ? De quel droit venait-elle se mêler de leur vie ? Porter le bébé endormi de l'autre côté de la maison avait été facile. La cendre n'avait été qu'un avertissement. Elle n'avait pas osé rester pour voir la tête d'Erica quand elle avait ouvert la porte et découvert que le bébé avait disparu. Mais elle n'avait eu aucun mal à se l'imaginer.

Le sommeil l'attrapa, et elle l'accueillit avec plaisir, allongée sur la couchette. Derrière ses paupières fermées les visages passaient dans une farandole surréaliste. Père, Lennart et Sara dansaient en rond. Juste derrière eux elle vit le visage de Stig, maigre et usé. Mais au milieu de la ronde il y avait mère. Elle dansait avec le monstre, un slow langoureux et serré, joue contre joue. Mère chuchotait : Mary, Mary, Maaaryyy…

Puis l'obscurité du sommeil l'envahit.

Agnes était plongée dans un auto-apitoiement sans fond, assise devant la fenêtre de la maison de retraite. Au-dehors la pluie fouettait la vitre et elle avait presque l'impression de la sentir lui fouetter le visage.

Elle ne comprenait pas pourquoi Mary ne lui rendait pas visite. D'où venaient toute cette haine, tout ce fiel ? N'avait-elle pas toujours fait tout ce qu'elle pouvait pour sa fille ? N'avait-elle pas été la meilleure mère qui soit ? Tous les revers qu'elle avait connus au fil du temps n'étaient pas de sa faute, elle n'y était strictement pour rien. Si seulement la chance avait été de son côté une seule fois, les choses auraient été différentes. Mais ça, Mary ne le comprenait pas. Elle croyait qu'Agnes était responsable des malheurs qui étaient arrivés, et elle avait eu beau essayer d'expliquer, la fille n'avait pas voulu l'écouter. Elle avait écrit de nombreuses et longues lettres de la prison, où elle expliquait en détail pourquoi on ne pouvait pas la blâmer, mais sa fille semblait sourde à tous ses arguments. Comme si son cœur s'était totalement endurci.

L'injustice fit monter les larmes aux yeux d'Agnes. Jamais elle n'avait rien reçu de sa fille, alors qu'elle-même n'avait cessé de donner, donner, donner. Tout ce que Mary avait pris pour des méchancetés de sa part n'était en fait que pour son bien. Elle n'avait jamais trouvé de plaisir à punir sa fille ou à lui dire qu'elle était grosse et laide, bien au contraire. Non, être si dure l'avait peinée, mais c'était son devoir de mère. Et cela avait été payant aussi. Mary avait bien fini par se ressaisir et se débarrasser de tout ce lard, non ? Ça, c'était grâce à sa mère, mais elle ne recevait qu'ingratitude en retour.

Une violente rafale envoya une branche d'arbre contre la vitre. Agnes sursauta dans son fauteuil roulant, puis elle sourit d'elle-même. Serait-elle devenue froussarde sur ses vieux jours ? Elle qui n'avait jamais eu peur de quoi que ce soit. A part la pauvreté, et c'étaient ses années comme épouse de tailleur de pierre qui le lui avaient appris. Le froid, la faim, la crasse, l'avilissement. Tout cela lui avait donné une peur bleue de retomber dans la pauvreté. Elle avait cru que les hommes aux Etats-Unis seraient son ticket pour sortir de la misère, puis Åke, puis Per-Erik. Mais tous l'avaient trahie. Tous avaient trahi les promesses qu'ils lui avaient faites, exactement comme son père. Et tous avaient été punis.

Au bout du compte, c'était toujours elle qui avait le dernier mot. La boîte bleue et son contenu avaient servi de rappel permanent qu'elle était la seule à diriger son destin. Et que tous les moyens étaient permis.

Elle était allée chercher la cendre la veille du départ du transatlantique. A l'abri de la nuit, elle était revenue sur le lieu de l'incendie et avait ramassé de la cendre à l'endroit où elle savait qu'Anders et les garçons s'étaient trouvés. Sur le moment elle ignorait pourquoi elle agissait ainsi, mais avec le temps elle avait compris son impulsion. La boîte avec la cendre lui permettait de ne jamais oublier combien il était facile d'agir pour arriver à ses fins.

Le plan s'était imposé à elle au fur et à mesure que le départ pour l'Amérique approchait. Elle savait que son sort serait réglé si elle se laissait faire et acceptait d'embarquer avec la famille comme un boulet au pied. Seule, elle aurait une chance de se façonner un autre avenir. Un avenir où la pauvreté ne serait plus qu'un souvenir lointain et singulier.

Anders n'avait pas eu le temps de se rendre compte de ce qui lui arrivait. Le couteau s'était enfoncé jusqu'à la garde, profondément dans son cœur, et il s'était effondré sur la table de la cuisine comme un morceau de viande.

Les garçons dormaient. Elle s'était glissée dans leur chambre, avait doucement retiré l'oreiller sous la tête de Karl et l'avait placé sur son visage. Puis elle avait appuyé dessus de tout son poids. Ça avait été si facile. Il avait gigoté un petit moment, mais aucun bruit n'était sorti de sous l'oreiller, et Johan continuait à dormir pendant que son frère jumeau mourait. Ensuite son tour était venu. Elle avait répété la même procédure mais avec un peu plus de difficulté cette fois. Johan avait toujours été plus robuste que Karl, mais lui non plus n'était pas assez fort pour résister bien longtemps. Très vite, la vie l'avait quitté aussi. Ils fixaient le plafond, les yeux éteints, et Agnes s'était sentie bizarrement vide de tout sentiment. C'était comme si elle remettait les choses comme elles devaient être. Ils n'auraient jamais dû naître, et maintenant ils n'existaient plus.

Mais, avant de poursuivre sa vie, elle avait dû procéder à une dernière chose. Elle avait rassemblé en un tas au milieu de la pièce les vêtements des garçons, puis elle était retournée dans la cuisine. Elle avait retiré le couteau planté dans le dos d'Anders et l'avait traîné dans la chambre. Il était tellement grand et lourd qu'elle était trempée de sueur. Elle était allée chercher la bouteille d'eau-de-vie, en avait renversé sur le tas de vêtements puis elle avait allumé une cigarette. Après avoir tiré quelques bouffées délicieuses elle avait placé la cigarette allumée à côté des habits imbibés d'alcool. Elle avait largement le temps de s'éloigner avant que le feu prenne sérieusement.

Des voix dans le couloir de la maison de retraite tirèrent Agnes de ses souvenirs. Elle espérait que ce n'était pas elle qu'on venait voir, et elle ne se détendit que lorsqu'elle les entendit passer leur chemin.

Elle n'avait pas eu besoin de faire semblant d'être choquée quand elle était revenue et avait vu l'incendie. Jamais elle n'avait cru qu'il serait aussi important, ni qu'il se propagerait si vite. Mais tout avait été détruit, exactement selon son plan, c'était déjà ça. A aucun moment quelqu'un n'avait envisagé que ce n'était pas l'incendie qui avait tué Anders et les enfants.

Au cours des jours suivants, elle s'était sentie si merveilleusement libre que parfois elle avait dû regarder ses pieds pour s'assurer qu'elle ne flottait pas dans l'air. Extérieurement elle avait gardé les apparences, en jouant la veuve et mère éplorée, mais en son for intérieur elle s'était moquée de tous ces gens crédules et stupides. Et le plus idiot de tous avait été son père. Cela l'avait démangée de lui raconter ce qu'elle avait fait, de brandir son crime tel un scalp ensanglanté en disant : "Regarde ce que tu as fait, regarde ce que tu m'as poussée à faire quand tu m'as chassée comme une prostituée ce jour-là." Mais elle s'était maîtrisée. Même si elle avait très envie de partager la faute avec lui, sa pitié lui serait beaucoup plus utile.

Ça avait si bien fonctionné. Le plan avait marché exactement comme elle avait espéré, et pourtant la malchance l'avait poursuivie. Les premières années à New York avaient dépassé tout ce dont elle avait rêvé dans le logement de tailleur de pierre quand elle bâtissait ses châteaux en Espagne, mais ensuite on lui avait de nouveau refusé la vie qu'elle méritait. Toujours cette injustice.

Agnes sentit la colère envahir sa poitrine. Elle aurait voulu sortir de cette vieille carapace dégoûtante. Sortir comme d'un cocon et s'envoler comme le beau papillon qu'elle avait été autrefois. Sa propre odeur de vieille lui piqua le nez et lui donna envie de vomir.

Une pensée vint la consoler : elle pourrait peut-être demander à sa fille de lui envoyer la boîte bleue. Elle ne lui servait à rien, et Agnes aimerait bien sentir son contenu entre les doigts une dernière fois. Cette idée lui fit du bien. Voilà ce qu'elle ferait. Elle demanderait à Mary de lui apporter la boîte. Si sa fille venait en personne, elle pourrait même lui dire ce qu'était réellement son contenu. Devant Mary, quand elle lui en faisait manger dans la cave, elle appelait toujours cela de l'Humilité. Mais en réalité elle aurait préféré donner de la Détermination à la fille. La force de faire ce qu'il fallait pour atteindre son but. Elle avait pensé avoir réussi lorsque Mary avait si bien exécuté ses désirs en ce qui concernait Åke. Mais ensuite tout s'était effondré.

Maintenant elle avait vraiment hâte de tenir la boîte entre ses mains de nouveau. Agnes tendit une main tremblante et ridée pour prendre le téléphone, mais elle se figea au milieu du mouvement. Puis elle retomba sur ses genoux et sa tête s'inclina vers la poitrine. Les yeux fixèrent le mur sans rien voir, un filet de salive coulait sur son menton.

Une semaine s'était écoulée depuis qu'ils avaient arrêté Lilian à l'hôpital, Martin et lui, une semaine remplie à la fois de soulagement et de frustration. Soulagement d'avoir trouvé l'assassin de Sara, mais frustration de la voir refuser de dire pourquoi.

Patrik monta les jambes sur la table basse et s'étira, les mains derrière la nuque. Il avait la conscience plus tranquille parce qu'il avait pu rester un peu à la maison cette dernière semaine. De plus, les choses semblaient s'arranger. Il contempla Erica en train de bercer Maja en secouant énergiquement le landau entre le salon et le vestibule. Lui aussi avait appris la technique, et en général ils réussissaient à l'endormir en cinq minutes.

Erica poussa ensuite le landau dans le bureau et ferma la porte. Cela signifiait que Maja dormait et qu'ils auraient au moins quarante minutes de calme ensemble, lui et Erica.

— Ça y est, elle dort, dit Erica et elle se blottit contre Patrik dans le canapé. Sa mélancolie semblait pratiquement disparue, même si de temps en temps Patrik en avait encore de brefs aperçus, quand Maja avait été particulièrement grognon. Mais ils étaient définitivement sur le bon chemin et il avait l'intention de faire tout son possible pour améliorer encore davantage la situation. Le plan qu'il avait échafaudé une semaine plus tôt s'était cristallisé et le dernier détail pratique avait été résolu la veille, avec l'aide assidue d'Annika.

Il s'apprêta à ouvrir la bouche lorsque Erica le devança.

— Pouah, j'ai commis l'erreur de me peser ce matin.

Elle ne dit rien de plus et Patrik sentit la panique arriver. Devait-il dire quelque chose ? Devait-il se taire ? S'engager dans la discussion sur le poids d'une femme était comme s'engager sur un champ de mines émotionnel, et il serait obligé de soigneusement choisir chaque endroit où poser les pieds. Le silence se prolongea et il devina qu'il était sans doute censé glisser un commentaire. Il chercha fébrilement une réplique adaptée et sentit sa bouche se dessécher lorsqu'il tenta un “ah bon”.

Il eut envie de se donner des coups de pied. C'est vraiment tout ce qu'il avait pu trouver à lui répondre ? Mais il semblait être passé entre les mines parce qu'Erica ne fit que soupirer.

— Oui, je pèse toujours dix kilos de plus qu'avant la grossesse. J'avais pensé que je m'en débarrasserais plus vite que ça.

Doucement, doucement, il avança comme sur des œufs.

— Mais Maja est encore toute petite. Il te faut juste un peu de patience. Je suis sûr qu'ils vont disparaître progressivement pendant l'allaitement. Tu verras, quand elle aura six mois, tout sera parti. Patrik retint son souffle en attendant la réaction d'Erica.

— Oui, je suppose que tu as raison, dit-elle et il soupira de soulagement. Simplement, je me sens comme une bonne femme, pas sexy du tout. Le ventre est flasque, les seins sont énormes et il y a des fuites de lait, je suis tout le temps en sueur, sans parler de ces foutus boutons d'adolescente. Ça doit être les hormones...

Elle rit comme si c'était une blague, mais il entendait bien le ton désespéré sous-jacent. Erica n'avait jamais fait une grande fixation sur son apparence, mais il comprenait qu'il devait être difficile de gérer une telle modification du corps en si peu de temps. Lui-même avait du mal à s'accommoder des poignées d'amour qui s'étaient installées sur ses hanches au fur et à mesure que le ventre d'Erica avait grossi. Elles n'avaient pas spécialement diminué depuis l'arrivée de Maja, elles non plus.

Du coin de l'œil il vit qu'Erica essuyait une larme furtive et tout à coup il sut qu'il ne trouverait pas une meilleure occasion.

— Ne bouge pas, dit-il tout excité et il bondit du canapé.

Erica l'interrogea du regard, mais elle obéit. Il sentit ses yeux dans son dos pendant qu'il fouillait dans les poches de son blouson. Il prit bien soin de dissimuler ce qu'il était allé chercher avant de retourner dans le salon.

Avec un geste élégant, il tomba à genoux devant Erica et prit solennellement sa main dans la sienne. Il vit qu'elle avait compris et il espéra que c'était une lueur de plaisir qu'il voyait dans ses yeux. En tout cas, elle eut l'air d'attendre la suite avec impatience. Il se racla la gorge pour stabiliser sa voix.

— Erica Sofia Magdalena Falck, pourrais-tu imaginer de faire de moi un honnête homme en m'épousant ?

Il n'attendit pas la réponse et, les mains tremblantes, il sortit ce qu'il avait caché dans sa poche arrière. Il réussit à ouvrir le couvercle de l'étui de velours bleu en espérant que la bague qu'il avait choisie sur les conseils d'Annika lui plairait.

Il commençait à avoir un peu mal aux reins, agenouillé comme ça, et le long silence lui parut inquiétant. Il réalisa qu'il n'avait même pas envisagé qu'elle puisse dire non, mais à présent un certain malaise s'installait et il se dit qu'il aurait dû moins faire le malin.

Puis un immense sourire illumina le visage d'Erica et les larmes se mirent à couler sur ses joues. Elle riait et pleurait en même temps et tendit l'annulaire pour qu'il puisse y glisser la bague de fiançailles.

— Ça veut dire que c'est oui ? sourit-il et elle hocha la tête. Et je n'aurais jamais demandé la main à quelqu'un d'autre que la plus belle femme au monde, tu le sais, dit-il en espérant qu'elle capte bien la sincérité absolue de ses paroles sans trouver qu'il en rajoute.

— Oh, espèce de… Elle chercha le bon qualificatif. Tu es vraiment doué pour trouver exactement les bons mots. Pas toujours, mais parfois.

Elle se pencha en avant et l'embrassa longuement, puis elle se pencha en arrière et tendit la main devant elle pour admirer la bague.

— Elle est fantastique. Tu n'as pas pu choisir ça tout seul.

Un instant il se sentit un peu vexé du peu de confiance qu'elle avait en son goût et il eut envie de dire : "Bien sûr que si", puis il se ravisa et réalisa qu'elle n'avait pas tort.

— Annika est venue avec moi pour me conseiller. Bon, elle te va alors ? Sûre ? Tu ne veux pas faire un échange ? Je n'ai rien fait graver dedans encore, je voulais que tu la voies d'abord.

— Je l'adore, dit Erica passionnément et Patrik entendit la sincérité dans sa voix. Elle se pencha et l'embrassa encore, plus longuement et plus intensément cette fois.

La sonnerie stridente du téléphone les interrompit et Patrik sentit l'irritation poindre. Tu parles d'un mauvais timing ! Il se leva et alla répondre, peut-être de façon plus brusque que nécessaire.

— Oui, c'est Patrik.

Puis il se tut et se retourna lentement vers Erica. Elle était toujours en train de sourire et d'admirer la bague sur sa main, et, quand elle vit qu'il la fixait, elle décocha un large sourire dans sa direction, sourire qui s'éteignit petit à petit face à la tête qu'il faisait.

— C'est qui ? dit-elle sur un ton angoissé.

— C'est la police de Stockholm. Ils veulent te parler. Le visage de Patrik était grave.

Lentement elle se leva et alla prendre le combiné de sa main.

— Oui, c'est Erica Falck.

Mille craintes étaient dissimulées dans cette simple phrase.

Patrik l'observa attentivement pendant qu'elle écoutait ce qu'avait à dire l'homme à l'autre bout du fil. Puis elle se tourna vers Patrik, l'incrédulité peinte sur la figure.

— Ils disent qu'Anna a tué Lucas.

Puis le combiné tomba de sa main. Patrik eut juste le temps d'arriver près d'elle pour l'attraper avant qu'elle ne s'effondre.

REMERCIEMENTS

Tout d'abord je voudrais remercier mon mari Micke pour son enthousiasme et son soutien constants. Nous avons eu une année assez fatigante, avec un petit garnement de deux ans à la maison et l'arrivée d'un nouveau bébé. Ce fut évidemment un grand bonheur, mais épuisant aussi. Grâce à une solidarité sans faille, nous nous en sommes cependant tirés. Ce livre est avant tout un projet familial.

Comme d'habitude, nombreux sont ceux qui ont bien voulu lire et commenter le texte : Martin Persson, Gunnel Läckberg, Zoli Läckberg, Anders et Ida Torevi et Mona Eriksson – "belle-maman" comme j'aime bien l'appeler malgré ses protestations…

Je voudrais également remercier Gunilla Sandin, Peter Gissy et Ingrid Kampås, qui, chacun à sa façon, ont contribué à mettre en route la machine.

Un très grand merci à Forum, ma maison d'édition, et à tous ses employés. C'est agréable de travailler avec vous, et je me sens entre de bonnes mains. J'apprécie tout particulièrement ma rédactrice et éditrice Karin Linge Nordh, qui a la tâche ingrate de sévir avec le stylo rouge parmi mes excursions linguistiques parfois très prolixes.

Merci aussi à Ann-Christine Johansson de la bibliothèque du musée du Bohuslän, qui m'a assistée dans mes recherches sur les tailleurs de pierre.

Bengt Nordin et Maria Enberg de la Bengt Nordin Agency ont tout naturellement leur place ici. Travailler avec vous est amusant et productif. Grâce à vous, mes livres sont publiés dans de nombreux pays.

Je ne voudrais surtout pas oublier les policiers du commissariat de Tanumshede. J'emprunte leur lieu de travail pour tout un tas d'affabulations et ils se laissent volontiers remercier par un gâteau quand je suis de passage. Le commissaire Folke

Åberg s'est donné la peine cette fois aussi de relire mon manuscrit et de le commenter. Il est la grande idole de mon fils depuis qu'il lui a prêté sa casquette de policier, c'est pourquoi dans le monde de mon petit tous les policiers sont super gentils et ils s'appellent tous "tonton Folke".

Merci au personnel du manoir de Gimo de m'avoir si bien soignée pendant la semaine où je terminais le livre.

A vous, lecteurs, qui m'avez envoyé vos mails au cours de l'année, je voudrais adresser un grand et chaleureux MERCI. Ça me fait toujours aussi plaisir quand le message d'un lecteur tombe dans ma boîte aux lettres électronique.

Pour finir, je voudrais remercier la personne à qui ce livre est dédié : Ulrica Lundbäck. Merveilleuse et fantastique Ulle ! Je connais Ulle depuis plus de dix ans et elle a participé à l'aventure depuis le début. Elle m'a encouragée, a lu mes manuscrits et – surtout – elle a été fière de moi, de cette façon bien à elle de toujours être fière de ce que ses amis ont créé. C'est elle qui a pris la jolie photo de moi qui figurait dans mes deux premiers livres.

Ulle, je te remercie de m'avoir accordé le privilège d'être ton amie. Tu es chaleureuse, charmante, smart, présente et un rayon de soleil de première classe. J'écris "es", car tu es toujours tout cela pour moi, et rien au monde ne peut changer ça.

Merci pour tous les souvenirs. Je promets de faire de mon mieux pour vivre selon la devise que tu t'étais fixée avec l'homme de ta vie : "Un maximum de bonheur".

Tu nous manques,

Camilla Läckberg-Eriksson

info@camillalackberg.com
www.camillalackberg.com

PS. Toutes les erreurs dans le texte sont comme d'habitude à imputer entièrement à l'auteur…

OUVRAGE RÉALISÉ
PAR L'ATELIER GRAPHIQUE ACTES SUD
ACHEVÉ D'IMPRIMER
SUR ROTO-PAGE
EN SEPTEMBRE 2009
PAR L'IMPRIMERIE FLOCH
A MAYENNE
POUR LE COMPTE DES ÉDITIONS
ACTES SUD
LE MÉJAN
PLACE NINA-BERBEROVA
13200 ARLES

DÉPÔT LÉGAL
1re ÉDITION : OCTOBRE 2009
N° impr. : 74661
(Imprimé en France)